AF238050

ACCESO GRATIS a la Lectura en la Nube

Para visualizar el libro electrónico en la nube de lectura envíe junto a su nombre y apellidos una fotografía del código de barras situado en la contraportada del libro y otra del ticket de compra a la dirección:

ebooktirant@tirant.com

En un máximo de 72 horas laborales le enviaremos el código de acceso con sus instrucciones.

RETOS EN EL SECTOR AGRORALIMENTARIO: REGULACIÓN, COMPETENCIA Y PROPIEDAD INDUSTRIAL

RETOS EN EL SECTOR AGRORALIMENTARIO: REGULACIÓN, COMPETENCIA Y PROPIEDAD INDUSTRIAL

Dirección
FELIPE PALAU RAMÍREZ
JAUME MARTÍ MIRAVALLS

Coordinación
JOSÉ CORBERÁ MARTÍNEZ
EDUARDO MIRANDA RIBERA

tirant lo blanch
Valencia, 2022

En caso de erratas y actualizaciones, la Editorial Tirant lo Blanch publicará la pertinente corrección en la página web www.tirant.com.

La presente coedición y el Congreso Internacional "Retos en el sector agro-alimentario: competencia y propiedad industrial", celebrado en Valencia los días 6 y 7 de mayo de 2021, del que es resultado, han sido realizados y cofinanciados con fondos procedentes del Proyecto de Investigación RTI2018-098295-B-I00 «Restricción, abuso y discriminación en el mercado tecnológico y sectores regulados" del Ministerio de Ciencia, Innovación y Universidades» del que son IP los Prof. Dr. Jaume Martí Miravalls y Juan Ignacio Ruiz Peris del Departamento de Derecho Mercantil "Manuel Broseta Pont" de la Universitat de València. y del Proyecto de Investigación RTI2018-093666-B-100: «Sistemas de protección y explotación comercial de las innovaciones en el ámbito de las variedades vegetales», Ministerio de Ciencia, Innovación y Universidades/FEDER del que son IP los Profs. Drs. Felipe Palau Ramiréz de la Universidad Politécnica de Valencia, y miembro de CEGEA, y Fernando de la Vega García de la Universidad de Murcia.

© Felipe Palau Ramírez
Jaume Martí Miravalls

© TIRANT LO BLANCH
EDITA: TIRANT LO BLANCH
C/ Artes Gráficas, 14 - 46010 - Valencia
TELFS.: 96/361 00 48 - 50
FAX: 96/369 41 51
Email:tlb@tirant.com
www.tirant.com
Librería virtual: www.tirant.es
DEPÓSITO LEGAL: V-942-2022
ISBN: 978-84-1113-837-6

Si tiene alguna queja o sugerencia, envíenos un mail a: *atencioncliente@tirant.com*. En caso de no ser atendida su sugerencia, por favor, lea en *www.tirant.net/index.php/empresa/politicas-de-empresa* nuestro procedimiento de quejas.

Responsabilidad Social Corporativa: http://www.tirant.net/Docs/RSCTirant.pdf

ÍNDICE

PRÓLOGO 23
PROF. DR. FELIPE PALAU RAMÍREZ
PROF. DR. JAUME MARTÍ MIRAVALLS

PARTE PRIMERA

DERECHO DE LA COMPETENCIA Y REGULACIÓN DE LA CADENA ALIMENTARIA

EL SECTOR AGROALIMENTARIO A LA BÚSQUEDA DE EQUILIBRIOS DE MERCADO
JUAN IGNACIO RUIZ PERIS

1. INTRODUCCIÓN 29
2. UNA VISIÓN DEL MERCADO EN LA ACTUALIDAD Y A MEDIO PLAZO 30
3. DESEQUILIBRIO ACTUAL Y BÚSQUEDA DE NUEVOS EQUILIBRIOS DE MERCADO A TRAVÉS DE INSTRUMENTOS JURÍDICOS 31
   3.1. Instrumentos de Defensa de la Competencia. 32
   3.2. Cláusulas de reparto de valor. 34
   3.3. Instrumentos de Competencia Desleal 35
4. SOLUCIONES REGULATORIAS ESPECÍFICAS PARA LA CADENA ALIMENTARIA EN EL MARCO DE LA COMPETENCIA DESLEAL 36
   4.1. La reforma de la Ley 12/2013 36
   4.2. La transposición de la Directiva 2019/633 38
5. OBSERVACIONES FINALES 40

INCENTIVOS A LA AGREGACIÓN DE LA OFERTA AGRÍCOLA DESDE EL DERECHO DE LA COMPETENCIA*
FERNANDO CARBAJO CASCÓN

1. CONCENTRACIÓN DE LA OFERTA Y LIBRE COMPETENCIA. 43
2. LA LEGISLACIÓN DE COMPETENCIA EN EL CONTEXTO DE LA POLÍTICA AGRARIA COMÚN 46
   2.1. Equilibrio de objetivos sociales y de mercado 46
   2.2. La introducción de exenciones agrarias a la regla general de prohibición de conductas colusorias 47

2.2.1. El Reglamento (UE) 1308/2013 sobre Organización Común de Mercados de los Productos Agrarios... 48
2.2.2. El Reglamento (UE) 2017/2393, del Parlamento
Europeo y del Consejo, de 13 de diciembre de 2017.... 52
2.2.3. Transformaciones introducidas en las normas de
competencia del Reglamento de Organización de
Mercados Agrarios 54
2.2.4. Modificaciones en el régimen de las exenciones
agrícolas 56
3. CONSIDERACIONES FINALES 57

LA FIJACIÓN DE PRECIOS EN LA CADENA ALIMENTARIA
ÁNGEL GARCÍA VIDAL

1. PROBLEMÁTICA 61
2. LAS DISPOSICIONES NORMATIVAS SOBRE LA FIJACIÓN
DEL PRECIO EN LOS CONTRATOS ALIMENTARIOS 62
2.1. La fijación del precio en la ley de la cadena alimentaria 62
2.2. La fijación del precio en el Código de Buenas Prácticas
Mercantiles en la Contratación Alimentaria 64
2.3. La fijación del precio en el Real Decreto-ley 5/2020, de
25 de febrero, y en la Ley 8/2020, de 16 de diciembre,
por la que se adoptan determinadas medidas urgentes en
materia de agricultura y alimentación 65
2.4. Proyecto de Ley por la que se modifica la Ley 12/2013, de
2 de agosto, de medidas para mejorar el funcionamiento
de la cadena alimentaria 67
3. PROBLEMAS QUE SUSCITA LA REGULACIÓN ACTUAL-
MENTE VIGENTE 68
3.1. La introducción indirecta – y técnicamente deficiente- de
una prohibición de venta a pérdida al por mayor 68
3.2. Una prohibición sin excepciones que es dudoso que cum-
pla los objetivos perseguidos 70
3.3. Los problemas en torno a la acreditación del coste efectivo 72
4. CONSIDERACIONES FINALES 75

CONDUCTAS PROHIBIDAS EN LA DISTRIBUCIÓN DE PRODUCTOS DERIVADOS DE VARIEDADES VEGETALES QUE CONTENGAN DERECHOS DE PROPIEDAD INTELECTUAL
FERNANDO DE LA VEGA GARCÍA

1. INTRODUCCIÓN 77
2. LA IMPOSICIÓN DE DERECHOS DE PROPIEDAD INTE-
LECTUAL DERIVADA DE POSICIÓN DE DOMINIO 80
3. LA INCLUSIÓN DE CLÁUSULAS PROHIBIDAS RELACIO-
NADAS CON DERECHOS DE PROPIEDAD INTELECTUAL 83
3.1. Introducción 83

3.2. Prohibiciones generales 86
3.3. Criterios específicos relacionados con derechos de propie-
dad intelectual 91

CLÁUSULAS DE REPARTO DE VALOR, DERECHO DE LA COMPETENCIA E INTERPROFESIONALES AGROALIMENTARIAS
JAUME MARTÍ MIRAVALLS

1. INTRODUCCIÓN 93
2. AGRICULTURA Y DERECHO DE LA COMPETENCIA 94
3. LAS CLÁUSULAS DE REPARTO DE VALOR 98
4. EL PUERTO SEGURO PARA LAS CLÁUSULAS DE REPARTO
DE VALOR: LAS INTERPROFESIONALES 102

LA REGULACIÓN DE LAS PRÁCTICAS COMERCIALES DESLEALES EN EL SECTOR AGROALIMENTARIO: A PROPÓSITO DE LA DIRECTIVA (UE) 2019/633
JAVIER VICIANO PASTOR

1. INTRODUCCION 107
2. LA REGULACION DE LAS PRACTICAS COMERCIALES
DESLEALES 111
   2.1. Antecedentes de la legislación española 112
   2.2.- Antecedentes e iniciativas en la Unión Europea. 116
   2.3. La Directiva (UE) 2019/633, relativa a las prácticas comerciales desleales en el sector agroalimentario. 119
3. EL TRÁMITE PARLAMENTARIO ESPAÑOL DE LA INCOR-
PORACIÓN DE LA DIRECTIVA 123
4. CONCLUSIONES 125

LA EXPLOTACIÓN DE VARIEDADES VEGETALES MEDIANTE LICENCIA, DERECHOS DEL OBTENTOR Y DERECHO DE LA COMPETENCIA
VANESSA MARTÍ MOYA

1. INTRODUCCIÓN 127
2. LOS DERECHOS DEL OBTENTOR Y LA EXPLOTA-
CIÓN COMERCIAL DE LAS VARIEDADES VEGETALES
MEDIANTE LICENCIA 129
3. LA CESIÓN DE LA EXPLOTACIÓN DE VARIEDADES VE-
GETALES Y EL DERECHO ANTITRUST. CONSECUENCIAS
DEL CASO CARPA DORADA 133
4. ADECUACIÓN DE LOS SISTEMAS DE DETECCIÓN AL DE-
RECHO DE LA COMPETENCIA 135

4.1. La externalización del control del sistema de licencias y etiquetado y los intercambios de información 136

5. CONCLUSIONES 139

CLÁUSULA DE REPARTO DE VALOR EN LA CONTRATACIÓN AGRÍCOLA: ALGUNOS ASPECTOS CONTRACTUALES
JOSÉ CORBERÁ MARTÍNEZ

1. INTRODUCCIÓN Y OBJETO 141

2. ASPECTOS CONTRACTUALES DE LAS CLÁUSULAS DE RE-PARTO DE VALOR EN LA CONTRATACIÓN AGRÍCOLA 145

2.1. Sujetos legitimados 146

2.2. Objeto del acuerdo 147

2.3. Cláusulas de reparto de valor en el sector del azúcar 147

2.4. Expansión de las Cláusulas de reparto de valor en la Propuesta de modificación del Reglamento (UE) n.º 1308/2013. 149

2.5. Régimen de morosidad y cláusulas de reparto de valor 150

2.5.1. Tratamiento de las cláusulas de reparto de valor en la Directiva sobre prácticas comerciales desleales en las relaciones entre empresas en la cadena de suministro agrícola y alimentario 150

2.5.2. Regulación del incumplimiento de plazos de pago en la Ley de cadena alimentaria 152

2.5.3 Régimen de morosidad de cláusulas de reparto de valor 153

2.6. Inaplicación de la legislación sobre ordenación del comercio minorista 154

2.7. Cláusulas de reparto de valor y organizaciones agrarias 155

3. CONSIDERACIONES FINALES 156

ALGUNOS PROBLEMAS PRÁCTICOS DE LA APLICACIÓN DE LA LEY DE CADENA ALIMENTARIA
ÁLVARO BARCELL MACEDO

1. INTRODUCCIÓN Y ESTADO DE LA CUESTIÓN 157

1.1. Últimos movimientos respecto a la Ley 12/2013, de 2 de agosto, de medidas para mejorar el funcionamiento de la cadena alimentaria ("LCA") y debate en la Comisión de Agricultura, Pesca y Alimentación ("CAPA") 157

1.2. Estado de la cuestión respecto a la cadena alimentaria 160

2. BREVE MENCIÓN AL PRODUCTOR ESPORÁDICO, A LA NO DESTRUCCIÓN DEL VALOR DE LA CADENA ALIMENTARIA Y LA RELACIÓN CON EL COSTE EFECTIVO DE PRODUCCIÓN 162

2.1. El operador esporádico o de "fin de semana" 162

2.2. La no destrucción de la cadena de valor y la relación con el coste efectivo de producción 164

3. DIFICULTADES PRÁCTICAS EN LA APLICACIÓN DE LA
LCA Y POSIBLES PROBLEMAS EN LA APLICACIÓN DEL
ACTUAL TEXTO DEL PROYECTO DE LEY 165
   3.1. La exclusión del canal HORECA 165
   3.2. Necesidad de contratos por escrito, dificultades a la ho-
        ra de suscribir y/o actualizar los contratos, y soluciones
        adoptadas 168
        3.2.1 Dificultades a la hora de suscribir y actualizar los
               contratos. 169
        3.2.2 Soluciones adoptadas en la práctica 171
   3.3. Problemas en la aplicación del 12.ter de la LAC 172
   3.4. Aplicación en negocios con operadores de Estados miem-
        bros, o con operadores de países terceros, de la LAC se-
        gún la redacción del Proyecto 174
4. BREVE CONCLUSIÓN 175

CLAROS Y NO TANTO DE LA REFORMAS PARA LA
TRANSPARENCIA EN LA FORMACIÓN Y FORMALIZACIÓN DEL
CONTRATO ALIMENTARIO
ISABEL RODRÍGUEZ MARTÍNEZ

1. OBJETIVOS Y CLAVES DE LAS ÚLTIMAS ACCIONES NOR-
   MATIVAS EN MATERIA DE CONTRATACIÓN ALIMEN-
   TARIA 177
2. NOVEDADES INTRODUCIDAS EN LA FASE DE FORMA-
   CIÓN DEL CONTRATO: LA ACTIVIDAD DE PROMOCIÓN .. 180
   2.1. Las actividades de promoción y su nueva regulación 180
   2.2. Los principios rectores de los pactos promocionales. 182
        2.2.1. La buena fe 182
        2.2.2. El principio de equidad 183
        2.2.3. Acuerdo y el principio de libertad de pactos 184
        2.2.4. El interés mutuo y cooperación 185
        2.2.5. La flexibilidad en la negociación 186
        2.2.6. La prohibición de inducción a error 186
3. NOVEDADES VIGENTES Y PROYECTADAS EN MATERIA
   DE FORMALIZACION Y CONTENIDO MÍNIMO DEL
   CONTRATO... 187
   3.1. En cuanto al ámbito de aplicación proyectado del régimen
        del contrato 187
        3.1.1. Mayor alcance del nuevo ámbito de aplicación ge-
               neral de la LCA 188
        3.1.2. La deseada ampliación del nuevo ámbito de aplica-
               ción de la obligación de formalización 189
4. LA FORMALIZACIÓN DEL CONTRATO 191
   4.1. Requisitos y formalidades proyectadas 191
   4.2. Especial referencia a los problemas de control de incor-
        poración de los pretendidos principios de transparencia,
        claridad, concreción y sencillez 193

5. EL NUEVO CONTENIDO MÍNIMO VIGENTE Y PROYECTADO .. 195
  5.1 Modificaciones operadas en el contenido del art. 9 LCA......... 195
    5.1.1. El contenido mínimo obligatorio tras la reforma
           operada por el Real Decreto-ley 5/2020 y la Ley
           8/2020, de 16 de diciembre 195
    5.1.2. Alcance y efectos de la nueva cláusula obligatoria
           relativa al precio del contrato.............................. 196
  5.2. Las nuevas menciones obligatorias proyectadas por la re-
       forma prevista en el Proyecto de Ley por el que se modi-
       fica la LCA 199
6. NOVEDADES VIGENTES Y PROYECTADAS EN MATERIA
   DE INCUMPLIMIENTO DE LAS OBLIGACIONES DE FOR-
   MALIZACIÓN Y CONTENIDO MÍNIMO 200
  6.1. Razones para las reformas operadas y proyectadas en ma-
       teria sancionadora 200
  6.2. La sanción administrativa por incumplimiento.................... 201
  6.3. La sanción civil por incumplimiento. Alcance y limitaciones.. 202

PARTE SEGUNDA

PROPIEDAD INDUSTRIAL Y SECTOR AGROALIMENTARIO

**NUEVAS ORIENTACIONES EN LA PROTECCIÓN DE LA
INNOVACIÓN EN AGRICULTURA: ¿AGRICULTURA INTELIGENTE
VERSUS AGRICULTURA ECOLÓGICA?**
ESPERANZA GALLEGO SÁNCHEZ

1. PRELIMINAR... 207
2. LA AGRICULTURA INTELIGENTE. ÁMBITOS DE APLICACIÓN ... 208
  2.1. Innovaciones vegetales generadas por las nuevas técnicas
       de mejora. La mutagénesis dirigida. En particular, la edi-
       ción genómica.. 208
  2.2. Innovación y proceso productivo. La digitalización de la
       agricultura 210
  2.3. Innovación y comercialización. La digitalización de las
       decisiones empresariales sobre la base del perfil del con-
       sumidor 216
3. LA PROTECCIÓN JURÍDICA DE LAS TÉCNICAS DE AGRI-
   CULTURA INTELIGENTE.. 217
  3.1. La protección jurídica de las nuevas innovaciones vegeta-
       les Derecho de obtenciones vegetales y Derecho de paten-
       tes. Un equilibrio inestable.. 217

3.2. La protección jurídica de las tecnologías aplicadas al proceso de producción y comercialización. Entre el Derecho de patentes y el Derecho de Autor. Ineficiencias del sistema. . 230

4. NUEVOS RETOS PARA AGRICULTURA INTELIGENTE. AGRICULTURA ECOLÓGICA Y ORGANISMOS GENÉTICAMENTE MODIFICADOS 233

MARCAS COLECTIVAS Y DE GARANTÍA EN EL SECTOR AGROALIMENTARIO
PILAR MONTERO GARCÍA-NOBLEJAS

1. CONSIDERACIONES PRELIMINARES 241

2. DELIMITACIÓN CONCEPTUAL Y FUNCIONAL DE LAS MARCAS COLECTIVAS Y DE GARANTÍA 243
2.1. Concepto y función de las marcas colectivas y de garantía 243
2.2. El riesgo de la polivalencia funcional entre ambos tipos de marcas 244

3. LOS TITULARES DE LAS MARCAS COLECTIVAS Y DE GARANTÍA 248

4. EL USO DE LA MARCA COLECTIVA Y DE GARANTÍA 251

5. LOS TÉRMINOS GEOGRÁFICOS EN LAS MARCAS COLECTIVAS Y DE GARANTÍA EN EL SECTOR AGROALIMENTARIO 252

6. EL PRINCIPIO DE PUERTA ABIERTA DE LAS MARCAS DE GARANTÍA AGROALIMENTARIAS 257

7. EL INFORME DE LA ADMINISTRACIÓN EN LAS MARCAS DE GARANTÍA AGROALIMENTARIAS 260

8. CONCLUSIONES 261

LA INDEMNIZACIÓN RAZONABLE DEL OBTENTOR POR LOS ACTOS REALIZADOS EN EL PERIODO DE PROTECCIÓN PROVISIONAL TRAS LA SENTENCIA DEL TJUE EN EL ASUNTO C-176/18
BENJAMÍN SALDAÑA VILLOLDO

1. PLANTEAMIENTO 263

2. LA ACUMULACIÓN DE LOS ARTÍCULOS 94 Y 95 DEL REGLAMENTO CE 2100/94 COMO ESTADO PREVIO DE LA CUESTIÓN 265
2.1. Introducción 265
2.2. Menor reprochabilidad de los actos de multiplicación realizados durante el periodo de protección provisional 267
2.3. Reducción de la indemnización razonable con fundamento en la menor duración del periodo de protección provisional 272

2.4. El importe del royalty como límite en la acumulación de las indemnizaciones de los artículos 94 y 95 del Reglamento comunitario 274

3. MOTIVACIÓN ACTUAL PARA UNA INDEMNIZACIÓN PLENA POR LA FASE DE PROTECCIÓN PROVISIONAL 276

3.1. Revisión del quantum de la indemnización razonable del artículo 95 tras la sentencia del tjue 276

3.2. El tratamiento normativo análogo de la indemnización razonable previa y posterior al título en el Reglamento CE 2100/94 280

3.3. La regulación del privilegio del agricultor como referencia interpretativa 282

4. A MODO DE CONCLUSIÓN 283

JAMÓN, JAMÓN. LA ESPECIALIDAD TRADICIONAL GARANTIZADA O LA INDICACIÓN GEOGRÁFICA PROTEGIDA COMO ESQUEMAS DE CALIDAD PARA LA TUTELA DEL JAMÓN SERRANO
VICENTE GIMENO BEVIÁ

1. INTRODUCCIÓN 285

2. LA ESPECIALIDAD TRADICIONAL GARANTIZADA Y LA INDICACIÓN GEOGRÁFICA PROTEGIDA COMO ESQUEMAS DE CALIDAD DIFERENCIADA 286

3. PROTECCIÓN JURÍDCA DEL JAMÓN SERRANO 288

3.1. Estado actual de la cuestión 288

3.2. Tesis favorable al registro del jamón serrano como indicación geográfica protegida 289

3.3. Tesis contraria al registro del jamón serrano como indicación geográfica protegida 292

3.4. Comentario sobre la viabilidad del registro del jamón serrano como indicación geográfica protegida 293

4. CONCLUSIONES 297

NUTRI-SCORE™ ¿INCENTIVO PARA LA COMPETENCIA O RESTRICCIÓN INADMISIBLE?
VANESSA JIMÉNEZ SERRANÍA

1. INTRODUCCIÓN 299

2. CONTEXTO: LOS SISTEMAS DE ETIQUETADO FRONTAL 300

2.1. La estrategia de la granja a la mesa (farm to fork strategy) y el reglamento (ue) 1169/2011 300

3. LOS FOPL 301

3.1. ¿Qué son los FOPL y para qué sirven? 301

3.2. Principios de referencia sobre los que se construyen los FOPL302

3.3. Sistemas FOPL actuales: especial referencia a la Unión Europea 303

4. NUTRI-SCORE™:   CARACTERÍSTICAS   PRÁCTICAS
    Y JURÍDICAS... 305
    4.1. Características técnico-jurídicas del sistema nutri-score™........305
        4.1.1. Características técnicas: El algoritmo del sistema
               Nutri-Score™...306
        4.1.2. Características técnicas: El algoritmo del sistema
               Nutri-Score™...306
        4.1.3. Reconocimiento legislativo del sistema nutri-score™....309
5. IMPACTO DE NUTRI-SCORE™ DESDE UNA PERSPECTIVA
    CRÍTICA.. 310
    5.1. Aspectos cuestionables sobre la eficacia e impacto de los
         fopl a nivel general 310
    5.2. Problemas y críticas surgidas en el momento de la imple-
         mentación del sistema NUTRI-SCORE™...............................312
    5.3. Potencial consideración del sistema como una restricción
         inadmisible de la competencia en el ordenamiento español... 315
6. CONCLUSIONES... 319

LA EDICIÓN GENÉTICA CRISPR/CAS9 APLICADA A LAS VARIEDADES VEGETALES, REVOLUCIÓN EN MARCHA
PROF. DRA. PAOLA RODAS PAREDES

1. INTRODUCCIÓN 321
2. REGULACIÓN DE LA BIOTECNOLOGÍA APLICADA A LA
   OBTENCIÓN DE VARIEDADES VEGETALES 322
   2.1. Conceptos técnicos 322
       2.1.1. Alteraciones del contenido genético de un organis-
              mo vivo: 322
       2.1.2. El método CRISPR/CAS9 323
   2.2. Conceptos legales relevantes... 323
       2.2.1 Directiva 2001/18/CE.. 324
       2.2.2. Regulación de los OMG en relación con la materia
              vegetal... 325
       2.2.3. La STJUE C 528/16 326
3. PERSPECTIVAS FUTURAS DE REGULACIÓN 327
   3.1. Edición genética de variedades vegetales........................... 327
       3.1.1. La Opinión del Grupo Europeo de Ética en la
              Ciencia y las Nuevas Tecnologías 327
       3.1.2. Perspectivas de modificación regulatoria a nivel
              europeo 328
   3.2. Material biológico patentable 329
       3.2.1 Ámbito estatal 329
       3.2.2. Ámbito comunitario 330
4. CONCLUSIONES... 331

EL RÉGIMEN JURÍDICO DE LAS VARIEDADES ESENCIALMENTE DERIVADAS
ISABEL PÉREZ-CABRERO FERRÁNDEZ

1. DEFINICIÓN DE "VARIEDAD ESENCIALMENTE DERIVA-DA" SEGÚN DERECHO EUROPEO Y NACIONAL 333
   1.1. Finalidad jurídico-económica de la figura de "variedad esencialmente derivada" 342
   1.2. Origen de la categoría "variedad esencialmente derivada" 342
   1.3. Función económica de la figura de "variedad esencialmente derivada" 344
2. SITUACIÓN JURÍDICA DE UNA "VARIEDAD ESENCIAL-MENTE DERIVADA" QUE SE ENCUENTRE PROTEGIDA 345
   2.1. Variedad inicial protegida y variedades esencialmente derivadas protegidas 347
4. SITUACIÓN JURÍDICA DE UNA "VARIEDAD ESENCIAL-MENTE DERIVADA" QUE NO SE ENCUENTRE PROTEGIDA. 350

LA INDICACIÓN DEL PAÍS DE ORIGEN EN EL ETIQUETADO DE LA LECHE Y LOS PRODUCTOS LÁCTEOS Y SU REGULACIÓN EN EL ORDENAMIENTO ESPAÑOL
ALEJANDRO LLOPIS BLANQUE

1. INTRODUCCIÓN 353
2. CONCEPTOS DE ORIGEN DEL PRODUCTO MARCADO, DE PAÍS DE ORIGEN, DE DENOMINACIÓN DE ORIGEN Y DE INDICACIÓN GEOGRÁFICA 355
   2.1. Concepto y función del origen del producto marcado u origen empresarial 355
   2.2. Conceptos y función de las denominaciones de origen y de las indicaciones geográficas 358
   2.3. Concepto y función del término país de origen y diferencias con las anteriores figuras 359
3. LA EXIGENCIA DE INFORMACIÓN OBLIGATORIA Y LA INDICACIÓN DEL PAÍS DE ORIGEN EN EL ETIQUETADO ... 361
   3.1. La exigencia de información obligatoria en el etiquetado 361
   3.2. La exigencia de indicar el país de origen o lugar de procedencia 364
4. EL SUPUESTO DE LA INDICACIÓN DEL PAÍS DE ORIGEN EN LA LECHE Y LOS PRODUCTOS LÁCTEOS 366
   4.1. Concepto de leche y de producto lácteo y la necesidad de indicar el país de origen en su etiquetado 366
   4.2. La indicación del país de origen de la leche y los productos lácteos en el ordenamiento español 367
   4.3. La indicación obligatoria del país de origen de la leche y los productos lácteos ante el TJUE. El caso Lactalis 369
   4.4. El estado actual de la cuestión en el ordenamiento español.... 370
5. CONCLUSIONES 373

CARNE VEGETAL SÍ, LECHE VEGETAL NO: LA DIFERENCIA DEL GRADO DE PROTECCIÓN ENTRE LAS DENOMINACIONES DE PRODUCTOS LÁCTEOS Y PRODUCTOS CÁRNICOS EN EL SENO DE LA UNIÓN EUROPEA
IGNACIO RABASA MARTÍNEZ

1. INTRODUCCIÓN 377

2. ANÁLISIS DE LAS ENMIENDAS 165 Y 171 RELATIVAS A LA RESERVA DE DENOMINACIONES DE PRODUCTOS CÁRNICOS Y LÁCTEOS.. 378

    2.1. La enmienda 165 y el uso por parte de los productores vegetales de denominaciones tradicionalmente asociadas a la carne y los productos cárnicos..................................... 378

    2.2. La enmienda 171 y el uso por parte de los productores de alimentos vegetales de denominaciones tradicionalmente asociadas a los productos lácteos.. 380

3. ASPECTOS JURÍDICOS QUE JUSTIFIQUEN LA DIVERGEN-CIA EN EL RESULTADO DE LA VOTACIÓN DE AMBAS ENMIENDAS.. 382

    3.1. Aproximación desde el Derecho de la Competencia Desleal... 382

    3.2. Aproximación desde la sostenibilidad y los objetivos medioambientales de la Unión Europea 385

    3.3. Aproximación desde el derecho a la salud de los consumi-dores... 386

4. EEFECTOS DE LAS VOTACIONES DEL PARLAMENTO EU-ROPEO 388

LA PERCEPCIÓN GUSTATIVA EN LA PROTECCIÓN DE LAS CREACIONES GASTRONÓMICAS A TRAVÉS DE LOS DERECHOS DE AUTOR Y ALTERNATIVAS LEGALES
MARINA VÁZQUEZ ESTEBAN

1. INTRODUCCIÓN 389

2. LOS DERECHOS DE AUTOR COMO VÍA DE PROTECCIÓN PARA LA PERCEPCIÓN GUSTATIVA 392

    2.1. Régimen aplicable.. 392

    2.2. Requisitos de protección... 393

        2.2.1. El concepto de obra como delimitación del objeto de protección... 393

        2.2.2. La disociación entre idea y expresión de la percep-ción gustativa. Problemática derivada 397

        2.2.3. El requisito de la originalidad 401

3. ALTERNATIVAS A LA PROTECCIÓN DE LA PERCEPCIÓN GUSTATIVA... 402

    3.1. Cuestiones previas 402

    3.2. La percepción gustativa como marca no convencional.......... 403

        3.2.1. Requisitos de protección y problemática surgida 403

3.2.2. En especial, el requisito de la representación de las percepciones gustativas 406

4. CONCLUSIONES 411

PRINCIPALES ASPECTOS FORMALES DEL CONTRATO DE LICENCIA DE OBTENCIÓN VEGETAL: OPONIBILIDAD A TERCEROS Y LEGITIMACIÓN DEL LICENCIATARIO PARA EL EJERCICIO DE ACCIONES POR INFRACCIÓN
EDUARDO MIRANDA RIBERA

1. INTRODUCCIÓN: ELEMENTOS FORMALES DEL CON-TRATO 413

2. EXIGENCIAS DE CARÁCTER FORMAL DEL CONTRATO DE LICENCIA DE OBTENCIÓN VEGETAL 415

3. IMPLICACIONES DE LA INSCRIPCIÓN DE LA LICENCIA DE OBTENCIÓN VEGETAL 417
   3.1. Algunas consideraciones sobre los supuestos de cotitulari-dad del derecho de obtenciones 425

5. CONCLUSIONES 427

LA LICENCIA CONTRACTUAL DE EXPLOTACIÓN DE LA OBTENCIÓN VEGETAL
JAUME LLORCA GALIANA

1. INTRODUCCIÓN 429

2. OBJETO 430

3. FORMA 432

4. CLASES 433
   4.1. Licencia de producción, reproducción y cultivo 433
   4.2. Licencia en parte o todo el territorio 438
   4.3. Licencia exclusiva y no exclusiva 439
   4.4. Licencia con autorización para conceder sublicencias 441

5. REGISTRO DE LA LICENCIA 442

6. EXTINCIÓN 443
   6.1. Renuncia y consentimiento del licenciatario 443
   6.2. Transcurso del plazo 444
   6.3. Nulidad y derogación del artículo 18 RLOV 445
   6.4. Nulidad, caducidad y regalías 446
   6.5. Incumplimiento del contrato 447

7. CONCLUSIONES 448

Parte tercera

MISCELÁNEA

ECONOMÍA CIRCULAR EN EL SECTOR AGROALIMENTARIO: EL PAPEL DE LAS COOPERATIVAS COMO AGENTES DE INNOVACIÓN Y DESARROLLO DE MODELOS PRODUCTIVOS SOSTENIBLES
NATALIA LAJARA-CAMILLERI
ALICIA MATEOS-RONCO

1. INTRODUCCIÓN 451
2. OBJETIVOS Y METODOLOGÍA 453
3. RESULTADOS 454
4. CONCLUSIONES 458

RETOS EN LA GESTIÓN DE RIESGOS EN LA AGRICULTURA: EL DISEÑO DE UN SEGURO DE INGRESOS EN CÍTRICOS
ALICIA MATEOS-RONCO
RICARDO J. SERVER IZQUIERDO

1. INTRODUCCIÓN 461
2. ANÁLISIS DE DATOS Y VARIABLES.. 464
    2.1. Análisis de datos 464
    2.2. Variables a integrar en el cálculo del precio testigo 466
3. EL PRECIO TESTIGO DE CAMPAÑA 469
    3.1. Coeficientes de ponderación de las fuentes de información
        (α, β, y γ) 470
    3.2. Coeficientes de ponderación de las zonas productoras (a,
        b, c y d)... 473
    3.3. Coeficientes de ponderación de los precios de las Lonjas (e
        y f) 474
    3.4. El precio testigo (PT) de campaña.. 474
4. CONCLUSIONES... 475

HUERTA Y PRODUCTOS DE PROXIMIDAD. LA TIRA DE CONTAR COMO FORMA DE VENTA EN EL ÁMBITO DE LA COMPETENCIA
FRANCISCA RAMÓN FERNÁNDEZ

1. INTRODUCCIÓN 479
2. LA HUERTA Y SU PROTECCIÓN.. 479
    2.1. Valores de la Huerta 482
    2.2. Valor agrario de la Huerta. Legislación supletoria aplicable... 484
    2.3. La Huerta como paisaje protegido 484
3. LA TIRA DE CONTAR: IMPORTANCIA DEL COMERCIO
    DE PROXIMIDAD 486

3.1. Características de la tira de contar 488
3.2. Creación de etiquetado de productos APHORTA 489
3.3. Relación con los ODS 490
4. CONCLUSIONES 491

CITRICOS CON ROYALTY. MINIFUNDIOS
PACO BORRÁS ESCRIBÁ

1.INTRODUCCIÓN 493
2. HISTORIA 493
3. SITUACION ACTUAL 496
4. ¿DONDE Y QUIEN HA PLANTADO LAS MANDARINAS
   DE ROYALTY? 497
5. FUTURO PROXIMO 498
6. ALGUNAS DUDAS ETICAS 498

ANÁLISIS DEL CONCEPTO DE "POBLACIONES" DE LA DECISIÓN
DE EJECUCIÓN 2014/150/UE: PRINCIPALES IMPLICACIONES
EMPRESARIALES Y RELACIÓN CON LOS CONCEPTOS DE
"MATERIAL HETEROGÉNEO ECOLÓGICO" Y "VARIEDAD
ECOLÓGICA" DEL REGLAMENTO (UE) 2018/848
JUAN ANTONIO VIVES-VALLÉS

1. EL CONCPETO DE "POBLACIONES" DE LA DECISIÓN DE
   EJECUCIÓN 2014/150/UE 501
   1.1. Introducción al concepto 501
        1.1.1. Revisitando el concepto de "variedad" del art. 1.vi)
               del Acta de 1991 del CUPOV 503
        1.1.2. El «requisito» del art. 2.a) de la Decisión de Ejecu-
               ción 2014/150/UE 506
        1.1.3. El «requisito» del art. 2.b) de la Decisión de Ejecu-
               ción 2014/150/UE 508
        1.1.4. El «requisito» del art. 2.c) de la Decisión de Ejecu-
               ción 2014/150/UE 510
        1.1.5. El «elefante en la habitación»: el inciso 2º del art.
               5.2 del Reglamento (CE) nº 2100/94 y del art.
               1.vi) del Acta de 1991 del CUPOV, en la Decisión
               de Ejecución 2014/150/UE 511
2. IMPLICACIONES EMPRESARIALES 515
3. CONCLUSIONES Y CONSIDERACIONES FINALES 520

IMPACTO SOCIAL Y ECONÓMICO DEL BOOM DE QUINUA EN LOS PRODUCTORES ANDINOS: UN CASO DE ESTUDIO EN ANTA, CUSCO, PERÚ
JHON HUILLCA-QUISPE, BALDOMERO SEGURA
AQUILINO ÁVAREZ, LUZVENIA MIRANDA,
RUBEN CCAHUANA & WENDEL OLIVERA

1. INTRODUCCIÓN 523
2. MATERIALES Y METODOLOGÍA 526
   2.1. Recolección de datos 526
3. RESULTADOS 528
4. CONCLUSIONES 532

IMPACTO DEL MARCO REGULATORIO SOBRE LA DISPONIBILIDAD DE SEMILLAS EN LA ZONA ANDINA
LUZVENIA MIRANDA, INMACULADA MARQUES
Y JHON HUILLCA

1. INTRODUCCIÓN 535
2. METODOLOGÍA 536
3. RESULTADOS 537
   3.1. Aspectos generales 537
3.2. LEGISLACIÓN INTERNACIONAL Y NACIONAL 538
   3.3. Colección de germoplasma ex situ 542
   3.4. Conservación in situ 546
4. CONCLUSIONES 547
5. ANEXOS 548

OBRAS COEDITADAS POR LA EDITORIAL TIRANT LO BLANCH CON DEL DEPARTAMENTO DE DERECHO MERCANTIL "MANUEL BROSETA PONT"
"MANUEL BROSETA PONT" 553

PRÓLOGO

La presente obra colectiva "RETOS EN EL SECTOR AGRORALIMEN-TARIO: REGULACIÓN, COMPETENCIA Y PROPIEDAD INDUSTRIAL" es consecuencia del trabajo conjunto realizado en el marco de los proyectos de investigación RTI2018-093666-B-100: «Sistemas de protección y explotación comercial de las innovaciones en el ámbito de las variedades vegetales», Ministerio de Ciencia, Innovación y Universidades/FEDER; RTI2018-098295-B-I00: «Restricción, abuso y discriminación en el mercado tecnológico y sectores regulados» del Ministerio de Ciencia, Innovación y Universidades; y HAR-NESSTOM: «Aprovechar el valor de los recursos genéticos para ahora y el futuro», Programa de Investigación Horizonte 2020 de la Unión Europea, acuerdo de subvención nº101000716.

Se trata de un ejemplo de la complementariedad y transversalidad en la investigación, que tuvo su primer hito en el Congreso Internacional "Retos en el sector agroalimentario: competencia y propiedad industrial", celebrado en Valencia los días 6 y 7 de mayo de 2021, y que contó con un gran elenco de ponentes, un buen número de comunicantes y una magnífica aceptación por parte del público.

El sector agroalimentario es estratégico para el modelo económico, social y territorial. Su problemática jurídico-económica, aunque tradicional, evoluciona continuamente, planteando nuevos retos. Las características del mercado de la cadena agroalimentaria –con importantes desequilibrios de negociación generados por una atomización ineficiente de la oferta (pequeños agricultores, cooperativas y asociaciones de productores) que encuentran, en la otra parte, una alta concentración de los compradores (transformadores y distribuidores)- ha llevado al legislador (europeo, nacional y autonómico) a adoptar una serie de normas y decisiones específicas para el sector. Desde que la Comisión Europea publicó su «Comunicación sobre la mejora en el funcionamiento de la cadena agroalimentaria» en 2009, se han multiplicado las iniciativas que han ido profundizando en el análisis y en la identificación de los problemas reales que están afectando a su desarrollo.

La importancia de la industria agroalimentaria en España y la necesidad de compartir los beneficios que se obtengan entre todos los escalones de la distribución comercial y los productores exige un sistema adecuado y moderno de protección de la innovación, en particular de las nuevas variedades vegetales y de plantas con material vegetal para aumentar la producción y rendimiento, la resistencia a plagas o un cultivo más sostenible. Como se revela en el estudio publicado este mes de noviembre por el Instituto Cerdá con el título "Aportación social, económica y ambiental del sector obtentor en España" (https://www.icerda.org/wp-content/uploads/2021/11/Documento-conjunto-impactosector-obtentor-y-cultivos-v2.pdf), la inversión en I+D+i para la mejora vegetal de las empresas del sector obtentor durante el año 2019 fue de 105 millones de euros, lo que representa que de media el sector obtentor invierte el 14% de su facturación en estas actividades; esta cifra supera los porcentajes de facturación que en la economía española invierten sectores como el farmacéutico, aeroespacial o el sector de productos informáticos, electrónicos y ópticos.

Sin embargo, el marco regulatorio, conforme a la interpretación que está realizando el Tribunal de Justicia de la Unión Europea, no es el más adecuado para incentivar la inversión en innovación en Europa. Por una parte, la sentencia de 19 de diciembre de 2019, asunto C-176/18, Club de Variedades vegetales protegidas contra Martínez Sanchis, excluye del concepto de producción el cultivo de plantas, en concreto, de mandarinos de la variedad Nadorcott, lo que viene a legalizar todas las plantaciones que se realicen en los períodos de protección provisional de los derechos si, como también afirma, tampoco se pueden ejercitar acciones después de la concesión contra el material o producto de la cosecha obtenido de árboles plantados durante dicho período. Por otra parte, la posición mantenida en su sentencia de 25 de julio de 2018 (C-528/16), no hace esperar una interpretación jurisprudencial adaptada a los nuevos retos de la edición genética. El Tribunal Europeo afirmó que el artículo 2.2 de la Directiva 2001/18/CE, sobre la liberación intencional en el medio ambiente de organismos modificados genéticamente, debe interpretarse en el sentido de que los organismos obtenidos por métodos de mutagénesis (como CRISPR) constituyen organismos modificados genéticamente en el sentido del citado precepto al considerarlos como transgénicos, diferenciando entre los métodos convencionales y los nuevos. Esta posición doctrinal hace necesario plantear una redefinición de los OMG en la Directiva 2001/18/CE o incluir un nuevo Anexo C o un nuevo punto en su Anexo 1 para excluir de su aplicación determinadas técnicas de edición genética; al menos aquellas que den lugar a una mutagénesis equivalente a la que ya se puede encontrar en estado natural, cuya producción puede acelerarse mediante el uso de técnicas genómicas. La Comisión Europea es consciente de la necesidad de cambiar el enfoque legislativo de estas técnicas. De hecho, el 29 de abril de 2021, la Comisión Europea publicó un estudio sobre las nuevas técnicas genómicas en la legislación de la UE (https://ec.europa.eu/food/plants/genetically-modified-organisms/new-techniques-biotechnology/ec-study-new-genomic-techniques_en), cuyo resumen ejecutivo está disponible en todas las lenguas de la UE (https://ec.europa.eu/food/system/files/2021-04/gmo_mod-bio_ngt_exec-sum_en.pdf). El estudio deja claro que los organismos obtenidos mediante nuevas técnicas genómicas están sujetos a la legislación sobre OMG. Sin embargo, la evolución de la biotecnología, combinada con la falta de definiciones (o de claridad en cuanto al significado) de los términos clave, sigue dando lugar a la ambigüedad en la interpretación de algunos conceptos, lo que puede generar incertidumbre normativa. La cuestión clave, tal y como se subraya en el estudio, es si una legislación que plantea problemas de aplicación y cuya aplicación a las nuevas técnicas y a las nuevas aplicaciones requiere una interpretación jurídica controvertida sigue siendo adecuada para su finalidad o necesita ser actualizada a la luz del progreso científico y tecnológico.

En este contexto, la finalidad de la obra colectiva ha sido ofrecer un estudio transversal de los principales problemas del sector agroalimentario en relación con el Derecho de la competencia, el Derecho regulatorio, la Propiedad industrial y algunas cuestiones de tipo organizativo y económico. Desde esta óptica se ha optado por dividir la obra en tres partes. En la primera se analizan algunos de los principales problemas concurrenciales y de regulación de la cadena alimentaria. En la segunda se profundiza en la relación entre el sector y la propiedad industrial. Y la tercera es una miscelánea de trabajos, algunos de componente económico, con lo que se cierra la visión global de los problemas y retos del sector agroalimentario. La voluntad común de cuantos han participado en ella es ofrecer remedios técnicos a un sector ávido de soluciones. Esperemos, por tanto, que el lector las encuentre y disfrute de la obra.

Por último, para cerrar este prólogo, es necesario realizar una serie de agradecimientos sinceros. En particular, a los miembros del comité científico y del comité organizador, a los ponentes y comunicantes, a los asistentes al congreso, y, por supuesto, a los colaboradores y al Patrocinador: el *Institut Valencià de Investigación i Formació Agroambiental* (IVIFA).

Valencia, a 18 de noviembre de 2021
PROF. DR. FELIPE PALAU RAMÍREZ
PROF. DR. JAUME MARTÍ MIRAVALLS

PARTE PRIMERA
DERECHO DE LA COMPETENCIA Y REGULACIÓN DE LA CADENA ALIMENTARIA

El sector agroalimentario a la búsqueda de equilibrios de mercado

JUAN IGNACIO RUIZ PERIS

Catedrático de Derecho mercantil Universidad de Valencia (UVEG)

1. INTRODUCCIÓN

Es para mí un honor pronunciar la ponencia inaugural de este CONGRESO INTERNACIONAL RETOS EN EL SECTOR AGROALIMENTARIO: COMPETENCIA Y PROPIEDAD INDUSTRIAL. Agradezco especialmente a los directores Prof. Dr. Felipe Palau y Prof. Dr. Jaume Marti i Miravalls, su amable invitación.

En mi ponencia abordaré los retos a los que se enfrentará el sector en las próximas décadas: reducción del minifundio, limitado en el futuro a productos de alto valor añadido, destinados a públicos selectos, y vinculados a la restauración estrellada de proximidad y a las plataformas digitales, bio, veganas y de *slow food*; robotización del campo, biorreactores y profundización de la escisión entre alimentación industrial y alimentación tradicional.

Junto a ello abordaré la situación actual y las novedades legislativas en la materia centrando mi atención en la Directiva 2019/633 y en el Proyecto de reforma de la Ley 12/2013 de noviembre de 2020, actualmente en la Comisión de Agricultura, Pesca y Alimentación del Congreso de los Diputados, en fase de Informe, desde 15 de abril de 2021, realizando un doble análisis de algunas cuestiones relevantes como las cláusulas de reparto de valor, el escaso valor y utilidad de la prohibición de destrucción de valor en la cadena,o la relevancia de transponer adecuadamente la Directiva dando efectos civiles y no solo administrativos a las prohibiciones de conductas abusivas que contiene, desde la doble perspectiva de defensa de la competencia y de competencia desleal.

Mis felicitaciones a los directores los profesores Felipe Palau y Jaime Marti Miravalls y a todos los excelentes ponentes. Esta obra, resultado de dicho Congreso, representa la continuidad de los Estudios sobre el régimen jurídico de la cadena de distribución agroalimentaria, Marcial Pons, 2016, que tuve el placer de codirigir junto con el profesor Francisco Gonzalez Castilla.

2. UNA VISIÓN DEL MERCADO EN LA ACTUALIDAD Y A MEDIO PLAZO

Una previsión del mercado agroalimentario, a medio plazo, pone de relieve profundos cambio de tendencia, como la profundización de la brecha entre el mercado de precio y el de calidad, la industrialización de la producción alimentaria en el mercado de precio, por medio de los biorreactores o las granjas de insectos, frente a un mercado de calidad cada vez mas bio, vegano, slow y de proximidad, vinculado a la restauración gourmet, bio, vegana o slow, de proximidad, y a las nuevas plataformas digitales de distribución de productos procesados de estas características.

Tendencia que se vuelve popular a través de las múltiples iniciativas salseras y sofriteras que nuestras empresas agroalimentarias ponen en el mercado, para un público joven y acomodado que no sabe cocinar, pero quiere comer bien.

Si ponemos el foco en la actualidad, podemos observar el fortalecimiento de la industria alimentaria – 10 grandes – frente a la gran distribución – 6 grandes -, y un fortalecimiento de la isla regulatoria agroalimentaria europea y de la Política Agraria Común derivada de la patente necesidad de asegurar el autoabastecimiento puesta de manifiesto por la pandemia.

Se mantiene la tradicional concentración de la demanda destinada a los grandes distribuidores y a las grandes fábricas de productos agro alimentarias y la asimetría del poder de negociación, aunque creo puede señalarse una actitud más dialogante de la gran distribución.

Se mantiene igualmente la tradicional atomización de la oferta, parcialmente corregida por los instrumentos de cooperación empresarial como los generados a través del sistema cooperativo.

Asistimos a una campaña de promoción de la concentración de la oferta desde la Unión Europea, a través del modelo empresarial favoreciendo las grandes explotaciones, por medio de la inversión financiera, propiciando la entrada de Fondos de Inversión en el mercado.

Igualmente se incentiva la especialización en micromercados de productos de alta calidad y ecológicos, tradicionales o innovadores.

Continúa existiendo un relevante poder de compra de la gran distribución minorista en el mercado y se mantiene la fijación regresiva de precios en los escalones ascendentes.

3. DESEQUILIBRIO ACTUAL Y BÚSQUEDA DE NUEVOS EQUILIBRIOS DE MERCADO A TRAVÉS DE INSTRUMENTOS JURÍDICOS

En la actualidad los instrumentos que generan un cierto reequilibrio, en el ámbito de la negociación, entre productores y primer comprador, se deben a la acción del legislador y de las agencias y administraciones públicas, tanto desde la perspectiva regulatoria como la de competencia.

Esto se extiende desde el hardlaw, pasando por el softlaw, y las decisiones sancionadoras de las autoridades de competencia, hasta el ámbito de los informes como el recientemente elaborado para la Fundación IVIFA por los profesores Carmen Rodilla, José Corberá, Jaume Marti y Javier Viciano en materia de competencia y cláusulas de reparto de valor, a los que felicito.

Continúa sin observarse, en cambio, una suficiente implicación de las asociaciones de productores, tendente a mejorar su posición de negociación en el mercado, utilizando los instrumentos jurídicos a su alcance, como ya señalamos en Congresos anteriores.

El obstáculo más relevante para reequilibrar el poder de negociación en el mercado continúa siendo el factor miedo. Las soluciones son la actuación pública y la confidencialidad respecto a la identidad del denunciante.

En este sentido hay que señalar que el legislador pretende solventar la cuestión, aunque con instrumentos insuficientes. Así el artículo 14bis 1 letra h) Proyecto de reforma de la Ley 12/2013 de noviembre de 2020 prohíbe como desleal

"Que una de las partes de la relación comercial amenace con llevar a cabo, o lleve a cabo, actos de represalia comercial contra la otra parte cuando esta ejerza sus derechos de negociación, contractuales o legales, incluidos la presentación de una denuncia o la cooperación con las autoridades de ejecución durante una investigación."

Pero los instrumentos sancionadores aplicables en caso de incumplimiento de esta prohibición, resultan claramente insuficientes para lograr un efecto de *deterrence*.

Poco a poco las asociaciones de productores van comprendiendo que las normas de competencia son parte de la solución y no del problema y viendo las ventajas que tienen las soluciones regulatorias. Pese a ello treinta años de darse cabezazos contra el muro crean probablemente callo por lo que quizá deberemos espera veinte años más hasta que las asociaciones dediquen su atención a aprovechar los instrumentos que el Derecho de la competencia les ofrece para la protección de sus intereses de forma continua y no meramente aislada.

Como hemos denunciado en otras muchas ocasiones a lo largo de la última década existe un claro déficit de actuación de las asociaciones de productores respecto al uso de los instrumentos jurídicos a su alcance.

De otra parte, hay que señalar la acción de los consumidores y de las instituciones y asociaciones que los protegen tendente al mantenimiento de precios de compra minorista bajos, lo cual en un sistema de fijación de precios por regresión acaba generando presiones relevantes para los productores agrícolas y ganaderos.

Analizaremos seguidamente los instrumentos jurídicos regulatorios y de competencia, en vigor, en transposición o en proyecto, de defensa de la competencia y de competencia desleal que pueden ser relevantes a este respecto

3.1. Instrumentos de Defensa de la Competencia.

El Derecho europeo de la competencia, incluye un régimen especial para el sector agrícola, al que hay que añadir las exenciones provisionales pandémicas COVID 19.

Existen además exenciones sectoriales a la prohibición del artículo 101.1 TFUE en relación con sector lácteo, aceite de oliva, carne de vacuno y cultivos herbáceos.

El legislador de la Unión está facultado para establecer que determinados comportamientos de los operadores de los mercados agrícolas pueden quedar sustraídos de antemano a las normas sobre la competencia.

La exención general del art 209 del Reglamento 1308/2013 autoriza las conductas colusorias cuando sean necesarias para alcanzar los objetivos de la PAC enunciados en el art. 39 TFUE.

En cuanto el artículo 42 TFUE confiere prioridad a los objetivos de la PAC con respecto a los de la política en materia de competencia, aunque con excepciones relativas a la fijación de precios y eliminación de la competencia.

Resulta conveniente señalar igualmente el Caso endivias C-671/2015, STJ (Gran Sala) de 14 de noviembre de 2017 que incluía restricciones relativas a la concertación sobre el precio (precio mínimo) y la concertación sobre las cantidades comercializadas, vinculado al establecimiento de un sistema de intercambios de información estratégica para instaurar una política de precios mínimos.

En esencia en el mismo se plantea si pueden existir comportamientos de empresas que no estén comprendidos en el ámbito de las excepciones de carácter general que, habida cuenta de su importancia para el funcionamiento efectivo de una OCM en el marco de la PAC, puedan sustraerse sin embargo a la aplicación del artículo 101 TFUE y, en su caso, cuáles son los requisitos que las prácticas censuradas deben cumplir.

La Sentencia estableció que las prácticas en cuestión, pueden sustraerse a la prohibición de las prácticas colusorias establecida en el artículo 101 TFUE, apartado 1, cuando se convengan entre miembros de una misma OP o AOP, reconocida por un Estado miembro y sean estrictamente necesarias para la consecución del objetivo u objetivos asignados a dicha OP o AOP, con arreglo a la normativa de la Unión Europea, aplicando el art. 152. 1 bis, ter y quater del Reglamento (UE) n.o 1308/2013, de acuerdo con el cual:

No obstante lo dispuesto en el artículo 101, apartado 1, del TFUE, una organización de productores, reconocida en virtud del apartado 1 del presente artículo, podrá planificar la producción, optimizar los costes de producción, comercializar y negociar contratos para el suministro de productos agrícolas, en nombre de sus miembros con respecto a una parte o a la totalidad de la producción. Las actividades a que se refiere el primer párrafo podrán tener lugar:

a) siempre que se ejerzan realmente una o varias de las actividades contempladas en el apartado 1, letra b), incisos i) a vii), contribuyendo así al cumplimiento de los objetivos establecidos en el artículo 39 del TFUE;

b) siempre que la organización de productores concentre la oferta y comercialice los productos de sus miembros, con independencia de que los productores transfieran o no la propiedad de los productos agrícolas a la organización de productores;

c) con independencia de que el precio negociado sea o no el mismo para la producción conjunta de algunos o todos los miembros;

d) siempre que los productores de que se trate no sean miembros de ninguna otra organización en lo que atañe a los productos cubiertos por las actividades a que se refiere el párrafo primero;

e) siempre que el producto agrícola en cuestión no esté sujeto a una obligación de entrega derivada de la pertenencia del agricultor a una cooperativa que no es miembro de la organización de productores de que se trata, de conformidad con las condiciones establecidas en los estatutos de la cooperativa o por las normas y decisiones previstas en ellos o derivadas de ellos.

No obstante, los Estados miembros podrán establecer excepciones a la condición establecida en el párrafo segundo, letra d), en casos debidamente justificados, en los que los productores asociados posean dos unidades de producción distintas situadas en zonas geográficas diferentes.

La sentencia contempla, por tanto, la autorización de la negociación colectiva de las condiciones de venta, en el marco de organizaciones interprofesionales reconocidas que sean necesarios o convenientes para lograr los fines de la PAC (art. 39 TFUE), para corregir la tradicional asimetría del poder de negociación, aunque estos acuerdos pueden contener restricciones. Fuera de este marco la autoevaluación y la regla *de minimis* para pequeñas aventuras, son las reglas aplicables.

3.2. Cláusulas de reparto de valor.

En cuanto a las cláusulas de reparto de valor (CRV), nacidas en el ámbito de los contratos de colaboración como instrumento para regular la asignación del valor creado por ambas partes, han sido ortopédicamente aplicadas por la Comisión a contratos de cambio.

Las CRV son distintas de las cláusulas de reparto de beneficios.

Desde esta perspectiva la traducción española del artículo 172 bis puede resultar engañosa al referirse a "los beneficios y las pérdidas comerciales".

Resulta más clara la versión inglesa del artículo 172 a que habla de *"market bonuses and losses"* – no *benefits or wins*-.

Una cosa es que las CRV impliquen el reparto de valor de las bonificaciones o perjuicios generados a una de las partes, generalmente el primer comprador, como consecuencia de la modificación de precios medios del propio producto o de otro derivado del mismo y otra que implique un reparto de los beneficios obtenidos por el primer comprador.

Las CRV han sido aplicadas a los acuerdos colectivos de compra en el sector azucarero, donde tuvieron un buen resultado ya que, de acuerdo con datos de 2018, son empleadas por 30 de las 42 empresas azucareras existentes y por 5 cooperativas, en sus relaciones con los productores de remolacha.

Las CRV fueron extendidas posteriormente, en 2017, por el Reglamento Omnibus, con la introducción del art. 172 bis del Reglamento 1308/2013, que las configura como acuerdos de carácter voluntarios y bidireccionales, que, en principio, no afectan al precio de compra, ni forman parte del coste.

Desde esta perspectiva los posibles efectos económicos negativos de su aplicación no se verían limitados en España por los artículos 12 y 9 de la L 12/2013.

Dichas cláusulas son negociadas y pactadas colectivamente por las OP o AOP con el primer comprador, en el ámbito de las organizaciones interprofesionales.

Existe una clara tendencia europea a extender estas cláusulas con carácter general, plasmada en la reforma del Reglamento OCM, actualmente en tramitación en el Parlamento Europeo.

La CRV puede ser contemplada como condición comercial de carácter accesorio, tal y como indica el excelente estudio realizado recientemente por un grupo de profesores de Derecho mercantil de la UV y la UPV, entre los cuales cabe citar a la profesora Carmen Rodilla Marti y al profesor José Corberá, actuales Presidenta y vocal de la Comisión Valenciana de Defensa de la Competencia.

Desde la perspectiva de competencia, el artículo 172 bis establece, por tanto, un puerto seguro para los acuerdos realizados en el marco de una interprofesional reconocida, en tanto que los que pudieran realizarse fuera de ese marco quedarían sometidos a autoevaluación, de acuerdo con las reglas establecidas por el artículo 101.3 TFUE.

Estas cláusulas han sido incluidas en nuestro ordenamiento nacional en el sector lácteo, a través del Real Decreto 95/2019, de 1 de marzo.

Por último, hay que señalar el Reglamento OCM en tramitación, el Informe de la Comisión de Agricultura del Parlamento Europeo y la aprobación de enmiendas relativas a la extensión del uso de la cláusula de reparto de valor.

3.3. Instrumentos de Competencia Desleal

En primer lugar, debemos referirnos a la tan traída y llevada cuestión de la venta a pérdidas.

La regulación contenida en los artículos 17 LCD y 14 LOCM –, en particular relativa al engaño sobre el nivel de precios del establecimiento -en materia de venta a pérdida no resultan relevantes respecto a la cuestión que nos ocupa.

La prohibición de compra bajo coste del nuevo 12.3 de la Ley 12/2003 en los escalones intermedios tiene carácter administrativo y no resulta relevante dado que el problema se encuentra en la distribución minorista afectada solo por las prohibiciones del 17 LCD y 14 LOCM.

La prohibición de repercutir la política comercial de los grandes distribuidores minoristas en los escalones anteriores, tiene carácter administrativo y parece más un brindis al sol, que una regla que pueda tener efectos relevantes, ya que los procedimientos para acreditar dichas prácticas exigirían unos desembolsos importantes en el ámbito jurisdiccional o una aseveración pública generalmente impugnable con éxito ante los tribunales de lo contencioso.

Para obtener los efectos que se pretenden sería necesaria la creación de un nuevo supuesto refinado en la LCD, fundado en la venta a pérdida en supuestos de poder relevante de compra, lo que nos lleva a la cuestión de la regulación del poder de mercado fuera de los supuestos de posición de dominio.

4. SOLUCIONES REGULATORIAS ESPECÍFICAS PARA LA CADENA ALIMENTARIA EN EL MARCO DE LA COMPETENCIA DESLEAL.

4.1. La reforma de la Ley 12/2013

La Ley 12/2013, de 2 de agosto, de medidas para mejorar el funcionamiento de la cadena alimentaria, que intenta corregir las deficiencias de la cadena alimentaria a través de dos vías: la autorregulación, que ha tenido como consecuencia la aprobación del Código de Buenas Prácticas Mercantiles en la Contratación Alimentaria y la intervención administrativa, con la creación de la Agencia de Información y Control Alimentarios (AICA) que ha venido desarrollando una actuación eficaz aunque de modo limitado. https://www.aica.gob.es/

Las prácticas desleales sancionables de acuerdo con la versión original de la Ley conforman un elenco reducido y poco ambicioso: la inexistencia de contratos por escrito entre las partes, la falta de establecimiento de un precio determinado en el contrato para los productos, la modificación unilateral de los contratos, la imposición de pagos adicionales sobre el precio ya establecido, el incumplimiento de los plazos de pago y el incumplimiento de las condiciones de las subastas electrónicas de acuerdo a la Ley de dependencia-.

De otra parte la reforma de la Ley operada por el RDL 5/2020 de 25 de febrero, prohíbe de acuerdo con su artículo 12 ter una nueva conducta abusiva consistente en la "destrucción de valor en la cadena alimentaria", conducta que considera infracción grave el artículo su 23.2 in fine, sancionable de acuerdo con su artículo 24, cuyas sanciones resultan claramente insuficientes para atajar conductas conscientes de infracción y que deberían ser públicas, como las de competencia, para lograr, al menos, un efecto de deterrence reputacional.

Este precepto debe ser puesto en relación con el nuevo 9.1 letra c) de la Ley.

El artículo 12 bis 3, por su parte, considera abusiva la realización de actividades promocionales que induzcan a error sobre el precio e imagen de los productos o que perjudiquen la percepción en la cadena sobre la calidad o el valor de los productos, lo cual podría ser relevante desde la perspectiva de la práctica de precios de enganche de grandes superficies. El precepto merece algunas observaciones.

También resulta relevante, a este respecto, el artículo 12 ter que consagra una verdadera Ceremonia de la confusión. De acuerdo con el mismo:

"Con el fin de evitar la destrucción del valor en la cadena alimentaria, cada operador de la misma deberá pagar al operador inmediatamente anterior un precio igual o superior al coste efectivo de producción de tal producto en que

efectivamente *haya incurrido o asumido dicho operador. La acreditación se realizará conforme a los medios de prueba admitidos en Derecho.*

El operador que realice la venta final del producto al consumidor en ningún caso podrá repercutir a ninguno de los operadores anteriores su riesgo empresarial derivado de su política comercial en materia de precios ofertados al público." (Las negritas y subrayados son nuestros).

Acudiendo al refranero español podemos decir que El que confunde valor y precio es un necio. Otro tanto ocurre con quien confunde el valor de un producto con su coste de producción. Tan solo seis observaciones telegráficas:

1. La venta de un producto bajo coste no reduce su valor ni impide un precio superior o incluso especulativo en el escalón siguiente de la cadena

2. El coste del producto no equivale a su valor

3. En cuanto a la determinación de los costes, éstos, según el precepto son los que *"efectivamente haya incurrido o asumido dicho operador"* que son distintos para cada productor, dados múltiples factores, tal y como pone de manifiesto el artículo 9 letra c), de acuerdo con el cual el coste efectivo debe ser *"calculado teniendo en cuenta los costes de producción del operador efectivamente incurridos, asumidos o similares"*, lo que exigiría una determinación singular en cada proceso de negociación, que parece, a primera vista, absurda y antieconómica.

4. La referencia del título del precepto a la "destrucción de valor en la cadena" resulta inadecuada por bien que suene. No se como se puede destruir el valor del producto si no es dañándolo.

5. El precepto impide la reducción de pérdidas del productor en caso de desplome de precios.

6. No supone una barrera legal a la imputación consecuencias económicas negativas derivadas de reducciones de valor de mercado.

Por último, señalar el Artículo 9 letras c) y j), esta última excesivamente reglamentista y estilísticamente aborrecible, de la Ley 12/2013 de acuerdo con el RDL 5/2020, en virtud del cual, entre los extremos que deberán contener los denominados "contratos alimentarios" se encontrarán:

> «c) *Precio del contrato alimentario, con expresa indicación de todos los pagos, incluidos los descuentos aplicables, que se determinará en cuantía fija o variable. En este último caso, se determinará en función únicamente de factores objetivos, verificables, no manipulables y expresamente establecidos en el contrato. En ningún caso se utilizarán factores que hagan referencia a precios participados por otros operadores o por el propio operador. Los factores que emplear podrán ser, entre otros, la evolución de la situación del mercado, el volumen entregado y la calidad o composición del producto. En todo caso, uno de los factores deberá ser el coste efectivo de producción del producto objeto del contrato, calculado teniendo en cuenta los costes de producción del operador efectivamente incurridos, asumidos o similares.*

En el caso de las explotaciones agrarias se tendrán en cuenta factores tales como las semillas y plantas de vivero, fertilizantes, pesticidas, combustibles y energía, maquinaria, reparaciones, costes de riego, alimentos para los animales, gastos veterinarios, trabajos contratados o mano de obra asalariada. Se entenderá por factores objetivos aquéllos que sean imparciales, fijados con independencia de las partes y que tengan como referencia datos de consulta pública. En el caso de las explotaciones agrarias, éstos serán tales como los datos relativos a los costes efectivos de las explotaciones publicados por el Ministerio de Agricultura, Pesca y Alimentación.».

«j) Indicación expresa de que el precio pactado entre el productor primario agrario, ganadero, pesquero o forestal o una agrupación de éstos y su primer comprador cubre el coste efectivo de producción.».

4.2. La transposición de la Directiva 2019/633

Los artículos 1 y 3 de la mucho más ambiciosa Directiva 2019/633 de 17 de abril relativa a las prácticas comerciales desleales en las relaciones entre empresas en la cadena de suministro agrícola y alimentario, que debería haber sido transpuesta antes de 1 del pasado 1 de mayo – fecha en la cual solo cinco países europeos – Dinamarca, Francia, Holanda, Grecia, Finlandia y Letonia – habían comunicado a la Comisión sus medidas nacionales de transposición, y entrar en vigor antes del próximo 1 de noviembre, sin que de momento tengamos noticia de su transposición en nuestro país – junto a nosotros, quedan sin transponer la Directiva en la actualidad, Bélgica, Estonia, Italia, Chipre, Austria, Polonia y Rumanía, establece un régimen armonizado mínimo que proteja a la parte económicamente débil de las posibles conductas desleales de la económicamente fuerte, en particular aquéllas que impongan una transferencia desproporcionada e injustificada de riesgo económico de una de las partes a la otra; o imponer un desequilibrio importante de derechos y obligaciones a una de las partes.

La Directiva trata de establecer medidas para proteger los diferentes escalones de la cadena del efecto cascada derivado de la asimetría de poder de negociación con los grandes distribuidores evitando que las reducciones de precios insostenibles lleguen al productor agrícola (Considerando 9), y afecta también a las administraciones públicas que actúen como comprador.

La protección que ofrece la Directiva, y ello es muy relevante, no depende de la constatación de una posición de dominio o de dependencia en el mercado.

Se aplica a los supuestos de asimetría de poder de negociación que se identifican atendiendo a diferencias relevantes de volumen de negocios entre los contratantes, objetivadas en su texto. Se consideran diferencias relevantes, de acuerdo con el artículo 1.2 de la Directiva, las existentes entre:

a) un proveedor que tenga un volumen de negocios anual de menos de 2 000 000 EUR a un comprador que tenga un volumen de negocios anual de más de 2 000 000 EUR;

b) un proveedor que tenga un volumen de negocios anual de más de 2 000 000 y menos de 10 000 000 EUR a un comprador que tenga un volumen de negocios anual de más de 10 000 000 EUR;

c) un proveedor que tenga un volumen de negocios anual de más de 10 000 000 EUR y menos de 50 000 000 EUR a un comprador que tenga un volumen de negocios anual de más de 50 000 000 EUR;

d) un proveedor que tenga un volumen de negocios anual de más de 50 000 000 EUR y menos de 150 000 000 EUR a un comprador que tenga un volumen de negocios anual de más de 150 000 000 EUR;

e) un proveedor que tenga un volumen de negocios anual de más de 150 000 000 EUR y menos de 350 000 000 EUR a un comprador que tenga un volumen de negocios anual de más de 350 000 000 EUR.

Establece un doble régimen de conductas desleales prohibidas y sometidas a un régimen de transparencia y aceptación expresa.

Entre las conductas desleales prohibidas por el artículo 3 de la Directiva encontramos:

1) la realización de pagos atrasados, entendiendo por tales los realizados más de sesenta días después de lo previsto o de treinta días para los productos perecederos;

2) la cancelación por el comprador de un pedido en un plazo tan breve que el proveedor no puede razonablemente esperar encontrar una alternativa para comercializar o utilizar esos productos (una notificación inferior a treinta días se considerará siempre un plazo demasiado breve);

3) la modificación unilateral por parte del comprador del contrato de suministro de productos (en aspectos como frecuencia, método, lugar, calendario o volumen del suministro o la entrega de los productos agrícolas y alimentarios, las normas de calidad, las condiciones de pago o los precios);

4) el requerimiento de pagos del proveedor que no estén relacionados con el producto;

5) la exigencia al proveedor de pagos por el deterioro o la pérdida de un producto una vez que éste haya pasado a ser propiedad del comprador, sin que dicho deterioro o pérdida se deba a negligencia o culpa del proveedor;

6) la negativa a confirmar por escrito los términos de un contrato de suministro, existiendo una petición al respecto del proveedor;

7) la adquisición, utilización o divulgación de los secretos comerciales del proveedor;

8) la realización —o la amenaza— de actos de represalia comercial contra el proveedor cuando éste ejerza sus derechos contractuales o legales, incluidos la presentación de una denuncia o la cooperación con las autoridades durante una investigación;

9) la exigencia de una compensación al proveedor por los gastos derivados de estudiar las reclamaciones de los clientes relativas a la venta de los productos del proveedor.

En cuanto a las conductas sometidas a las reglas de transparencia y consentimiento expreso, éstas son:

1) la devolución al proveedor o la eliminación de los productos que el comprador no haya conseguido vender a terceros (sin tener que pagar por esos productos no vendidos);

2) el cobro a un proveedor como condición por el almacenamiento, la exposición o la inclusión en una lista de precios de sus productos agrícolas y alimentarios, o su puesta a disposición en el mercado;

3) la exigencia de que el proveedor pague los costes promocionales del comprador, esto es, que el comprador exija al proveedor que asuma total o parcialmente el coste de aquellos descuentos de los productos agrícolas y alimentarios vendidos por el comprador como parte de una promoción;

4) que el comprador exija al proveedor que pague por la publicidad de productos agrícolas y alimentarios realizada por el comprador;

5) que el comprador exija al proveedor que pague por la comercialización por parte del comprador de productos agrícolas y alimentarios;

6) que el comprador cobre al proveedor por el personal de acondicionamiento de los locales utilizados para la venta de los productos del proveedor.

5. OBSERVACIONES FINALES

Los problemas derivados de la asimetría de poder de negociación en el mercado agroalimentario y de la falta de utilización por parte de las asociaciones de productores de los instrumentos legales a su alcance, continúan siendo los mismos que hace diez años. La situación ha mejorado escasamente en este período, pero la transposición de la Directiva 2019/633, y la efectiva aplicación de sus reglas, podría reequilibrar parcialmente la solución. Las listas tasadas de conductas abusivas, plantean sin embargo el problema de que pueden resultar obsoletas nada más transpuestas, dada la excelente imaginación comercial, para crear otras nuevas, no reguladas.

Convendría que el legislador no se dejara llevar de la incompetencia dema-gógica de algunos dirigentes que hace tiempo deberían haber sido cesados por sus asociaciones, para incluir reglas absurdas e inaplicables en la reforma de la Ley asesorados por no se sabe quién, y ya puestos que tratara de cumplir los plazos de transposición de la Directiva demostrando con hechos el gran interés que supuestamente tienen los legisladores en la materia.

Como en tantos otros ámbitos, las mejores soluciones, proceden del ámbito europeo y no del nacional. Esperemos que en el futuro podamos decir otra cosa.

Incentivos a la agregación de la oferta agrícola desde el derecho de la competencia[1]*

FERNANDO CARBAJO CASCÓN
Catedrático de Derecho Mercantil. Universidad de Salamanca

1. CONCENTRACIÓN DE LA OFERTA Y LIBRE COMPETENCIA

Los graves desequilibrios entre los operadores de la oferta y la demanda o distribución agrícola que conforman la llamada cadena agroalimentaria, provocados por el proceso gradual de concentración de la demanda en torno a grandes grupos nacionales o multinacionales de transformación y/o distribución de productos alimentarios, vienen favoreciendo durante los últimos años una creciente tolerancia hacia la agregación o concentración de la oferta, a fin de superar el elevado grado de atomización de los productores agrícolas y proteger su posición más débil frente y prácticas abusivas o desleales de los grandes grupos de transformación y distribución.

El asociacionismo en el sector agrario, en sus distintas modalidades (v.gr. cooperativas, sociedades agrarias de transformación o sociedades especiales agrarias)[2], contribuye a la protección de los agricultores y ganaderos, que constituyen la parte débil de las relaciones contractuales en el sector agroalimentario; tanto en relación con los grandes grupos de transformadores, como con los grupos de distribución mayorista y minorista[3]. La agregación o concentración de la oferta tiene lugar por medio de las denominadas Organizaciones de Productores (OPs) y de las Asociaciones de Organizaciones de Productores (AOPs); estructuras organizativas que de alguna manera reproducen la orga-

---

[1]   * Trabajo realizado en el marco del Proyecto de Investigación "Competencia, Propiedad Intelectual y Tutela de Consumidores en el Sector Agrolimentario" (DER2017-86831-R), del que el autor es Investigador Principal. El presente trabajo constituye una versión reducida y revisada del publicado por el autor en Actas de Derecho Industrial, Vol. 49, 2019-2020, pp. 31-54, con el título: "Las exenciones agrarias en el difícil equilibrio entre política agraria común y derecho de la competencia en la Unión Europea".

[2]   Vid. MUÑIZ ESPADA, E., *Relaciones contractuales de cooperación en el medio agrario y rural*, Thomson Reuters Aranzadi, 2020, pp. 51-70 y 71-82.

[3]   Vid. CAZORLA GONZÁLEZ, Mª J. y BARDERA BALDRICH, Mª M., La capacidad negociadora de las OPFH en la comercialización de la producción bajo la normativa de defensa de la competencia tras la Directiva de prácticas comerciales desleales", en MUÑIZ ESPADA, E (Coord.) *Cambios en la Ley de la Cadena Alimentaria: propuestas para la urgente transposición de la Directiva 2019/633*, Reus, 2020, pp. 305-333 (311).

nización propia del mundo cooperativo: cooperativas de primer, cooperativas de segundo grado, grupos cooperativos y otras formas de colaboración económica entre cooperativas (cfr. artículos 1.4 y 77 a 79 de la Ley 27/1999, de 16 de julio, de Cooperativas)[4]. En un estadio más avanzado de cooperación se encuentran las llamadas Organizaciones Interprofesionales (OIs) que agrupan a los operadores que actúan en los distintos eslabones de la cadena alimentaria para procurar relaciones contractuales más fluidas en el seno de la organización como tal[5].

Las OPs, AOPs y OIs pueden servir para superar el desequilibrio existente en el mercado agroalimentario en favor de la demanda, reforzando la figura de los productores agrícolas para reequilibrar la negociación y también frente a la competencia proveniente de terceros países[6]. De este modo, las OPs y AOPs sectoriales emergen como nuevos agentes u operadores de la cadena agroalimentaria[7], empleando distintas formas de organización jurídica y ajustándose a los requisitos administrativos establecidos por cada Estado miembro[8].

Sin embargo, los incentivos a la creación de este tipo de organizaciones orientadas a la agregación de la oferta en el sector agrícola y ganadero, podría entrar en contradicción con las reglas generales de derecho de defensa de la competencia que prohíben los acuerdos entre empresas (cfr. artículos 101.1 TFUE y 1.1. LDC).

El Derecho de la Competencia (en su doble dimensión de derecho de defensa de la competencia y derecho de competencia desleal) persigue proteger la competencia y el mercado frente a comportamientos anticompetitivos y desleales, en beneficio directo o indirecto de los distintos agentes u operadores que participan en el mismo, de los consumidores y del interés público en el fun-

---

[4]   Vid. CABALLERO LOZANO, J.M., "La protección del contratante débil: el caso del ganadero en el suministro de leche cruda", en MUÑIZ ESPADA, E. (Coord.), *Cambios en la Ley de la Cadena Alimentaria: propuestas para la urgente transposición de la Directiva 2019/633*, Reus, 2020, pp. 261-304 (296).

[5]   CABALLERO LOZANO, J.M., "La protección del contratante débil...", cit., pp. 296-297.

[6]   Vid. la información que proporciona el Ministerio de Agricultura, Pesca y Alimentación en el sitio https://www.mapa.gob.es/es/agricultura/temas/regulacion-de-los-mercados/organizaciones-comunes-de-mercado-y-regimenes-de-ayuda/

[7]   CAZORLA GONZÁLEZ, Mª J. y BARDERA BALDRICH, Mª M., La capacidad negociadora de las OPFH...", cit., p. 323.

[8]   Cfr. Real Decreto 532/2017, de 26 de mayo, por el que se regula el reconocimiento y el funcionamiento de las organizaciones de productores del sector de frutas y hortalizas, modificado por el Real Decreto 404/2021, de 8 de junio. Cfr. Real Decreto 95/2019, de 1 de marzo, por el que se establecen las condiciones de contratación en el sector lácteo y se regula el reconocimiento de las organizaciones de productores y de las organizaciones interprofesionales del sector. Cfr. Real Decreto 236/2018, de 27 de abril, por el que se establecen las bases reguladoras para la concesión de ayudas para el fomento de la creación de organizaciones de productores y asociaciones de organizaciones de productores de carácter supraautonómico en el sector agrario.

cionamiento eficiente del mercado. Sin embargo, en algunos sectores consideraciones socioeconómicas de distinta índole pueden aconsejar una aplicación "diferente" de las normas sobre libre competencia, justificando regulaciones especiales dirigidas a promover el equilibrio entre los distintos agentes del mercado y en beneficio último de los consumidores y del interés general.

Así sucede, de hecho, con la regulación de los mercados agroalimentarios, donde la política y las normas de competencia se entrecruzan con los objetivos de la Política Agraria Común (PAC). En el sector agroalimentario la asignación eficiente de los recursos mediante la aplicación general del derecho de la competencia debe cohonestarse con la necesidad de garantizar la estabilidad de los mercados para asegurar un nivel de vida equitativo a la población agrícola así como la continuidad de los suministros a los consumidores finales a precios razonables[9]. Por lo demás, la experiencia demuestra que la aplicación básica o lineal del derecho de la competencia al sector agrario no ha servido para resolver los muchos problemas surgidos en torno a la cadena de producción y suministro agroalimentario, conocidos los fuertes y crecientes desequilibrios existentes entre una oferta fuertemente atomizada en miles de pequeños agricultores, cooperativas y asociaciones u organizaciones de productores, y una demanda cada vez más concentrada en grandes grupos de transformación y distribución de productos agroalimentarios.

La compensación entre las posiciones encontradas de oferta y demanda se promueve desde diferentes vías de actuación: *i)* el ya mencionado impulso a la agregación de la oferta en OPs y AOPs: *ii)* la promulgación de normas de sesgo proteccionista de la oferta, para favorecer la posición de los productores agrícolas en la cadena de suministro agrícola, mediante el desarrollo de políticas y normas de tipo intervencionista, justificadas desde los objetivos de la Política Agraria Común (PAC) regulada en los arts. 38 a 44 TFUE; *iii)* con la aprobación de normas especiales de derecho de la competencia en forma de "exenciones agrarias" a la prohibición general de conductas colusorias del art. 101.1 TFUE, a fin facilitar e incentivar la concentración de productores con vistas a la negociación colectiva de precios, cantidades y calidades de suministro, empoderando así a la oferta a través de organizaciones de productores y de organizaciones interprofesionales para compensar el mayor poder negociador de los grandes grupos de distribución en el lado de la demanda; *iv)* con la introducción de una normativa específica para combatir las prácticas desleales en las operaciones propias de la cadena agroalimentaria.

En este trabajo nos ocupamos exclusivamente de las "exenciones agrarias" en el derecho de la libre competencia, por más que los objetivos perseguidos

---

[9]   Vid. ARPIO SANTACRUZ, J., "La aplicabilidad de las disposiciones de defensa de la competencia en el sector agroalimentario", en BENEYTO J.Mª y MAÍLLO, J. (Dirs.), *Tratado de Derecho de la Competencia*, T. II, 2ª ed., Bosch, 2017, pp. 753-800 (pp. 754-755).

confluyan directa o indirectamente con el resto de las medidas de tutela de los productores en el sector agroalimentario.

2. LA LEGISLACIÓN DE COMPETENCIA EN EL CONTEXTO DE LA POLÍTICA AGRARIA COMÚN

2.1. Equilibrio de objetivos sociales y de mercado

Según el artículo 42 TFUE las normas del Tratado sobre regulación de la competencia serán aplicables a la producción y al comercio de los productos agrícolas sólo en la medida determinada por el Parlamento Europeo y el Consejo en el marco de las disposiciones y de conformidad con el procedimiento establecido al efecto (cfr. art. 43.2 TFUE), teniendo en cuenta en todo caso los objetivos generales de la PAC enunciados en el artículo 39.1 TFUE: a) incrementar la productividad agrícola, fomentando el progreso técnico, asegurando el desarrollo racional de la producción agrícola, así como el empleo óptimo de los factores de producción, en particular, de la mano de obra; b) garantizar así un nivel de vida equitativo a la población agrícola, en especial, mediante el aumento de la renta individual de los que trabajan en la agricultura; c) estabilizar los mercados; d) garantizar la seguridad de los abastecimientos; e) asegurar al consumidor suministros a precios razonables.

Por lo tanto, el artículo 42 TFUE reconoce la primacía o prevalencia de la PAC respecto a los objetivos generales del Tratado en materia de competencia plasmados en los artículos 101 a 106 TFUE. También la facultad del legislador de la Unión de decidir en qué medida deben aplicarse las normas sobre libre competencia en el sector agrícola para la mejor consecución de los objetivos de la PAC. El Tribunal de Justicia de la Unión Europea (TJUE) reconoce también la prevalencia de la PAC sobre los objetivos del Tratado en materia de libre competencia[10], pero advierte que el mantenimiento de la competencia efectiva es también uno de los objetivos de la PAC y de la organización común de

---

[10]   STJCE de 29 de octubre de 1980 (As. 139/79, "*Maizena*", ap. 23); STJCE de 5 de octubre de 1994 (As. C-280/93, "*Alemania c. Consejo*", ap. 61); STJCE de 12 de diciembre de 2002 (As. C-456/00, "*Francia c. Comisión*", ap. 33); STJUE de 19 de septiembre de 2013 (As. C-373/11, "Panellionios Szdesmos Viomichanion Metapoiisis Paknou", ap. 39); STJUE de 14 de noviembre de 2017 (As. C-671/15, "APVE y otros", ap. 37).

mercados agrarios[11]. No en vano, PAC y Política de Competencia son dos ejes vertebradores fundamentales de la Unión Europea desde sus orígenes[12].

Para conjugar los objetivos del Tratado en materia de Política Agraria Común y de libre competencia, ya desde los inicios de la Unión Europea el legislador decidió que las normas de competencia se aplicasen con carácter general en el mercado agrícola, excepto para determinadas prácticas y productos donde el acuerdo entre productores es aconsejable e incluso necesario para establecer un equilibrio razonable con el resto de operadores de la cadena agroalimentaria y garantizar el suministro a los consumidores, logrando así los objetivos de la PAC[13]. Para ello, a medida que se ha ido definiendo la PAC y adaptándola a los sucesivos cambios que han ido produciéndose en los mercados agrícolas, el legislador de la Unión ha ido introduciendo gradualmente exenciones a la regla general del derecho *"antitrust"* por la que se prohíben los acuerdos, decisiones y prácticas colusorias entre empresas.

2.2. *La introducción de exenciones agrarias a la regla general de prohibición de conductas colusorias*

La introducción de las exenciones agrarias a la prohibición general de conductas colusorias del artículo 101.1 TFUE ha tenido lugar en varias etapas, por medio de los Reglamentos UE de regulación de la organización común de mercados agrícolas, así como en otros Reglamentos complementarios, sin que pueda considerarse un capítulo cerrado, pues dependerá de futuras evoluciones en la estructura de la cadena de valor de los mercados agrícolas y de los ajustes o reformas en la PAC.

La primera etapa en la regulación tuvo lugar a través del Reglamento (CEE) 26/1962, de 4 de abril, sobre aplicación de determinadas normas sobre competencia a la producción y al comercio de productos agrícolas, el cual fue

---

[11]   STJCE de 9 de septiembre de 2003 (As. C-137/00, "Milk Marque et National Farmer's Union", ap. 57; STJUE de 14 de noviembre de 2017 (As. C-671/15, "APVE y otros", aps. 37 y 48).

[12]   Vid. SANTAOLALLA MONTOYA, C., *La política de competencia en su proyección sobre el agro español*, Thomson Reuters Aranzadi, 2018, pp. 82-83.

[13]   Para una exposición de las relaciones entre PAC y derecho de la competencia, vid. GUILLEM CARRAU, J., "Las peculiaridades y especificidades propias de los mercados agroalimentarios y sus contrastes con el Derecho de la Competencia", en AA.VV. *El Derecho de la Competencia y el sector agroalimentario en la Comunidad Valenciana*, Tribunal de Defensa de la Competencia, 2010; GUILLEM CARRAU, J., "Política agrícola común y derecho de la competencia", Revista de Derecho de la Unión Europea, n° 26, 2014, pp.135-166; HERNÁNDEZ RODRÍGUEZ, F., "La aplicación del Derecho de la competencia en el sector agroalimentario ante los retos de un nuevo modelo de distribución", en CACHAFEIRO GARCÍA, F./GARCÍA PÉREZ, R. y LÓPEZ SUÁREZ, M.A. (Coords.), *Derecho de la competencia y gran distribución*, Thomson Reuters Aranzadi, 2016, pp. 231-248.

reformado más de veinte años después por el Reglamento (CE) 1184/2006, de 14 de julio, sobre aplicación de determinadas normas sobre la competencia a la producción y al comercio de productos agrícolas, modificado a su vez por el Reglamento CE 491/2009) y por el Reglamento (CE) 1234/2007, del Consejo, de 22 de octubre, por el que se crea una organización común de mercados agrícolas y se establecen disposiciones específicas para determinados productos (modificado éste, a su vez, por el Reglamento CE 361/2008, del Consejo, de 14 de abril)[14].

La Comisión Europea y el Tribunal de Justicia interpretaron estos primeros Reglamentos en materia de mercados agrícolas en el sentido de que los acuerdos entre productores agrícolas, asociaciones de productores o asociaciones de asociaciones, no podrían considerarse necesarios para alcanzar los objetivos de la PAC si las normas reguladoras de la organización común de mercados no contemplasen expresa o implícitamente un acuerdo concreto como uno de los mecanismos necesarios para la realización de esos objetivos[15].

2.2.1. El Reglamento (UE) 1308/2013 sobre Organización Común de Mercados de los Productos Agrarios

Tras una profunda reforma en la PAC se promulgó el Reglamento (UE) 1308/2013, del Parlamento Europeo y del Consejo, de 17 de diciembre de 2013, por el que se crea la Organización Común de Mercados de los productos agrarios y por el que se deroga, entre otros, el Reglamento (CE) 1234/2007[16].

---

[14]   Además se promulgó el Reglamento (CE) 2200/96 del Consejo, de 28 de octubre de 1996, por el que se establece la organización común de mercados en el sector de las frutas y hortalizas, modificado luego por el Reglamento (CE) 1182/2007 del Consejo, de 26 de septiembre de 2007, por el que se establecen disposiciones específicas con respecto al sector de las frutas y hortalizas, que fue derogado luego por el Reglamento (CE) 361/2008 del Consejo, de 14 de abril de 2008.

[15]   Decisión de la Comisión Europea de 26 de noviembre de 1986 (348/86, "Meldoc"). STJCE de 14 de mayo de 1997 (As. Acumulados T-70/92 y T-71/92, "Florimex"). Vid. TATO PLAZA, A. y CACHAFEIRO GARCÍA, F., *Derecho de la competencia y sector agrario*, Informe del Tribunal Galego de Defensa de la Competencia, 2016, pp. 28 y ss., accesible en http://www.tgdcompetencia.org/estudios/est_3_2006_EE_dc_y_agricultura_es.pdf;   VICIANO PASTOR, J., "Derecho de la competencia y sector agrícola: nuevas exclusiones y exenciones de la prohibición de acuerdos restrictivos de la competencia en el Reglamento 2017/2393", en TATO PLAZA, A., COSTAS COMESAÑA, J., FERNANDEZ CARBALLO-CALERO, P. y TORRES PÉREZ, F., *Nuevas Tendencias en el Derecho de la Competencia y de la Propiedad Industrial II*, Comares, 2019, pp. 169-180 (p. 176).

[16]   Además del Reglamento general 1308/2013, la organización común de mercados de los productos de pesca y la acuicultura se regula con carácter específico en el Reglamento (UE) 1379/2013, del Parlamento Europeo y del Consejo, de 11 de diciembre de 2013, que se ocupa de las reglas de competencia en los artículos 40 y 41. La aplicación de normas de competencia a conductas relativas a productos agrícolas incluidos en el Anexo I TFUE no

Entre los principales objetivos de la reforma de la PAC estaba el de fortalecer el poder de negociación de la oferta de productos agrícolas como reacción frente al elevado grado de concentración de la demanda, sobre todo desde la distribución mayorista y minorista, y los abusos derivados de la situación de dependencia económica de la parte contractual más débil[17]. Dicho objetivo tendría repercusiones en los equilibrios entre PAC y normativa sobre competencia, lo que motivó la reforma del Reglamento relativo a la Organización Común de Mercados.

En el Reglamento 1308/2013 la aplicabilidad de las normas de competencia al sector agrícola experimentó importantes recortes mediante la ampliación del régimen de exenciones a la regla general de prohibición de prácticas colusorias del artículo 101.1 TFUE[18].

El artículo 209.1 establece una exención agrícola general a la prohibición de conductas colusorias del artículo 101.1 TFUE, aunque los operadores del sector agroalimentario podrán igualmente justificar algunos acuerdos, decisiones y prácticas recurriendo a la regla general de exención por generación de eficiencias del artículo 101.3 TFUE[19] y a los Reglamentos de exención por categorías de acuerdos que encuentren aplicación en el sector agrícola.

La exención agrícola general establece tres reglas básicas en materia de acuerdos, decisiones y prácticas concertadas de agricultores, asociaciones de agricultores o asociaciones de estas asociaciones, que hace extensivas también a las organizaciones de productores y a las asociaciones de organizaciones de productores reconocidas:

i) Quedan excluidos o exentos de la prohibición general de prácticas colusorias del artículo 101.1 TFUE los acuerdos, decisiones y prácticas

---

sometidos a una organización común de mercados se sigue regulando en el Reglamento (CE) 1184/2006 del Consejo, de 14 de julio.

[17]   Vid. GARCÍA GALLARDO, R., "Aplicación del derecho de la competencia al sector agrícola (1)", en RECUERDA GIRELA, M.A., *Problemas prácticos y actualidad del derecho de la competencia*, Anuario de Derecho de la Competencia, Thomson Reuters Civitas, 2016, pp. 89-96 (pp. 89-90).

[18]   Además, este Reglamento sustituye el obsoleto e ineficiente régimen de autorización previa de la Comisión por el de autorización a priori "*ex lege*" en régimen de autoevaluación, establecido con carácter general en el Reglamento 1/2003, recayendo sobre las partes implicadas en el acuerdo la prueba de que el mismo encaja en las exenciones a la regla general de prohibición previstas en el Reglamento y sobre las autoridades de competencia la carga de la prueba de una posible infracción del artículo 101.1 TFUE y (cfr. artículo 209.2). Vid. COMISIÓN EUROPEA, "*Aplicación de las normas de competencia de la Unión al sector agrario*", 2018, aps. 17-18.

[19]   Vid. COMISIÓN EUROPEA, "*Aplicación de las normas de competencia de la Unión al sector agrario*", cit., aps. 33-35.

concertadas, que se consideren necesarios para realizar los objetivos de la PAC[20];

ii) Quedan exentos de la prohibición general de prácticas colusorias del artículo 101.1 TFUE los acuerdos, decisiones y prácticas concertadas que se refieran a la producción o venta de productos agrarios o a la utilización de instalaciones comunes de almacenamiento, tratamiento o transformación de productos agrarios, a menos que pongan en peligro los objetivos de la PAC previstos en el artículo 39 TFUE;

iii) La exención no se aplicará, en ningún caso, a los acuerdos, decisiones y prácticas concertadas que conlleven la obligación de cobrar un precio idéntico o por medio de los cuales quede excluida la competencia[21].

El artículo 210 del mismo Reglamento 1308/2013 establece normas especiales para los acuerdos y prácticas concertadas de organizaciones interprofesionales reconocidas, en los sectores de la leche y los productos lácteos (*ex* artículo 157.3 c.) y de los sectores del aceite de oliva, las aceitunas de mesa y el tabaco (*ex* artículo 162). Aunque en este caso la prohibición del artículo 101.1 TFUE no resultará aplicable solamente si los acuerdos y decisiones adoptados en el seno de organizaciones interprofesionales reconocidas se comunican a la Comisión y ésta, en el plazo de dos meses, no declara la incompatibilidad de los mismos con el Tratado por alguna de las causas específicamente previstas en el Reglamento[22].

---

[20]   Esta excepción se podrá aplicar siempre que el acuerdo o decisión sea necesario para cumplir con los objetivos de la PAC y con el mismo se cumplan simultáneamente todos los objetivos del artículo 30 TFUE, y el acuerdo sea conforme al principio de proporcionalidad. Cfr. STJUE, As. Acumulados T-217/2003 y T-245/2003 "Federation Nationale de la Ccoopèration Bétail et Viande (FNCBV) y otros c. Comisión, "Vacas Locas", ap. 199), donde el Tribunal consideró que, a pesar de la crisis que atravesaba el sector bovino, un acuerdo para limitar importaciones y fijar precios no era una medida proporcionada dada su condición de infracción grave al derecho de la competencia. Vid. ARPIO SANTACRUZ, J., "La aplicabilidad de las disposiciones de defensa de la competencia en el sector agroalimentario", cit., pp. 768-769.

[21]   Con lo cual quedan fuera de la exención y, en consecuencia, dentro de la prohibición general de prácticas colusorias los acuerdos de determinación de precios fijos o precios mínimos o de establecimiento de cuotas de mercados o restricciones a la producción, que constituyen restricciones excesivas para la competencia y ejemplos de cartelización, a pesar de ser una de las principales armas de defensa de los agricultores, sus asociaciones y confederaciones ante la presión de precios a la baja ejercida por transformadores y distribuidores de productos agrícolas.

[22]   A saber: *a)* que puedan entrañar cualquier forma de compartimentación de los mercados dentro de la Unión; *b)* que puedan perjudicar el buen funcionamiento de la organización de mercados; *c)* que puedan originar falseamientos de la competencia que no sean imprescindibles para alcanzar los objetivos de la PAC a través de la actividad de la organización interprofesional; *d)* que supongan la fijación de precios o de cuotas de mercado; *e)* que puedan crear discriminación o eliminar la competencia con respecto a una parte considerable de los

Por lo demás, el Reglamento 1308/2013 va más allá en materia de exencio-nes agrarias, estableciendo algunas exclusiones específicas a la prohibición de conductas colusorias del artículo 101.1 TFUE para facilitar el equilibrio entre oferta y demanda en algunos sectores agrarios concretos mediante la negocia-ción colectiva o común de contratos de suministro[23], contemplando de manera expresa la posibilidad de que los contratos de comercialización o suministro podrán ser contratos-tipo negociados por organizaciones de productores (OP) en nombre de los ganaderos o agricultores integrados en ellas, con respecto a una parte o a la totalidad de su producción conjunta. Así sucede en el sector de la leche y productos lácteos (cfr. artículos 148 y 149), del aceite de oliva (artículo 169), de la carne de vacuno (artículo 170) y de los cultivos herbáceos (art. 171)[24].

En otros sectores específicos, el Reglamento 1308/2013 OCM o Reglamen-tos Delegados de la Comisión, permiten a los productores y sus asociaciones o a las organizaciones de productores y sus asociaciones alcanzar acuerdos para adaptar la oferta a la demanda y garantizar el valor añadido y la calidad de determinados productos[25].

Por último, el art. 222 del Reglamento 1308/2013 prevé otra posible exen-ción a la prohibición general de prácticas colusorias del artículo 101.1 TFUE en situaciones o periodos de crisis[26], mediante la autorización por parte de la Comisión -con condiciones muy estrictas-, durante los periodos de desequili-brios graves en los mercados, de algunos acuerdos o decisiones restrictivos de la competencia por parte de organizaciones de productores reconocidas, de asociaciones de estas y de las organizaciones interprofesionales reconocidas,

---

productos en cuestión. Vid. ARPIO SANTACRUZ, J., "La aplicabilidad de las disposiciones de defensa de la competencia en el sector agroalimentario", cit., pp. 777-780.

[23]   Vid. COMISIÓN EUROPEA (2018), "*Aplicación de las normas de competencia de la Unión al sector agrario*", cit., aps. 23-28.

[24]   Ante la oposición de buena parte de las Autoridades de Competencia nacionales, que veían en esta negociación colectiva de contratos-tipo un riesgo para la competencia al alterar el poder de negociación en favor de los productores, la Comisión Europea decidió publicar unas Directrices de Aplicación de los arts. 169, 170 y 171 del Reglamento 1308/2013 para ayudar a los productores y sus organizaciones a autoevaluar sus propias prácticas y evitar posibles sanciones por ilícitos contra la libre competencia, clarificando las situaciones en que los productores pueden cooperar a través de sus organizaciones sin vulnerar la norma-tiva de competencia. Vid. en DOUE, serie C, nº 431, de 22 de diciembre de 2015.

[25]   Cfr. artículos 33 y 160 para las organizaciones de productores de frutas y hortalizas; artícu-lo 125 para el sector del azúcar; artículo 167 en el sector de vinos, uvas y mostos; artículos 150 y 172 para las organizaciones de productores de quesos y jamones con denominaciones de origen o indicaciones geográficas protegidas.
Vid. COMISIÓN EUROPEA, "*Aplicación de las normas de competencia de la Unión al sector agrario*", cit., aps. 29-31.

[26]   Vid. COMISIÓN EUROPEA, "*Aplicación de las normas de competencia de la Unión al sector agrario*", cit., ap. 32.

siempre que no menoscaben el correcto funcionamiento del mercado interior y tengan como única finalidad estabilizar el sector afectado[27].

2.2.2. El Reglamento (UE) 2017/2393, del Parlamento Europeo y del Consejo, de 13 de diciembre de 2017

La tolerancia y promoción de la concentración de productores para fortalecer la oferta en la cadena agroalimentaria frente al poder creciente de los operadores del sector de la demanda (transformadores y distribuidores) no se consiguió con las medidas adoptadas por el Reglamento 1308/2014 de Organización de Mercados, por lo que se hacía necesario dar nuevos pasos a favor de la agregación de la oferta con la finalidad de reequilibrar las relaciones contractuales en la cadena agroalimentaria para cumplir los objetivos de la PAC y en beneficio del suministro estable y de los consumidores.

Un primer e importante paso tuvo lugar con la STJUE (Gran Sala) de 14 de noviembre de 2017 (As. C-671/15, "Endivias"), que resuelve una cuestión prejudicial relativa a la aplicación de la normativa de organización común de mercados anterior al año 2007, planteada por la Corte de Casación francesa en el curso de un litigio entre la Autoridad de Defensa de la Competencia francesa y varias organizaciones de productores de endivias que habían establecido una política común de concertación sobre los precios por medio de diferentes mecanismos (como la difusión de un precio mínimo semanal, un precio medio de referencia o un precio en que se detiene la puja en subastas a la baja), sobre las cantidades de endivias comercializadas y sobre un sistema de intercambio de información estratégica para instaurar las políticas de precios.

Tras recordar que las organizaciones comunes de los mercados de productos agrícolas no son espacios exentos de competencia y que el mantenimiento de una competencia efectiva forma parte de los objetivos de la PAC y de la organización común de mercados, concluye no obstante el Tribunal que determinados acuerdos pueden ser necesarios para conseguir los objetivos asignados por el legislador de la Unión a las OPs y AOPs en los sectores agrícolas, señalando que la inaplicabilidad de las normas de la UE sobre la competencia se justificará en cada caso concreto por el hecho de que una determinada práctica o conducta sea necesaria para alcanzar uno o varios de los objetivos de la organización común del mercado considerado, siempre y cuando esa práctica sea llevada a cabo por una entidad que esté efectivamente habilitada para ello con arreglo a la normativa relativa a la organización común de ese mercado y que, por lo tanto, haya sido reconocida por un Estado miembro. En consecuencia, una práctica adoptada en el seno de una entidad no reconocida por un Estado

---

[27] Vid. ARPIO SANTACRUZ, J., "La aplicabilidad de las disposiciones de defensa de la competencia en el sector agroalimentario", cit., pp.. 780-781.

miembro para la consecución de uno de los objetivos perseguidos por el legislador no puede sustraerse a la prohibición de prácticas colusorias recogidas en el artículo 101.1 TFUE, pero sí -en función de las circunstancias- en el caso de que se trate de una OP o AOP reconocida. Señala también el TJUE que las misiones de programación de la producción, concentración de la oferta y de la comercialización, optimización de los costes de producción y estabilización de los precios de producción, encargadas por un Reglamento de la UE a las OPs y AOPs, deben ser prácticas internas a una sola organización o asociación de organizaciones; esto es, que sólo se pueden justificar determinadas formas de coordinación o de concertación para la producción y la comercialización de productos agrícolas entre los productores que sean miembros de una misma OP o AOP reconocidas por un Estado miembro. De modo que las prácticas concertadas que se acuerden entre varias OPs o AOPs exceden de lo necesario para conseguir los objetivos de organización común de los mercados.

Estas conclusiones alcanzadas por el TJUE en la sentencia del asunto "Endivias" al interpretar la normativa anterior al Reglamento 1308/2013 relativa al sector hortofrutícola, son extensibles a otros sectores agroalimentarios (como los de cereales, arroz, azúcar, tabaco, lácteos o vacuno) siempre que se ajusten a los objetivos típicos de sus OPs y AOPs[28], y muestran claramente la voluntad del TJUE de abrir la mano cuando se trata de concertaciones entre productores en el seno de una OP o AOP siempre que esté reconocida por un Estado miembro, consciente de los graves desequilibrios del poder de negociación que se producen en la cadena agroalimentaria y que requieren un reajuste en el lado de la oferta incluyendo prácticas de fijación de precios y de cantidades comercializadas e intercambios de información estratégica entre los miembros de la OP y AOP.

Esta tendencia favorable a un mayor grado de concentración de la oferta en torno a las OPs y AOPs se consolida con las modificaciones introducidas en el Reglamento OMC 2013 por el Reglamento "Ómnibus" 2017/2393, de 13 de diciembre de 2017, con el que se da un paso más en la ampliación del régimen de las exenciones agrarias a la prohibición del artículo 101.1 TFUE[29].

El Reglamento 2017/2393 reconoce los mayores riesgos económicos a los que están expuestos los agricultores como consecuencia de la evolución de los mercados agrícolas, y si bien considera que tales riesgos no afectan a todos los

---

[28] TÉLLEZ DE LA FUENTE, C./GIMÉNEZ RODRIGO, L., "Plat du jour: endivias colusorias", en GÓMEZ ACEBO-POMBO, *Notas de Competencia*, nº 22, 2018, pp. 4-10, accesible en https://www.ga-p.com/wp-content/uploads/2018/07/Notas_de_Competencia_n._22_1.pdf

[29] Vid. VICIANO PASTOR, J., "Derecho de la competencia y sector agrícola: nuevas exclusiones y exenciones de la prohibición de acuerdos restrictivos de la competencia en el Reglamento 2017/2393", cit., pp. 178-179.

sectores por igual considera necesario, en cualquier caso, ampliar el alcance de las exenciones agrícolas al art. 101.1 TFUE para facilitar las prácticas de concertación entre productores dentro de las OPs y AOPs a fin de incentivar la concentración de la oferta y la mejora general de la producción agrícola, en beneficio tanto de los productores como de los consumidores[30].

2.2.3. Transformaciones introducidas en las normas de competencia del Reglamento de Organización de Mercados Agrarios

Para favorecer la agregación de la producción agrícola con la finalidad de incrementar el poder de mercado desde la oferta orientado a contrarrestar los desequilibrios con los operadores de los restantes eslabones del mercado agrícola y generar así un entorno más competitivo de los mercados agrícolas en su conjunto, se modifica el artículo 152 del Reglamento 1308/2013 para introducir varios apartados orientados a excluir del ámbito de aplicación del artículo 101.1 TFUE los acuerdos fraguados entre productores en el seno de OPs y AOPs[31], confirmando la tendencia de reducir o relajar la aplicación del derecho de la competencia a fin de permitir una negociación más igualitaria con los grandes grupos de distribución que conforman el grueso de la demanda.

Se incluye un nuevo artículo 152bis en el Reglamento OMC 2013 para establecer, en su párrafo I, que, no obstante lo dispuesto en el artículo 101, apartado 1, del TFUE, una OP reconocida por un Estado miembro en virtud de lo previsto en el apartado 1 del artículo 152, "*podrá planificar la producción, optimizar los costes de producción, comercializar y negociar contratos para el suministro de productos agrícolas, en nombre de sus miembros con respecto a una parte o la totalidad de la producción*"[32]. Las mismas prerrogativas re-

---

[30]   Se advierte, con carácter general, que "*las organizaciones de productores y sus asociaciones pueden desempeñar una función muy útil en la concentración de la oferta y en la mejora de la comercialización y planificación, así como para adaptar la producción a la demanda, optimizar los costes de producción y estabilizar los precios a la producción, llevar a cabo investigaciones, fomentar las mejores prácticas y prestar asistencia técnica, gestionar los productos derivados y administrar los instrumentos de gestión del riesgo de que dispongan sus miembros, contribuyendo así a fortalecer la posición de los productores en la cadena alimentaria*". Cfr. Considerando 52, donde se añade que la posibilidad de concertación en torno a OPs y AOPs se admitirá sin perjuicio de la aplicación a las mismas del artículo 102 TFUE (abuso de posiciones de dominio) y la obligación de establecer salvaguardias para garantizar que las actividades de éstas no excluyan la competencia o pongan en peligro los objetivos de la PAC recogidos en el artículo 39 TFUE.
[31]   VICIANO PASTOR, J., "Derecho de la competencia y sector agrícola: nuevas exclusiones y exenciones de la prohibición de acuerdos restrictivos de la competencia en el Reglamento 2017/2393", cit., p. 178.
[32]   Es más, el Considerando 52 del Reglamento 2017/2393 apunta que la posibilidad de llevar a cabo este tipo de prácticas concertadas dentro de una OP, "*debe regularse de forma explícita como un derecho de las organizaciones de productores reconocidas en todos los*

conocidas a OPs se hacen extensivas a las AOPs en el nuevo artículo 152ter, con el ánimo cierto de potenciar aún más la concentración de la producción y reequilibrar la cadena agroalimentaria desde el lado de la oferta en las negociaciones con la demanda consiguiendo mejores condiciones para los productores agrícolas, sobre todo por lo que se refiere a una proporción más racional y equitativa entre el precio de origen de los productos agrícolas y el precio final de venta al público resultante de las sucesivas adiciones de la cadena de valor agroalimentaria (transformadores, distribuidores mayoristas, distribuidores minoristas).

En definitiva, se reconoce explícitamente el derecho de las OPs y AOPs a alcanzar acuerdos en el seno de la organización, como exenciones a la prohibición general de concertación del artículo 101.1 TFUE, siempre que estén dirigidos a alcanzar los objetivos relacionados en el párrafo II del nuevo artículo 152bis en relación con las actividades de transformación, distribución, envasado, etiquetado, almacenamiento, etc. que se hagan conjuntamente, permitiendo a las OPs y AOPs concentrar la oferta y comercializar los productos de sus miembros, con independencia de que los productores transfieran o no previamente la propiedad de los productos agrícolas a la organización, y con independencia de que el precio negociado sea o no el mismo para la producción conjunta de algunos o todos sus miembros.

Para evitar posibles excesos o abusos derivados del poder de mercado que puedan alcanzar las OPs y AOPs y que pueden poner en peligro la estabilidad de los mercados agrícolas, el suministro de productos alimentarios y el bienestar de los consumidores, el nuevo artículo 152.1quáter introduce una cláusula de salvaguardia para impedir que la exención de la concertación "intra" OP o AOP resulte ilimitada, facultando a las autoridades nacionales de competencia a investigar y, en su caso, decidir a futuro, que alguna de las actividades realizadas por OPs y AOPs al amparo del artículo 152.1 se deben modificar, suspender o no llevarse a cabo en absoluto, si consideran que ello es necesario para evitar la exclusión de la competencia o si se considera que se ponen en peligro los objetivos de la PAC[33].

---

sectores para los que el Reglamento (UE) nº 1308/2013 del Parlamento Europeo y del Consejo establecer una organización común de los mercados".

[33]   Si las negociaciones de una OP o AOP abarcan más de un Estado miembro, esa decisión deberá adoptarla la Comisión, sin necesidad de aplicar el procedimiento establecido en el artículo 229.2 o en el artículo 229.3 del Reglamento OCM. Sin embargo, de su tenor literal se desprende que las Autoridades de la Competencia no podrán sancionar este tipo de prácticas dentro de las OPs y AOPs que consideren perjudiciales para la competencia aplicando el artículo 101.1 TFUE o su correlativo nacional (art. 1.1 LDC), sino únicamente modificarlas, suspenderlas o impedir que se sigan ejecutando. Ahora bien, que las Autoridades de Competencia no puedan sancionar los acuerdos o ententes dentro de las OPs y AOPs, no significa que no puedan aplicar el ilícito del art. 102 TFUE (art. 2 LDC) en caso de abusos de posiciones de dominio adquiridas por estas organizaciones, así como la política

2.2.4. Modificaciones en el régimen de las exenciones agrícolas

Aunque las modificaciones introducidas con el nuevo artículo 152.1bis del Reglamento OCM constituyan en sí mismas una exención específica al artículo 101.1 TFUE, el Reglamento 2017/2393 modifica el artículo 209.1, párrafo II, del Reglamento OCM 2013, para incluir entre las OPs cuyos acuerdos, decisiones o prácticas concertadas quedan exentas del artículo 101.1 TFUE las del sector de la leche y de los productos lácteos reconocidas en virtud de lo dispuesto en el artículo 161 del mismo Reglamento.

El artículo 209.1 del Reglamento OMC 2013, que recoge la exención general agraria, debe interpretarse conjuntamente con las modificaciones introducidas en el art. 152 ampliando las posibilidades de concertación en el seno de las organizaciones de productores para concentrar la oferta y equilibrar el poder de negociación en los mercados agrarios. La intención principal del legislador de la UE en el Reglamento 2017/2393 es la de potenciar la oferta desde la concertación de los productores agrícolas a través de las OPs y AOPs reconocidas, en la línea marcada anteriormente por el propio legislador y la Comisión en relación con las exenciones agrarias en algunos sectores específicos[34], y también por el TJUE en la Sentencia del asunto "Endivias".

Se mantiene, no obstante, el párrafo III del artículo 209.1 por el que se prohíben expresamente los acuerdos, decisiones y prácticas concertadas que conlleven la obligación de cobrar un precio idéntico o por medio de los cuales quede excluida la competencia. De modo que no quedarían exentos de la prohibición del artículo 101.1 TFUE los acuerdos y decisiones de fijación de precios mínimos entre agricultores o sus asociaciones, aunque sí las concertaciones relativas a precios en el seno de las OPs y AOPs[35]. Por lo tanto, una de las claves, para aplicar o no la prohibición de acuerdos del artículo 101.1 TFUE estará en que la política de precios se fije por la OP o AOP cuando sean estas quienes comercialicen unitariamente los productos de sus miembros.

Por lo demás, el Reglamento 2017/2393 añade un segundo párrafo al artículo 209.2 del Reglamento OCM para señalar que, aunque los acuerdos, decisiones o prácticas concertadas no están sujetas a autorización previa de la

---

de control de concentraciones, pues estas no sufren ninguna excepción o limitación en el Reglamento de Organización Común de Mercados de productos agrícolas (cfr. Considerando 52 del Reglamento 2017/2393).

[34]   Como consecuencia directa de la ampliación de la capacidad de concertación y negociación conjunta en el seno de organizaciones de productores y sus asociaciones, se derogan los arts. 169, 170 y 171 del Reglamento 1308/2013, en los que ya se reconocía ese mayor poder de negociación colectiva en torno a las OP y AOP para los sectores del aceite de oliva, la carne de vacuno y los cultivos herbáceos.

[35]   VICIANO PASTOR, J., "Derecho de la competencia y sector agrícola: nuevas exclusiones y exenciones de la prohibición de acuerdos restrictivos de la competencia en el Reglamento 2017/2393", cit., p. 178.

Comisión, los agricultores, las asociaciones de agricultores o asociaciones de estas asociaciones, las organizaciones de productores reconocidas o las asociaciones reconocidas de organizaciones de productores, *"podrán solicitar un dictamen de la Comisión sobre la compatibilidad de dichos acuerdos, decisiones y prácticas concertadas con los objetivos establecidos en el artículo 39 TFUE"*[36]. Es clara entonces la voluntad del legislador de la UE de favorecer la concertación entre productores en torno a las OPs y AOPs para potenciar la oferta y equilibrarla con el poder de la demanda, pero avisando al mismo tiempo de la necesidad de respetar las normas fundamentales del Tratado en materia de libre competencia. Y en este sentido, ante la facultad reconocida a las autoridades de competencia para intervenir contra acuerdos, decisiones y prácticas concertadas en el sector agrario, se ofrece la posibilidad preventiva de acudir antes a la Comisión Europea para solicitar un dictamen de compatibilidad que aporte seguridad jurídica y económica a los productores y al mercado en general.

Por último, el Reglamento 2017/2393 modifica el artículo 222 del Reglamento OCM 2013 para ampliar a los acuerdos, decisiones y prácticas concertadas entre agricultores y sus asociaciones la posibilidad de que la Comisión adopte actos de ejecución para no aplicar a determinadas prácticas concertadas (v.gr. retirada de productos del mercado, almacenamiento de stock para retrasar su comercialización) el artículo 101.1 TFUE con la finalidad de conseguir una estabilización temporal de los mercados en momentos de graves desequilibrios[37].

3. CONSIDERACIONES FINALES

Los objetivos perseguidos por el legislador de la UE en materia de agregación de la oferta agrícola a través de OPs y AOPs no parecen compartidas por la Comisión Europea, que, en las Declaraciones de la Comisión anejas al Reglamento 2017/2393, denuncia que las modificaciones introducidas en el Reglamento 1308/2013 de Organización de Mercados para reforzar la coope-

---

[36]   La Comisión -añade- tratará con diligencia las solicitudes de dictamen y enviará al solicitante su dictamen en el plazo de cuatro meses a partir de la recepción de una solicitud completa, pudiendo asimismo -por iniciativa propia o previa solicitud de un Estado miembro- cambiar el contenido de un dictamen, sobre todo si el solicitante ha facilitado información imprecisa o ha hecho un mal uso del dictamen. Se pretende con ello garantizar la utilización efectiva del art. 209 del Reglamento 1308/2013 por parte de los agricultores o las organizaciones de productores o sus asociaciones. Cfr. Considerando 58.

[37]   Advierte el legislador de la UE que esas medidas temporales no deben autorizarse ya como un instrumento de último recurso, sino que pueden complementar la acción de la Unión en el marco de la intervención pública, el almacenamiento privado y las medidas excepcionales previstas en el Reglamento 1308/2013.Cfr. Considerando 59 del Reglamento 2017/2393.

ración entre productores son de carácter sustancial y se han incluido sin una evaluación de impacto, lo que ocasiona un grado indeseado de inseguridad jurídica y consecuencias que se desconocen. Considera la Comisión Europea que las modificaciones incluidas en los mercados agrarios en favor de las organizaciones de productores podrían tener el efecto de poner en peligro la viabilidad y el bienestar de los pequeños agricultores y los intereses de los consumidores, y denuncia el papel limitado que los colegisladores de la UE asignan a las Autoridades de Competencia nacionales y a la propia Comisión a la hora de actuar para preservar una competencia efectiva.

Estas críticas de la Comisión son compartidas por la Comisión Nacional de los Mercados de la Competencia (CNMC)[38] y por una parte de la doctrina que denuncia el grave error cometido por el legislador de la Unión al derogar prácticamente la aplicación del artículo 101.1 TFUE a los acuerdos, decisiones y prácticas concertadas en el sector agrícola, rompiendo el equilibrio entre la política de competencia y la política agraria, a fin de mantener un estado de competencia efectiva dentro de los mercados agrícolas[39].

A mi juicio, el nuevo régimen de exenciones agrarias construido en torno a la agregación de la oferta en OPs y AOPs viene justificado por la propia observación de la realidad de los mercados agrícolas, donde la aplicación lineal de las normas de competencia no ha conseguido hasta el momento generar eficiencias en la asignación equilibrada y estable de los recursos entre los diferentes operadores de la cadena agroalimentaria, siendo evidente el desequilibrio existente en favor de grandes grupos de transformadores y distribuidores mayoristas y minoristas y en detrimento de los agricultores y sus asociaciones y de la población agrícola en general. Existen evidencias de que las normas de competencia no han generado eficiencias en los sectores agrícolas primarios, siendo notorios los desequilibrios

---

[38]   Cfr. COMISIÓN NACIONAL DE LOS MERCADOS Y DE LA COMPETENCIA, *Informe IPN/CNMC/007/18 sobre el Proyecto de Real Decreto que establece las condiciones de contratación en el sector lácteo y modifica el R.D. 319/2015 de 24 de abril sobre declaraciones obligatorias por primeros compradores y productores de leche y productos lácteos de vaca, oveja y cabra*, de 22 de mayo de 2018, p. 12 (accesible en https://www.cnmc.es/gl/node/3684366). También COMISIÓN NACIONAL DE LOS MERCADOS Y DE LA COMPETENCIA, *Informe IPN/CNMC/016/19 sobre el Proyecto de Real Decreto por el que se regula el reconocimiento de las organizaciones de productores y sus asociaciones en determinados sectores agrarios*, de 23 de mayo de 2019 (accesible en https://www.cnmc.es/sites/default/files/2478798_17.pdf), p. 17, insistiendo en que las modulaciones introducidas por el Reglamento 2017/2393 deben interpretarse en todo caso restrictivamente. Las mismas ideas se reiteran en el Informe IPN/CNMC/014/21 sobre el proyecto de real decreto por el que se regula el reconocimiento de las organizaciones de productores y sus asociaciones de determinados sectores ganaderos y en el sector lácteo.

[39]   Vid. CARPAGNANO, M., "Más cooperación entre agricultores para aumentar la competencia en el mercado: el nuevo marco UE", 2019, accesible en el Blog de la CNMC https://blog.cnmc.es/2018/10/17/mas-cooperacion-entre-agricultores-para-aumentar-la-competencia-en-el-mercado-el-nuevo-marco-ue/.

entre el mercado ascendente (una oferta dispersa y débil) y el descendente (una demanda cada vez más concentrada en grandes grupos de transformación y distribución de productos agroalimentarios), que hacen inviable el cumplimiento de los objetivos de la PAC desde el libre funcionamiento del mercado, siendo también a todas luces ineficiente la compensación de las posiciones de la oferta a través del régimen de ayudas públicas, siempre insatisfactorio.

El Real Decreto-ley 5/2020, de 25 de febrero, por el que se adoptan determinadas medidas urgentes en materia de agricultura y alimentación, modificando entre otras normas la Ley 12/2013 sobre la cadena agroalimentaria, pone de manifiesto la actual situación de crisis del sector debida -entre otros factores- a la caída sostenida de los precios percibidos por los agricultores y la falta de equilibrio en la fijación de precios de la cadena alimentaria. Dado que el sector agrario es vulnerable por sus propias características (sector atomizado, estacionario y con una elevada rigidez de la demanda, y la propia naturaleza perecedera de la producción), de manera paulatina ha tendido hacia un desequilibrio estructural del mercado que en la actualidad ha alcanzado cotas sin precedentes, con la consiguiente pérdida de tejido productivo y de empleo en el campo, produciéndose desequilibrios importantes en la cadena de suministro agrícola en cuanto al poder de negociación de productores y compradores que llevan a la imposición unilateral de prácticas abusivas por parte de los compradores, un desequilibrio importante de derechos y obligaciones y una transferencia desproporcionada e injustificada de riesgo económico hacia la oferta. Desequilibrios evidentes en las diferentes abismales entre el exiguo precio pagado a los productores por la materia prima agrícola (que apenas sirven para cubrir los costes de producción y en no pocas ocasiones están incluso por debajo de esos costes básicos) y el que alcanzan esos mismos productos (incluso sin transformación) en el mercado minorista de venta al público.

A día de hoy no cabe discusión sobre el incorrecto funcionamiento de la cadena agroalimentaria, siendo numerosos los abusos generados por las situaciones de creciente dependencia económica de los productores respecto a una demanda cada vez más concentrada y exigente. Era necesaria, por tanto, una mayor intervención del legislador para fortalecer la oferta mediante la agregación y concertación de productores en torno a organizaciones fuertes que sirvan para contrarrestar el desequilibrio entre oferta y demanda y para combatir las prácticas desleales en la cadena agroalimentaria. Los cambios introducidos en la organización de mercados agrarios por el Reglamento (UE) 2017/2393, del Parlamento Europeo y del Consejo, de 13 de diciembre, y por la Directiva 2019/633, del Parlamento Europeo y del Consejo, de 17 de abril de 2019, relativa a las prácticas comerciales desleales en las relaciones entre empresas en la cadena de suministro agrícola y alimentario, están llamados a crear un nuevo escenario en el que se representen las relaciones comerciales entre los distintos agentes de la cadena agrolimentaria, más equilibrado, justo y sostenible.

La fijación de precios en la cadena alimentaria

ÁNGEL GARCÍA VIDAL

Catedrático de Derecho Mercantil. Universidad de Santiago de Compostela

1. PROBLEMÁTICA

Desde la última década se han constatado notables tensiones entre los productores y proveedores de productos agrarios y alimenticios, de un lado, y el sector de la distribución, de otro. Ese conflicto tiene distintas manifestaciones, denunciando los productores y proveedores prácticas de los distribuidores que les resultan perjudiciales, como el retraso en los pagos, las modificaciones unilaterales o retroactivas de las condiciones contractuales, cuando no la terminación sin preaviso y no justificada, la imposición de condiciones contractuales poco ventajosas, como la admisión de la devolución incondicional de mercancías no vendidas, o la participación obligatoria en determinadas promociones-descuento. Aunque probablemente uno de los puntos donde se ha manifestado con mayor intensidad el referido enfrentamiento entre el sector de la producción y el de la distribución ha sido el de la fijación de los precios de los productos agrarios y alimenticios.

El punto de partida normativo en España para afrontar estas situaciones de desequilibrio o falta de asimetría entre los distintos operadores de la cadena alimentaria viene constituido por la Ley de Competencia Desleal, texto legal en el que algunas de las situaciones denunciadas por los productores o proveedores pueden tener cabida en preceptos como el abuso de la situación de dependencia económica (art. 16) o la venta a pérdida (art. 17)[40]. Sobre esa base, y considerando insuficiente tal regulación, se han ido aprobando una serie de textos legales, tanto en la Unión Europea como en España, con los que se pretende apaciguar y regular el conflicto.

---

[40] *Vid.* ESTEVAN DE QUESADA, C., «La explotación de la dependencia económica debida al poder relativo a la demanda en la cadena alimentaria», en GONZÁLEZ CASTILLA, F. y RUIZ PERIS, J. I. (Dirs.): *Estudios sobre el régimen jurídico de la cadena de distribución agroalimentaria*. Marcial Pons, Madrid, 2016, pp. 113 y ss.

La presente contribución se centra en la cuestión de la fijación de los precios, analizando las sucesivas disposiciones sobre la materia y los numerosos problemas interpretativos que la nueva regulación ha generado.

2. LAS DISPOSICIONES NORMATIVAS SOBRE LA FIJACIÓN DEL PRECIO EN LOS CONTRATOS ALIMENTARIOS

2.1. La fijación del precio en la ley de la cadena alimentaria

En el año 2013 se aprobó la Ley 12/2013, de 2 de agosto, de medidas para mejorar el funcionamiento de la cadena alimentaria (en adelante, LCA), con la que se introduce una regulación que -como se indica en la exposición de motivos- pretende luchar contra «la existencia de claras asimetrías en el poder de negociación que pueden derivar, y en ocasiones derivan, en una falta de transparencia en la formación de precios y en prácticas comerciales potencialmente desleales» y «prácticas contrarias a la competencia que distorsionan el mercado y tienen un efecto negativo sobre la competitividad de todo el sector agroalimentario»[41].

La Ley 12/2013, además de sentar unos principios generales, crear el Observatorio de la Cadena Alimentaria y fomentar las buenas prácticas en la contratación alimentaria, regula determinados aspectos de los contratos alimentarios, así como algunas prácticas comerciales abusivas:

---

[41] La aprobación de la LCA viene precedida -y los toma como base- por los trabajos y estudios que sobre la materia se estaban celebrando ya por aquél entonces en el seno de la Unión Europea, y entre los que cabe destacar: las Comunicaciones de la Comisión Europea «Los precios de los productos alimenticios en Europa», de 9 de diciembre de 2008, COM(2008) 821 final, «Mejorar el funcionamiento de la cadena alimentaria en Europa», de 28 de octubre de 2009, COM(2009)591 final; el Informe de la Comisión «Hacia un mercado interior del comercio y de la distribución más justo y eficaz en la perspectiva de 2020», de 5 de julio de 2010, COM(2010)355 final, la constitución del Foro de Alto Nivel sobre la Mejora del Funcionamiento de la Cadena Alimentaria, en 2010 por la Comisión Europea, la Comunicación de la Comisión «Abordar los retos de los mercados de productos básicos y de las materias primas», de 2 de febrero de 2011, COM(2011) 25 final, o las resoluciones del Parlamento Europeo, de 26 de marzo de 2009, «sobre los precios de los productos alimenticios en Europa» (2008/2175(INI)); de 7 de septiembre de 2010, «sobre unos ingresos justos para los agricultores: mejorar el funcionamiento de la cadena de suministro de alimentos en Europa» (2009/2237(INI)); y de 19 de enero de 2012, «sobre los desequilibrios en la cadena alimentaria» (2013/C 227 E/03). Además, es relevante como precedente de la LCA, el Informe de la Comisión Nacional de la Competencia sobre las relaciones entre fabricantes y distribuidores en el sector alimentario, del año 2011.

las modificaciones unilaterales y pagos comerciales no previstos (art. 12), el suministro de información comercial sensible (art. 13) y la gestión de marcas (art. 14).

Por lo que respecta a la fijación del precio de los productos, que es el problema que ahora nos ocupa, la Ley 12/2013 lo incluye como uno de los elementos mínimos y obligatorios que habrá de figurar en los contratos alimentarios (contratos de compraventa o suministro de productos alimentarios o alimenticios e insumos alimentarios). Se dispone, así, que esos contratos -que habrán de figurar por escrito (art. 9.1.c)- contendrán el «precio del contrato alimentario, con expresa indicación de todos los pagos, incluidos los descuentos aplicables». Y se permite su determinación, no solo en cuantía fija, sino también en cuantía variable, en cuyo caso «se determinará en función únicamente de factores objetivos, verificables, no manipulables y expresamente establecidos en el contrato, tales como la evolución de la situación del mercado, el volumen entregado y la calidad o composición del producto, entre otros».

Ahora bien, la Ley 12/2013 parte de la libre fijación del precio entre las partes, al disponer el artículo 9.2 que «el contenido y alcance de los términos y condiciones del contrato serán libremente pactados por las partes»[42]. Como única matización a esta libertad contractual de las partes tan solo se añade que esa fijación de las condiciones contractuales -incluido el precio- debe hacerse teniendo en cuenta los principios rectores recogidos en el artículo 4 de la ley, esto es, «los principios de equilibrio y justa reciprocidad entre las partes, libertad de pactos, buena fe, interés mutuo, equitativa distribución de riesgos y responsabilidades, cooperación, transparencia y respeto a la libre competencia en el mercado»[43].

---

[42]   El mismo principio general de libertad en la fijación de los precios se manifiesta en la disposición final segunda de la Ley 12/2003, cuando -al modificar la regulación de la Ley 2/2000, de 7 de enero, sobre el contenido mínimo de los contratos tipo agroalimentarios cuyo ámbito de aplicación se extienda a más de una Comunidad- mantiene el principio general de libertad de precios y dispone (art. 3.d) que «el precio a percibir y los criterios para su actualización serán libremente fijados por las partes signatarias del contrato», añadiendo que, a tal efecto, las partes «podrán tener en cuenta, en su caso, indicadores de precios o costes. Estos indicadores deberán ser objetivos, transparentes y verificables, y no manipulables. En la fijación de los precios y condiciones de pago se tendrá en cuenta lo establecido al respecto por la normativa sectorial comunitaria».

[43]   La doctrina, a la par que pone de manifiesto la limitación de la autonomía de la libertad que esto supone, también ha afirmado que «esta norma ha de reconducirse con coherencia en el sistema general de los contratos de manera que no suponga una inédita y ciertamente

Lo que sí hace la redacción original de la Ley 12/2013 es prohibir las modificaciones unilaterales de las condiciones contractuales, incluyendo una prohibición expresa de «los pagos adicionales, sobre el precio pactado, salvo que se refieran al riesgo razonable de referenciación de un nuevo producto o a la financiación parcial de una promoción comercial de un producto reflejada en el precio unitario de venta al público y hayan sido pactados e incluidos expresamente en el correspondiente contrato formalizado por escrito, junto con la descripción de las contraprestaciones a las que dichos pagos estén asociados».

2.2. La fijación del precio en el Código de Buenas Prácticas Mercantiles en la Contratación Alimentaria

El principio general de la libertad de las partes a la hora de fijar el precio en los contratos alimentarios se mantiene en el ámbito de la autorregulación. Y, así, en el Código de Buenas Prácticas Mercantiles en la Contratación Alimentaria, publicado por Resolución de 10 de diciembre de 2015, de la Dirección General de la Industria Alimentaria, no se introducen limitaciones a este respecto[44], pese a que existen previsiones sobre el precio, como, por ejemplo, la que se refiere a que «el comprador no podrá exigir ni inducir al proveedor a reducir las cantidades suministradas o a aumentar los precios, en sus contratos con otros compradores»[45], o las disposiciones que aluden al compromiso de los operadores de no aplicar

---

desproporcionada limitación a la autonomía privada, de la que la libertad de autorregulación es un elemento constitutivo». [SÁNCHEZ HERNÁNDEZ, Á. «Nuevos principios contractuales de aplicación al sector agroalimentario», en MUÑIZ ESPADA, E. (Dir.): *Derecho de obligaciones y contratos: En homenaje al profesor Ignacio Serrano García*. Wolters Kluwer, Madrid, 2016, pp. 537 y ss. (Se maneja la versión electrónica de La Ley Digital: LA LEY 664/2016]. *Este autor* también destaca que no existirá infracción de dichos principios generales si la parte débil ha aceptado las condiciones desfavorables teniendo libertad para elegir.

[44]   Con carácter general, sobre el Código, MARTÍ MIRAVALLS, J., «Los códigos de buenas prácticas en el mercado agroalimentario», en GONZÁLEZ CASTILLA, F. y RUIZ PERIS, J. I. (Dirs.): *Estudios sobre el régimen jurídico de la cadena de distribución agroalimentaria*. Marcial Pons, Madrid, 2016, pp. 283 y ss.

[45]   Apartado 28.

pagos adicionales sobre el precio pactado[46], o de no realizar actividades promocionales que induzcan a error sobre el precio de los productos[47].

2.3. La fijación del precio en el Real Decreto-ley 5/2020, de 25 de febrero, y en la Ley 8/2020, de 16 de diciembre, por la que se adoptan determinadas medidas urgentes en materia de agricultura y alimentación

El primer texto legal que introduce limitaciones concretas a la libre fijación del precio en los contratos alimentarios, más allá de los principios generales establecidos en la Ley 12/2013, fue el Real Decreto-ley 5/2020, de 25 de febrero, por el que se adoptan determinadas medidas urgentes en materia de agricultura y alimentación; Real Decreto-ley adoptado por la vía de urgencia para poner coto, según el Gobierno de la Nación, a la situación de crisis del sector, una de cuyas causas se identifica en la exposición de motivos con «la falta de equilibrio en la fijación de precios en la cadena alimentaria». Así las cosas, en el RDL 5/2020, cuyo contenido dio lugar a la posterior Ley 8/2020, se toma como elemento de referencia el coste efectivo de producción, que deberá ser tenido en cuenta al fijar el precio, pasando en determinados casos a actuar como precio mínimo que deben respetar las partes del correspondiente contrato.

a) Por lo que respecta a la fijación del precio sobre la base de elementos variables, se modifica la redacción original del artículo 9 de la Ley 12/2013 para disponer que, en caso de que se acuda a este sistema de fijación del precio, deberá tenerse en cuenta el coste efectivo de producción con carácter obligatorio. Se preceptúa, así, que «(e)n todo caso, uno de los factores deberá ser el coste efectivo de producción del producto objeto del contrato, calculado teniendo en cuenta los costes de producción del

---

[46] Apartado 32. Como destaca VICIANO PASTOR, lo que esta norma no quiere permitir son pagos que no estén acordados entre las partes, «por lo que es evidente que las partes pueden acordar los pagos que consideren oportunos» [VICIANO PASTOR, J., Algunas reflexiones (críticas) sobre la Ley 12/2013 de la cadena alimentaria de medidas para mejorar el funcionamiento de la cadena alimentaria», en GONZÁLEZ CASTILLA, F. y RUIZ PERIS, J. I. (Dirs.): Estudios sobre el régimen jurídico de la cadena de distribución agroalimentaria. Marcial Pons, Madrid, 2016, pp. 172 y ss. (181)].

[47] Apartado 29, según el cual, los operadores adheridos al Código se comprometen a colaborar con sus proveedores para mejorar la percepción, que tiene el consumidor, de los productos alimentarios como productos de alto valor nutritivo y de calidad mediante los instrumentos promocionales adecuados. Para ello, se comprometen a no realizar actividades promocionales que induzcan a error sobre el precio e imagen de los productos.

operador efectivamente incurridos, asumidos o similares. En el caso de las explotaciones agrarias se tendrán en cuenta factores tales como las semillas y plantas de vivero, fertilizantes, pesticidas, combustibles y energía, maquinaria, reparaciones, costes de riego, alimentos para los animales, gastos veterinarios, trabajos contratados o mano de obra asalariada. Se entenderá por factores objetivos aquéllos que sean imparciales, fijados con independencia de las partes y que tengan como referencia datos de consulta pública. En el caso de las explotaciones agrarias, éstos serán tales como los datos relativos a los costes efectivos de las explotaciones publicados por el Ministerio de Agricultura, Pesca y Alimentación»[48].

b) El coste de producción no solo es un parámetro para fijar el precio variable, sino que se configura como el elemento que determinará el precio mínimo a pactar por las partes. Porque, en efecto, el RDL 5/2020 introdujo una nueva práctica abusiva de «destrucción de valor en la cadena» recogida en el artículo 12 *ter* de la Ley 12/2013, según el cual, «con el fin de evitar la destrucción del valor en la cadena alimentaria, cada operador de la misma deberá pagar al operador inmediatamente anterior un precio igual o superior al coste efectivo de producción de tal producto en que efectivamente haya incurrido o asumido dicho operador. La acreditación se realizará conforme a los medios de prueba admitidos en Derecho».

Esta disposición- cuyo incumplimiento se sanciona como infracción grave de la Ley 12/2013[49]- es aplicable a todos los contratos que se realicen entre los operadores de la cadena alimentaria, pero no a los contratos con los consumidores finales, que están al margen de la Ley 12/2013[50]. Por tal razón, es perfectamente viable que el operador de la cadena alimentaria que concierta un contrato con un consumidor final fije un precio inferior al

---

[48]   La redacción del nuevo artículo 9.1.c) sobre la fijación del precio teniendo en cuenta los costes de producción también parece aplicable a los sucesivos contratos de la cadena alimentaria, aunque cabría dudar a la vista del hecho de que la letra j) aluda solo a los contratos con el productor primario.

[49]   Art. 23.2 LCA. También lo es «no incorporar en el contrato alimentario el precio recogido en el artículo 9.1 c)». En cambio, la LCA no se refiere en modo alguno a los efectos civiles en el contrato, lo que puede llevar a la aplicación de la nulidad, por la vía del artículo 6 CC.

[50]   Recuérdese que el artículo 5.f) de la LCA excluye del concepto de contrato alimentario los contratos con los consumidores y que en el artículo 5.c) se define operador «la persona física o jurídica del sector alimentario, incluyendo una agrupación, central o empresa conjunta de compra o de venta, que realiza alguna actividad económica en el ámbito de la cadena alimentaria», lo que deja claramente al margen a los consumidores finales.

coste de producción o de adquisición del producto. Pero lo que no cabe es que dicho operador pretenda que sean los operadores anteriores a él en la cadena los que asuman las consecuencias de su venta a pérdida. Y eso es lo que el legislador destaca en el inciso final del artículo 12 *ter* cuando insiste en que «el operador que realice la venta final del producto al consumidor en ningún caso podrá repercutir a ninguno de los operadores anteriores su riesgo empresarial derivado de su política comercial en materia de precios ofertados al público».

Además, cuando se realicen campañas de venta a pérdida, el artículo 12.3 *bis* de la Ley 12/2013- también introducido por el RDL 5/2020 y cuya infracción se sanciona como infracción grave – dispone que «no se realizarán actividades promocionales que induzcan a error sobre el precio e imagen de los productos o que perjudiquen la percepción en la cadena sobre la calidad o el valor de los productos».

Por otra parte, aunque -como queda dicho- la obligación sentada en el artículo 12 *ter* de respetar el precio mínimo se aplica a todos los operadores de la cadena alimentaria, el RDL 5/2020 introdujo la obligación adicional -aplicable solo a algunos contratos- de mencionar expresamente en el contrato que se respeta dicho precio mínimo. Así, según el artículo 9.1.j) será una condición contractual que deberá figurar necesariamente, la «indicación expresa de que el precio pactado entre el productor primario agrario, ganadero, pesquero o forestal o una agrupación de éstos y su primer comprador cubre el coste efectivo de producción».

2.4. Proyecto de Ley por la que se modifica la Ley 12/2013, de 2 de agosto, de medidas para mejorar el funcionamiento de la cadena alimentaria

Como es notorio, aunque la Ley 12 /2013 se adelantó a la regulación europea y sancionó determinadas prácticas abusivas que posteriormente se recogen en la Directiva (UE) 2019/633 relativa a las prácticas comerciales desleales en las relaciones entre empresas en la cadena de suministro agrícola y alimentario[51], la directiva contiene un listado más amplio, que debe ser objeto de incorporación a los ordenamientos nacionales.

---

[51]   Así lo destaca, por ejemplo, MARÍN VELARDE, A., «La resolución alternativa de los litigios provocados por las prácticas comerciales desleales en la cadena de suministro agrícola y alimentario. La solución mediada ex art. 7 de la Directiva (UE) 2019/633», en MUÑIZ

Sin embargo, la regulación sobre la fijación de precios introducida en la LCA por el RDL 5/2020 no sufre alteraciones en el Proyecto de Ley elaborado por el Gobierno para transponer la citada directiva[52], proyecto que se encuentra en tramitación parlamentaria en el momento de elaboración de este trabajo[53].

3. PROBLEMAS QUE SUSCITA LA REGULACIÓN ACTUALMENTE VIGENTE

3.1. La introducción indirecta – y técnicamente deficiente- de una prohibición de venta a pérdida al por mayor

En realidad, la regulación de la LCA modificada por el RDL 5/2020 sienta una prohibición de determinadas ventas a pérdida. Pero, curiosamente, en lugar de configurarla como tal prohibición de venta a pérdida, se establece una obligación a cargo del comprador, consistente «en pagar al operador inmediatamente anterior un precio igual o superior al coste efectivo de producción de tal producto en que efectivamente haya incurrido o asumido dicho operador».

La prohibición afecta a todos los eslabones de la cadena, salvo al último, es decir, el de las ventas a los consumidores. En consecuencia, solo se ven afectadas las ventas al por mayor, lo cual constituye una excepción a la regla general que admite la venta a pérdida tanto en la venta mayorista como en la minorista (artículo 14 y disposición adicional sexta de la Ley 7/1996, de Ordenación del Comercio Minorista).

Con ocasión de la ley de transposición de la ya citada Directiva (UE) 2019/633, se han presentado varias enmiendas en el Congreso de los Diputados para añadir un nuevo precepto a la LCA, que se vendría a sumar a la actual regulación del artículo 12 *ter*, en el que se prohibiría la reventa

---

ESPADA, E. (Coord.): *Cambios en la Ley de Cadena Alimentaria: propuestas para la urgente transposición de la Directiva 2019/633*. Reus Editorial Barcelona, 2020, pp. 129 y ss. (149).

[52]   *Boletín Oficial de las Cortes Generales. Congreso de los Diputados*. XIV Legislatura. Serie A: proyectos ley, 13 de noviembre de 2020, núm. 36-1, págs. 1 y ss.

[53]   Este trabajo se cierra con fecha 12 de julio de 2021.

con pérdida, extendiendo la prohibición de venta a pérdida también a los contratos con los consumidores[54].

Con relación a estas propuestas, debe tenerse presente que, por lo que respecta a las ventas al por mayor, no tiene mucha lógica duplicar la prohibición que se deriva, como queda dicho, del actual artículo 12 ter, con un nuevo artículo, que sería reiterativo. Y la prohibición en todo caso de las ventas minoristas iría en contra de la jurisprudencia sentada por el Tribunal de Justicia en su Sentencia de 19 de octubre del 2017, *Europamur*[55], en la que consideró contraria a la Directiva de prácticas comerciales desleales el establecimiento de una prohibición general de ofertar o realizar ventas a pérdida[56].

Por eso el Real Decreto-ley 20/2018, de 7 de diciembre, modificó la Ley de Ordenación del Comercio Minorista (LOCM) para disponer que, pese al principio general de libertad de precio, no se podrán realizar ventas al público con pérdida si éstas se reputan desleales, entendiendo que lo son en una serie de casos, entre los que se encuentra la venta a pérdida que sea susceptible de inducir a error a los consumidores acerca del nivel de precios de otros productos del mismo establecimiento[57].

Con la intención de obviar esta jurisprudencia se ha propuesto modificar la LOCM para aclarar que «en el caso de productos alimenticios

---

[54]   Enmiendas núm. 11, 82 y 137 del Grupo Parlamentario Plural, y núm. 261 del Grupo Parlamentario Republicano, de adición de un nuevo artículo 12 *quarter*, rubricado «Reventa con perdida». *Boletín Oficial de las Cortes Generales. Congreso de los Diputados*. XIV Legislatura. Serie A: proyectos ley, 7 de mayo de 2021, núm. 36-2, págs. 1 y ss.

[55]   C-295/16, ECLI:EU:C:2017:782.

[56]   Sobre la sentencia: PALAU RAMÍREZ, F., «El ocaso de la prohibición de la venta a pérdida en la Ley de ordenación del comercio minorista: la relevancia de la Sentencia del Tribunal de Justicia de la Unión Europea de 19 de octubre de 2017, *Europamur Alimentación, S.A*», en MIRANDA SERRANO, L. M. y COSTAS COMESAÑA, J. (Dirs.), *Derecho de la competencia. Desafíos y cuestiones de actualidad*. Marcial Pons, Madrid, 2018, pp. 107 y ss.

[57]   También se reputará desleal la venta a pérdida, cuando tenga por efecto desacreditar la imagen de un producto o de un establecimiento ajeno, cuando forme parte de una estrategia encaminada a eliminar a un competidor o grupo de competidores del mercado, o cuando forme parte de una práctica comercial que contenga información falsa sobre el precio o su modo de fijación, o sobre la existencia de una ventaja específica con respecto al mismo, que induzca o pueda inducir a error al consumidor medio y le haya hecho tomar la decisión de realizar una compra que, de otro modo, no hubiera realizado.». *Vid*. VÁZQUEZ RUANO, T., «Examen de la venta con pérdida en la distribución de productos agroalimentarios y otras prácticas desleales», *Anuario Andújar*, 2019 (2), pp. 197 y ss. (212 y ss.), https://www.andujar.es/fileadmin/user_upload/11._trinidad_vazquez_ruano_anuario_blas_infante_2.pdf

se considerará que se produce esta circunstancia cuando el precio de venta de un producto esté por debajo del precio medio de la categoría recogido en el contrato»[58]. Pero resulta dudoso que, de este modo, se respete la referida jurisprudencia del Tribunal de Justicia.

Por lo demás, partiendo de que la actual regulación -reiterada en el proyecto de ley de transposición de la Directiva (UE) 2019/633- no solo se aplica al primer eslabón de la cadena, es criticable que en el artículo 12 *ter* de la LCA se aluda únicamente a la compra por un precio que como mínimo cubra el coste de producción. Si la norma afecta también a los demás eslabones (salvo al último), lo procedente sería referirse al precio que, como mínimo, cubra el coste de producción o de adquisición en el que hubiese incurrido el operador inmediatamente anterior de la cadena alimentaria.

3.2. *Una prohibición sin excepciones que es dudoso que cumpla los objetivos perseguidos*

Una de las grandes deficiencias de la actual regulación es que la prohibición de venta a pérdida no prevé ningún tipo de excepción[59]. Y, desde luego, existen en la práctica situaciones que pueden justificar una venta a pérdida, sin que se pueda sospechar ningún tipo de imposición de la parte fuerte a la débil de la cadena alimentaria. Piénsese, por ejemplo, en los casos de venta de productos perecederos próximos a caducar, en supuestos de liquidación de existencias de la parte vendedora o en casos en que el operador ha incurrido en mayores costes que los de la competencia y esté dispuesto a reducir el precio con el ánimo de poder recuperar al menos parte de ellos.

Junto a este tipo de excepciones también se defiende por determinados sectores la modificación de la norma para poder pagar un precio inferior al precio de producción o de adquisición, a la vista de las concretas circunstancias del sector. De hecho, es muy relevante la posición de la Asociación de Organizaciones de Productores de Plátanos de Canarias,

---

[58]   Enmienda núm. 233 del Grupo Parlamentario Popular en el Congreso. *Boletín Oficial de las Cortes Generales. Congreso de los Diputados.* XIV Legislatura. Serie A: proyectos ley, 7 de mayo de 2021, núm. 36-2, págs. 1 y ss.

[59]   De hecho, incluso cuando la LOCM establecía con carácter general la prohibición de ventas a pérdida (minoristas y mayoristas) se preveían excepciones.

que ha denunciado ante la Comisión Europea al Estado español por incumplimiento, entre otros textos europeos, del Tratado de Funcionamiento de la Unión Europea, de la Directiva de prácticas comerciales desleales y de la Directiva de prácticas comerciales en las relaciones entre empresas en la cadena de suministro agrícola y alimentario[60].

Frente a estas demandas del sector, el Gobierno se ha manifestado en contra de introducir salvedad alguna en general, y en relación con el sector del plátano en particular, si bien ha matizado que, «si se hiciera un contrato de suministro continuado por un año, no haría falta que cada partida estuviese por encima del coste efectivo, sino que el conjunto de todas las entregas tuviese un valor que cubriese dicho coste»[61].

En todo caso, es muy discutible que una prohibición sin excepciones, como la que está en vigor, sirva para cumplir los objetivos perseguidos por la norma. Entre otras cosas porque los compradores siempre podrán comprar los productos a operadores extranjeros, que vendan a pérdida[62]. Y, además, nada impide que en un contrato alimentario las partes pacten el sometimiento a una legislación aplicable distinta a la española [por permitirlo el artículo 3 del Reglamento (CE) núm. 593/2008 del Parlamento Europeo y del Consejo, de 17 de junio de 2008, sobre la ley aplicable a las obligaciones contractuales (Roma I)]. Y en tal caso, el artículo 12 *ter* no tiene la consideración de norma de policía o de orden público, de modo que resulte de aplicación con independencia de la legislación aplicable[63].

---

[60] «"Guerra del plátano": Los productores denuncian ante Bruselas la reforma de la Ley de la Cadena", *ABC*, 2 de julio de 2021, https://www.abc.es/economia/abci-guerra-platano-productores-denuncian-ante-bruselas-reforma-ley-cadena-202107011106_noticia.html

[61] Respuesta -fechada el 31 de mayo de 2021- del Gobierno a la pregunta 184/30802 presentada en el Congreso por varios diputados. *Boletín Oficial de las Cortes Generales. Congreso de los Diputados*. Congreso de los Diputados Núm. D-291 de 14/06/2021.

[62] Es muy significativo, por ejemplo, el caso de la compra de leche a productores portugueses, bajo coste de producción, por parte de un organismo autónomo, adscrito al Ministerio de Agricultura y Pesca, Alimentación y Medio Ambiente, como el Fondo Español de Garantía Agraria (FEGA). *Vid.* Alvite, X. R., «Agricultura compra leche a un precio de venta a pérdidas», La Voz de Galicia, 4 de marzo de 2020, https://www.lavozdegalicia.es/noticia/somosagro/ganaderia/2020/03/02/agricultura-compra-leche-precio-venta-perdidas/00031583162085265298410.htm

[63] En este mismo sentido, en relación con el Proyecto de Ley de medidas para mejorar el funcionamiento de la cadena alimentaria: CARRASCO PERERA, Á. y LOZANO CUTANDA, B., «¿Qué consecuencias tendrá para los operadores la ley de mejora de la cadena alimentaria?», *Análisis GA&P*, Marzo 2013, p. 4, https://www.ga-p.com/wp-content/uploads/2018/03/que-consecuencias-tendre-para-los-operadores-la-ley-de-mejora-de-la-cadena-alimentaria.pdf

Precisamente con intención de solucionar esta situación, el Proyecto de Ley de modificación de la LCA actualmente en tramitación parlamentaria cambia el ámbito de aplicación de la ley (art. 2), para disponer expresamente su aplicación, no solo a las relaciones comerciales que se produzcan entre los operadores establecidos en España, sino también a aquellas relaciones comerciales en las que un operador está establecido en España y otro en un Estado miembro de la Unión Europea, cuando no resulte de aplicación la legislación de otro Estado miembro. Y se preceptúa, además que «con independencia de la legislación que resulte aplicable, cuando una de las partes esté establecida en España, y la otra en un Estado no miembro de la Unión, resultarán siempre de aplicación las prohibiciones contenidas en esta ley y el correspondiente régimen sancionador».

Nótese, con todo, que, de este modo, se soluciona parcialmente el problema indicado, porque si se pacta la aplicación de la legislación de otro Estado de la Unión Europea, la prohibición de la destrucción de valor del artículo 12 *ter* de la LCA no sería de aplicación.

3.3. Los problemas en torno a la acreditación del coste efectivo

Otra de las grandes deficiencias de la actual regulación del artículo 12 *ter* de la LCA tiene que ver con la acreditación del coste efectivo de los productos. Según la norma vigente, cada operador de la cadena alimentaria «deberá pagar al operador inmediatamente anterior un precio igual o superior al coste efectivo de producción de tal producto en que efectivamente haya incurrido o asumido dicho operador», y «la acreditación se realizará conforme a los medios de prueba admitidos en Derecho». Se trata de una afirmación obvia que no aporta nada, pues es evidente que la prueba debe hacerse por medios lícitos admitidos por el ordenamiento. Pero no se resuelve el problema fundamental de determinar quién tiene que realizar dicha acreditación y ante quién, porque la norma es susceptible de varias interpretaciones.

En efecto, una primera posibilidad es entender que es el vendedor quien debe acreditar ante el comprador el coste efectivo, lo que permitirá al comprador respetar la obligación de pagar un precio que cubra al menos dicho coste. Pero también cabe pensar que es el comprador el que, en caso de que se inicie un procedimiento sancionador por incumplimiento del artículo 12 *ter* LCA, tiene que acreditar que ha pagado un precio que cubre el coste mínimo.

Si se entiende que la acreditación a la que se refiere el precepto es la que tiene que hacer el vendedor ante el comprador, los problemas interpretativos se multiplican. Porque cabe preguntarse si debe probarlo documentalmente o si, por el contrario, basta con una mera declaración del vendedor de que el precio pactado cubre sus costes de producción o de adquisición.

Una exigencia probatoria exhaustiva puede chocar con las propias disposiciones de la Ley de cadena alimentaria cuando, en el artículo 13.2, preceptúa que «en ningún caso un operador podrá exigir a otro operador de la cadena información comercial sensible sobre sus productos, ni tampoco los documentos que permitan verificar dicha información, salvo que así conste en el contrato escrito».

Si, en cambio, basta con una simple declaración del vendedor de que el precio cubre sus costes efectivos, se corre el riesgo de vaciar de sentido la norma. Porque un vendedor que quiera comercializar sus productos hará tal declaración, sea o no verdadera, para no perder la operación.

Otra posibilidad interpretativa, como se ha dicho, es entender que la acreditación a la que se refiere el precepto es la que ha de hacerse ante el Agencia de Información y Control Alimentarios (AICA) en caso de un procedimiento inspector o sancionador. Y tal prueba puede exigírsele al vendedor[64], pero tampoco cabe excluir que se le solicite al comprador, toda vez que, como queda dicho, el artículo 12 *ter* sienta una obligación a cargo del comprador. Desde luego, si se entiende así el precepto, se reproducen los mismos problemas: ¿basta con que el comprador alegue que el vendedor ha declarado que se cubrían sus costes efectivos o debe haberle requerido la prueba fehaciente? Si se entiende que sí, debiera quedarse con copia para poder, a su vez, acreditarlo ante la Administración.

---

[64] De hecho, con fecha 19 de octubre de 2020 el Gobierno de la Nación, en su respuesta a la pregunta formulada por la Diputada Dª Teresa Jiménez-Becerril Barrio el 17 de septiembre de 2020 en el Congreso de los Diputados (184/022925), con el siguiente texto: "¿Piensa el Ministerio de Agricultura marcar los costes de producción en función del tipo de cultivo según establece la Ley de la Cadena Alimentaria?, afirma que el Ministerio «no marcará coste efectivo de producción alguno. Así, cada operador debe conocerlo, y será el encargado de determinar sus costes efectivos del producto, y será capaz de demostrarlo en caso de ser inspeccionado por la autoridad competente». *Boletín Oficial de las Cortes Generales. Congreso de los Diputados*. Congreso de los Diputados Núm. D-172 de 03/11/2020.

La experiencia práctica de la AICA no solventa estas dudas. Los últimos datos disponibles se refieren a 30 de junio de 2020[65] y en ellos no constan sanciones por infracción del artículo 12 *ter* de la LCA[66].

Todas estas incertezas en la aplicación de la norma no son más que el resultado de una técnica legislativa deplorable con la que no cesa de martirizarnos nuestro legislador y que no encuentra justificación en las razones de urgente necesidad con la que se aprobó el artículo 12 *ter* de la LCA. Esa urgencia puede justificar la aprobación de la norma, aunque es muy discutible cuando el Gobierno se instala en una situación en la que casi todo es urgente y necesario, como excusa para gobernar por medio de real decreto-ley. Pero desde luego, aunque eso sea así, no se justifica aprobar normas técnicamente deficientes.

Se explica, de este modo, que durante la tramitación parlamentaria del proyecto de ley de modificación de la LCA para incorporar la Directiva (UE) 2019/633, se hayan presentado varias enmiendas que pretenden aclarar la redacción del precepto[67].

---

[65]   AICA, *Informe de la actividad inspectora y de control de AICA en el ámbito de la cadena alimentaria*, Datos a 30 de junio de 2020, https://www.aica.gob.es/data/upload/AICA_informe_30_de_junio_2020.pdf

[66]   Tampoco el Gobierno ofrece más datos al respecto, ante una pregunta parlamentaria de Dª Milagros Marcos Ortega, presentada el 31 de julio de 2020 (184/020292) en la que, entre otras cosas, se pregunta lo siguiente: «¿Se ha realizado un seguimiento especial respecto a la inclusión de los costes de producción en el contrato? ¿Cuántas sanciones se han impuesto por incumplir los costes de producción en los contratos firmados? ¿Cuántas suponen sobre el total de contratos realizados en el mismo período?». (Respuesta del Gobierno de 29 de septiembre de 2020). *Boletín Oficial de las Cortes Generales. Congreso de los Diputados.* Congreso de los Diputados Núm. D-158 de 13/10/2020.

[67]   *Vid.* la enmienda núm. 171 presentada en el Congreso de los Diputados por el Grupo Parlamentario Ciudadanos [en la que se propone modificar el artículo 12 *ter*, entre otros extremos, para incluir un apartado 2 según el cual «en ningún caso podrá exigírsele a un operador verificar que el coste efectivo de producción indicado por el operador anterior en la cadena es aquel en que efectivamente haya incurrido o asumido»] o la enmienda núm. 160 del Grupo Parlamentario VOX [que propone una nueva redacción del artículo 12 ter de la LCA, en la que, entre otros cambios, se pase a disponer que «la responsabilidad del cumplimiento de esta obligación corresponde exclusivamente al vendedor y la realidad de que el precio pactado cubre su coste efectivo de producción podrá ser comprobada por la Agencia de Información y Control Alimentarios. La acreditación fehaciente del mismo durante el proceso de negociación del contrato alimentario será responsabilidad del vendedor y se realizará conforme a los medios de prueba admitidos en Derecho»]. *Boletín Oficial de las Cortes Generales. Congreso de los Diputados.* XIV Legislatura. Serie A: proyectos ley, 7 de mayo de 2021, núm. 36-2, págs. 1 y ss.
Se trata de propuestas que solventan las dudas interpretativas referidas en el cuerpo del trabajo. A mi juicio, si las fuerzas parlamentarias no considerasen adecuado estas propuestas de

4. CONSIDERACIONES FINALES

Todas estas incertidumbres y deficiencias técnicas de la regulación de la destrucción de valor de la cadena alimentaria han avivado un intenso debate, de naturaleza política, sobre la conveniencia de mantener esta regulación, con posiciones que van desde la defensa de su mantenimiento y reforzamiento, hasta las que directamente proponen su derogación.

Entre las propuestas de reforzamiento se encuentra, como ya se ha dicho, las que defienden su extensión a las ventas minoristas, así como aquellas otras que consideran necesario introducir por parte de la Administración unos precios mínimos, ya sea con carácter orientativo, ya con carácter imperativo[68]. Frente a estas propuestas se encuentran las que consideran que deben eliminarse estas restricciones al juego de la autonomía de la voluntad[69].

Y entre estas posiciones de extremo, se encuentra la de los defensores del mantenimiento tal cual de la regulación vigente (que es la posición del proyecto de ley actualmente en tramitación) y las propuestas de modificación para introducir excepciones, matizaciones y aclaraciones, algunas de ellas, como se ha indicado, imprescindibles en mi opinión.

---

eximir al comprador de la obligación de comprobar el coste efectivo del operador anterior, debe decirse expresamente en la norma, no dejando una redacción ambigua y deficiente como la actual.

[68] Así, por ejemplo, la enmienda núm. 185 del Grupo Parlamentario Ciudadanos, la núm. 305 del Grupo Parlamentario Republicano, la núm. 341 del Grupo Parlamentario Plural, la núm. 97 del Grupo Parlamentario Vasco (EAJ-PNV), o la enmienda núm. 112, presentada por el Grupo Parlamentario Confederal de Unidas Podemos-En Comú Podem- Galicia en Común [en la que se propone la adición de nuevo apartado tercero al artículo 9 de la LCA, según el cual: «Serán nulas las cláusulas y estipulaciones que incumplan lo señalado en el artículo 9.1.c), por lo que, sin perjuicio de las sanciones administrativas que procedan, el productor primario podrá exigir resarcimiento por daños y perjuicios en sede judicial. Se presumirá que el precio establecido en contrato es inferior al coste efectivo de producción, cuando sea inferior a los índices publicados por el Ministerio de Agricultura, Pesca y Alimentación a través del Observatorio de la Cadena Alimentaria, o de organismos similares supervisados por otras administraciones públicas»]. *Boletín Oficial de las Cortes Generales. Congreso de los Diputados.* XIV Legislatura. Serie A: proyectos ley, 7 de mayo de 2021, núm. 36-2, págs. 1 y ss.

[69] En la doctrina, con anterioridad al RDL 5/2020, se manifestó en contra de la prohibición de la venta a pérdida mayorista en la cadena alimentaria, CRUZ ROCHE, I., «Las transacciones económicas en la cadena de valor alimentaria», en GONZÁLEZ CASTILLA, F. y RUIZ PERIS, J. I. (Dirs.): *Estudios sobre el régimen jurídico de la cadena de distribución agroalimentaria.* Marcial Pons, Madrid, 2016, pp. 29 y ss. (35), y RODRÍGUEZ CHACÓN, T., *Relaciones contractuales de la cadena alimentaria: Estudio desde el análisis económico del Derecho,* Dykinson, Madrid, 2020, p. 258.

En todo caso, habrá que estar muy atento a la evolución de los trabajos parlamentarios y a una eventual intervención del Tribunal de Justicia, a raíz de la denuncia presentada ante la Comisión por infracción del Derecho de la Unión Europea. Y, en este sentido, no puede olvidarse el peso de afirmaciones como la contenida en el considerando número 22 de la Directiva (UE) 2019/633 relativa a las prácticas comerciales desleales en las relaciones entre empresas en la cadena de suministro agrícola y alimentario, en el sentido de que «los proveedores y los compradores de productos agrícolas y alimentarios deben poder negociar libremente las transacciones comerciales, incluido el precio».

Conductas prohibidas en la distribución de productos derivados de variedades vegetales que contengan derechos de propiedad intelectual[70]

FERNANDO DE LA VEGA GARCÍA
Profesor Titular de Derecho Mercantil. Universidad de Murcia

1. INTRODUCCIÓN

Entre los principales problemas prácticos relacionados con las variedades vegetales se halla el de su protección frente a producciones y comercializaciones ilegales de sus productos derivados, ya se trate de material cosechado[71] o de reproducción (venta de semillas)[72]. Se trata de auténticos actos de competencia

---

[70] Este trabajo queda integrado en el marco del Proyecto de Investigación RTI2018-093666-B-I00 del Ministerio de Ciencia, Innovación y Universidades ("Sistemas de protección y explotación comercial de las innovaciones en el ámbito de las variedades vegetales") (MINECO/FEDER, UE).

[71] Como se ha puesto de manifiesto, "por material de la cosecha han de entenderse las plantas o partes de plantas que no se utilizan para la producción o cultivo de otras, sino para el consumo o la producción industrial" (PALAU RAMÍREZ, F., "Alcance de los derechos de obtención vegetal y protección provisional de la solicitud", *RDM*, 266, 2007, p. 1111).

[72] El TJUE ha realizado interesantes consideraciones sobre la diferenciación entre "material de propagación" (*componentes de la variedad*) y los "productos de la cosecha" (*material cosechado*) a los efectos de su protección. Su sentencia de 19 de diciembre de 2019 (asunto C-176/18), el TJUE (Sala Séptima) resolvió que "la actividad de plantar una variedad protegida y cosechar sus frutos, que no son utilizables como material de propagación, exige la autorización del titular de la protección comunitaria de obtenciones vegetales relativa a dicha variedad vegetal en la medida en que concurran los requisitos establecidos en el artículo 13, apartado 3, de dicho Reglamento (UE)". Asimismo, "los frutos de una variedad vegetal no utilizables como material de propagación no pueden considerarse obtenidos "mediante el empleo no autorizado de componentes" de dicha variedad vegetal, según los términos de esa disposición, cuando un vivero haya multiplicado y vendido dichos componentes de la variedad a un agricultor en el período comprendido entre la publicación de la solicitud de protección comunitaria de obtenciones vegetales relativa a esa variedad vegetal y la concesión de dicha protección. En el caso de que, tras la concesión de esa protección, dichos componentes de la variedad hayan sido multiplicados y vendidos sin el consentimiento del titular de dicha protección, este último puede invocar los derechos que le confiere el artículo 13, apartado 2, letra a), y apartado 3, de este Reglamento (UE) en lo que respecta a tales frutos, siempre y cuando ese titular no haya tenido una oportunidad razonable de ejercer sus derechos sobre esos mismos componentes de la variedad". Sobre esta sentencia, EMBID IRUJO, J.M. y SALDAÑA VILLOLDO, B., "Hacia la delimitación de los derechos del obtentor: a propósito de la sentencia del Tribunal de Justicia de la Unión Europea en el

desleal que lesionan el interés de distintos agentes del mercado (especialmente del obtentor) y que, en ocasiones, pueden llegar a ser calificados como delitos contra la propiedad industrial (artículo 274.4 del Código Penal desde 2003)[73].

Ante esta situación son numerosos los esfuerzos realizados tanto desde el Derecho como desde otros sectores (genética) para detectar multiplicaciones o distribución de material (de propagación o cosechado) que no derive de la titularidad o licencia sobre un derecho de obtención vegetal.

Una de las formas de reforzar la posición del titular legítimo del producto derivado de variedades vegetales es la acumulación de derechos de propiedad intelectual compatibles con el derecho de obtención vegetal, destacando especialmente el derecho de marca[74]. No se trata de proteger la variedad comercial con otro derecho inmaterial sino de reforzar su identificación en el mercado, de tal forma que pueda servir de herramienta jurídica adicional para detectar conductas ilegales y, en su caso, para interponer las correspondientes acciones judiciales. En relación con esta cuestión estudiamos en trabajos anteriores la posible utilización de la marca del titular de una obtención vegetal en la comercialización de los productos derivados de la misma[75]. Se trataba de proteger la variedad mediante la protección de un signo distintivo destinado a la identificación de los productos de la cosecha y que, a su vez, no distorsionara la competencia.

El presente capítulo concreta el estudio de esta cuestión al ámbito de la distribución del producto derivado de variedades vegetales (especialmente del

---

[73] asunto C-176/18", *La Ley Mercantil*, nº 68, abril 2020; ASENSI MERÁS, A., "Alcance de la protección del titular de una protección comunitaria de obtención vegetal: sistema de protección en cascada. Comentario de la sentencia del Tribunal de Justicia de la Unión Europea (sala séptima) de 19 de diciembre de 2019 (C-176/18)", *ADI*, 40, 2019-20, pgs. 403-418. Son numerosas las condenas penales, como, por ejemplo, las establecidas en las sentencias de las Audiencias Provinciales de Salamanca, de 21 de enero de 2021 (ECLI:ES:APSA:2021:1ª) o Cádiz, de 30 de diciembre de 2019 (ECLI:ES:APCA:2019:2203).

[74] La inclusión del derecho de signos distintivos en el sector de la comercialización de variedades vegetales adquiere especial relevancia en respecto a variedades que se caracterizan por la importancia económica de los productos de la cosecha. Así, "en un principio, el recurso a las marcas comerciales resultaba en muchos países la única fórmula para lograr alguna forma de protección, al hallarse cerrada la posibilidad de registro para numerosas especies de interés comercial (recordemos que la aplicación de la protección de obtenciones vegetales a todos los géneros y especies vegetales se incluyó por primera vez en el Acta 1991 de Convenio UPOV)" (VILLARROEL LÓPEZ DE LA GARMA, A., "Experiencias de obtentores: la función de los contratos en el ejercicio de los derechos de obtentor", en *Simposio sobre contratos relativos al derecho de obtentor*, Ginebra, 31 de octubre 2008 (accesible en https://www.upov.int/edocs/mdocs/upov/es/upov_sym_ge_08/upov_sym_ge_08_5.pdf, fecha de consulta: 24/05/2021).

[75] Al respecto, DE LA VEGA GARCÍA, F., "La comercialización de productos derivados de variedades vegetales con la marca del titular de la obtención", *Actas de Derecho Industrial y Derecho de Autor*, nº 39, 2019, pp. 29-46.

fruto cosechado), que puede llevar a cabo el propio obtentor (si fuera también productor), el licenciatario o distribuidores mayoristas. La utilización de signos distintivos en este nivel fue realizada antes incluso del desarrollo y generalización del derecho de obtenciones vegetales, como lo demuestra la marca "Spania", utilizada como "contramarca nacional de calidad para la exportación de agrios" y aprobada por el Ministerio de Comercio en 1968[76]. Además, los criterios que se expondrán en este trabajo no son exclusivos para la utilización de marca, sino que son aplicables también en relación otros derechos de propiedad intelectual, como puede ser el diseño.

Entre las cuestiones decisivas en orden a la posible inclusión de la protección derivada de derechos de propiedad intelectual en el ámbito de la distribución de productos derivados de variedades comerciales registradas se hallan las establecidas por el Derecho de Defensa de la Competencia (*antitrust*). Aunque no es el sector principal de protección de las variedades vegetales, cumple una función muy relevante en aras de la protección del mercado en que se distribuyen, al establecer criterios aplicables a las conductas sobre variedades vegetales o sobre sus productos derivados, con el objeto de no impedir, restringir o falsear la competencia en todo o parte del mercado de referencia, concretando así los principios constitucionales de libertad de empresa y de libre competencia.

Partiendo de este contexto, el presente capítulo se centra en un aspecto muy concreto de la posible acumulación de derechos de propiedad intelectual (especialmente importante sería el caso de la marca) en la fase de distribución de productos derivados de variedades vegetales (posterior, en su caso, a la de transferencia de tecnología), cual es de las conductas prohibidas. Así, mientras la acumulación de la protección de derechos intelectuales en este ámbito presenta pocas especialidades contractuales (dada la vigencia del principio de autonomía de la voluntad), el Derecho de la Competencia establece supuestos prohibidos de cuya realización implicará una infracción administrativa que puede tener consecuencias desde el Derecho privados, tales como el resarcimiento de los daños causados o la nulidad contractual (de las cláusulas o, incluso, de todo el acuerdo, según los casos[77]).

---

[76]   BOE nº 224, de 17 de septiembre de 1968, que publicaba la orden del Ministerio de Comercio de 5 de septiembre de 1968. La utilización de estas contramarcas viene de más atrás, pues esta orden estimó conveniente ampliar la utilización de la contramarca nacional de calidad creada por la Orden ministerial de 23 de octubre de 1959 que, en su artículo 17 limitaba la posibilidad de su empleo a ciertas variedades y calidades. Se establecía, además, que Las variedades y categorías comerciales que podrían acogerse a la contramarca nacional eran las establecidas en la Orden de 8 de junio de 1963 sobre normas reguladoras de la exportación de frutos cítricos, con las modificaciones introducidas por la Orden de 28 de julio de 1965 y en las condiciones de calidad, madurez, calibre. acondicionamiento, presentación, embalaje y marcado señaladas en las citadas Ordenes.

[77]   Sobre esta consecuencia se ha pronunciado tanto los tribunales europeos como los españoles. El TJUE ha declarado que "la nulidad del art. 81.2 TCE (actual 101.2 TFUE) se aplica

Entre las conductas prohibidas se distinguen dos clases: a) la imposición de derechos de propiedad intelectual derivada de posición de dominio; y b) la inclusión de cláusulas prohibidas en los contratos de distribución de variedades vegetales (componente de reproducción o productos de la cosecha). Debe advertirse que estas dos modalidades suponen las prohibiciones más importantes, por lo que podrían considerarse prohibidas otras en función de los efectos sobre la competencia, en aquellos casos en que las restricciones no llegaran a cumplir los presupuestos generales de exención (artículos 1.3 LDC y 101.3 TFUE). Los caracteres generales de las dos clases principales de conductas ilícitas se estudian a continuación.

2. LA IMPOSICIÓN DE DERECHOS DE PROPIEDAD INTELECTUAL DERIVADA DE POSICIÓN DE DOMINIO

La primera modalidad de ilícito deriva de una de las clases de conducta anticompetitiva más importante y actuales del Derecho de la Competencia, que es el abuso de posición de dominio. Su prohibición es automática y absoluta, no admitiéndose exenciones o autorizaciones ni en el Derecho de la Unión Europea (art. 102 TFUE) como en el Derecho español (art. 2 LDC).

En el ámbito de las variedades vegetales la imposición al distribuidor (por parte de obtentor, productor u otro distribuidor) de la obligación de comercializar los productos de la cosecha con un determinado derecho de propiedad intelectual (particularmente una marca) puede suponer una infracción de la legislación de competencia si se considera explotación abusiva de una posición de dominio en todo o en parte del mercado interior (o en una parte sustancial del mismo), así como en el mercado nacional. Este ilícito *antitrust* requiere la constatación de dos elementos: *posición de dominio* y *explotación abusiva*, que presentan ciertas singularidades en el ámbito de las variedades vegetales.

únicamente a aquellos elementos del acuerdo afectados por la prohibición (...) o al acuerdo en su totalidad si no es posible separar dichos elementos del propio acuerdo (STJCE de septiembre de 2008, C-279/2006)". En esta misma línea se pronuncia el TS, en sus numerosos asuntos de nulidad de cláusulas en supuestos de contratos de abanderamiento (sentencia del pleno 67/2018, de 7 de febrero, ya nos habíamos pronunciado sobre esta cuestión en las sentencias 763/2014, de 12 de enero de 2015, 162/2015, de 31 de marzo, y 762/2015, de 30 de diciembre); estos casos, sin embargo, el TS aplicó la nulidad de todo el contrato, al entender que "la supresión de la cláusula restrictiva (la duración de la exclusiva de abastecimiento) afectaba a un elemento estructural y a la economía del negocio, sin que fuera posible mantenerlo vigente suprimiendo la exclusiva de abastecimiento". Sobre la nulidad en este ámbito vid. últimamente MARTÍ MIRAVALLS, J., *Nulidad y Derecho de la Competencia*, Aranzadi, 2021. Asimismo, MARTÍ MIRAVALLS, J., "En defensa de la nulidad parcial de un acuerdo vertical que infringe el Derecho de la competencia por fijación de precios de reventa", *La Ley mercantil*, nº 62, 2019.

A) El estudio de la *posición de dominio* requiere, en primer lugar, la determinación previa de un *mercado de referencia* sobre el que calcularla[78]. Teniendo en cuenta los criterios generales[79], el mercado relevante de las variedades vegetales incluye objetivamente las correspondientes a la especie de que se trate (en un territorio y tiempo determinados), incluidos sus "productos sustitutivos aproximados"[80]. Para la determinación de estos últimos, y aunque podría descenderse mucho en las clasificaciones procedentes de la taxonomía, desde el punto de vista del Derecho de la Competencia la sustituibilidad puede ser concretada mediante la inducción de criterios establecidos en la Comunicación de la Comisión relativa a la definición de mercado de referencia a efectos de la normativa comunitaria en materia de competencia[81], que en la actualidad se halla en proceso de actualización. De acuerdo con la misma, podría llegar a existir sustituibilidad respecto a determinadas variedades no solo en relación con la especie en el que se integre la concreta variedad, sino también respecto a la de otras especies si los destinatarios de las futuras variedades vegetales (derivadas de la investigación) estuvieran dispuestos a pasar a productos sustitutivos fácilmente disponibles o a proveedores localizados en otro lugar en respuesta a un pequeño (5% a 10%) y permanente incremento hipotético de los precios relativos para los productos y zonas considerados. Por tanto, si el grado de sustitución es suficiente para hacer que el incremento de precios no sea rentable debido a la reducción resultante de las ventas, se incluirán en el mercado de referencia otros productos sustitutivos y zonas hasta que el con-

---

[78] La STS de 6 de noviembre de 2013 recuerda varias sentencias del TJUE donde se ponen de manifiesto las diferencias de su delimitación para las conductas del art. 101 y 102 TFUE. Entre las mismas se encuentra la de 24 de mayo de 2012 (As. T-111/08), que pone de manifiesto que "la adecuada definición del mercado de referencia es un requisito necesario y previo a la valoración de un comportamiento supuestamente contrario a la competencia, puesto que, antes de acreditar la existencia de un abuso de posición dominante, hay que acreditar la existencia de una posición dominante en un mercado determinado, lo que implica que dicho mercado haya sido previamente delimitado". En cambio, "para la aplicación del artículo 81 CE (hoy 101 TFUE) es preciso definir el mercado de referencia para determinar si el acuerdo, la decisión de asociación de empresas o la práctica concertada de que se trate puede afectar al comercio entre Estados miembros y tiene por objeto o por efecto impedir, restringir o falsear el juego de la competencia dentro del mercado común. Por esta razón, en el marco de la aplicación del artículo 81 CE, apartado 1, las críticas formuladas contra la definición del mercado efectuada por la Comisión no tienen una dimensión autónoma con respecto a las relativas al perjuicio del comercio entre Estados miembros y a la distorsión de la competencia".

[79] Tradicionalmente, su delimitación se supedita a la concurrencia de, al menos, tres elementos delimitadores del mercado (Comunicación de la Comisión relativa a la definición de mercado de referencia a efectos de la normativa comunitaria en materia de competencia, DO C 372 de 09/12/1997 pp. 5-13): geográfico, temporal y objetivo.

[80] Expresión utilizada al respecto por el apartado 113 de las Directrices sobre la aplicabilidad del artículo 101 del TFUE a los acuerdos de cooperación horizontal (2011/C 11/01).

[81] Diario Oficial n° C 372 de 9 de diciembre de 1997 (pp. 5-13).

junto de productos y zonas geográficas sea tal que resulte rentable un pequeño incremento permanente de los precios relativos (*cfr.* apartado 17 de la citada Comunicación). Este criterio de la sustituibilidad es seguido también por la CNMC al delimitar el mercado relevante de las variedades vegetales[82].

Una vez delimitado el mercado de referencia, la *posición de dominio* se caracteriza por poder económico e independencia de comportamiento[83]. En el ámbito de acuerdos verticales sobre productos de la cosecha existiría posición de dominio si se constatara la imposibilidad a una mínima negociabilidad por parte de algún contratante. Al respecto, el artículo 208 del Reglamento (UE) n ° 1308/2013[84], aplicable a la producción de variedades vegetales, caracteriza al ilícito como "la posición de fuerza económica de que disfruta una empresa y que le permite obstaculizar el mantenimiento de una competencia efectiva en el mercado relevante, al darle el poder para actuar con una considerable independencia frente a sus competidores, clientes y, en última instancia, frente a los consumidores". En el ámbito de las variedades vegetales, en la línea de lo considerado con carácter general, se ha considerado que cuotas de mercado que se hallen en torno al 10% no son indiciarias de posición de dominio y que es muy importante atender a la sustituibilidad de la variedad en cuestión[85]. Debe apuntarse que el sector agrario (como ámbito importante de las conduc-

---

[82]   Al respecto, Resolución CNMC de 28 de noviembre de 2019 (Expte. S/0022/19, *Arándanos*).

[83]   Estas derivan de la interpretación, por parte de la Comisión y del TJUE, realizada en torno al artículo 102 TFUE, pudiendo todavía ser de utilidad la delimitación conceptual que realizaba el ya derogado artículo 2.2 de la Ley 110/1963, de represión de las prácticas restrictivas de la competencia, pues actualmente la LDC no ofrece un concepto del ilícito, limitándose a su prohibición y enumeración de ejemplos. Según dicho precepto, "una empresa goza de posición de dominio cuando para un determinado tipo de producto o servicio es la única oferente o demandante dentro del mercado nacional, o, cuando sin ser la única, no está expuesta a una competencia sustancial en el mismo". Concretando más este concepto, se disponía asimismo que "dos o más empresas gozan de posición de dominio para un determinado tipo de producto o servicio, cuando no existe competencia efectiva entre ellas o sustancial por parte de terceros en todo el mercado nacional o en una parte de él".

[84]   Reglamento del Parlamento Europeo y del Consejo, de 17 de diciembre de 2013, por el que se crea la organización común de mercados de los productos agrarios, tras la modificación del Reglamento (UE) 2017/2393 del Parlamento Europeo y del Consejo, de 13 de diciembre de 2017.

[85]   Así, la CNMC ha resuelto que en el asunto *Arándanos* (Expte. S/0022/19) que "las cuotas de *Snowchaser* en España, tanto en valor económico como en volumen, se mantienen por debajo del 5% en el mercado de frutos rojos y en torno al 10% del mercado en valor y volumen en el de los arándanos. De estos datos, junto con el análisis del resto de factores como las condiciones del mercado de referencia y, en especial, la dinámica del mercado y el grado de diferenciación de los productos, no puede deducirse la existencia de una posición de dominio. Visto que existen más de 72 variedades de arándanos, *Rústicas del Guadalquivir* no puede comportarse de forma independiente de sus competidores en el mercado, por lo que no concurren los requisitos para considerar que dicha empresa se encuentra en una posición de dominio en el mercado en el que desarrolla su actividad".

tas sobre variedades vegetales protegidas) se caracteriza por la "atomización de las explotaciones empresariales, su pequeño tamaño y limitado poder de negociación frente a los operadores de los siguientes eslabones de la cadena de comercialización"[86]. Esta situación no es nueva[87] y ha impulsado a la Unión Europea a reconocer la necesidad de "adoptar medidas que contribuyan a fortalecer la posición de los productores en la cadena alimentaria, así como mejorar su funcionamiento".

B) La *explotación abusiva* se produciría cuando se considere que la imposición de un determinado derecho de propiedad intelectual (especialmente, una marca) sea vehículo para causar algunos de los efectos enumerados en los artículos 2 LDC o 102 TFUE, u otros de características similares; entre los mismos destacarían los siguientes: a) la imposición, de forma directa o indirecta, de precios u otras condiciones comerciales o de servicios no equitativos (por ejemplo, imponiendo determinado precio a la comercialización con la marca); b) la limitación de la producción, la distribución o el desarrollo técnico en perjuicio injustificado de las empresas o de los consumidores (por ejemplo, limitando las unidades a distribuir con la marca); o c) la subordinación de la celebración de contratos a la aceptación de prestaciones suplementarias que, por su naturaleza o con arreglo a los usos de comercio no guarden relación con el objeto de dichos contratos.

3. LA INCLUSIÓN DE CLÁUSULAS PROHIBIDAS RELACIONADAS CON DERECHOS DE PROPIEDAD INTELECTUAL

3.1. *Introducción*

La inexistencia de abuso de posición de dominio implica que el análisis *antitrust* se centre en determinar la posible colusión en acuerdos de distribución de productos derivados de variedades vegetales que contengan derechos de

---

[86]   Informe CNMC IPN/CNMC/015/20, de 2 de septiembre de 2020, sobre el anteproyecto de ley por la que se modifica la Ley 12/2013, de 2 de agosto, de medidas para mejorar el funcionamiento de la cadena alimentaria.

[87]   En este sentido, la CNC, en su Informe sobre el Anteproyecto de Ley de Fomento de la Integración Cooperativa y de otras Entidades Asociativas de Carácter Agroalimentario (IPN 082/13) indicó que "si se compara la presencia, estructura y facturación de las estructuras productivas españolas, y en particular de las cooperativas, con la existente en otros países comunitarios, se extrae que en el caso español éstas presentan un mayor grado de atomización, circunstancia que podría estar limitando su capacidad de negociación y sus posibilidades de operar en toda la cadena agroalimentaria y en mercados nacionales e internacionales".

propiedad intelectual. Se trata de supuestos en los que ninguna parte impone la utilización de tal clase de derechos en la distribución de los productos de la cosecha, sino que libremente acuerdan comercializarlos o distribuirlos con una protección adicional a la que otorga, en su caso, el derecho de obtención vegetal. En estos casos existiría una autorización o licencia al distribuidor para utilizar el derecho de propiedad intelectual de la contraparte.

Los criterios de licitud/ilicitud de la inclusión de esta licencia en la distribución de variedades vegetales (componente o producto de la cosecha) parten del Reglamento (UE) 330/2010 de la Comisión de 20 de abril de 2010 relativo a la aplicación del artículo 101, apartado 3, del TFUE a determinadas categorías de acuerdos verticales y prácticas concertada (RECAV)[88], que considera, con carácter general, que parte de dichos acuerdos "pueden mejorar la eficiencia económica de una cadena de producción o de distribución al permitir una mejor coordinación entre las empresas participantes. En concreto, pueden dar lugar a una reducción de los costes de transacción y distribución de las partes y optimizar sus niveles de ventas y de inversión"[89]. En el estudio de la aplicación de esta norma al objeto de este capítulo deben destacarse dos cuestiones: a) las prohibiciones generales; y b) los criterios específicos relacionados con derechos de propiedad intelectual.

Antes de su estudio debe advertirse que el Derecho español excluye de las conductas de "menor importancia" a los "acuerdos concluidos por empresas titulares o beneficiarias de derechos exclusivos" (artículo 2.4 del Real Decreto 261/2008, de 22 de febrero, por el que se aprueba el Reglamento de Defensa de la Competencia, que excluye de la menor importancia). Sobre esta cuestión, las partes del procedimiento del asunto *Carpa Dorada y Club de Variedades Vegetales Protegidas*, resuelto por Resolución del Consejo de la CNC de 4

---

[88]   Junto al RECAV deberá atenderse a sus Directrices de aplicación (2010/C 130/01), que sustituyeron al Reglamento (CE) nº 2790/1999 de la Comisión, de 22 de diciembre de 1999, relativo a la aplicación del apartado 3 del artículo 81 del Tratado CE a determinadas categorías de acuerdos verticales y prácticas concertadas. La existencia de regulación específica en el ámbito de los acuerdos verticales es una constante en la UE. Así, desde sus inicios, la entonces CEE estimó necesaria la especialización normativa de estos acuerdos en el marco del Derecho de la Competencia, sobre todo para concretar los supuestos en que las restricciones que de los mismos derivaran fuesen acreedoras de autorizaciones por virtud de sus eficiencias o efectos procompetitivos. En este sentido, el Reglamento (CE) no 19/65/CEE habilitó a la Comisión para concretar mediante Reglamento (UE) la aplicación de los criterios generales de exención (hoy en el art. 101 TFUE) a determinadas categorías de acuerdos verticales y prácticas concertadas que entraban en el ámbito de aplicación de lo que hoy es el artículo 101.1 TFUE.

[89]   Considerando 6 del citado Reglamento. Sobre las "restricciones verticales" ver especialmente BACHES OPI, S., *Distribución y Derecho de la Competencia*, Marcial Pons, Madrid, 2014; ZURIMENDI ISLA, A., "El modelo más eficiente en la regulación de las restricciones verticales", *InDret*, 1/2007, 2007; ZURIMENDI ISLA, A., *Las restricciones verticales a la libre competencia*, Civitas, Madrid, 2006.

de julio de 2013 (Expte. VS/0312/10), mostraron su disconformidad a que a los contratos evaluados por la CNMC no les resultara aplicable el criterio de minimis[90]. Sin embargo, la CNMC rechazó tal alegación, entendiendo que nada impide que los derechos exclusivos mencionados en el art. 2.4 a) RDC incluyan los derechos exclusivos derivados de la propiedad industrial, es decir, el derecho a prohibir a cualquier tercero no autorizado a plantar el material y a comercializar el fruto correspondiente de la variedad vegetal protegida[91].

Por último, debe apuntarse que en los casos estudiados en este capítulo no son aplicables las normas especiales sobre acuerdos de transferencia de tecnología92, al analizar solo los criterios aplicables a productos derivados de variedades vegetales y no a la transmisión del derecho de exclusiva a la explotación de la variedad vegetal; no se trata, por tanto, de la cesión o licencia del derecho de obtención, sino de sus productos derivados93. En estos supuestos exclui-

---

[90]   Alegaron que en el art. 2.4 a) del RDC, al establecer que no se entenderán de menor importancia "las conductas desarrolladas por empresas titulares o beneficiarias de derechos exclusivos", la expresión "derechos exclusivos" no comprendía los derechos derivados de la propiedad industrial (como son las obtenciones vegetales), sino que habría que entender que dicha expresión tiene un contenido semejante al del artículo 106 del TFUE, esto es, que se limita a empresas a las que se ha concedido un derecho de explotación de una actividad económica reservada a los poderes públicos.

[91]   La CNMC argumentó que las Directrices relativas a la aplicación del artículo 81 del Tratado CE a los acuerdos de transferencia de tecnología (2004/C 101/02) aluden en varias ocasiones a los "derechos exclusivos" derivados de la propiedad industrial. Aunque hoy están sustituidas por las Directrices de 2014 (2014 / C 89/03), se reitera que "la legislación sobre propiedad intelectual confiere derechos exclusivos a los titulares de patentes, derechos de autor, derechos sobre diseños, marcas y otros derechos legalmente protegidos", añadiéndose en su punto 7 que "el hecho de que la legislación sobre propiedad intelectual confiera derechos exclusivos de explotación no implica que los derechos de propiedad intelectual sean inmunes al Derecho de competencia". La interpretación de la CNMC es confirmada por la sentencia de la Audiencia Nacional de 6 de noviembre de 2015.

[92]   Especialmente el Reglamento (UE) 316/2014 de la Comisión, de 21 de marzo de 2014, relativo a la aplicación del artículo 101, apartado 3, del Tratado de Funcionamiento de la Unión Europea a determinadas categorías de acuerdos de transferencia de tecnología, así como la Comunicación de la Comisión sobre las Directrices relativas a la aplicación del artículo 101 del Tratado de Funcionamiento de la Unión Europea a los acuerdos de transferencia de tecnología (2014/C 89/03). Estas normas especiales se caracterizan por el reconocimiento general de la inaplicación del artículo 101, apartado 1, del TFUE, autorizando así determinadas restricciones de competencia que, sin el Reglamento (UE), estarían prohibidas por el Derecho de la Competencia. La aplicación del RECATT a las licencias de explotación de variedades vegetales (y también a su cesión) implica el reconocimiento general de una exención a la prohibición general derivada del artículo 101 del TFUE (y, consecuentemente, a nivel interno, del artículo 1 de la LDC).

[93]   Recuérdese que la explotación del componente de una variedad vegetal representa la materialización más genuina del derecho de obtención vegetal, al identificarse con todas las operaciones relacionadas con la variedad vegetal objeto del derecho de obtención cuya realización requiere autorización expresa por parte de su titular (art. 13 del Reglamento (CE) n° 2100/94 del Consejo de 27 de julio de 1994 relativo a la protección comunitaria

dos de este capítulo la obtención vegetal es considerada "tecnología", siendo destinataria de normas especiales de defensa de la competencia que introducen excepciones a la prohibición general de la realización de acuerdos restrictivos de la competencia, aplicables en la valoración antitrust de la externalización de su explotación (multiplicación del componente vegetal).

3.2. Prohibiciones generales

Independientemente de los umbrales mínimos de exención, existen ciertas cláusulas consideradas ilícitas y que pueden ir anudadas a derechos de propiedad intelectual. Así, incluso en supuestos cuantitativamente admisibles según el RECAV[94], podemos encontrar cláusulas prohibidas, ilícitas en todo caso. Se trata de restricciones que tienen por objeto impedir, restringir o falsear el juego de la competencia dentro del mercado nacional o interior[95].

La delimitación de la ilicitud debe realizarse individualmente, pues puede suceder que excepcionalmente ciertas conductas en principio prohibidas puedan generar algún tipo de eficiencia valorable[96]. Teniendo este dato en cuenta,

---

de las obtenciones vegetales y 12 de la Ley 3/2000, de 7 de enero, de régimen jurídico de la protección de las obtenciones vegetales), incluida en un acuerdo para la explotación, en el que pueden incluirse cualquiera de las siguientes actividades: a) producción o reproducción (multiplicación); b) acondicionamiento con vistas a la propagación; c) puesta en venta; d) venta u otro tipo de comercialización; e) exportación; f) importación; g) almacenamiento con vista a cualquiera de los objetivos anteriores [letras a) a f)].

[94]   Recuérdese que el RECAV dispone en su artículo 2.1 una clara exención basada en un criterio cuantitativo relacionado con la cuota de mercado: "con arreglo al artículo 101, apartado 3, del Tratado y sin perjuicio de las disposiciones del presente Reglamento, se declara que el artículo 101, apartado 1, del Tratado no se aplicará a los acuerdos verticales". Esta exención "se aplicará siempre que la parte del mercado del proveedor no supere el 30% del mercado de referencia en el que vende los bienes o servicios contractuales y que la parte del mercado del comprador no supere el 30 % del mercado de referencia en el que compra los servicios o bienes contractuales" (artículo 3.1 RECAV).

[95]   Debe advertirse, como pone de manifiesto las Directrices sobre acuerdos verticales (apartado 47, nota 25) que estas restricciones graves se aplican a los acuerdos verticales relativos al comercio dentro de la Unión. En la medida en que los acuerdos verticales se refieren a las exportaciones o las importaciones/reimportaciones procedentes de fuera de la Unión, véase la sentencia del Tribunal de Justicia en el asunto C-306/96 *Javico* contra *Yves Saint Laurent*, Rec. 1998 p. I-1983. En dicha sentencia, el Tribunal de Justicia declara en el apartado 20 que «no cabe considerar que un acuerdo que contenga el compromiso del revendedor respecto del productor de destinar la comercialización de los productos objeto del contrato a un mercado situado fuera de la Unión tenga por objeto restringir de manera significativa la competencia dentro del mercado común ni que pueda afectar en cuanto tal al comercio entre los Estados miembros».

[96]   Así, como establecen las Directrices RECAV (apartado 60), "las restricciones especialmente graves pueden, excepcionalmente, ser objetivamente necesarias para un acuerdo de una naturaleza o tipo concreto y caer fuera del ámbito del artículo 101, apartado 1. Por ejemplo, una restricción especialmente grave puede ser objetivamente necesaria para garantizar el

podrían inducirse de la legislación *antitrust* ciertas pautas generales que ayuden a la concreción de la ilicitud en este ámbito. Así, el artículo 4 del RECAV enumera las restricciones especialmente graves (*hardcore restrictions*) en este ámbito[97], consideradas *a priori* restricciones "por el objeto"[98], que son aquellas incluidas en acuerdos verticales que, directa o indirectamente, por sí solos o en combinación con otros factores bajo control de las partes, tengan alguno de los siguientes objetos.

a) La restricción de la facultad del comprador (por ejemplo, un minorista que vende los productos de la cosecha) de determinar el precio de reventa, sin perjuicio de que el proveedor (por ejemplo, distribuidor mayorista de frutas y hortalizas) pueda imponer precios de venta máximos o recomendar un precio de venta, siempre y cuando éstos no equivalgan a un precio de venta fijo o mínimo como resultado de presiones o incentivos procedentes de cualquiera de las partes. La fijación del precio de reventa es clara cuando se realiza directamente en el acuerdo entre distribuidor y revendedor o productor. No obstante, también se considera grave, y resulta más habitual, la restricción indirecta de tales precios, como sucede por ejemplo cuando se subordina la práctica de descuentos con un determinado precio de reventa, o cuando se combinan otros tipos de incentivos con la reducción del precio final. También se puede realizar de forma indirecta cuando se combina con la utilización de derechos de propiedad intelectual; se daría el caso, por ejemplo, de fijar precios de reventa específicos en la comercialización de un producto de la cosecha que incluya una determinada marca.

Aunque la fijación del precio de reventa es, en muchas ocasiones, una conducta ilícita, es posible que en algunas situaciones genere eficiencias que

---

cumplimiento de una prohibición pública de vender sustancias peligrosas a determinados clientes por razones de salud o seguridad. Además, las empresas pueden alegar un argumento de eficiencia de conformidad con el artículo 101, apartado 3, en un caso individual".

[97]   Este precepto ha sido calificado como uno de los más complejos del RECAV (WIJCKMANS, F. y TUYTSCHAEVER, F. *Vertical agreements in EU Competition Law*, Oxford, 2011, p. 148).

[98]   Las Directrices sobre acuerdos verticales son claras al permitir una prueba de generación de eficiencias en contrario. Así, y aunque hay pocas probabilidades de revertir la situación, "la inclusión de tal restricción especialmente grave en un acuerdo da lugar a la presunción de que el acuerdo está incluido en el ámbito del artículo 101, apartado 1. También da lugar a la presunción de que es poco probable que el acuerdo cumpla las condiciones del artículo 101, apartado 3, por la razón de que no se aplica la exención por categorías. Sin embargo, las empresas pueden demostrar los efectos favorables a la competencia de conformidad con el artículo 101, apartado 3, en un caso individual. En caso de que las empresas justifiquen que las probables eficiencias resultan de la inclusión de la restricción especialmente grave en el acuerdo y que se cumplen en general todas las condiciones del artículo 101, apartado 3, ello requerirá que la Comisión evalúe efectivamente el probable impacto negativo en la competencia antes de hacer la evaluación final sobre si se cumplen las condiciones del artículo 101, apartado 3" (apartado 47).

podrían tenerse en cuenta para plantear su autorización en relación con los presupuestos de los artículos 101.3 TFUE y 1.3 LDC. Así, podrían plantearse eficiencias cuando un productor introduce un nuevo producto (por ejemplo una variedad vegetal especialmente novedosa, que puede llegar a distinguirse especialmente con una determinada marca), siendo útil la fijación del precio de reventa "durante el período introductorio de expansión de la demanda para inducir a los distribuidores a tener más en cuenta el interés del productor de promover el producto"[99]; asimismo la Comisión considera que "los precios de reventa fijos, y no sólo los precios de reventa máximos, pueden ser necesarios para organizar en un sistema de franquicia o en un sistema de distribución similar, que aplique un formato de distribución uniforme, una campaña coordinada de precios bajos a corto plazo (2 a 6 semanas en la mayoría de los casos) que beneficie también a los consumidores"[100].

b) La restricción del territorio en el que, o de la clientela a la que, el comprador parte del acuerdo, sin perjuicio de una restricción sobre su lugar de establecimiento, pueda vender los bienes o servicios contractuales, que puede anudarse a la utilización de una determinada marca de comercialización. Se trata se restricciones de venta encaminadas a una compartimentación del mercado (geográfico u objetivo), que pueden ser acordadas directa o indirectamente por los implicados. Mientras existe reparto directo cuando se prohíbe vender en determinados territorios o a ciertos clientes, la restricción se realizaría indirectamente cuando el licenciante o vendedor reduce los incentivos o directamente el suministro del producto (semillas o frutos de la cosecha) a determinados territorios en que actúa el comprador (por ejemplo, un distribuidor de frutas u hortalizas).

No obstante, el artículo 4.2.b del RECAV establece cuatro excepciones (consideradas *numerus clausus*), que, cumpliendo los umbrales autorizables (*vid. infra*) presumiblemente son consideradas restricciones lícitas desde el Derecho de la Competencia, al producir eficiencias. Su licitud deriva precisamente de esta expresa exclusión como restricciones especialmente graves en el artículo 4 del RECAV. Dichas restricciones son las siguientes:

i) La restricción de ventas activas en el territorio o al grupo de clientes reservados en exclusiva al proveedor o asignados en exclusiva por el proveedor a otro comprador, cuando tal prohibición no limite las ventas de los clientes del comprador. A estos efectos, las Directrices RECAV (apartado 51) consideran que un territorio o grupo de clientes está asignado exclusivamente "cuando el proveedor consiente la venta de su producto solamente a un distribuidor para su distribución en un territorio deter-

---

[99] Apartado 225 de las Directrices RECAV.
[100] *Ibidem.*

minado o a un grupo de clientes determinado y el distribuidor exclusivo tiene protegido su territorio o grupo de clientes contra las ventas activas de todos los otros compradores del proveedor dentro de la Unión, independientemente de las ventas del proveedor"; además, "se permite al proveedor combinar la asignación de un territorio exclusivo y de un grupo de clientes exclusivo, designando, por ejemplo, un distribuidor exclusivo a un grupo de clientes específico en un determinado territorio".

ii) La restricción de ventas (activas o pasivas) a usuarios finales por un comprador que opere a nivel del comercio al por mayor. Se trata de restricciones, tanto de ventas activas como pasivas, derivadas, por ejemplo, del acuerdo entre productor y distribuidor mayorista (por ejemplo, de productos de la cosecha) en las que se prohíbe a éste vender directamente al consumidor. Este acuerdo permite que el proveedor (por ejemplo, un productor) pueda separar sus ventas al por mayor de las que realice directamente al consumidor. Las restricciones autorizadas podrían ser parciales, en el sentido de restringir solo determinadas ventas finales de mayoristas, ya que la "excepción no excluye que un mayorista pueda vender a determinados usuarios finales, por ejemplo, grandes usuarios finales, mientras que se prohíbe vender a (todos) los demás usuarios finales" (apartado 55 de las Directrices RECAV).

iii) La restricción de ventas (activas o pasivas) por los miembros de un sistema de distribución selectiva a distribuidores no autorizados en el territorio en el que el proveedor ha decidido aplicar ese sistema. Recuérdese que en esta clase de sistema de distribución el proveedor se compromete a vender los bienes o servicios contractuales (componente vegetal o producto de la cosecha), directa o indirectamente, sólo a distribuidores seleccionados sobre la base de criterios específicos, y los distribuidores se comprometan a no vender tales bienes o servicios a agentes no autorizados en el territorio en el que el proveedor haya decidido aplicar este sistema (art. 1.e del RECAV).

iv) La restricción de la facultad del comprador de vender (activa o pasivamente) componentes suministrados con el fin de su incorporación a un producto, a clientes que tengan intención de usarlos para fabricar el mismo tipo de productos que el proveedor. Esta restricción es poco operativa en el ámbito de los acuerdos sobre variedades vegetales, al estar la fabricación del componente (semilla) protegido por un derecho de propiedad industrial.

Tras la exposición de estas excepciones, conviene subrayar la consideración ilícita de la mayor parte de ventas pasivas (salvo, exclusivamente, en las tres últimas excepciones). Hoy en día esto significa que en los acuerdos verticales son generalizadamente consideradas ilícitas las restricciones de ventas *online*, al ser considerada por el RECAV como ejemplo de venta pasiva. En este sentido, las Directrices RECAV consideran determinados ejemplos como restricciones especialmente graves de la venta pasiva, a la vista de la capacidad de estas restricciones para limitar al distribuidor a la hora de llegar a un mayor número y diversidad de clientes[101].

c) La restricción de las ventas activas o pasivas a los usuarios finales por parte de los miembros de un sistema de distribución selectiva que operen al nivel de comercio minorista al por menor, sin perjuicio de la posibilidad de prohibir a un miembro del sistema que opere fuera de un lugar de establecimiento no autorizado. Se trata de una restricción concretada en un sector muy determinado del mercado, como es el de la distribución selectiva. En este marco, y solo respecto a la reventa realizada a usuarios finales (profesionales o consumidores), los distribuidores deben ser libres para realizar todo tipo de venta (pasiva o activa).

d) La restricción de los suministros cruzados entre distribuidores dentro de un sistema de distribución selectiva, inclusive entre distribuidores que operen a distintos niveles de actividad comercial. Por tanto, "la distribución selectiva no puede ir unida a restricciones verticales destinadas a obligar a los distribuidores a adquirir los productos objeto del contrato exclusivamente de una única fuente. Por otra parte, también implica que dentro de una red de distribución selectiva no se pueden imponer restricciones a los mayoristas designados en lo que respecta a sus ventas del producto a minoristas designados"[102].

---

[101]   Son los siguientes: a)   acordar que el distribuidor (exclusivo) impedirá a los clientes situados en otro territorio (exclusivo) visitar su página web o pondrá en su página web una redirección automática de los clientes a las páginas web del fabricante o de otros distribuidores exclusivos. Esto no excluye acordar que la página web del distribuidor, además, ofrezca diversos enlaces a páginas web de otros distribuidores o del proveedor; b)   acordar   que   el distribuidor (exclusivo) rescindirá las transacciones de los consumidores por internet en cuanto los datos de la tarjeta de crédito revelen una dirección que no esté en el territorio (exclusivo) del distribuidor; c) acordar que el distribuidor limitará su proporción de ventas realizadas por internet. Esto no excluye que el proveedor exija, sin limitar las ventas en línea del distribuidor, que el comprador venda por lo menos una determinada cantidad absoluta (en valor o en volumen) del producto fuera de línea para garantizar un funcionamiento eficiente de su establecimiento físico, ni impide al proveedor asegurarse de que la actividad directa del distribuidor siga siendo coherente con el modelo de distribución del proveedor (véase los apartados 54 y 56). Esta cantidad absoluta de ventas exigidas fuera de línea puede ser la misma para todos los compradores, o bien determinarse individualmente para cada comprador sobre la base de criterios objetivos, como el tamaño del comprador en la red o su localización geográfica; d) acordar que el distribuidor pagará un precio más alto por los productos destinados a ser revendidos en línea por el distribuidor que por los destinados a revenderse fuera de línea. Esto no excluye que el proveedor ofrezca al comprador un canon fijo (no un canon variable, en que el importe aumente en función del volumen de negocio realizado fuera de línea, pues ello llevaría indirectamente a una fijación de precios dual) para apoyar sus esfuerzos de venta en línea o fuera de línea.

[102]   Apartado 58 de las Directrices RECAV.

e) La restricción acordada entre un proveedor de componentes y un comprador que los incorpora a otros productos que limite la capacidad del proveedor de vender esos componentes como piezas sueltas a usuarios finales o a talleres de reparación o proveedores de otros servicios a los que el comprador no haya encomendado la reparación o mantenimiento de sus productos. Esta restricción ilícita de los acuerdos verticales no es aplicable respecto a los acuerdos sobre variedades vegetales por motivo de su materia, ya que la restricción es propia de mercados de piezas de recambio.

3.3. Criterios específicos relacionados con derechos de propiedad intelectual

La evaluación *antitrust* de las cláusulas sobre cesión o licencia al comprador (distribuidor de componente vegetal o producto de la cosecha) de derechos de propiedad intelectual (como puede ser una marca) viene determinada por el cumplimiento de cinco condiciones (*cfr.* artículo 2.3 REC y apartado 31 de las Directrices relativas a restricciones verticales). Por consiguiente, los demás acuerdos verticales que contengan cláusulas sobre derechos de propiedad intelectual quedan excluidos de la exención, siendo considerados, en principio, ilícitos. Las condiciones son las siguientes:

a) Las cláusulas de derechos de propiedad intelectual deben formar parte de un acuerdo vertical, es decir, un acuerdo que establezca condiciones con arreglo a las cuales las partes puedan adquirir, vender o revender determinados bienes o servicios. La inclusión de tal derecho en un contrato de distribución de productos derivados de la producción de variedades vegetales, sobre los que el derecho de obtención está agotado, es claro exponente de una relación vertical. Como advierten las Directrices Verticales (apartado 33), esta primera condición aclara que no se trata de contemplar acuerdos relativos a la cesión o concesión de licencias para la fabricación de bienes, así como tampoco de amparar un puro acuerdo de licencia a efectos de comercialización.

b) Los derechos de propiedad intelectual deben destinarse a ser utilizada por el propio distribuidor. Por tanto, no es de aplicación cuando es el distribuidor el que ofrece derechos de propiedad industrial al proveedor, alejando esta segunda condición la aplicación de la exención del RECAV a contratos de transferencia que prevean restricciones sobre las ventas al proveedor. La licencia por parte de obtentor o comercializador incluida en contratos de distribución de productos derivados de variedades vegetales sí cumpliría esta segunda condición de la exención.

c) Las cláusulas de derechos de propiedad intelectual no debe constituir el objeto principal del acuerdo. Siguiendo a las Directrices Verticales (apartado 35), esta condición tiene como objetivo principal que el acuerdo no debe ser la licencia del derecho de propiedad intelectual (por ejemplo, una marca), sino la compra o distribución de bienes o servicios, debiendo servir la licencia sobre derechos de propiedad intelectual para la ejecución del acuerdo vertical.

d) Las cláusulas de derechos de propiedad intelectual deben estar directamente relacionada con la utilización, la venta o la reventa de bienes o servicios por parte del comprador o sus clientes. Aunque los productos destinados a la reventa son suministrados por el titular de la licencia, es posible también que puedan ser adquiridos por el licenciatario a otro suministrador.

e) Las cláusulas de derechos de propiedad intelectual no deben contener restricciones de la competencia que tengan el mismo objeto o efecto que las restricciones verticales que no están exentas con arreglo al RECAV. Esta condición persigue dotar de coherencia al Reglamento, al prohibir que la licencia de marca incluida en un contrato de distribución permita realizar restricciones consideradas ya exentas por el propio Reglamento.

Cláusulas de reparto de valor, derecho de la competencia e interprofesionales agroalimentarias[103]

JAUME MARTÍ MIRAVALLS

Profesor titular en el departamento de derecho mercantil "manuel broseta pont" de la universitat de valència

1. INTRODUCCIÓN

El valor en la cadena alimentaria se ha convertido en una de las mayores preocupaciones del legislador en lo relativo a la regulación del sector agrícola y, muy en particular, el control sobre su creación, configuración y relación con el Derecho de la competencia. A grandes rasgos, cuando nos referimos a la cadena de valor se hace referencia al análisis de los costes y márgenes comerciales de cada uno de los eslabones de la cadena de alimentaria de un producto, desde el origen hasta el consumidor. En este contexto, las cláusulas de reparto de valor afloran como institución reequilibradora en la cadena agroalimentaria. Su fomento se presenta, por tanto, como una medida de tutela del sector primario, que es el eslabón más débil[104]. Pero sus contornos son todavía difusos, pues

---

[103] Trabajo elaborado en el marco del Proyecto de Investigación RTI2018-098295-B-I00 «Restricción, abuso y discriminación en el mercado tecnológico y sectores regulados" del Ministerio de Ciencia, Innovación y Universidades».

[104] La agricultura es un sector estratégico para el modelo económico, social y territorial, pero son las propias características del sector las que dificultan el mantenimiento en el tiempo de una adecuada rentabilidad. Respecto de la distribución, los elevados índices de concentración, con tendencia al alza (aunque ningún operador ostenta posición de dominio en sentido técnico –el operador nacional con mayor cuota está cerca del 25%-). Respecto del segmento de producción, es un sector extremadamente atomizado, con producciones muy estacionales, en muchos casos perecederas, con una elevada inelasticidad y en el que "el factor miedo" incide en la baja litigiosidad. Y, por último, respecto de la cadena, la volatilidad de los mercados, el incremento de costes en los inputs, y las crecientes exigencias en calidad, seguridad alimentaria y requisitos medioambientales inciden en su comportamiento no sólo económico. Todos estos ingredientes se mezclan originando un "cocktail" de situación de crisis permanente de bajos precios y falta de rentabilidad. Situación que ha exigido que las Administraciones, a distintos niveles (europeo, nacional y autonómico), se unan en la búsqueda de un mayor equilibrio, y entre los instrumentos que se han utilizado para tratar de solventar o mitigar el problema se encuentran el Derecho regulatorio, el Derecho de la competencia desleal y el Derecho de Defensa de la competencia. Sobre la problemática jurídica, por todos, RUIZ PERIS, J.I., "La Unión Europea y el mercado agroalimentario: una perspectiva jurídica", *Estudios sobre el régimen jurídico de la cadena de distribución*

presenta puntos de conexión y conflicto con el Derecho regulatorio, el Derecho de defensa de la competencia y el Derecho de la competencia desleal. De ahí la necesidad de comprender su naturaleza jurídica, su configuración legal, su sistematización dentro ordenamiento jurídico y, por supuesto, los "puertos seguros" en los que adoptar este tipo de acuerdos, sin plantear problemas concurrenciales: las interprofesionales agrícolas. A ello dedicaremos las próximas páginas.

2. AGRICULTURA Y DERECHO DE LA COMPETENCIA

La idea fuerza para un correcto análisis de la cláusula de reparto de valor y su regulación es que "la agricultura es un terreno fértil para la cooperación empresarial", pero hay que conocer bien el ámbito de la cooperación lícita en Agricultura y utilizar correctamente los puertos seguros. En efecto, aunque el Derecho de la Competencia se aplica sin excepción a todos los eslabones de la cadena alimentaria debido al carácter transversal de las reglas de competencia del TFUE y de la Ley 15/2007 en el plano nacional, en lo que se refiere a las actividades de producción y comercialización de productos agrarios, la aplicación del Derecho de la Competencia está condicionada por el hecho de que debe ser compatible, o no debe poner en peligro, los objetivos específicos de la PAC recogidos en los artículos 39, 42 y 43.2 TFUE[105].

En vistas a armonizar los complementarios objetivos de la PAC y el Derecho de la Competencia, el legislador europeo estableció que las normas de Defensa de la Competencia eran de aplicación al mercado agrario con algunas excepciones y matizaciones (por práctica y por producto) justificadas por la necesidad de permitir la colaboración entre productores. De esta forma, se equilibrarán las posiciones en la cadena agroalimentaria, cuya consecuencia es garantizar el suministro a los consumidores a la vez que se permite alcanzar condiciones de vida

---

agroalimentaria, Marcial Pons, 2016, p. 13 y ss. Por su parte, respecto de las competencias regulatorias en el ámbito de la cadena, GONZÁLEZ CASTILLA, F., "La cadena alimentaria como objeto de regulación: reflexiones sobre la confluencia de competencias y el ámbito de aplicación de la Ley 12/2013", *Retos en el sector agroalimentario valenciano en el siglo XXI: a propósito de la Ley 12/2013*, Tirant lo blanch, 2019, p. 19 y ss.

[105]   Es pacíficamente admitida la preeminencia de la Política Agraria Común (PAC) sobre las normas de competencia recogidas en el TFUE (arts. 101-106), algo que ha puesto de relieve el propio Tribunal de Justicia de la Unión Europea (TJUE), aunque con ciertos matices, y recordando que la competencia efectiva en los mercados es compatible con la PAC, y así ha quedado reflejado en el propio TFUE, en su artículo 42. Sobre la relación del Derecho antitrust con los mercados agrícolas, por todos, COSTAS COMESAÑA, J., "La aplicación del derecho de la competencia en los mercados agroalimentarios", *Derecho de la competencia y gran distribución*, Thomson-Aranzadi, 2016, p. 193 y ss; y HERNÁNDEZ RODRÍGUEZ, F., "La aplicación del derecho de la competencia al sector agroalimentario ante los retos de un nuevo modelo de distribución", *Derecho de la competencia y gran distribución*, Thomson-Aranzadi, 2016, p. 231 y ss.

equitativa a los productores, obteniendo de esta forma, los fines de la PAC. Si bien, el modo en que se aplica el Derecho de la Competencia al mercado agrario ha ido requiriendo de modificaciones a los efectos de adaptarse a la evolución de la PAC, siempre en el camino de introducir concesiones –exclusiones- en materia de acuerdos colusorios (artículo 101.1 TFUE) entre empresas productoras.

En este contexto encontramos las conocidas como "exclusiones agrarias" que, en los últimos años, han experimentado una evolución extensiva -o flexibilización- hacia la necesidad de adaptarse a la PAC. El objetivo perseguido es fomentar la concentración de la oferta y reequilibrar las posiciones en la cadena, permitiendo negociar colectivamente y, por tanto, de forma más eficiente, las condiciones de venta, como contrapeso al sector de la distribución[106]. En efecto, además de las exenciones generales del artículo 101.3 TFUE y de los Reglamentos de exención, para el mercado agrícola se encuentran las recogidas en el Reglamento (UE) n. 1308/2013[107], en particular el artículo 209[108] -aunque no son las únicas[109]-.

---

[106]   La concentración de la oferta pasa por relajar la aplicación del Derecho de la Competencia a tales conductas, aprobando exclusiones más amplias en lo que respecta a los acuerdos colusorios entre productores dirigidos a reforzar su posición. Sobre estas cuestiones, por todos, CARBAJO CASCÓN, F., "Las exenciones agrícolas en el difícil equilibrio entre política agraria común y Derecho de la competencia en la Unión Europea", *Actas de derecho industrial y derecho de autor*, Tomo 40, 2019-2020, p. 31 y ss.

[107]   Reglamento (UE) n ° 1308/2013 del Parlamento Europeo y del Consejo, de 17 de diciembre de 2013, por el que se crea la organización común de mercados de los productos agrarios y por el que se derogan los Reglamentos (CEE) n ° 922/72, (CEE) n ° 234/79, (CE) n ° 1037/2001 y (CE) n ° 1234/2007.

[108]   El artículo 209, rubricado "Excepciones relativas a los objetivos de la Política Agrícola Común, los agricultores y las asociaciones de agricultores", establece: "*1. El artículo 101, apartado 1, del TFUE no se aplicará a los acuerdos, decisiones y prácticas contemplados en el artículo 206 del presente Reglamento que sean necesarios para la consecución de los objetivos fijados en el artículo 39 del TFUE. El artículo 101, apartado 1, del TFUE no se aplicará a los acuerdos, decisiones y prácticas concertadas de agricultores, asociaciones de agricultores o asociaciones de estas asociaciones, organizaciones de productores reconocidas al amparo del artículo 152 del presente Reglamento, o asociaciones de organizaciones de productores reconocidas al amparo del artículo 156 del presente Reglamento, que se refieran a la producción o venta de productos agrarios o a la utilización de instalaciones comunes de almacenamiento, tratamiento o transformación de productos agrarios, a menos que pongan en peligro los objetivos del artículo 39 del TFUE. El presente apartado no se aplicará a los acuerdos, decisiones y prácticas concertadas que conlleven la obligación de cobrar un precio idéntico o por medio de los cuales quede excluida la competencia. 2. Los acuerdos, decisiones y prácticas concertadas que cumplan las condiciones mencionadas en el apartado 1 del presente artículo no estarán prohibidos o sujetos a una decisión previa. En todo procedimiento nacional o de la Unión de aplicación del artículo 101 del TFUE, la carga de la prueba de una infracción del artículo 101, apartado 1, del TFUE recaerá sobre la parte o la autoridad que alegue la infracción. La carga de la prueba de que se cumplen las condiciones mencionadas en el apartado 1 del presente artículo recaerá en la parte que afirme poder optar a las exenciones establecidas en dicho apartado*".

[109]   En efecto, además, el artículo 210 del Reglamento declara una exclusión, previa autorización, incluso a través de silencio positivo, a la Comisión, a favor de organizaciones

Estos esfuerzos de flexibilización de la regulación se han visto acompañados por pronunciamientos judiciales, entre otros, el más relevante, el caso Endivias (2017), donde el TJUE establece cuáles son los requisitos para que las prácticas de las organizaciones de productores (OP) y de las asociaciones de organizaciones de productores (AOP) se sustraigan a la aplicación de la prohibición del artículo 101[110]. Y

---

interprofesionales reconocidas en un EM en el marco de diversos sectores. También recoge exclusiones a la prohibición del artículo 101.1 TFUE en relación con determinados sectores (por ejemplo, el de la leche) para la negociación colectiva en contrato de suministro a través de organizaciones de productores. Y el artículo 222 del Reglamento reconoce exclusiones de la prohibición de acuerdos colusorios en contextos de graves desequilibrios (crisis) del sector. De hecho, el pasado 7 de julio, la Comisión Europea adoptó un paquete de medidas extraordinarias para apoyar al sector vitivinícola europeo, duramente golpeado por la pandemia de la COVID-19 debido a la fuerte caída de la demanda provocada por el cierre de restaurantes y bares en toda la Unión, que no fue compensada por el consumo doméstico (el propio gobierno español ha limitado, por Real Decreto, la vendimia, al igual que han hecho los productores de champán en Francia, ante el dramático descenso en las ventas). Se trata del Reglamento de ejecución (UE) 2020/975 de la Comisión, de 6 de julio de 2020, por el que se autorizan acuerdos y decisiones relativos a las medidas de estabilización del mercado en el sector vitivinícola. La exclusión otorgada por la Comisión se ha adoptado en el marco del artículo 222 del Reglamento 1308/2013.

[110]   En el caso Endivias, el TJUE resuelve una cuestión planteada por la Corte de Casación francesa en un supuesto que había enfrentado a la Autoridad Nacional de la Competencia francesa y algunas organizaciones de productores (OP) de endivias del país. Estos últimos habían optado por fijar una línea de actuación en la que habían pactado distintas cuestiones. En primer lugar, las organizaciones habían fijado las cantidades de endivias que se venderían. En segundo lugar, se habían acordado los precios del bien a través del mecanismo de precios mínimos semanales, precios medios de referencia y precio mínimo en pujas de subastas. Y, finalmente, se había articulado un sistema de intercambio de información estratégica. En la resolución de 2017 el TJUE establece los requisitos que han de cumplirse para que las prácticas de las organizaciones de productores y de las asociaciones de organizaciones de productores se sustraigan a la aplicación de las prohibiciones dispuestas por el artículo 101 del Tratado de Funcionamiento de la Unión Europea, señalando que: i) las prácticas que tengan por objeto la fijación colectiva de precios mínimos de venta, una concertación relativa a las cantidades comercializadas o el intercambio de información estratégica, como las controvertidas en el litigio principal, no pueden sustraerse a la prohibición de las prácticas colusorias establecida en el artículo 101 TFUE, apartado 1, cuando se convengan entre diferentes organizaciones de productores o asociaciones de organizaciones de productores o con entidades no reconocidas por un Estado miembro para la consecución de un objetivo definido por el legislador de la Unión Europea en el marco de la organización común del mercado considerado, tales como las organizaciones profesionales que no disponen del estatuto de organización de productores, de asociación de organizaciones de productores o de organización interprofesional conforme a la normativa de la Unión Europea; ii) y de que las prácticas que tengan por objeto una concertación relativa a los precios o a las cantidades comercializadas o el intercambio de información estratégica, como las controvertidas en el litigio principal, sí pueden sustraerse a la prohibición de las prácticas colusorias establecida en el artículo 101 TFUE, apartado 1, cuando se convengan entre miembros de una misma organización de productores o de una misma asociación de organizaciones de productores que haya sido reconocida por un Estado miembro y sean estrictamente necesarias para la consecución del objetivo u objetivos asignados a la organización de productores o la

esta filosofía ampara la inserción del nuevo artículo 152 bis[111] por el Reglamento Delegado (UE) 2017/891, conocido como reglamento ómnibus[112].

Por tanto, como indicábamos al principio de este apartado, "la agricultura es un terreno fértil para la cooperación empresarial", pero hay que conocer bien el ámbito de la cooperación lícita en Agricultura y utilizar correctamente los puertos seguros. Y, como ahora veremos con respecto de la cláusula de reparto de valor, tienen mucho que decir y mejorar las interprofesionales.

---

asociación de organizaciones de productores de que se trate con arreglo a la normativa de la Unión Europea. Sobre el intercambio de información, ESTEVAN DE QUESADA, C., "El suministro de información comercial sensible en la cadena alimentaria", *Retos en el sector agroalimentario valenciano en el siglo XXI: a propósito de la Ley 12/2013*, Tirant lo blanch, 2019.

[111]   *"No obstante lo dispuesto en el artículo 101, apartado 1, del TFUE, una organización de productores, reconocida en virtud del apartado 1 del presente artículo, podrá planificar la producción, optimizar los costes de producción, comercializar y negociar contratos para el suministro de productos agrícolas, en nombre de sus miembros con respecto a una parte o a la totalidad de la producción. Las actividades a que se refiere el primer párrafo podrán tener lugar: a) siempre que se ejerzan realmente una o varias de las actividades contempladas en el apartado 1, letra b), incisos i) a vii), contribuyendo así al cumplimiento de los objetivos establecidos en el artículo 39 del TFUE; b) siempre que la organización de productores concentre la oferta y comercialice los productos de sus miembros, con independencia de que los productores transfieran o no la propiedad de los productos agrícolas a la organización de productores; c) con independencia de que el precio negociado sea o no el mismo para la producción conjunta de algunos o todos los miembros; d) siempre que los productores de que se trate no sean miembros de ninguna otra organización en lo que atañe a los productos cubiertos por las actividades a que se refiere el párrafo primero; e) siempre que el producto agrícola en cuestión no esté sujeto a una obligación de entrega derivada de la pertenencia del agricultor a una cooperativa que no es miembro de la organización de productores de que se trata, de conformidad con las condiciones establecidas en los estatutos de la cooperativa o por las normas y decisiones previstas en ellos o derivadas de ellos. No obstante, los Estados miembros podrán establecer excepciones a la condición establecida en el párrafo segundo, letra d), en casos debidamente justificados, en los que los productores asociados posean dos unidades de producción distintas situadas en zonas geográficas diferentes".*

[112]   Reglamento (UE) 2017/2393 del Parlamento europeo y del Consejo, de 13 de diciembre de 2017, por el que se modifican los Reglamentos (UE) n. 1305/2013 relativo a la ayuda al desarrollo rural a través del Fondo Europeo Agrícola de Desarrollo Rural (Feader), (UE) n. 1306/2013 sobre la financiación, gestión y seguimiento de la política agrícola común, (UE) n. 1307/2013 por el que se establecen normas aplicables a los pagos directos a los agricultores en virtud de los regímenes de ayuda incluidos en el marco de la política agrícola común, (UE) n. 1308/2013 por el que se crea la organización común de mercados de los productos agrarios y (UE) n. 652/2014 por el que se establecen disposiciones para la gestión de los gastos relativos a la cadena alimentaria, la salud animal y el bienestar de los animales, y relativos a la fitosanidad y a los materiales de reproducción vegetal.

3. LAS CLÁUSULAS DE REPARTO DE VALOR

El apartado decimoséptimo del artículo 4 del Reglamento Ómnibus introdujo en el Reglamento OCM la Sección 5 bis con la rúbrica "Cláusulas de reparto de valor[113]", en la que se añade un nuevo artículo 172 bis con el título "Reparto de valor", mediante el que se habilita la posibilidad de que los agricultores, e inclusive, las asociaciones de estos, y su primer comprador, pueden pactar el reparto de valor. En concreto, el artículo 172 bis del Reglamento OCM establece: *"Sin perjuicio de todas las cláusulas específicas de reparto del valor en el sector del azúcar, los agricultores, incluidas las asociaciones de agricultores, y su primer comprador podrán acordar cláusulas de reparto de valor, incluidos los beneficios y las pérdidas comerciales, que determinen la manera en que se reparten entre ellos la evolución de los precios de mercado pertinentes de los productos afectados u otros mercados de materias primas".*

Las cláusulas de reparto de valor son acuerdos dirigidos a determinar una obligación de pago por parte de uno de los contratantes, que toma en consideración circunstancias tales como los beneficios o pérdidas obtenidos por una de las partes y en los que, en consecuencia, se atiende a los precios de los productos en el mercado. Ello por cuanto, como es sabido, existe la posibilidad de fluctuación en los precios de los productos agrícolas en el mercado, consecuencia del transcurso del tiempo en relación con otros a múltiples factores, como son los de carácter meteorológico, agronómico, comercial, e incluso legal. En consecuencia, en el contexto de la regulación de las cláusulas de reparto de valor previstas para el sector agroalimentario se podrán tomar como referencia las ganancias o pérdidas de la parte compradora en la posterior venta y, por lo tanto, los precios de los productos en el mercado y también el precio de las materias primas. Ahora bien, la utilización de cláusulas de valor no modifica la naturaleza jurídica del contrato celebrado entre el productor y el primer comprador, que sigue siendo una compraventa. La cláusula de valor es un elemento económico, distinto del precio de venta, que trata de asignar una más eficiente participación en la cadena de valor de un producto desde origen hasta el vendedor final (normalmente, la gran distribución).

Del contenido establecido en el artículo 172 bis del Reglamento OCM se puede afirmar que se trata de un acuerdo parcialmente tipificado de manera expresa, con carácter dispositivo y voluntario. Aunque, como ahora se explicará, la cláusula de reparto de valor no es técnicamente precio de venta, su

---

[113] Sobre la cláusula de reparto de valor, entre nosotros, CORBERÁ MARTÍNEZ, J., "Evolución de las cláusulas de reparto de valor en el sector agrícola en el Derecho de la Unión Europea", *Revista española de estudios agrosociales y pesqueros*, n. 255, 2020, p. 99 y ss; ídem, "Cláusula de reparto de valor en el sector agroalimentario y derecho de la competencia", *Nuevas tendencias en el derecho de la competencia y de la propiedad industrial II*, Comares, 2019, p. 19 y ss.

establecimiento puede generar a las partes el devengo de obligaciones de pago, distintas de la del precio de venta. Como se ha indicado, la cláusula de reparto de valor comporta el reconocimiento contractual de un componente variable del precio de la operación, ligado a factores económicos, "*incluidos los beneficios y las pérdidas comerciales114*", que determinen la manera en que se reparten entre ellos la evolución de los precios de mercado pertinentes de los productos afectados u otros mercados de materias primas.

No hay que confundir precio de venta y cláusula de reparto de valor. Mientras que el precio es la contraprestación por el cumplimiento de la obligación de entrega de la cosa –el producto agrícola- y, por tanto, es un elemento esencial del contrato; en cambio, la cláusula de reparto de valor, por una parte, es un elemento accesorio del contrato, por lo que, para que sea exigible, requiere de pacto expreso, y, por otra, es una ventaja adicional, que se engloba en el concepto más amplio de retribución, pero que no forma parte del precio. En realidad, se trata de una condición comercial que genera una posible obligación adicional de pago a favor de una de las partes.

Ello, desde la perspectiva del Derecho de la Competencia europeo y nacional, tiene cierta importancia, por cuando la concentración en el lado de los productores para la negociación de una cláusula de valor estándar no puede calificarse como un acuerdo colusorio sobre precio, sino sobre condiciones comerciales. Y aunque en ambos casos el acuerdo puede calificarse como colusorio y contrario al artículo 101.1 TFUE y 1.1 LDC, en realidad, las posibilidades de que el acuerdo pueda cumplir con los requisitos del apartado tercero de sendos preceptos son diferentes.

Consciente de ello –que cláusula de reparto de valor no es precio-, el legislador europeo, que no ha variado su la política de competencia respecto de la concertación de precios, con el matiz expuesto por la jurisprudencia del TJUE en el caso endivias 2017 (OPs y AOPs), en cambio, sí ha sufrido una evolución clara a hacia la ampliación y fomento del recurso a la cláusula de valor, permitiendo su concertación, como mecanismo para eliminar asimetrías en la

---

[114]   En este punto conviene hacer notar que mientras que la traducción española se refiere a "*beneficios y pérdidas comerciales*", el resto de traducción se refieren, con mejor precisión, a beneficios y pérdidas "*en el mercado*". En efecto, la versión inglesa habla de "*including market bonuses and losses*"; la francesa de "*portant notamment sur les gains et les pertes enregistrés sur le marché*"; la italiana de "*comprendenti utili e perdite di mercato*"; y la portuguesa de "*incluindo os ganhos e as perdas registados no mercado*".

cadena[115], siempre que se realice en el marco de una interprofesional autorizada por un Estado miembro[116].

La redacción del artículo 172 bis del Reglamento OCM, introducido por el Reglamento Ómnibus, permite advertir una clara ampliación del ámbito de aplicación de las cláusulas de reparto de valor. Las cláusulas de reparto de valor en el sector agrícola aparecen como una medida específica del sector del azúcar, para, posteriormente, reconocerse como una posibilidad genérica para todo el sector agrícola. Se observa, por tanto, una tendencia a la ampliación de la aplicación de las cláusulas de valor, tanto en lo que atañe a los sujetos que pueden acordarlas, como a los indicadores que se pueden tomar como referencia.

El objetivo perseguido, tanto por el legislador europeo en sede de competencia, como por el nacional en sede contractual, es contribuir a un mejor equilibrio del poder de negociación en las relaciones comerciales de la cadena agroalimentaria desde el Derecho de contratos. Si bien, el carácter voluntario de la cláusula de reparto de valor comporta que una adecuada fijación del reparto sólo será posible cuando el mayor poder de negociación de la demanda se compense con una concentración en la oferta, con los límites permitidos

---

[115]   Por otra parte, también desde la perspectiva del Derecho de la Competencia, desde la relación productor-comprador, una cláusula de reparto de valor podría llegar a ser calificada como un acuerdo vertical entre éstos. Así, CARBAJO CASCÓN, F., *Las exenciones agrícolas en el difícil equilibrio entre política agraria común...*, cit., p. 50. En ese caso, pese a estar expresamente autorizada por el artículo 172 bis del Reglamento OCM, podría llegar a plantear problemas de eficiencia cuando no equilibre equitativamente los intereses de las partes y del mercado, por ejemplo, cuando su objetivo o efecto sea trasladar al productor el riesgo ante la merma de precios finales en contextos de tendencia a la baja de precios de productos agrícolas.

[116]   El artículo 4, apartado duodécimo, letra a), del Reglamento Ómnibus, modificó el artículo 157.1.c) del Reglamento OCM sobre las organizaciones interprofesionales. En concreto, mediante esta modificación se añadió un nuevo inciso xv), relativo al establecimiento de cláusulas de valor en el sentido del artículo 172 bis. De acuerdo con la nueva redacción dada al artículo 157.1.c) del Reglamento OCM: "1. *Los Estados miembros podrán reconocer, previa solicitud, a las organizaciones interprofesionales de un sector específico enumerado en el artículo 1, apartado 2, que: (...) c) persigan una finalidad específica que tenga en cuenta los intereses de sus miembros y los de los consumidores, que podrá consistir, en particular, en uno de los objetivos siguientes: (...) xv) establecer cláusulas normalizadas de reparto de valor en el sentido del artículo 172 bis, incluidos los beneficios y las pérdidas comerciales, que determinen cómo debe repartirse entre ellas cualquier evolución de los correspondientes precios de mercado de los productos de que se trate u otros mercados de materias primas, (...)*". Por tanto, el Reglamento potencia el papel de las organizaciones interprofesionales, pero exige la presentación de solicitud y autorización por parte del Estado. Sin ella, no se concede la cobertura de la exención. Probablemente, atendida la importancia que las cláusulas de reparto de valor están llamadas a tener en la cadena agroalimentaria, sería conveniente una reforma integral de la Ley 38/1994, para adecuar sus funciones y su funcionamiento al papel principal que, en relación con las cláusulas de reparto de valor, el legislador europeo les atribuye.

por el Derecho de la Competencia que, en este ámbito, significa concentrar la oferta en torno a organizaciones profesionales, OPs y/o AOPs.

En todo caso, aunque el legislador considera que el marco más adecuado para este tipo de pactos es el de las organizaciones interprofesionales, nada impide que las cláusulas de reparto de valor se pacten directa e individualmente entre productores y compradores. Lo que sería contrario al Derecho de la Competencia y podría acarrear importantes sanciones sería una negociación entre productores fuera del paraguas de las interprofesionales, las OPs y las AOPs. Debiendo recordar, además, que, como se estableció en el caso endivias 2017, la negociación entre OPs y AOPs también constituiría una infracción del Derecho de la Competencia, por lo que el puerto más seguro es el de las organizaciones interprofesionales.

Por último, desde una perspectiva de Derecho comparado, es oportuno señalar la apreciación que realiza la autoridad nacional de Defensa de la Competencia francesa, Autorité de la Concurrence en su Avis n° 18-A-04 du 3 mai 2018 relatif au secteur agricole (apartado 224, pág. 53), al afirmar sobre las cláusulas de reparto de valor (traducción libre): "*La redacción del artículo 172 bis del Reglamento de la OCM destinada a 'cualquier evolución de los precios de mercado relevantes de los productos en cuestión o de otros mercados de materias primas' puede relacionarse con tener en cuenta las fluctuaciones en el precio de venta del producto alimenticio, pero también el precio de las materias primas utilizadas en el proceso de producción, como los insumos agrícolas, que a menudo condicionan en gran medida los costos de producción, e incluso, como se indicó anteriormente, los precios de los productos agrícolas de cultivos alternativos por los que los agricultores podrían optar*". Pero advierte en el apartado 226 que: "*Desde un punto de vista económico, sin embargo, estos mecanismos de indexación deben usarse con cautela. De hecho, los mecanismos que neutralizan una parte demasiado grande del impacto de las variaciones en los costos de producción sobre los ingresos de los productores podrían inducir riesgos, como la creación de un peligro adicional que pesa sobre los compradores de productos agrícolas, un posible estímulo a los compradores para que limiten sus adquisiciones de productores franceses que probablemente dé lugar a una disminución de la competitividad de los productores franceses en comparación con los productores europeos, y una disminución del incentivo para que los productores optimicen su proceso de producción. Por el contrario, un reparto del valor teniendo en cuenta las posibilidades de valoración por parte del primer comprador puede llevar a limitar el incentivo de los primeros compradores a hacer el mejor uso de su producción, ya que un aumento en el precio negociado con su cliente solo los beneficiaría parcialmente*".

4. EL PUERTO SEGURO PARA LAS CLÁUSULAS DE REPARTO DE VALOR: LAS INTERPROFESIONALES

De todo cuanto se ha expuesto hasta el momento se concluye que la exclusión legal y jurisprudencial para la no aplicación de la prohibición de acuerdos colusorios al sector agrícola se sitúa, en España, en el Real Decreto 532/2017, de 26 de mayo, por el que se regulan el reconocimiento y el funcionamiento de las organizaciones de productores del sector de frutas y hortalizas; y, en relación con las cláusulas de reparto de valor, además, en la Ley 38/1994, de 30 de diciembre, reguladora de las organizaciones interprofesionales agroalimentarias. En relación con ésta última, el Preámbulo de la Ley 38/1994 proclama que la constitución y funcionamiento de las organizaciones interprofesionales agroalimentarias deben hacerse, en cualquier caso, respetando estrictamente las normas reguladoras de la competencia, que dimanan del derecho europeo, así como de nuestro ordenamiento jurídico.

La Ley 38/1994, de 30 de diciembre de 1994 establece el reconocimiento de las Organizaciones Interprofesionales Agroalimentarias como entes de naturaleza jurídica privada y sus finalidades, así como la aprobación de los acuerdos que se tomen en su ámbito, dentro del marco de las relaciones interprofesionales en el sistema agroalimentario, en los casos establecidos y a los efectos dispuestos en la misma (artículo 1). Y ello en el marco de la Política Agrícola Común tal y como se explica en su Exposición de Motivos. Por su parte, el artículo 2 delimita el concepto de organización interprofesional agroalimentaria y en el artículo 3, al que ahora nos referiremos, se establecen las finalidades de las mismas. Por su parte, los artículos 8 y 9 regulan la llamada "extensión de normas", mediante la cual los acuerdos adoptados por esas organizaciones pueden extenderse y ser de obligado cumplimiento para otros integrantes del sector no incorporados a dichas asociaciones y, en consecuencia, aprobarse por la Administración, ex artículo 9 de dicha Ley, la aportación económica por parte de aquéllos que no estén integrados en las mismas, con sujeción a los principios de proporcionalidad y no discriminación, con el objeto de sufragar el coste de las acciones[117].

---

[117]   En efecto, las determinaciones de la citada Ley, desarrollada por el Reglamento aprobado por Real Decreto 705/1997, de 17 de mayo, se inscriben en el marco del Derecho derivado de la Unión Europea que, a través de distintos Reglamentos, ha dado carta de naturaleza a la extensión de normas y al establecimiento de la aportación económica necesaria para la misma. Particularmente, el Reglamento (UE) 1308/2013 ya citado. Sobre la extensión de normas destaca la Sentencia de la Audiencia Nacional (Sala de lo Contencioso-Administrativo, Sección1ª) de 6 noviembre 2013, ratificada por la Sentencia del Tribunal Supremo (Sala de lo Contencioso-Administrativo, Sección4ª) de 22 octubre 2015. En ella se indica que: "En consecuencia, en las circunstancias expuestas, aprobada la extensión de las normas adoptadas en el seno de la única organización interprofesional agroalimentaria de un determinado sector o producto, como ocurre en relación con la Organización Interprofesional

En lo que interesa, el artículo 3 recoge las finalidades de las organizaciones interprofesionales agroalimentarias, entre ellas: a) Velar por el adecuado funcionamiento de la cadena alimentaria y favorecer unas buenas prácticas en las relaciones entre sus socios en tanto que son partícipes de la cadena de valor; i) Elaboración de contratos tipo agroalimentarios compatibles con la normativa de competencia nacional y comunitaria; j) Promover la adopción de medidas para regular la oferta, de acuerdo con lo previsto en la normativa de competencia nacional y comunitaria; n) Promover la eficiencia en los diferentes eslabones de la cadena alimentaria mediante acciones que tengan por objetivo mejorar la eficiencia energética, reducir el impacto ambiental, gestionar de forma responsable los residuos y subproductos o reducir las pérdidas de alimentos a lo largo de la cadena; y, o) la realización de estudios sobre los métodos de producción sostenible y la evolución del mercado, incluyendo índices de precios y costes objetivos, transparentes, verificables y no manipulables, que puedan ser usados de referencia en la fijación del precio libremente pactado en los contratos, siempre teniendo en cuenta lo establecido al respecto por la normativa sectorial comunitaria.

Por su parte, el artículo 7 establece que las organizaciones interprofesionales agroalimentarias se ajustarán, para la adopción de sus acuerdos y en su funcionamiento, a las normas y principios recogidos en la normativa de Defensa de la Competencia nacional y comunitaria. Y que cualquier tipo de

---

del Aceite de Oliva Español, en relación con el sector del aceite de oliva español, mediante la Orden Ministerial ARM/2933/2011, de 26 de octubre, no cabe duda alguna que la totalidad de los productores y operadores del sector expresado se verán vinculados por tales normas, así como por la aportación económica obligatoria establecida para realizar actividades previstas en el acuerdo adoptado... Esta previsión responde al hecho de que las acciones propuestas -promoción del aceite de oliva, mejora de la información y conocimiento sobre las producciones y los mercados y realización de programas de investigación y desarrollo, innovación tecnológica y estudios- son de indudable interés económico general para todo el sector, pues tienen por objeto producir un efecto económico positivo de incremento de la demanda, beneficiando por igual a los agentes económicos integrados en la organización interprofesional, y a los que no pertenecen a ésta pero operan en el sector. Por tanto, frente a lo afirmado en la demanda, la exclusión de los productores y operadores del producto de aceite de oliva virgen denominación de origen Baena, integrados en la asociación demandante, del ámbito de aplicación de la Orden Ministerial ARM/2933/2011, de 26 de octubre, situaría a aquellos en una injustificable posición de ventaja competitiva en relación con el resto de productores y operadores del sector del aceite de oliva español, al hallarse exentos de abonar las aportaciones económicas que gravarían la actividad de estos últimos con destino a la realización de una serie de actividades que redundarían en beneficio de unos y otros por igual. La interpretación realizada del régimen de extensión de normas en el marco de la actividad de las organizaciones interprofesionales agroalimentarias, establecido por la Ley 38/1994, de 30 diciembre, se ve avalada por la nueva redacción que con el objeto solucionar los problemas recientes del impago de la extensión de norma de interprofesionales de ámbito regional y de figuras de calidad, se ha dado, entre otros, al artículo 8 por la Disposición Final Primera de la Ley 12/2013, de 2 de agosto".

acuerdo adoptado en el seno de una organización interprofesional agroalimentaria y que se refiera a alguna de las finalidades reguladas en el artículo 3 de la presente Ley, será remitido al Registro de Organizaciones Interprofesionales Agroalimentarias del Ministerio de Agricultura, Pesca y Alimentación, en el plazo de un mes desde su adopción, mediante certificaciones en las que se haga constar el contenido del acuerdo y el respaldo obtenido en el mismo, medida en tanto por ciento de productores y operadores y de producciones afectadas.

Probablemente, atendida la importancia que las cláusulas de reparto de valor están llamadas a tener en la cadena agroalimentaria, sería conveniente una reforma integral de la Ley 38/1994, para adecuar sus funciones y su funcionamiento al papel principal que, en relación con las cláusulas de reparto de valor, el legislador europeo les atribuye. Un ejemplo de la modernización de la regulación sobre las organizaciones interprofesionales lo encontramos en el sector lácteo. En efecto, nuestro ordenamiento jurídico ya contempla la posibilidad de empleo de cláusulas de reparto de valor en la contratación del sector lácteo y de su establecimiento por organizaciones interprofesionales de dicho sector en la contratación. En concreto, Real Decreto 95/2019, de 1 de marzo, por el que se establecen las condiciones de contratación en el sector lácteo y se regula el reconocimiento de las organizaciones de productores y de las organizaciones interprofesionales en el sector, y por el que se modifican varios reales decretos de aplicación al sector lácteo (BOE núm. 53, de 02/03/2019) (en adelante "Real Decreto 95/2019").

Como se expresa en su Preámbulo: *"Por otra parte, conviene adaptar la normativa nacional a ciertas modificaciones incluidas en el Reglamento (UE) n.º 1308/2013, de 17 de diciembre, en lo que afecta al sector lácteo. En particular, en las relaciones contractuales, cuando un Estado miembro decida hacer obligatorio un contrato por escrito para la entrega de leche cruda, podrá establecer una obligación para las partes de acordar una relación entre la cantidad de leche entregada y el precio a pagar. Asimismo, en la regulación de las organizaciones interprofesionales se valora para su reconocimiento que establezcan cláusulas de valor que determinen cómo debe repartirse beneficios y pérdidas ante cualquier evolución de los precios".*

En particular, el Real Decreto 95/2019, establece en su artículo 3 la obligatoriedad de suscripción de contratos y ofertas de contrato en el sector lácteo, y en su artículo 4 los requisitos mínimos de la oferta del contrato, entre los que se contempla en su apartado 4 que: *"De acuerdo con lo establecido en el artículo 172 bis del Reglamento 1308/2013, del Parlamento Europeo y del Consejo, de 17 de diciembre, por el que se crea una organización común de mercados agrícolas y por el que se derogan los Reglamentos (CEE) n.º 922/72, (CEE) n.º 234/79, (CE) n.º 1037/2001 y (CE) n.º 1234/2007, el contrato entre productor y primer comprador podrá incluir cláusulas de reparto de valor, que determinen la manera en que se reparten entre las partes los beneficios y las pérdidas comerciales derivados de la evolución de los precios de mercado de los productos lácteos o de las materias primas".*

Pero en lo que aquí interesa, es el artículo 27 del Real Decreto 95/2019 el que establece, en relación con las funciones de la Organización Interprofesional Láctea, que ésta desarrollará el establecimiento de: *"cláusulas normalizadas de reparto del valor, incluidos los beneficios y las pérdidas comerciales, que determinen la manera en que se reparten entre ellos la evolución de los precios de mercado pertinentes de los productos lácteos u otros mercados de materias primas".* Se trata, por tanto, de una evolución normativa positiva, que respeta el marco diseñado por el legislador europeo para la relación entre el Derecho de la Competencia y el sector agrícola, y que debería generalizarse al resto de sectores agrícolas.

En el actual contexto legal, las interprofesionales deben poder desarrollar y publicar costes de producción de referencia e indicadores de mercado para auxiliar a los productores en las negociaciones comerciales, para que éstos, eventualmente, los tengan en cuenta. Y, a partir de ahí, las organizaciones interprofesionales pueden elaborar una fórmula de cálculo de la cláusula de reparto de valor que tome como referencia de partida, no el precio de venta del contrato de compraventa, sino el precio medio calculado en atención a la evolución del mercado, sin que ello comporte una infracción del Derecho de la Competencia.

La regulación de las prácticas comerciales desleales en el sector agroalimentario: a propósito de la directiva (ue) 2019/633[118]

JAVIER VICIANO PASTOR

Profesor Titular de Derecho mercantil. Universitat de València. Abogado

1. INTRODUCCION[119]

Por lo general, los sistemas democráticos atribuyen al mercado la función de producir los bienes y servicios que necesitan sus ciudadanos y de generar la riqueza necesaria para garantizar la dignidad del ser humano en cuanto principio rector de estos sistemas (arts. 9 y 10 de la C.E. y 2 del TUE[120]).

Se suele afirmar que el mercado en condiciones normales es la mejor manera de asignar los recursos escasos y, además, este sistema parte de la libertad del ser humano (*libre empresa, autonomía de la voluntad, propiedad privada*) para mediante el libre pacto conseguir el mayor grado de bienestar posible. Se cumplen de esta forma dos objetivos loables, a saber, fomentar la libertad del ser humano —enraizando con la *dignidad* del mismo [artículo 10 de la Constitución Española (CE), 1 de la Carta de los Derechos Fundamentales de la

---

[118] Trabajo elaborado en el marco del Proyecto de Investigación RTI2018-098295-B-I00 "Restricción, abuso y discriminación en el mercado tecnológico y sectores regulados" del Ministerio de Ciencia, Innovación y Universidades.

[119] Para este apartado y parcialmente el siguiente me baso en parte el texto contenido en Viciano Pastor, J., "Prácticas comerciales desleales entre empresarios en ley de cadena alimentaria" en *Retos en el sector agroalimentario valenciano en el siglo XXI. (A propósito de la Ley 12/2013, de 2 de agosto, de medidas para mejorar el funcionamiento de la cadena alimentaria)*,[Viciano Pastor, J., dir.] Tirant lo Blanch, Valencia, 2019, pp. 127 y ss. y en mi contribución al homenaje al profesor Molina del Pozo.

[120] Art. 10 de la CE: "1. La *dignidad de la persona*, los derechos inviolables que le son inherentes, el libre desarrollo de la personalidad, el respeto a la ley y a los derechos de los demás son fundamento del orden político y de la paz social..." (cursiva añadida).
Art. 2 TUE: "La Unión se fundamenta en los valores de respeto de la *dignidad humana*, libertad, democracia, igualdad, Estado de Derecho y respeto de los derechos humanos, incluidos los derechos de las personas pertenecientes a minorías. Estos valores son comunes a los Estados miembros en una sociedad caracterizada por el pluralismo, la no discriminación, la tolerancia, la justicia, la solidaridad y la igualdad entre mujeres y hombres" (cursiva añadida).

Unión Europea (CDFUE) y 2 del Tratado de la Unión Europea (TUE)][121]— y conseguir la mejor asignación de los recursos.

Sin embargo, ya en los primeros momentos del reconocimiento de la institución del mercado, se comprobó que esta institución tenía una tendencia innata a su propia autodestrucción; como un maestro del Derecho mercantil español dijo, "*la competencia lleva en si misma el germen de su autodestrucción*". Por eso, ya en la década de los años noventa del siglo XIX, en EE.UU., se aprobaron –*como manifestaciones de la intervención del Estado*— las normas *antitrust* cuyo objetivo era evitar esa tendencia a la desaparición del mercado, como espacio abierto en el que todos los ciudadanos al menos teóricamente puedan ejercitar su libertad de empresa. En Europa, en un primer momento no se siguió el mismo modelo; en esta parte del mundo, se utilizó los preceptos que regulan la responsabilidad extracontractual a través de la jurisprudencia, para hacer frente a otra característica del mercado libre: la deslealtad en las prácticas empresariales.

Si el mercado estuviera conformado por operadores *iguales*, estas dos normas serían suficientes para proteger el mercado abierto y leal. Pero la realidad nos demuestra que los sectores en los que existen operadores iguales son una minoría, sino son inexistentes. Por tanto, son necesarias *intervenciones del Estado* que pongan en mano de los operadores instrumentos para que se defiendan de las actuaciones abusivas y desleales. Y el sector agroalimentario es, sin duda, uno de los sectores en los que de forma más palmaria se evidencian esa desigualdad.

Al menos en el entorno europeo, al introducirse estas normas a mediados del siglo XX, estas instituciones se añadieron a las instituciones propias del Derecho privado que, desde la perspectiva contractual estaban dirigidas a evitar situaciones de privilegio de unos operadores sobre otros (el principio de buena fe [art. 7 y 1258 del Código civil (C.c.)], la nulidad de los actos contrarios a las normas imperativas y prohibitivas y la prohibición del fraude de ley (art. 6 del C.c.), la prohibición del abuso de derecho (art. 7 del C.c.), el justo equilibrio de las contraprestaciones, entre otras). Así, a estas normas *iusprivatistas*, se añaden normas que recurren a órganos administrativos para su aplicación [el artículo 2 de la Ley de Defensa de la Competencia (LDC) y 102 del TFUE, que

---

[121] Art. 1 de la CDFUE: "La dignidad humana es inviolable. Será respetada y protegida." En este sentido, y además de los citados arts. 10 de la CE, 1 de la CDFUE y 2 del TUE, como es sabido, nuestro ordenamiento contempla en la denominada constitución económica el mercado al establecer en el art. 38 CE: "Se reconoce la libertad de empresa en el marco de la economía de mercado. Los poderes públicos garantizan y protegen su ejercicio y la defensa de la productividad, de acuerdo con las exigencias de la economía general y, en su caso, de la planificación"; igualmente, el artículo 16 de la Carta Europea de los Derechos Fundamentales indica "[S]e reconoce la libertad de empresa de conformidad con el Derecho comunitario y con las legislaciones y prácticas nacionales".

regulan el abuso de posición de dominio] y otras que confían en los órganos jurisdiccionales civiles para atajar los problemas derivados de la *desigualdad*, a saber, las normas de competencia desleal y, en concreto, el abuso de dependencia económica recogido en el artículo 16, apartados 2 y 3 de la Ley de Competencia Desleal (LCD). Con posterioridad, el artículo en virtud del cual se considera *ilícito antitrust* –y, por tanto, sometido a control *iuspublicista*— los actos de competencia desleal que falseen la libre competencia y afecten al interés público (artículo 3 de la LDC) fue un intento de resolver los problemas ocasionados por la *desigualdad* con medios públicos. En el mismo sentido, debemos citar la modificación del artículo que regulaba el abuso de posición de dominio en la Ley de 1.989, realizada en 1.999, por la que se consideraba *ilícito antitrust* el abuso de dependencia económico[122] y que en la nueva redacción de la LDC, en mi opinión, desgraciadamente, se eliminó.

Pero, la práctica del Derecho al menos en España durante los últimos veinticinco años demuestra que esos instrumentos no son todo lo eficaces que deberían para atajar los problemas originados por la *desigualdad* entre operadores. La desigualdad entre empresarios en el mercado es un hecho. En principio, estoy de acuerdo, no debe ser el objeto de normas destinadas a su erradicación; en ese sentido, la afirmación que la asimetría del poder de negociación no es un fallo de mercado es acertada. Pero determinados efectos perversos causados, entre otros, por la *desigualdad*, si que requieren de políticas y normas que erradiquen los efectos perversos sobre el mercado del abuso de la desigualdad para imponer prácticas empresariales desleales (abusivas).

La regulación de las denominadas "practicas comerciales desleales" (PCD) que se realiza en la Directiva 2019/633[123] –objeto de esta contribución— no es una novedad en el sistema jurídico español. Es cierto que las cláusulas abusivas han tenido un desarrollo extraordinario en los últimos años en las relaciones con consumidores. Pero en el ordenamiento jurídico español y en el ámbito empresarial existen dos antecedentes en el que se enmarca este nuevo régimen

---

[122] Artículo 6, apartado 1, modificado; y apartado 2, letras f) y g) añadidas por la Ley 52/1999, de 28 de diciembre, de reforma de la Ley 16/1989, de 17 de julio, de Defensa de la Competencia.

[123] Directiva (UE) 2019/633 del Parlamento Europeo y del Consejo de 17 de abril de 2019, relativa a las prácticas comerciales desleales en las relaciones entre empresas en la cadena de suministro agrícola y alimentario; publicada en el DOUE, serie L, n.º 111, p. 59, de 25 de abril de 2019.
García Vidal ("Prácticas comerciales desleales en la cadena de suministro agrícola y alimentario: impacto de la Directiva (UE) 2019/633 en el derecho español", *Comunicaciones en propiedad industrial y derecho de la competencia*, n.º 88, 2019, pp. 27-37.) mantiene que esta Directiva forma parte del bloque de competencia desleal; para ello se fundamenta en su artículo 1 que se refiere a las buenas conductas comerciales, las prácticas contrarias a la buena fe y a la lealtad comercial.

jurídico: la Ley 50/1980, del Contrato de Seguro[124] que en su artículo 3 regula las cláusulas lesivas y limitativas de los derechos del asegurado, sea consumidor o empresario; y la Ley 7/1996, de Ordenación del Comercio Minorista, cuyos artículos 14 (prohibición de venta con pérdidas)[125] y 17 (pago a proveedores) contienen una regulación especial (solo aplicable al comercio minorista) de las prácticas desleales o abusivas. Pero tampoco es una novedad en el ámbito europeo, pues la Directiva 2011/7/UE –incorporada a nuestro ordenamiento jurídico por la Ley de 3/2004, de medidas de lucha contra la morosidad en las operaciones comerciales—[126] en el artículo 7 regula la abusividad en la determinación de los plazos de pago o de los intereses aplicables. También ha de tenerse en cuenta la Ley 12/2013, de medidas para mejorar el funcionamiento de la cadena alimentaria –norma anterior en el tiempo y que ha de considerarse un antecedente de la Directiva objeto de esta contribución[127]— en la que en sus artículos 12 a 14, contenidos en el Capítulo II del Título II, se regulan las *prácticas comerciales abusivas*, concepto que entiendo es una manera distinta de referirse a una misma realidad.

Esta situación, contemplada hasta ahora de forma muy errática en el ordenamiento jurídico español y europeo, es el resultado, en mi opinión, de la ineficacia de las instituciones de derecho privado para resolver el problema de las prácticas abusivas o, con la expresión que utiliza la Directiva, las prácticas comerciales desleales, especialmente en la cadena agroalimentaria; en este fracaso, influye determinantemente el denominado *factor miedo128,* es decir,

---

[124]   Ley 50/1980, de 8 de octubre, de Contrato de Seguro (BOE núm. 250, de 17 de octubre de 1980).

[125]   El artículo 14 de la Ley de Ordenación del Comercio Minorista fue considerado contrario a la Directiva 2005/29/CE sobre las prácticas comerciales desleales por la Sentencia del Tribunal de Justicia de la Unión Europea en su Sentencia (Sala Quinta) de 19 de octubre de 2017, asunto C-295/16.

[126]   Ley 3/2004, de 29 de diciembre, por la que se establecen medidas de lucha contra la morosidad en las operaciones comerciales (BOE núm. 314, de 30 de diciembre de 2004).

[127]   La ley española, anterior en el tiempo, necesariamente deberá adaptarse a la Directiva y en ese trámite se está. Precisamente las Cortes Generales, desde el 4 de noviembre de 2020, está debatiendo el proyecto de ley que presentó el Gobierno de España para adaptar el texto de la Ley 12/2013 al texto de la Directiva 2019/633 (ver *Boletín Oficial de las Cortes Generales. Congreso de los Diputados,* serie A, n° 36-1, de 13 de noviembre, pp. 1 y ss.); el 17 de noviembre de 2021 terminó el debate en el Senado, quedando pendiente únicamente el traslado del texto al Congreso de los Diputados para su pronunciamiento de las enmiendas aprobadas, previa a la sanción definitiva por el Rey y posterior publicación el Boletín Oficial del Estado.

[128]   Véase el estudio de Ruiz Peris, J.I., "El abuso de dependencia en el Derecho de defensa de la competencia en el marco de la lucha contra las conductas abusivas" en *Derecho de la competencia y gran distribución* Thomson-Aranzadi, 2016, pp. 31 y ss., en especial pp. 42-49, donde se analiza de forma detallada el *factor miedo.* En los documentos oficiales se utiliza la expresión *factor miedo* en la Comunicación de la Comisión (2013) *Libro verde sobre las prácticas comerciales desleales en la cadena de suministro alimentario y no alimentario*

el miedo a las posibles consecuencias económicas y contractuales que la interposición de una demanda o una denuncia pueda ocasionar en relaciones contractuales estables y de continuidad. Además, los largos procedimientos, los costes de los mismos, la falta de prueba (contratos verbales) y la falta de confianza en la prosperabilidad de las acciones a ejercer han sido factores que influyen a la hora de que el sector no interponga las necesarias acciones en defensa de sus derechos. Tampoco ha ayudado que, en los escasos casos que se han promovido vía artículo 3 de la LDC, en relación con el 16, apartado 2, de la LCD, la autoridad de la competencia (ahora CNMC; antes CNC o TDC) no ha utilizado sus poderes de investigación, rechazando las denuncias; podemos también hablar de una cierta ineficacia de la política de la competencia para abordar, con las instituciones especialmente dedicadas a ello, la tarea de ordenar el mercado. Y, por último, creo que una oportunidad pérdida fue la reforma introducida en el año 1.999 en la LDC –regulación iuspublicista de la dependencia económica— y que a los pocos años desapareció de nuestro ordenamiento jurídico.

Por eso es necesario confiar en autoridades administrativas que, valiéndose de la iniciativa de oficio y de la confidencialidad de la denuncia, aplique sanciones a los operadores que utilicen prácticas comerciales desleales.

2. LA REGULACION DE LAS PRACTICAS COMERCIALES DESLEALES

Como antes ya he advertido, el sector agro-alimentario es uno de los sectores en el que de manera más evidente se constatan los problemas generados por la *desigualdad* entre empresarios. Las características del sector (fuerte concentración en los demandantes de bienes –los distribuidores—y atomización de los productores de esos bienes; factores externos a la voluntad de los operadores como la climatología, ser productos generalmente perecederos, ... y el *factor miedo*) son el caldo de cultivo para el surgimiento de las prácticas comerciales desleales.

Como ya he dicho con anterioridad, la *desigualdad* no requiere de regulación; pero los efectos perversos derivados directa o indirectamente de ella, si que necesita de regulación. Por eso, al menos en Europa, se ha producido un intenso debate sobre cual debe ser la mejor manera para atajar este problema que amenaza con destruir un tejido de productores socialmente responsables

---

entre empresas en Europa. También Costas Comesañas, J., "La aplicación del Derecho de la competencia en los mercados agroalimentarios" en Cachaferiro García, F., García Perez, R., López Suarez, M.A. (coord.) *Derecho de la competencia y gran distribución*, Aranzadi, 2016, pp. 193-245.

y sostenibles, con efectos colaterales en el medio ambiente. Desde la década de los ochenta del siglo pasado, cuando comenzó a instaurarse la gran distribución, hemos ido asistiendo a debates económicos y sociales de gran interés: los plazos de pago, los horarios comerciales, los precios y las PCD son algunos de ellos. El sector agrícola y ganadero europeo –y los fabricantes que transforman esos productos— se han visto implicados en varios de ellos. Las instituciones tradicionales (*Derecho privado*, LDC, LCD) y la aplicación que se ha realizado de ellas se ha demostrado ineficaz para acometer los problemas. Y por ello a mediados de la década anterior se inició un debate en las instituciones europeas tendente a buscar nuevos instrumentos que sirvan para resolver el problema detectado: la *desigualdad sin normas eficaces* permite el *abuso*.

2.1. Antecedentes de la legislación española

En España, se ha adoptado la Ley 12/2013, de 2 de agosto, de medidas para mejorar el funcionamiento de la cadena alimentaria.

La normativa tuvo precedentes en un informe realizado por la Comisión Nacional de la Competencia (CNC)[129]. En él, se describe el sector de la distribución agroalimentaria, evidenciando la asimetría del poder de negociación existente en él, y considerando que a largo plazo los posibles beneficios de ese desequilibrio "... *son ambiguos, pues ese efecto positivo puede verse más que compensado por el riesgo de que el mayor poder de negociación afecte negativamente tanto a la competencia intermarca (entre fabricantes) como a la intramarca (entre distribuidores), así como a los incentivos y a la capacidad de invertir e innovar de los fabricantes*"[130].

El estudio de la CNC se detiene de forma extensa en los denominados *pagos comerciales* que el proveedor tiene que pagar al proveedor por determinados conceptos (pagos por referenciación y colocación de productos, pagos de contribución a actividades auxiliares llevadas a cabo por el distribuidor, pagos por expectativas incumplidas de ventas o beneficios, ...). La CNC en principio no los consideraba problemáticos, señalando algunos beneficios que pueden resultar de estos (reparten el riesgo de introducir nuevos productos; es un medio adecuado para asignar un recurso escaso *lineales*). Por el contrario, si que considera que la forma en que se determinen estos pagos puede ser perjudicial pues habitualmente a) es muy frecuente que se determinen *a posteriori* y b) no están claras las contraprestaciones que los proveedores reciben por estos servicios. Los considera la práctica de mayores riesgos. A estos efectos recomendaba que los *pagos comerciales* deberían conocerse con anterioridad e,

---

[129]   CNC, *Informe sobre las relaciones entre fabricantes y distribuidores en el sector alimentario, octubre* 2011.
[130]   CNC, *Informe sobre las relaciones...*, op. cit. p. 7.

igualmente, las contraprestaciones que los proveedores reciban por esos pagos deberían estar determinados de forma clara[131] (previsibilidad y transparencia).

Además, indicaba que entre los riesgos elevados se encuentran la no fijación por escrito de las condiciones contractuales, recomendado la formalización por escrito de las relaciones comerciales. En cuanto a las modificaciones retroactivas no pactadas o no previstas de dichas condiciones se recomienda el establecimiento de límites.

Otra de las prácticas que analizaba es la gestión de categorías y los intercambios de información. De estas prácticas destaca la excesiva antelación con la que los distribuidores solicitan información a los proveedores sobre determinadas características del producto y la exigencia a un proveedor de información comercial sensible sobre otros distribuidores con los que opera. A este respecto recomendaba circunscribir la exigencia de información sensible por el distribuidor al contexto de su relación con el fabricante y al cumplimiento de plazos que estén justificados por las necesidades propias de dicha relación comercial, debiendo regirse por reglas claras, trasparentes, proporcionales y no discriminatorias acerca del contenido y la antelación[132].

En otro orden de cosas, y en relación con los proyectos de Ley, Real Decreto y la propuesta de Código de Buenas Prácticas, tanto la CNC como la CNMC mantuvieron una posición discrepante con la regulación. Es público y notorio que, a pesar de que el Proyecto de Ley tenía su fundamento en lo indicado en su *Informe* de 2012, la norma fue muy criticada por la Comisión Nacio-

---

[131]   CNC, *Informe sobre las relaciones…*, *op. cit.* pp. 9 y 86-91. En su p. 83 se indica la incidencia de estas prácticas en el mercado español: "*El análisis de las respuestas de los proveedores indica que la práctica más extendida en la cadena de la distribución minorista son los pagos comerciales, en concreto los pagos por referenciación y colocación del producto (más de un 70% de los proveedores indica que se producen con frecuencia, y más de un 85% que se producen al menos ocasionalmente) así como los pagos de contribución a actividades auxiliares (casi el 60% de proveedores indica que se producen con frecuencia, y casi un 80% que se producen al menos ocasionalmente).*
Los proveedores consideran también que la gestión de categoría de forma discriminatoria por parte del distribuidor es una práctica frecuente (más de un 70% de respuestas afirmativas). Otro tipo de prácticas aplicadas con una frecuencia alta son las referidas a la modificación retroactiva de los contratos y la amenaza de desreferenciación para imponer condiciones no pactadas previamente. El 56% de los proveedores afirma que se le han aplicado de modo frecuente u ocasional modificaciones retroactivas de las condiciones contractuales pactadas. Al 35% no se les han fijado con antelación por escrito las condiciones comerciales y el 42% ha experimentado ruptura de las condiciones comerciales sin compensación adecuada.
Un 23% de los fabricantes afirma que se le han aplicado en alguna ocasión las cláusulas de cliente más favorecido, es decir, se les ha requerido igualar las condiciones comerciales que ofrece al cliente que recibe el trato más favorable."
[132]   CNC, *Informe sobre las relaciones…*, *op. cit.* p. 9.

nal de la Competencia, en su Informe IPN 84/12[133]. En esencia, ese informe, partiendo de considerar que la asimetría no es un fallo de mercado[134], incidía en la posible falta de oportunidad de la norma (propugnaba esperar a una regulación europea que tardó 6 años en adoptarse), defendía la necesaria compatibilidad del equilibro en la cadena con el principio de eficiencia (apostando por una concentración en el sector a fin de mejorar la posición negociadora de los productores y transformadores), y señalaba el carácter innecesario y desproporcionado de determinadas regulaciones. En concreto, *"en relación con el catálogo de prácticas abusivas que contiene la normativa proyectada no respeta el test de necesidad. Sin duda ninguna todas las conductas que se incluyen en ese catálogo y que merecen la consideración jurídica de abusivas están ya tipificadas en el ordenamiento jurídico vigente, de forma particular, en la Ley de Competencia Desleal, ya sea en alguno de los tipos específicos de competencia desleal, o ya sea a través de la cláusula general de competencia desleal. Por ello, desde el punto de vista jurídico sustantivo nada aporta, en sí mismo, una tipificación adicional, en este caso de naturaleza administrativa, que permite a la Administración sectorial intervenir coactivamente y mediante el ejercicio de su potestad sancionadora, en el ámbito de relaciones privadas de mercado. Los problemas relacionados con estas prácticas comerciales, ya se ha comentado, provienen de la falta de incentivos a denunciar por parte del operador que las padece, de ahí que esa medida normativa no respete el test de necesidad"* [135]. Y en relación con el test de proporcionalidad, y también relativo a las PCD's,

---

[133]   CNC, *IPN 84/12, Anteproyecto de Ley de medidas para mejorar el funcionamiento de la cadena alimentaria*). En este sentido, vid. T. Paz-Ares Rodríguez y a. J. Montoro Moreno, "Cuestiones clave de la Ley de medidas para mejorar el funcionamiento de la cadena alimentaria", Actualidad Jurídica UM / 36-2014, p. 100.
Otros Informes realizados sobre la normativa de la cadena alimentaria son:
• CNC, *Informe artículo 25 Tramitación proyecto de Ley de la Cadena Alimentaria*.
• CNC, *Posición de la CNC en relación con la regulación de la mediación en la ley de medidas para mejorar el funcionamiento de la cadena alimentaria* (sobre mediación en los precios).
• CNMC, *IPN/DP/0009/14 Proyecto de Real Decreto por el que se aprueba el reglamento de la Ley 12/2013, de 2 de agosto, de medidas para mejorar el funcionamiento de la cadena alimentaria* , 2014.
• CNMC, *INF/CNMC/003/15 Código de buenas prácticas mercantiles en la contratación alimentaria*, 2015.
[134]   Vid. CNC, *IPN 84/12...*, p. 5, en particular, al afirmar *"que el desequilibrio o la asimetría entre las partes contratantes no es una anomalía o un fallo del mercado sino una característica inherente a él. A este desequilibrio los operadores participantes en el mercado van dando respuesta desde un punto de vista dinámico, adaptando su organización productiva y mejorando su eficiencia. Ello contribuye a mejorar la competitividad y productividad de estos sectores, a fomentar la innovación, y a fortalecer en definitiva a los propios sectores en los que se generan estas tensiones. Por lo tanto, no resulta deseable constreñir este juego desde la intervención pública"*.
[135]   CNC, *IPN 84/12, ...*, p. 7.

el informe lo que mantiene es que algunas de las prácticas prohibidas pueden resultar eficientes y por tanto procompetitivas y, por extender la prohibición a todos los operadores de la cadena, pueden considerarse desproporcionadas[136].

En mi opinión, acertaba la Comisión Nacional de la Competencia en su crítica a la norma. La norma es criticable porque introduce intervenciones del Estado en la economía que resultan innecesarias y desproporcionadas, pero no por los aspectos que reseñaba el informe, sino fundamentalmente porque introduce obligaciones para todas las empresas de la cadena cuando el único tema que, en mi opinión, necesita de regulación es el *desequilibrio*. Pero no todas las críticas de la autoridad de la competencia española están suficientemente fundadas porque, si bien es cierto que la asimetría no es un fallo de mercado, el abuso de ella sí que lo es y, de existir, genera ineficiencias y habría que atajarlas.

Se puede criticar la extensión a todos los operadores sin excepción de las normas contenidas en la Ley –ámbito subjetivo de aplicación—pero lo que no se puede defender es que la norma en su conjunto no sea necesaria pues las regulaciones introducidas ya estaban previstas en la LCD y en la normativa de propiedad industrial. Como la misma autoridad reconoce, es la falta de incentivos a denunciar –*factor miedo* y todo lo que ello implica— lo que hace ineficaces las normas existentes hasta el momento. La CNC, como después la CNMC[137], considera que el problema no es la ausencia de regulación sino los incentivos para la denuncia de situaciones irregulares y el reforzamiento de la detección de oficio. La CNC, en su informe, mantenía que la creación de una nueva agencia no era necesaria, ni proporcionada; destacaba los riesgos de ruptura de unidad del mercado; de aplicación diversa, costosa e incoherente; de dificultad en el funcionamiento competitivo, dinámico y eficiente de los mercados; de burocratización de las relaciones comerciales; y de falta de efectividad del régimen sancionado. La CNC proponía conferir legitimación activa a las Administraciones sectoriales para que pudieran accionar en aplicación de la LDC y potestades a las mismas Administraciones sectoriales para la comunicación de indicios de prácticas restrictivas de la competencia que afectaran al interés público.

En mi opinión, no es discutible que era necesaria una norma que intentara subsanar los defectos que el sistema normativo público-privado aplicable a la cadena alimentaria no ha sabido solucionar. Ni las normas de defensa de la competencia, ni las normas jurídico-privadas han sabido dar solución a un canal fuertemente desequilibrado y en el que es posible que se puedan producir abusos. Cuando la legislación le ha reconocido a la autoridad de defensa de la competencia potestades para intervenir de forma efectiva en las situaciones de

---

[136]   CNC, *IPN 84/12*, ..., p. 8.
[137]   INF/CNMC/003/15 *Código de buenas prácticas mercantiles en la contratación alimentaria*, pp. 7 y 8.

dependencia, la autoridad –que, recordemos, disfruta de potestades de oficio— no las ha utilizado.

La norma adoptada en el ámbito estatal español es defectuosa desde el punto de vista técnico, pero se ha de reconocer que ha introducido cierto grado de *equilibrio* en la cadena. Es defectuosa por la delimitación del ámbito subjetivo y, por tanto, por la extensión a todos los operadores de las obligaciones contenidas en ella –fundamentalmente, forma escrita y abusividad de determinadas prácticas—, pero es acertada precisamente por esas mismas dos características. Posiblemente, con una adecuada delimitación del ámbito subjetivo de aplicación se resolverían muchos de los problemas que el Informe de la CNC describía.

2.2.- *Antecedentes e iniciativas en la Unión Europea.*

Dado el panorama descrito (la normativa existente no estaba dando solución a los posibles abusos de los operadores con poder de mercado, derivados de un hecho existente en el mercado: la asimetría o desequilibro en el poder de negociación), desde 2009 las instituciones europeas llevaron a cabo un intenso debate tendente a determinar qué medidas son las más adecuadas para atajar el problema.

En este análisis existen diversos documentos pre-legislativos; entre los más importantes destacan las Comunicación de la Comisión COM(2009) 591: *Mejorar el funcionamiento de la cadena alimentaria en Europa*[138]; el Informe del Foro de Alto Nivel sobre la Mejora del Funcionamiento de la Cadena Alimentaria (2012); la Comunicación de la Comisión COM(2013) 37 final: *Libro verde sobre las prácticas comerciales desleales en la cadena de suministro alimentario y no alimentario entre empresas en Europa*[139]; la *Comunicación de la Comisión COM(2014) 472 final: Hacer frente a las prácticas comerciales desleales en la cadena de suministro alimentario entre empresas*[140]; la Comunicación de la Comisión COM(2016) 32 final: *Informe de la Comisión al Parlamento Europeo y al consejo sobre las prácticas comerciales desleales en*

---

[138] Comunicación de la Comisión al Parlamento Europeo, al Consejo, al Comité Económico y Social Europeo y al Comité de las Regiones. *Mejorar el funcionamiento de la cadena alimentaria en Europa*. Bruselas, 28.10.2009 COM(2009) 591 final (disponible en: https://bit.ly/2KbyVaC, recuperado el 17 de abril de 2020).

[139] *Libro verde sobre las prácticas comerciales desleales en la cadena de suministro alimentario y no alimentario entre empresas en Europa*, 31.01.2013 COM(2013) 37 final (disponible en: https://bit.ly/2XJSIG5, recuperado el 17 de abril de 2020).

[140] Comunicación de la Comisión al Parlamento Europeo, al Consejo, al Comité Económico y Social Europeo y al Comité de las Regiones *Hacer frente a las prácticas comerciales desleales en la cadena de suministro alimentario entre empresas*, COM(2014) 472 FINAL Bruselas, 15..07.2014 COM(2014) 472 final (disponible en: https://bit.ly/2xteQKl , recuperado el 17 de abril de 2020).

la cadena de suministro alimentario entre empresas[141]; la *Resolución del Parlamento Europeo de 7 de junio de 2016 sobre prácticas comerciales desleales en la cadena de suministro alimentario*[142]; y el propio Consejo de 12 de diciembre de 2016, en sus conclusiones se manifestó sobre el refuerzo de la posición de los agricultores en la cadena de suministro alimentario y la lucha contra las prácticas comerciales desleales[143].

Todas estos actos pre-legislativos dieron lugar a la propuesta de Directiva[144] que, tras el proceso legislativo, se convirtió en la Directiva (UE) 2019/633.

Se puede decir que todos estos hitos han ido recorriendo un *largo camino* hasta lo que parecía irreversible: la regulación, al menos parcial, de la cadena de suministro a nivel europeo. Las instituciones europeas en los momentos iniciales optaron por la autorregulación del sector, teniendo que concluir diez años después que había que regular a nivel comunitario si se quería salvar un sector que desde hace años denunciaba prácticas desleales. España, por una vez, se adelantó, adoptando la Ley 12/2013, de mejora de la cadena alimentaria; los resultados de la aplicación de esta Ley pueden comprobarse en el *Informe de la actividad inspectora y de control de AICA en el ámbito de la cadena alimentaria*[145].

En 2009[146], en la primera Comunicación, se plantearon iniciativas concretas que no pasaban de actuaciones de promoción y de prevención (intercambio de información sobre prácticas contractuales, campañas de sensibilización, preparar modelos de contrato de utilización voluntaria).

En 2011, la Plataforma de Expertos del Foro de Alto Nivel trabajó en el diseño de un mecanismo coercitivo. No obstante, dado que se trataba de una

---

[141]	Informe de la Comisión al Parlamento Europeo y al Consejo *sobre las prácticas comerciales desleales en la cadena de suministro alimentario entre empresas*. Bruselas, 29.1.2016 COM(2016) 32 final (disponible en: https://bit.ly/2wOBiND, recuperado el 17 de abril de 2020).

[142]	Resolución del Parlamento Europeo, de 7 de junio de 2016, *sobre prácticas comerciales desleales en la cadena de suministro alimentario* (2015/2065(INI)) (https://bit.ly/2XN1uTQ, recuperado el 17 de abril de 2020).

[143]	*Strengthening farmers position in the food supply chain and tackling unfair trading practices* (https://bit.ly/3cs9y0h, recuperado el 17 de abril de 2020).

[144]	Propuesta de Directiva del Parlamento Europeo y del Consejo relativa a las prácticas comerciales desleales en las relaciones entre empresas en la cadena de suministro alimentario, COM(2018) 173 final, Bruselas, 12 de abril de 2018 (https://bit.ly/2XJ2oAC, recuperado el 18 de abril de 2020).

[145]	*Informe de la actividad inspectora y de control de AICA en el ámbito de la cadena alimentaria*, 30 de junio de 2021 (https://www.aica.gob.es/informes-9467910320160211, recuperado el 12 de noviembre de 2021).

[146]	Arias Varona ("La armonización europea de la regulación de la cadena alimentaria", *La ley mercantil*, n.º 60, 2019, p. 2) fija el inicio de esta política comunitaria en el año 2008, con la creación de un Grupo de Alto Nivel sobre la Competitividad de la Industria Agroalimentaria.

iniciativa de autorregulación, por la falta de soluciones eficaces en caso de incumplimiento, no obtuvo el apoyo de todos los representantes de la cadena de suministro; a pesar de ello, ocho de las once organizaciones anunciaron la aplicación voluntaria de los principios de práctica leal a principios de 2013[147].

En 2013, se definió qué se entendía por cláusulas comerciales desleales[148] y, recordando la línea divisoria entre las normas de defensa de la competencia y de competencia leal, se realizaba un análisis de las diversas opciones legales adoptadas por los Estados miembros; la Comisión manifestó la intención de seguir trabajando con todas las partes interesadas y valorando las contribuciones que estas le proporcionaran. También en 2013 se creo la *Iniciativa de la cadena de suministro,* un marco voluntario para la aplicación de los principios de buenas prácticas[149].

En 2014, se alentó "*a las partes interesadas y a los Estados miembros a hacer frente a las PCD de manera adecuada*"[150], desechando normativas a nivel de la UE. Tampoco se prescribió una solución única y aplazó –una vez más— hasta finales de 2015 la decisión sobre si era necesario medidas a nivel UE para dar respuesta a los problemas descritos.

En 2016, se definieron cinco elementos clave para abordar las PCD por medio de marcos reguladores eficaces: a) cobertura de toda la cadena de suministro; b) sistematización de cuatro categorías clave de PCD; c) flexibilidad o rigidez en la definición de las PCD; d) confidencialidad de las denuncias; e) posibilidad de iniciar investigaciones de oficio; y f) efecto disuasorio de las consecuencias del incumplimiento.

Todo empezó a cambiar con la Resolución del Parlamento Europeo en la que expresamente se conmina a la Comisión a presentar un marco unificado a

---

[147] *Libro verde sobre las prácticas comerciales…, op.cit.,* p. 4.

[148] *Libro verde sobre las prácticas comerciales…, op.cit.,* p. 3: "*Las prácticas comerciales desleales son prácticas que se apartan manifiestamente de una buena conducta comercial y son contrarias a las exigencias de buena fe y lealtad contractual. Las prácticas comerciales desleales son habitualmente impuestas, en casos de desequilibrio de fuerzas, por una parte que se halla en situación de superioridad a otra que se halla en situación de inferioridad y pueden verificarse en cualquiera de los lados de la relación entre empresas y en cualquier eslabón de la cadena de suministro*"
En mi opinión el texto transcrito no es muy preciso porque la utilización del adverbio *habitualmente* parece defender que este tipo de PCD no requiere de imposición Este tipo deslealtad siempre implica desequilibrio. El término *habitualmente* no está bien usado. La deslealtad se produce solo por la imposición en caso de desequilibrio de fuerzas porque, en caso de equilibrio, no hay deslealtad. Posteriormente, en el Informe de 2016, la Comisión (*Informe de la Comisión al Parlamento Europeo y al Consejo, 2016, op. cit.,* p. 2) cambió la definición: "*Las prácticas comerciales desleales son prácticas que se apartan manifiestamente de la buena conducta comercial, son contrarias a la buena fe y la lealtad contractual y vienen impuestas unilateralmente por un socio comercial a otro*".

[149] Disponible en https://bit.ly/3bkKkRu, recuperado el 18 de abril de 2020.

[150] *Hacer frente a las prácticas …, op. cit.,* p. 2.

nivel europeo[151] y las Conclusiones del Consejo de 12 de diciembre de 2016, en la que los Jefes de Estado y de Gobierno conmina a la Comisión a presentar, entre otras posibilidades, un marco regulatorio[152].

Al final, en 2018, la Comisión presentó una propuesta de Directiva porque, en palabras de la Comisión, "... *varios Estados miembros seguían sin tener regímenes sobre prácticas comerciales desleales, o los que tenían eran limitados, y los agentes clave no se habían unido a la Iniciativa de la cadena de suministro debido a una estructura de gobernanza deficiente que impedía una investigación y actuación efectivas en los casos de prácticas comerciales desleales*"153. La propuesta de Directiva no sigue los cinco elementos clave indicados en su Comunicación de 2016 puesto que no se aplica a toda la cadena alimentaria; solo contempla las ventas entre proveedores de productos alimenticios que sean pyme's y no pyme's. Por lo que respecta a la flexibilidad –principios aplicables caso por caso— o rigidez –listas negras—, apuesta por un régimen de listas negras, aunque algunas de las PCD no lo son si son pactadas expresamente e inequívocamente.

2.3. La Directiva (UE) 2019/633, relativa a las prácticas comerciales desleales en el sector agroalimentario.

Resultado de todo este debate, el 17 de abril de 2019 se adoptó la Directiva 2019/633 y se publicó en el DOUE de 25 de abril de 2019, indicando el artículo 14 que la Directiva entraría en vigor a los cinco días de su publicación en el DOUE, es decir, el 30 de abril de 2019.

El fundamento jurídico de la norma es el artículo 43, apartado 2 del Tratado de Funcionamiento de la Unión Europea (TFUE), lo cual es relevante

---

[151]   *Resolución del Parlamento...*, op.cit., punto 31: "*Considera que es necesaria una legislación marco a escala de la Unión para hacer frente a las prácticas comerciales desleales y garantizar que los agricultores y los consumidores europeos dispongan de la posibilidad de beneficiarse de condiciones de venta y de compra equitativas; ...*"

[152]   Conclusiones del Consejo de 12 de diciembre de 2016, punto 23:"*In particular, CALLS on the Commission to undertake, in a timely manner, an impact assessment with a view to proposing an EU legislative framework or other, non-legislative measures to address UTPs in line with these conclusions, while respecting the principle of subsidiarity and safeguarding well-functioning national systems as well as already existing national statutory protection. When preparing its impact assessment, INVITES the Commission to examine the implementation and functioning of national systems in the Member States and to take account of elements common to those systems. Any EU framework should be complementary to existing voluntary initiatives, both at EU and Member States' level*" (negrita añadida), (disponible en https://bit.ly/3bkwHS5, recuperado el 18 de abril de 2020).

[153]   *Comisión Europea – Hoja informativa. Lucha contra las prácticas comerciales en la cadena de suministro de alimentos*. Bruselas, 12 de abril de 2018 (disponible en https://bit. ly/2ytETRq, recuperado el 18 de abril de 2020).

porque se enmarca dentro de la política agrícola común (PAC) que tiene cinco objetivos, de entre los que destaca garantizar un nivel de vida equitativo a la población agrícola. De hecho, los considerandos 6 y 7 de la Directiva se hace referencia al impacto negativo que las PCD pueden tener en el nivel de vida de la comunidad agraria, indicando que ese impacto puede ser directo o indirecto, a través de las consecuencias en cascada; igualmente se recoge la inseguridad que los operadores agrarios sufren por su dependencia de los procesos biológicos, la exposición a las condiciones meteorológicas y el carácter estacional y perecederos de los productos que comercializan.

El periodo de incorporación al ordenamiento jurídico español, según el artículo 13 de la Directiva, vencía el 1 de mayo de 2021 y se establece un periodo de *vacatio legis* –como opción para los Estados miembros— hasta el 1 de noviembre de 2021. Dado que estamos aún en la última fase de tramitación parlamentaria, España no ha cumplido ni la obligación de incorporación, ni tampoco ha cumplido con la *vacatio legis* establecida por la Directiva

Esta Directiva se considera una normativa de mínimos. Así, el considerando 40 y el artículo 9 establecen la posibilidad de que los Estados miembros mantengan o introduzcan normas más estrictas que la propia Directiva, siempre que dichas normas nacionales sean compatibles con las normas del funcionamiento del mercado interior[154].

En relación con el ámbito subjetivo, la protección se establece solo para las pequeñas y medianas empresas de la cadena de suministro en dependencia económica respecto de los compradores. A estos efectos, objetiva esta situación de dependencia[155], estableciendo en el artículo 1 de la Directiva una serie de tramos por volumen de negocios a los que se aplica la protección de la Directiva. Igualmente, a los efectos de impedir el impacto negativo en cascada, también se protege a empresas que, sin reunir las características de pyme's (empresas con volumen de facturación de 350 millones de euros), pueden sufrir los efectos de PCR y trasladarlas hacia abajo en la cadena. También se incluye en el ámbito de aplicación de la Directiva las compras realizadas por entes que sean autoridades públicas.

Además de a los contratos celebrados entre empresas ubicadas en Estados de la Unión Europea, la Directiva también se aplica a los contratos agroalimentarios celebrados con compradores establecidos fuera de la Unión, así co-

---

[154]   Arias Varona ("La armonización europea ..., *op. cit.*, p. 6) se plantea "... si no hubiera sido más deseable una posición más rígida del legislador europeo que condujera a la armonización plena en esta materia".

[155]   García Vidal ("Prácticas comerciales desleales ...", *op cit.* pp. 27-37) señala la objetivización del concepto de dependencia económica, solucionando de esta forma, en opinión del autor, los problemas que se han señalado por la jurisprudencia y la doctrina en relación con el concepto de dependencia económica existente en el artículo 16 de la LCD.

mo a los proveedores de fuera de la Unión Europea que vendan a compradores ubicados en la Unión[156]; la Directiva considera lo establecido en el artículo 3 leyes de policía (apartado 4 del artículo 3).

La Directiva establece una lista de prácticas que, si se pactan entre empresas que se encuentran dentro de los umbrales del artículo 1, se considerarán desleales. Sin embargo, el considerando 16 indica que, si bien algunas prácticas comerciales se consideran desleales *per se,* a los efectos de reducir el riesgo de limitar el uso de acuerdos equitativos y generadores de eficiencia entre las partes, solo se consideran prohibidos los cambios unilaterales y con carácter retroactivo.

Entre las PCD *per se* (*lista negra*157) se enumeran nueve prácticas. La primera de las prácticas comerciales que se consideran desleales es la morosidad en el pago de productos agrícolas [artículo 3, apartado 1, letra a)]. La morosidad está regulada en la Directiva 2011/7/UE; sin embargo, dicha Directiva no contiene ninguna especialidad relativa a los productos agrícolas, siendo posible el pago a 60 días. En la medida de que los productos agrícolas y alimentarios son en muchos casos perecederos, se establece para los productos perecederos un plazo de pago 30 días a partir del último acto de recolección, producción o transformación por el proveedor. En el artículo 2 se define como producto agrícola y alimentario perecedero los que por su naturaleza o por la fase de transformación en que se encuentra podrían dejar de ser aptos para la venta dentro de los 30 días siguientes a su recolección, producción o transformación. Para el resto de productos agrícolas y alimentarios, el plazo de pago es de 60 días.

La segunda de las prácticas comerciales desleales es la cancelación de pedidos de productos perecederos mediante notificación realizada con una antelación inferior a 30 días, dejando a los Estados la posibilidad de establecer plazos más cortos de cancelación para sectores específicos [artículo 3, apartado 1, letra b)].

Se considera también desleal la práctica comercial según la cual se modifique de forma unilateral las cláusulas contractuales acordadas [artículo 3, apartado 1, letra c)]; el considerando 21, indica que una posible modificación es la de suprimir productos objeto de un contrato de suministro. Si el contrato estipula que el comprador podrá especificar más adelante un elemento concreto de la transacción (v.gr.: las cantidades encargadas), no se considerará PCD

---

[156]	Arias Varona ("La armonización europea ..., *op. cit.,* p. 5) resalta la necesidad de establecer una cierta extraterritorialidad de la norma.

[157]	García Vidal ("Prácticas comerciales desleales ...", *op cit.* pp. 27-37) utiliza esta expresión para referirse a la lista de PCD *per se.* En el mismo sentido Arias Varona, F.J., "La armonización europea ..., *op. cit.,* p. 6.

(último párrafo del apartado 2 del artículo 3). Evidentemente, dado el desequilibrio entre partes, esta posibilidad será fuente de conflictos.

La cuarta de las PCD es la de exigir por parte del comprador al proveedor pagos que no estén relacionados con la venta de productos agrícolas o alimentarios [artículo 3, apartado 1, letra d)]. Según el considerando 22, al igual que la Ley española 12/2013, los pagos por servicios prestados por el comprador al proveedor (lista de precios, servicios de comercialización, promoción de productos) se consideran parte de las negociaciones, indicando que se consideran PCD las prácticas por las cuales un comprador imponga a un proveedor pagos que no estén relacionados con una transacción de venta concreta. También se considera desleal que el comprador exija al proveedor que pague por el deterioro y/o la pérdida de productos que se hayan producido en los locales del comprador o cuando la propiedad haya sido transferida al comprador, sin que dicho deterioro y/o pérdida se deban a negligencia o culpa del proveedor [artículo 3, apartado 1, letra e)]

A diferencia de lo regulado en España mediante la Ley 12/2013, la Directiva no exige la obligación de que los contratos sean por escrito (considerando 23). No obstante ello, el artículo 3, apartado 1, letra f), considera PCD que el comprador se niegue a confirmar por escrito los términos de un contrato de suministro.

También se considera desleal que el comprador adquiera, utilice o divulgue secretos comerciales [artículo 3, apartado 1, letra g)].

Y la lista negra de PCD finaliza con dos prácticas: la amenaza o la realización de represalias comerciales cuando el proveedor ejerza sus derechos contractuales o legales, incluidos la presentación de una denuncia [artículo 3, apartado 1, letra h)] y la exigencia de compensación al proveedor por los gastos derivados de estudiar reclamaciones de clientes del comprador [artículo 3, apartado 1, letra i)].

Además de las PCD, el apartado 2 del artículo 3 establece una lista de prácticas que solo se considerarán desleales[158] —y, por tanto, ilícitas— si no han sido acordadas previamente o con carácter previo de manera clara y sin ambigüedad. Todas estas prácticas son habituales en las relaciones entre las empresas agrícolas y/o productoras de productos alimentarios que requieren una transformación y los distribuidores (supermercados, grandes superficies, …) Estas PCD son seis; veámoslas:

   a) que el comprador devuelva productos agrícolas y alimentarios no vendidos al proveedor sin pagar por estos productos no vendidos;

---

[158]   García Vidal ("Prácticas comerciales desleales …", *op cit.* pp. 27-37) se refiere a estas prácticas con la expresión *lista gris*.

b) que se cargue al proveedor un pago como condición por el almacenamiento, la exposición o la inclusión en una lista de precios de sus productos agrícolas y alimentarios, o su puesta a disposición en el mercado;

c) que el comprador exija al proveedor que asuma total o parcialmente el coste de aquellos descuentos de los productos agrícolas y alimentarios vendidos por el comprador como parte de una promoción;

d) que el comprador exija al proveedor que pague por la publicidad de productos agrícolas y alimentarios realizada por el comprador;

e) que el comprador exija al proveedor que pague por la comercialización por parte del comprador de productos agrícolas y alimentarios;

f) que el comprador cobre al proveedor por el personal de acondicionamiento de los locales utilizados para la venta de los productos del proveedor.

La aplicación de estas normas se confía a autoridades administrativas que designen los Estados miembros. Estas autoridades administrativas deben poder actuar por propia iniciativa o en virtud de denuncias formuladas por los afectados (considerando 28 y artículo 5); en todo caso se garantizará la confidencialidad de los denunciantes. A elección del denunciante, se podrá presentar la denuncia ante la autoridad administrativa del Estado de su domicilio o del domicilio del comprador. Evidentemente, el artículo 6 de la Directiva promueve que los Estados miembros establezcan un régimen sancionador.

No obstante, esta opción por autoridades administrativas, la Directiva indica que serán compatibles con "medidas de gobernanza voluntarias", como códigos de conducta o la resolución alternativa de conflictos (mediación y arbitraje) (considerando 41 y artículo 7).

3. EL TRÁMITE PARLAMENTARIO ESPAÑOL DE LA INCORPORACIÓN DE LA DIRECTIVA.

Como ya he comentado en la nota 10, el trámite parlamentario español de incorporación de la Directiva se inició el 4 de noviembre de 2020, siendo publicado el proyecto de ley el 13 de noviembre.

Hay que mencionar que, en febrero de 2020, con la Directiva ya publicada, el Estado español inició una reforma de la Ley 12/2013, como consecuencia de determinadas movilizaciones del sector agrario, el Gobierno de España adoptó el Real Decreto-ley 5/2020, de 25 de febrero[159]. En esta norma parte del supuesto de que en la cadena de suministro agrícola se producen desequi-

---

[159] Publicado en el Boletín Oficial del Estado nº 328, de 17 de diciembre de 2020.

librios que "*... es probable que conduzcan a prácticas comerciales desleales*". Por ello, reconociendo el carácter urgente de la reforma que impiden aplazar las medidas al momento de la futura reforma en profundidad para adaptar la Ley a la Directiva, se adoptan una serie de conjunto sistemático de medidas concretas, a saber, (i) la obligación de cada operador abone al inmediatamente anterior un precio igual o superior al coste de producción en que hay incurrido dicho operador, a fin de que el operador que realice la venta al público no pueda repercutir a ningún operador anterior su riesgo empresarial, y (ii) un precepto en el que se regulan las actividades promocionales[160].

Tras esa reforma de urgencia, el 4 de noviembre de 2021[161]el Gobierno presentó un proyecto de ley por el que se modifica la Ley 12/2013. En su exposición de motivos se reconoce el carácter estratégico del sector agroalimentario y especialmente vulnerable por diversos factores (atomización, rigidez de la demanda, estacionalidad del mercado, asimetría elevación de los costes de producción, carácter perecedero de los productos ...). Reconociendo el carácter de norma de mínimos de la Directiva, justifica la introducción de diversos preceptos en base a la posibilidad que reconoce la norma europea de que los Estados introduzcan medidas adicionales.

En el proyecto se aborda la modificación del ámbito de aplicación, pasando a sujetarse a la ley todas las relaciones contractuales de la cadena, aunque se trate de pyme's o no exista especial situación de dependencia. Junto con ella, y además de otras modificaciones de los artículos 3, 5 y 8, 9, 11 y 12, se añaden mediante la introducción de un nuevo artículo (el 14bis) las listas negras y grises de PCD contenidas en la Directiva. También se modifican los preceptos relativos a las infracciones y sanciones.

En el trámite parlamentario, se presentaron en el congreso de los diputados de 345 enmiendas[162], que dieron lugar al texto aprobado por la Comisión de Agricultura, Pesca y Alimentación[163]. El texto remitido al Senado fue objeto de 209 enmiendas en el Senado[164]

---

[160]   Este Real Decreto-Ley ha sido convalidado por las Cortes, mediante la aprobación de Ley 8/2020, de 16 de diciembre, por la que se adoptan determinadas medidas urgentes en materia de agricultura y alimentación (publicado en el Boletín Oficial del Estado, nº 38, de 17 de diciembre de 2020.

[161]   La Comisión Nacional de la Competencia y los Mercados emitió informe sobre el anteproyecto de Ley el 2 de septiembre de 2020, IPN/CNMC/015/20, https://www.cnmc.es/sites/default/files/3127002_3.pdf, recuperado el 22 de noviembre de 2021.

[162]   Boletín Oficial de las Cortes Generales, Congreso de los Diputados, Serie A, nº 36-2, del 7 de mayo de 2021, pp. 1-279

[163]   Boletín Oficial de las Cortes Generales, Congreso de los Diputados, Serie A, nº 36-5, del 20 de octubre de 2021, pp. 1-25.

[164]   Boletín Oficial de las Cortes Generales, Senado, nº 252, de 11 de noviembre de 2021, pp. 1-11, cuyo texto íntegro pueden encontrarse en el Boletín Oficial de las Cortes Generales, Senado, nº 252, de 11 de noviembre de 2021, pp. 59-208.

Tanto el texto salido del Congreso de los Diputados, como el del Senado, acogen una serie de modificaciones.

4. CONCLUSIONES

1. El artículo 39 del TFUE establece entre los objetivos de la PAC el garantizar un nivel de vida equitativo a la población agrícola, en especial, mediante el aumento de la renta individual de los que trabajan en la agricultura.

2. El sector agroalimentario lleva más de dos décadas denunciando una realidad según la cual los distribuidores de la cadena de valor agroalimentaria, fuertemente oligopolizados, presionan en la cadena imponiendo prácticas comerciales desleales que, entre otras cosas, convierten a sus explotaciones en no rentables y, por tanto, en causa de desaparición. De hecho, se estima que el número de explotaciones agrícolas disminuyó una cuarta parte en el periodo comprendido entre 2005 y 2016.

3. La Unión Europea ha tardado más de diez años en llegar a la conclusión de que es necesaria una norma imperativa, aplicada por administraciones públicas, que prohíba las PCD. Se comenzó apoyando soluciones de autorregulación, promoviendo normas estatales, llegando al final a la conclusión de que era necesaria una norma europea. Las instituciones europeas no son lo suficientemente ágiles para resolver problemas acuciantes que requieren de mayor capacidad de resolución. La diversidad ideológica y el complejo proceso de decisión no son medios adecuados para tomar las decisiones que el mundo actual está necesitando.

4. La Directiva y su ley de incorporación, siendo normas necesarias, no resuelven el problema de la indemnización de los daños y perjuicios y del enriquecimiento injusto que se produce mediante la adopción de las PCD. Aunque un procedimiento administrativo sancionador, dotado de la necesaria confidencialidad, puede ser un instrumento útil, no es la solución definitiva pues el *factor miedo* sigue actuando como freno de las reclamaciones civiles de indemnización y resarcimiento de daños.

5. Como ha demostrado la crisis sanitaria que vivimos (Covid-19), el sector agrícola es un sector esencial, pues es necesario que la Unión Europea sea capaz de suministrar productos alimenticios que el mercado global, en casos de crisis, no puede o no quiere proveer. De hecho, en el origen, la PAC era una política fuertemente subvencionada para permitir la subsistencia de los agricultores porque, en tiempos de guerra fría, había que tener una agricultura europea que garantizara el suministro de productos alimentarios.

La explotación de variedades vegetales mediante licencia, derechos del obtentor y derecho de la competencia

VANESSA MARTÍ MOYA

Profesora Titular de Derecho mercantil. Universitat de València

1. INTRODUCCIÓN

El sector agroalimentario contribuye con el cinco coma ocho por ciento del PIB español (porcentaje que asciende a once, si se consideran todas las actividades de la cadena alimentaria, incluyendo el sector primario, la industria de transformación y la fase de comercialización). Pero no es este un sector importante únicamente por su peso económico, sino también por su evidente carácter estratégico y de interés público[165], tal y como ha demostrado la reciente crisis sanitaria, tanto desde el punto de vista del desabastecimiento como de la vertebración geográfica y poblacional de los Estados.

Precisamente, esta crisis ha reabierto un debate, nunca zanjado en realidad, sobre la necesidad de un justo reparto de valor entre todos los miembros de la cadena, y de retribuir de manera digna a los productores (agricultores), para no acabar expulsando a gran parte del sector primario fuera de las fronteras nacionales, y/o europeas.

En este sentido, es sabido que la innovación es capaz de incrementar, tanto la calidad como la consiguiente disponibilidad del consumidor a pagar un precio más alto, ofreciendo al productor, en definitiva, un mejor retorno. No es necesario recordar que esta innovación, en el sector agroalimentario, viene protegida por los derechos de exclusiva conferidos por las obtenciones vegetales, cuando estas son nuevas, distintas, homogéneas y estables, y que vienen desarrolladas por obtentores cada vez más profesionalizados (ya sean entidades privadas o públicas). Dado que en muchas ocasiones estos obtentores profesionales carecen de la voluntad, capacidad o infraestructura para producirlas y comercializarlas, suelen optar por conceder licencias de explotación a los productores.

---

[165] *Vid.*, las referencias a las implicaciones de interés público en la protección de la producción agrícola en el preámbulo del Reg. 2100/94, relativo a la protección comunitaria de las obtenciones vegetales.

En este sentido, el contrato de licencia ha sido un instrumento jurídico óptimo para permitir un elevado grado de especialización y, seguramente, un factor relevante para que la innovación tecnológica en el sector agrario haya alcanzado cotas inimaginables hace solo unos pocos decenios en materia de neutracéuticos, fitorremediación, biocarburantes, transgénicos resistentes al estrés abiótico, etc[166]. En efecto, el contrato de licencia de obtenciones vegetales es el instrumento que permite transmitir toda la tecnología que está en la base de la creación, descubrimiento o desarrollo de una concreta variedad, asegurando al obtentor una remuneración adecuada por su trabajo, apta para fomentar ulteriores esfuerzos y que mitiga, a su vez, los costes derivados de la incertidumbre sobre el resultado inherente a toda investigación científica.

Sin embargo, a pesar de la importancia estratégica a la que nos hemos referido, la doctrina, hasta tiempos recientes y con notables excepciones, no se ha preocupado de la llamada "patente del campo" de modo paragonable a cuanto se ha ocupado de las innovaciones industriales. Tampoco la jurisprudencia ha tenido demasiadas ocasiones para pronunciarse sobre las cuestiones más conflictivas de las variedades vegetales, como son los derechos del obtentor o los contratos de licencia, con algunas excepciones recientes como la sentencia del TJUE C-176/18, que resuelve una cuestión prejudicial instada a consecuencia de un litigio iniciado precisamente en la Comunidad Valenciana, región pionera desde antaño en el desarrollo del sector agroalimentario[167].

Siendo muchas las cuestiones que invitan a la reflexión, este breve estudio se centrará en la problemática que puede suscitar la colaboración entre obtentor y licenciatarios de variedades vegetales para la persecución de legítimos intereses comunes, ya que ilustra en modo claro algunos puntos de encuentro entre el sistema de propiedad industrial y el Derecho de la competencia en el tratamiento de las relaciones verticales en este sector, que poseen alguna connotación particular, precisamente, por la naturaleza del objeto protegido.

En concreto, el presente trabajo abordará, en primer lugar, cuáles son los sistemas colectivos más habituales que la práctica ha ido configurando para minimizar el fenómeno del parasitismo o *free-riding* en la explotación de variedades vegetales. En segundo lugar, se identificarán cuáles son los riesgos que estos sistemas plantean para el Derecho de defensa de la competencia.

---

[166] Algunos ámbitos destacados por MUÑOZ CADENAS, M.A., *El contrato de licencia de explotación de las obtenciones vegetales en el derecho español y comunitario*, tesis doctoral, p. 23, disponible en https://idus.us.es/bitstream/handle/11441/39889/TESIS%20%20Mu%c3%b1oz%20Cadenas.pdf?sequence=1&isAllowed=y

[167] Sentencia sobre la que se detiene, en esta misma obra, SALDAÑA VILLOLDO, B.

2. LOS DERECHOS DEL OBTENTOR Y LA EXPLOTACIÓN COMERCIAL DE LAS VARIEDADES VEGETALES MEDIANTE LICENCIA

Como es sabido, el derecho a la venta o cualquier tipo de comercialización del producto de la variedad que el Reglamento 2100/94 otorga al obtentor se agota en el momento en el que los productores suscriben las correspondientes licencias de explotación. Ello es así por virtud del agotamiento previsto en el art. 16 del mismo texto legal, según el cual la protección comunitaria no se extenderá a los actos concernientes a ningún material de la variedad que haya sido cedido por el titular en cualquier parte de la UE, ni a ningún material derivado del mismo, siempre que dichos actos no impliquen seguir propagando la variedad, salvo que la propagación estuviera prevista en el momento de la cesión, ni impliquen exportar componentes de la variedad a terceros países en los que no se proteja dicha variedad, excepto cuando el material exportado vaya a ser consumido. Si bien es cierto que una licencia de explotación, encaminada ordinariamente a la producción, puede alcanzar también a la comercialización de la variedad vegetal o, incluso, de los productos de la cosecha sobre la base de la excepción del art. 13 de la LOV[168].

Las licencias contractuales de explotación son objeto de una austera regulación, tanto en la normativa europea como en la española, lo que ha generado una crítica generalizada entre la doctrina especializada[169]. En efecto, el art. 27 del Reglamento, sin profundizar en el contenido del contrato, no va más allá de ser un genérico reconocimiento de la licitud de las licencias, tanto exclusivas como no exclusivas, dejando la sistematización de los derechos y deberes de las partes, así como la duración del contrato y resto de provisiones, al arbitrio de las partes. La ley española 3/2000, de régimen jurídico de la protección de las obtenciones vegetales, es algo menos escueta y en su artículo 23 añade el requisito de la forma escrita y la necesaria inscripción del contrato de licencia para desplegar eficacia frente a terceros.

A pesar de la parquedad de la normativa existente, lo que parece evidente es que la comercialización está incluida en el término "explotación", utilizado muy habitualmente en las normas sobre propiedad industrial, comprendiendo una amplia categoría en la que se incluyen actos muy diversos[170]. En este sentido, y haciendo uso del amplio ámbito otorgado a la autonomía de las partes por las normas, tanto el obtentor como el productor pueden optar por

---

[168]   DE LA VEGA GARCÍA, F., "La comercialización de productos derivados de variedades vegetales con la marca del titular de la obtención ante el Derecho antitrust", ADI, VOL. 39, 2018-2019.

[169]   Por todos, GARCÍA VIDAL, A., *Derecho de las obtenciones vegetales*, Tirant lo Blanch, 2017, p. 820-821.

[170]   DE LA VEGA GARCÍA, F., op. cit., p. 32.

introducir cualesquiera pactos que consideren necesarios para la mejor tutela de sus intereses, salvaguardando, en todo caso, el respeto de las normas legales.

En este contexto de práctica atipicidad del contrato de licencia, los operadores del sector agloalimentario han comenzado a utilizar los contratos de licencia de explotación para articular medidas ulteriores de protección y promoción de la variedad vegetal que, por un lado, ponen en valor las bondades de la investigación que subyace a la misma, aumentando su valor en el mercado y, por otro, permiten reprimir de forma más eficaz las conductas que infringen los derechos de exclusiva sobre la variedad.

En efecto, incluso tras ceder la explotación de la variedad, el obtentor mantiene ciertos derechos sobre la misma. Efectivamente, la singularidad de la variedad vegetal como objeto de propiedad industrial, derivada, entre otros, de su extraordinaria capacidad de reproducción o los riesgos que para la misma supone la contaminación genética cruzada con otras variedades, justifican que el obtentor mantenga legítimos intereses en el control del uso la misma[171]. Estos intereses pueden referirse, entre otros, al correcto uso de la denominación, la mejora de la calidad de la variedad, la promoción de su posicionamiento en el mercado y la detección de actos susceptibles de lesionar su derecho de propiedad industrial, fundamentalmente mediante plantaciones que, sin soportar los costes de una licencia suponen una competencia desleal.

Resulta evidente que la protección legal de estas variedades frente a aquellos que la producen sin la correspondiente licencia es un plano en que convergen los intereses, tanto de los productores como del obtentor. En este sentido, por un lado, una protección eficaz de las obtenciones es fundamental, por una parte, para evitar el retraso en el fito-mejoramiento y la introducción de nuevas variedades en el mercado y, por otra, también para proteger a los agricultores licenciatarios, quienes probablemente habrán tenido que desembolsar cuantiosas sumas para obtener los correspondientes royalties, frente a quienes compiten de forma desleal.

En este contexto, no existe impedimento legal derivado de la disciplina de la propiedad industrial para que obtentor y productores licenciatarios persigan este y otros intereses comunes de forma colectiva, siendo el único límite el impuesto por la normativa de defensa de la competencia.

En principio, como decíamos, el acuerdo de licencia de una obtención vegetal es, para el derecho de la competencia, un acuerdo de transferencia de tecnología que queda exento de la aplicación del art. 101 TFUE, en tanto en cuanto

---

[171]   Así lo manifestó RONCERO SÁNCHEZ, A., en la ponencia titulada "Contrato de licencia de obtenciones vegetales", impartida en el marco del Congreso Internacional "Retos en el sector agroalimentario: Competencia y propiedad industrial", que da origen a esta obra y que se celebró en la UPV los días 6 y 7 de mayo de 2021.

cumpla los requisitos previstos en el Reglamento 316/2014, de exención por categorías de acuerdos de transferencia de tecnología (RECATT) que, junto a las directrices que lo desarrollan, constituyen la normativa fundamental en esta materia.

Estos acuerdos de licencia sobre obtenciones vegetales son considerados, *a priori*, beneficiosos para la competencia porque "mejoran por lo general la eficiencia económica al permitir reducir la duplicación de la investigación y desarrollo, reforzar el incentivo para la investigación y desarrollo iniciales, fomentar más la innovación, facilitar la difusión y generar competencia en el mercado de productos" (RECATT, Considerando 4).

En el marco de determinados umbrales[172], y siempre que estos acuerdos no incluyan cláusulas especialmente graves para la competencia[173], estos acuerdos no son susceptibles de restringir la competencia o, si lo son, las eventuales restricciones son ampliamente compensadas por las eficiencias económicas que producen.

Sin embargo, como hemos dicho anteriormente, es habitual que los contratos de licencia de obtenciones vegetales, además de regular estrictamente el propio marco de la cesión de los derechos de tecnología, incluyan obligaciones destinadas a articular otros intereses comunes al obtentor y licenciatario, como el de perseguir plantaciones ilícitas o el de mejorar la imagen del producto en el mercado.

Pueden incluirse, asimismo, cláusulas relativas a la distribución o comercialización "en cascada" de los productos derivados de la variedad vegetal (a los que no alcanza el derecho exclusivo del obtentor una vez licenciada la variedad). Estas últimas, no obstante, no deben ser consideradas cláusulas relativas a la licencia del derecho *stricto sensu*, sino que son cláusulas relativas a distribución, añadidas al contrato principal, pero cuya naturaleza es distinta[174]. Y

---

[172] Estos umbrales son fijados en el art. 3 RECATT en el 20% de cuota de mercado conjunta para empresas competidoras y el 30% de cuota de mercado individual para empresas no competidoras.

[173] Entre las restricciones especialmente graves previstas en el art. 4 RECATT se encuentra la restricción de la facultad de fijar el precio de venta del producto a terceros, la limitación de la producción (con excepciones) y la limitación de los canales de distribución (con numerosas excepciones que permiten la asignación de territorios exclusivos a diferentes licenciatarios, por ejemplo).
Además, existen ciertas restricciones que no quedarían amparadas por la exención y que están recogidas en el art. 5. Son las relativas a la limitación de la facultad de explotar los propios derechos de tecnología o de realizar ulteriores labores de investigación y desarrollo, a la obligación de conceder licencia exclusiva al licenciante de sus propios perfeccionamientos o nuevas aplicaciones de la tecnología licenciada, o la obligación de no oponerse a la validez de los derechos de propiedad intelectual que la otra parte ostenta en la UE.

[174] Por ejemplo, la cesión de una marca que identifica el producto de una obtención vegetal y es distinta de ésta, aspecto estudiado en el interesante trabajo de DE LA VEGA GARCÍA,

dado que la naturaleza jurídica no sucumbe ante cuestiones denominativas de las partes, a estas concretas cláusulas contractuales, por más que se encuentren insertas en un contrato de licencia, se les aplicará, en materia antitrust, la normativa sobre restricciones verticales.

En este sentido, y como establece el propio RECATT en su exposición de motivos, dicho texto legal da cobertura a estos acuerdos "aun cuando el acuerdo incluya condiciones para más de un nivel comercial, por ejemplo, obligando al licenciatario a crear un determinado sistema de distribución y especificando las obligaciones que el licenciatario debe o puede imponer a los revendedores de los productos producidos al amparo de la licencia". Sin embargo, tales condiciones y obligaciones deben atenerse a las normas de competencia aplicables a los acuerdos de suministro y distribución, contempladas en el Reglamento 330/2010 sobre restricciones verticales. Ello implica que no deberá ser restrictivo de la competencia ni ir más allá de lo estrictamente necesario para obtener los legítimos intereses comunes a obtentor y licenciatario de detectar plantaciones ilegales y de fomentar la reputación y valor de la variedad vegetal en el mercado. A este respecto, pese a que pueden valorarse las intenciones de las partes, se considerará que un acuerdo tiene un objeto restrictivo incluso aunque busque la consecución de otros objetivos legítimos, ya que "*el hecho de que se considere que una medida persigue un objetivo legítimo no excluye que, habida cuenta de la existencia de otro objetivo perseguido por ella y que deba estimarse ilegal, [...] pueda considerarse que dicha medida tiene un objeto restrictivo de la competencia*" [175].

En este sentido, cabe recordar la doctrina, de sobra conocida, del TJUE, según la cual "*el derecho de propiedad industrial o comercial, como régimen jurídico, no tiene elementos contractuales o de concertación a que se refiere el apartado 1 del artículo 85 del Tratado (actualmente, artículo 101 del TFUE), pero su ejercicio puede estar comprendido en las prohibiciones del Tratado si resulta ser el objetivo, el medio o la consecuencia de una práctica colusoria*" (TJCE en el asunto 258/78, Nungesser/Comisión).

Dado que el control de la venta de la cosecha escapa de la esfera de protección jurídica que otorga al obtentor el reglamento comunitario de variedades vegetales, el acuerdo del que formen parte no podrá ser susceptible de reducir o eliminar la autonomía e independencia de cada productor de fijar todas y cada una de las condiciones de comercialización del fruto, de entre las que destaca, evidentemente, el precio. En efecto, como el propio reglamento destaca "no han de quedar exentos en virtud del presente reglamento aquellos acuerdos de

---

F., "La comercialización de productos derivados de variedades vegetales con la marca del titular de la obtención ante el Derecho antitrust", ADI, VOL. 39, 2018-2019.

[175]   STJUE de fecha 20 de noviembre de 2008, C-209/07, apartado 21.

transferencia de tecnología que contengan restricciones que no sean imprescindibles para mejorar la producción o la distribución. Concretamente, los acuerdos de transferencia de tecnología que contengan determinados tipos de restricciones especialmente contrarias a la competencia, tales como la fijación de los precios aplicados a terceros".

3. LA CESIÓN DE LA EXPLOTACIÓN DE VARIEDADES VEGETALES Y EL DERECHO ANTITRUST. CONSECUENCIAS DEL CASO CARPA DORADA

En este contexto se ubica el conocido caso Carpa Dorada, que supuso una seria llamada de atención sobre la compatibilidad de ciertos contratos de licencia de explotación de variedades vegetales con el Derecho de la competencia. Este supuesto, que se inicia con una resolución sancionatoria de la CNMC de 4 de julio de 2013[176], de elevadísimo importe, evidenció la postura de la CNMC, claramente contraria a que la concesión de licencias de explotación de variedades vegetales fuese utilizada como una vía para incorporar obligaciones contractuales suplementarias al licenciatario, susceptibles de restringir la competencia de forma injustificada y desproporcionada.

En este sentido, se analizaron una serie de contratos de licencia entre el titular de los derechos exclusivos sobre una variedad de mandarina en España y los productores de dicha variedad, que contenían determinadas condiciones de compra y venta exclusiva, en virtud de las cuales los productores únicamente podían vender sus producciones de mandarina a determinados comercializadores. En efecto, limitando los canales de distribución a disposición de los licenciatarios se lograba ir mucho más allá de lo necesario para proteger los legítimos derechos alegados por parte del obtentor de detectar la fruta procedente de plantaciones ilegales, a fin de iniciar las correspondientes acciones.

Por otro lado, junto al entramado de licencias exclusivas para la explotación de la variedad, se articulaba un sistema de identificación de la fruta producida a fin de asegurar en el mercado su identidad y origen. A grandes rasgos, el sistema otorgaba al productor dos posibilidades, o bien producir y envasar la fruta cosechada (capacidad que tienen sólo los grandes productores), o bien comercializarla a través de los envasadores/distribuidores que habían firmado su correspondiente anexión al sistema, sistema que le facilitaba el uso de las correspondientes etiquetas previo pago de un canon.

---

[176]   Al que siguieron numerosos pronunciamientos de la Audiencia Nacional (de 18 de junio, de 19 de octubre y de 6 de noviembre de 2015), del Tribunal Supremo (de 21 de marzo de 2018) y de la misma CNMC que afectaban, fundamentalmente, a la cuantificación de la sanción, cuyo importe asciende a 4.974.027 euros.

El sistema, que se erigía sobre el uso de programas informáticos de etiquetado, obligaba a productores y comercializadores a proporcionar al gestor del mismo una serie de información comercial consistente en datos de clientes o proveedores, cantidades vendidas o compradas y momento en el que se producía cada operación. Con todo ello, el gestor se aseguraba una gran cantidad de valiosa información susceptible de guiar decisiones comerciales relativas al momento y la cantidad de fruta que se ponía en circulación.

Es cierto que este control absoluto sobre la fruta producida por los licenciatarios facilitaba en gran manera la detección de la fruta que era introducida en el mercado por los productores abusivos, esto es, quienes la producían sin consentimiento del titular de los derechos sobre la variedad, mientras se alegaba que las mencionadas circunstancias no habían producido efectos restrictivos en el mercado.

Sin perjuicio de volver más adelante sobre la cuestión de la proporcionalidad, principio vital en la aplicación del Derecho de la competencia, sobre esta segunda cuestión puede decirse que, tal y como ha reiterado el TJUE en numerosas ocasiones, "*no es necesario tener en cuenta los eventuales efectos de una acción toda vez que tiene por objeto, restringir, distorsionar la competencia en el mercado común. Del tenor del art. 81.1 del Tratado se deriva que, como en el caso de acuerdos entre empresas o de decisiones de asociaciones de empresas, éstas están prohibidas, independientemente de cualquier efecto cuando tienen objeto anticompetitivo*", (C. -105/04, C-56-58/64, C-45/85, entre muchos otros pronunciamientos)

En efecto, la CNMC concluyó que, de esta forma configurado, el entramado contractual erigido sobre los contratos de licencias de explotación, otorgaba a sus organizadores (diversas personas jurídicas que se sucedían en el tiempo), un control cuasi absoluto de los datos de producción en tiempo real que les permitía a su vez, de forma indirecta, ser capaces de influir en el precio, aumentando o disminuyendo la cantidad introducida en el mercado.

En este sentido, y aunque no es citado por la resolución, el caso presenta notables similitudes con el supuesto que originó el pronunciamiento del TJUE C-105/04, *Nederlandse Federatieve Vereniging voor de Groothandel op Elektrotechnisch Gebied v Comisión*. En él también se enjuiciaban acuerdos entre tres asociaciones y sus miembros por los cuales se establecían acuerdos colectivos de exclusividad recíproca en todos los niveles de la cadena de distribución de productos electrotécnicos en Holanda (*reciprocal collective exclusive dealing arrangements*). Dichos acuerdos cerraban por completo el concreto mercado, estableciendo un control absoluto sobre él, pues devenía materialmente imposible para un distribuidor ajeno a estas asociaciones poder proveerse o introducir dichos productos en el territorio holandés. En tal sentido, los productores y sus agentes e importadores enviaban los productos eléctricos sólo a miembros de la asociación y los instaladores obtenían dichos suministros sólo de dichos miembros.

De modo similar al caso Carpa Dorada, la asociación servía de vehículo para concertar prácticas restrictivas de la competencia de carácter horizontal, dado que, según la Comisión "*by directly and indirectly restricting the freedom of its members to determine their selling prices independently, on the basis of the binding decisions on fixed prices and publications, by distributing to its members price guidelines for gross and net prices and by providing a forum for its members to discuss prices and discounts*".

El caso citado afectaba a varias y heterogéneas decisiones y prácticas, con diferentes objetivos inmediatos, pero de cuya efectiva realidad y conexión recíproca podía deducirse sin especial problema la existencia de un "plan superior", previo, general y vinculante, pues pudo demostrarse que dichas prácticas estaban conectadas desde un punto de vista material y compartían el mismo objeto anti-competitivo consistente en "*mantener los precios en niveles supra-competitivos, primero, reduciendo la competitividad de empresas que intentaban operar en el mercado de la distribución mayorista y, por tanto, competir con los miembros de la asociación sin estar afiliadas y, segundo, coordinando parcialmente sus políticas de precios*".

4. ADECUACIÓN DE LOS SISTEMAS DE DETECCIÓN AL DERECHO DE LA COMPETENCIA

A la luz de lo mencionado, si bien es cierto que la tutela de los legítimos intereses comunes del obtentor y del productor, como la detección de plantaciones ilícitas o la promoción de la imagen del producto, puede llevarse a cabo mediante la introducción en los contratos de licencia de obligaciones suplementarias y requisitos, por ejemplo, de etiquetado del producto, las mismas no recaen en el ámbito de aplicación del RECATT y, por tanto, no quedan exentas de la aplicación de derecho de la competencia, como hemos visto.

Huelga decir que cualquier acuerdo entre obtentor y productor sobre identificación de la fruta legalmente producida de acuerdo a unos parámetros y un diseño prestablecido, sea una marca o no lo sea, será lícito siempre que respete los postulados del Derecho de la competencia, cuya aplicación se erige sobre una importante premisa: la de garantizar la plena autonomía de los licenciatarios de la variedad a la hora de fijar todos y cada uno de los extremos que afectan a sus relaciones comerciales, tanto objetivos como subjetivos. Es decir, cada productor licenciatario debe poder determinar de forma autónoma e independiente la política comercial que se propone adoptar y las condiciones que desea ofrecer a sus clientes.

En palabras del TJUE "*cada operador económico debe determinar de forma independiente la política que se propone adoptar en el mercado único. Dicho requisito de autonomía, por tanto, excluye tajantemente cualquier contacto directo o indirecto que pueda influenciar la conducta en el mercado de un competidor actual o potencial, o revelar a dicho competidor la estrategia que dicho operador ha decidido o pretende aplicar en el mercado, cuando el objeto o efecto de dicho contacto da lugar a la creación de condiciones de competencia que no se corresponden con las condiciones normales de mercado*" (T-Mobile Netherlands and Others, C-8/08).

Por ello, es necesario que cualquier sistema que aspire a tutelar los legítimos intereses de las partes, como los ya mencionados, a través de un sistema de identificación de una variedad vegetal, permita a cada productor elegir libremente los canales de comercialización *a valle*, en atención a criterios basados únicamente en motivos de conveniencia económica (mejor precio, mejores condiciones en los términos y medios de pago, etc.). Del mismo modo, el sistema no debe instrumentar cortapisas a la libertad del productor de fijar las condiciones comerciales apenas mencionadas (precio, forma y medios de pago) en un proceso ordinario de negociación contractual bilateral.

4.1. *La externalización del control del sistema de licencias y etiquetado y los intercambios de información*

Por otro lado, la práctica demuestra la frecuencia, y conveniencia, de que la gestión de estos sistemas de etiquetado se externalice a través de un tercero con capacidad y conocimientos técnicos suficientes. Pues bien, independientemente de las condiciones subjetivas del gestor, el desarrollo de la labor de la gestión del sistema de etiquetado no puede suponer una restricción de la competencia.

Y dado que la emisión de etiquetas requiere recabar información sobre la producción que se pretende etiquetar, el principal riesgo en el que incurría e diseño de estos sistemas sería el de permitir intercambios de información estratégica susceptible de inducir a una concertación horizontal. Partiendo de que no todo intercambio de información es lesivo desde el punto de vista de la competencia[177], pues en ocasiones pueden generar algún tipo de eficiencia económica que beneficie al consumidor, sin embargo, el intercambio de infor-

---

[177] En palabras de la actual Presidenta de la CNMC, FERNÁNDEZ, C., "Los intercambios de información", disponible en https://frdelpino.es/investigacion/wp-content/uploads/2015/09/DE001-09_Intercambio_informacion-Fernandez.pdf, efectivamente, los intercambios de información entre competidores pueden generar beneficios o pérdidas para la competencia, y por tanto deben ser analizados sin partir de enfoques que los condenen *per se*.

mación puede suponer restringir la competencia al posibilitar la cartelización de un sector o parte del mismo[178].

Esto sólo ocurrirá cuando el intercambio de información pueda, bien facilitar la colusión, es decir, sea susceptible de reducir la incertidumbre estratégica en el mercado, bien incrementar la estabilidad interna de una práctica colusoria, al permitir detectar desviaciones del pacto ilegal inicial. Y, para ello, como decimos, la información intercambiada debe ser estratégica. Sobre qué información ha de entenderse estratégica se ha pronunciado detalladamente la Comisión Europea al manifestar que lo será aquella referida a precio, cantidad, calendario o costes de producción, calidad del producto, planes de comercialización y listados de clientes[179].

Tal y como establecen las Directrices, asimismo, habrán de considerarse otras características de los datos intercambiados y, de este modo, es más probable que el intercambio de información sea considerado colusorio cuando se refiera a "datos o previsiones a futuro" que cuando se refiere a datos en tiempo real. La razón es que los primeros otorgan, en una mayor medida, el margen de tiempo necesario para organizar una programación coordinada. Por otro lado, es menos probable que el intercambio de información sea considerado colusorio cuando la información intercambiada tenga carácter agregado, es decir, dificulte el reconocimiento de información individualizada de cada productor, por lo que si la información a la que tienen acceso los productores es de naturaleza general y referida a datos globales no puede ser considerada un elemento de cartelización. En tercer lugar, el intercambio de datos históricos es poco susceptible de generar conflictos con el derecho de la competencia. En este sentido, si bien es cierto que no existe un umbral temporal nítido para que un dato sea considerado histórico, debe entenderse que lo serán aquellos cuya antigüedad supere en varias veces la duración media de los contratos en el sector.

En cuarto lugar, cuanto más frecuentes sean los intercambios de información más se considera que pueden facilitar la coordinación entre productores. En el sector agrícola, caracterizado por contratos a corto plazo y frecuentes renegociaciones de precios (mercado poco estable), un intercambio de información aislado o infrecuente reduce la probabilidad de ilicitud. En último lugar, el intercambio de información debe ser indispensable para la eficiencia que se pretenda conseguir, y no ir más allá de lo estrictamente necesario para obtenerla. En este sentido, es importante advertir que, según la Comisión europea, el intercambio de datos individualizados sobre intenciones futuras, sobre todo

---

[178]   Un análisis pormenorizado de los supuestos en que el intercambio de información puede ser restrictivo de la competencia se encuentra en las Directrices sobre la aplicabilidad del artículo 101 del Tratado de Funcionamiento de la Unión Europea a los acuerdos de cooperación horizontal

[179]   Par. 86, Directrices sobre cooperación horizontal.

referido a precios y cantidades, no se considera indispensable, con carácter general[180].

Los intercambios de información han adquirido una importancia creciente en la práctica de las Autoridades de la competencia en los últimos años, tanto en las relaciones verticales como horizontales. La actividad investigadora y sancionadora de nuestra CNMC así lo manifiesta, pues estas prácticas han sido objeto de atención prioritaria en los últimos tiempos por parte de nuestra Autoridad, como demuestra el elevado número de expedientes investigados y/o sancionados por este motivo[181]. A mayor abundamiento, en mercados en que la oferta está ya limitada por la presencia de derechos exclusivos de propiedad industrial, como es el caso de las obtenciones vegetales, el riesgo de comportamientos colusivos es, si cabe, mayor.

Y aunque los competidores pueden intercambiar información de forma directa, es usual que este intercambio de información se produzca en el seno o a través de entidades terceras, que pueden ser asociaciones, proveedores comunes, que reciben y canalizan los datos de interés para los operadores.

---

[180]   Como hemos dicho, "*la esencia de la competencia es que cada empresa debe actuar en el mercado de forma independiente respecto al resto de sus competidores*" de manera que "*si los competidores acuerdan intercambiar información detallada sobre sus respectivas políticas de precios, planes de inversión o proyectos de I+D, el intercambio de dicha información facilita que pueda producirse una acción coordinada*", Torrelles Torrelles, J., "El intercambio de información entre competidores en las nuevas Directrices sobre acuerdos de cooperación horizontal", Anuario de Competencia, 2010, p. 221.

[181]   Con fecha 10 de abril de 2019, la CNMC sancionó a las principales empresas fabricantes de tabaco y a la distribuidora LOGISTA, por intercambio de información sensible relativa a las ventas de cigarrillos, https://blog.cnmc.es/2019/04/15/sancion-de-competencia-intercambio-de-informacion-estrategica/.
   También en 2019, la CNMC inició una investigación sobre posibles prácticas anticompetitivas en el mercado de la intermediación inmobiliaria consistentes en acuerdos y/o prácticas concertadas para la fijación, directa o indirecta de precios y otras condiciones comerciales, así como el intercambio de información comercialmente sensible. En este último caso, se investiga especialmente si el *sofware* inmobiliario suministrado por las empresas proveedoras de estos servicios informáticos habría facilitado la fijación de comisiones para la venta y el alquiler de inmuebles mediante el empleo de algoritmos para posibilitar tanto el intercambio de información como la fijación, https://blog.cnmc.es/2019/04/15/sancion-de-competencia-intercambio-de-informacion-estrategica/
   Ya en el año 2020, la CNMC ha incoado, de nuevo, expediente sancionador a diversas empresas del sector siderúrgico, por posible intercambio de información entre productores y comercializadores para determinar el precio futuro en el mercado de compra de la chatarra férrica y de comercialización de productos finales de acero al carbono, https://www.cnmc.es/en/node/382401.
   Otros casos pueden consultarse en las Resoluciones de la CNMC, de 3 de mayo de 2018, Agencias de medios, y de 23 de julio de 2015, Fabricantes de automóviles, o en la STS 66/2019, de 28 de enero de 2019.

Estos terceros han sido considerados, en muchas ocasiones, como facilitadores de un cartel, es decir, como terceros cuya presencia auxilia, favorece, coadyuva o facilita la infracción de otros sujetos, pudiendo actuar como planificadores, intermediarios, impulsores, asesores o auditores de un cártel. El recurso a esta figura se ha convertido en frecuente en la praxis de la CNMC para "capturar" a sujetos dispares que encuentran en el perímetro del ilícito concurrencial[182] y su conceptualización ha sido desarrollada por la jurisprudencia. En este sentido, puede afirmarse que, el facilitador de un cártel puede no ser una empresa ni perseguir con su actuación en favor del cártel el mismo objetivo anticompetitivo que los demás miembros del mismo[183], que puede serlo también la administración pública[184], en este caso una Consejería andaluza, y que tampoco es necesario que opere en el mercado afectado por el cártel[185].

Por último, puede decirse que los intercambios de información lesivos para la competencia pueden obedecer a una directriz que parte de las estructuras de dirección, pero quizás puedan deberse, también, a actos singulares de empleados con responsabilidades de comunicación. En cualquier caso, si el intercambio de información se considera restrictivo de la competencia, será sancionado pues, como ha quedado establecido en la jurisprudencia del TJUE, *"las posibles actividades contrarias a la competencia de un trabajador se atribuyen a la empresa de la que forma parte, y, en principio, ésta es considerada responsable, sin importar la existencia de una acción de los socios o los directivos principales de la misma, ni siquiera que éstos tengan conocimiento de esta actividad"* (Musique Diffusion française y otros/Comisión C-100/80 a 103/80, y Slovenská sporiteľňa, C-68/12).

5. CONCLUSIONES

La aticipidad del contrato de licencia sobre obtenciones vegetales permite una elevada autonomía a las partes a la hora de regular los distintos intereses de las partes. La práctica demuestra que esta autonomía es aprovechada para introducir en estos contratos previsiones suplementarias a la mera cesión de la tecnología, que darían cobertura a una cierta legítima colaboración entre obtentor y productor en la defensa de intereses comunes. Estos intereses engloban, entre otros, la detección de producciones abusivas, esto es, sin contar con

---

[182]   MARCOS, F., "Las prohibiciones de prácticas anticompetitivas (TFUE y LDC): ¿es infractor quien facilita la comisión de las conductas prohibidas?", Anuario Competencia ICO 2016, y del mismo autor en https://almacendederecho.org/la-incontinente-figura-del-facilitador-de-las-infracciones-concurrenciales-en-espana
[183]   Treuhand, STJUE de 22 de octubre de 2015, C-194/14.
[184]   STS de 18 de julio de 2016, entre otras.
[185]   STS de 21 de mayo de 2020, Absorbentes.

la debida autorización del titular del derecho sobre la variedad, o la promoción del valor e imagen de la variedad en el mercado, y pueden tutelarse mediante la incorporación de obligaciones de etiquetado del fruto de la cosecha, fruto al que no alcanzan los derechos exclusivos del obtentor.

Por ello, y aun partiendo de la indiscutible legitimidad de tales pactos, los mismos quedarían excluidos del ámbito de aplicación del RECATT y sometidos, en cambio, a las reglas del Derecho de la competencia. Por la especial configuración de este mercado, cobrarían especial virtualidad, por un lado, las relativas a las relaciones verticales y, por otro, las relativas a los intercambios de información que, aunque pormenorizada en las Directrices sobre cooperación horizontal, puede decirse que tienen carácter transversal[186].

En este sentido, sin duda el caso Carpa Dorada supuso un duro golpe económico para una parte del sector agroalimentario valenciano, infundiendo un lógico temor en el resto de operadores y proyectando a la perfección un efecto disuasorio, fundamental en el Derecho de la competencia. Sin embargo, existen poderosas razones para insistir en la licitud de la cooperación entre obtentor y productores en la defensa de sus legítimos intereses comunes, salvaguardando, en todo caso, las premisas que harían de su cooperación una concertación saludable en términos concurrenciales, sobre la base de los postulados descritos. Por ello, hay que avanzar en el camino de establecer puertos seguros para esta colaboración, pues es todavía escaso el acervo jurisprudencial sobre la materia.

---

[186]   Véanse las referencias a esta problemática en las Directrices relativas a las restricciones verticales par. 20, par. 212, entre otros.

Cláusula de reparto de valor en la contratación agrícola: algunos aspectos contractuales

JOSÉ CORBERÁ MARTÍNEZ
Profesor ayudante doctor de derecho mercantil.
Universitat politècnica de valència, CEGEA

1. INTRODUCCIÓN Y OBJETO

Una de las novedades introducidas en las recientes reformas legislativas aprobadas en el seno de la Unión Europea, en materia de política agrícola común, es la correspondiente a la posibilidad de acuerdo de las denominadas "cláusulas de reparto de valor" de una manera generalizada. Si bien, ya se reconocía con anterioridad en extinto sistema de cuotas que regía en el sector de la remolacha azucarera, para el que únicamente se reconocía a las cláusulas de reparto de valor. En la actualidad se regulan de manera específica en el artículo 172.*bis* del Reglamento (UE) n.° 1308/2013, por el que se crea la organización común de mercados de los productos agrarios[187], como consecuencia de la modificación operada por el Reglamento (UE) n.° 2017/2393, de 13 de diciembre de 2017, también conocido como "Reglamento Ómnibus"[188], que modificó varios Reglamentos correspondientes a la Política Agrícola Común (PAC)[189].

---

[187]   Reglamento (UE) n.° 1308/2013 del Parlamento Europeo y del Consejo, de 17 de diciembre de 2013, por el que se crea la organización común de mercados de los productos agrarios y por el que se derogan los Reglamentos (CEE) n.° 922/72, (CEE) n.° 234/79, (CE) n.° 1037/2001 y (CE) n.° 1234/2007 (DO L 347 de 20.12.2013, p. 671) (en adelante "Reglamento (UE) n.° 1308/2013" o "Reglamento OCM").

[188]   Reglamento (UE) 2017/2393 del Parlamento Europeo y del Consejo, de 13 de diciembre de 2017, por el que se modifican los Reglamentos (UE) n.° 1305/2013 relativo a la ayuda al desarrollo rural a través del Fondo Europeo Agrícola de Desarrollo Rural (FEADER), (UE) n.° 1306/2013 sobre la financiación, gestión y seguimiento de la política agrícola común, (UE) n.° 1307/2013 por el que se establecen normas aplicables a los pagos directos a los agricultores en virtud de los regímenes de ayuda incluidos en el marco de la política agrícola común, (UE) n.° 1308/2013 por el que se crea la organización común de mercados de los productos agrarios y (UE) n.° 652/2014 por el que se establecen disposiciones para la gestión de los gastos relativos a la cadena alimentaria, la salud animal y el bienestar de los animales, y relativos a la fitosanidad y a los materiales de reproducción vegetal (DOUE L 350/15, de 29.12.2017) (en adelante "Reglamento (UE) n.° 2017/2393" o "Reglamento Ómnibus").

[189]   Para una aproximación a la evolución anterior de la PAC, entre otros vid. FERNÁNDEZ TORRES, J. R., "La política agrícola común: origen, desarrollo y perspectivas", *Revista de Derecho de la Unión Europea*, n° 26, 2014, pp. 17-40; GUILLEM CARRAU, J., "Política Agrícola Común y Derecho de la Competencia", *Revista de Derecho de la Unión Europea*,

La inclusión de las cláusulas de reparto de valor que efectuó el Reglamento (UE) n.º 2017/2393 en el Reglamento (UE) n.º 1308/2013, también se observa en la modificación del artículo 157.1.c).xv) de este último Reglamento, en el que, al regular las organizaciones interprofesionales, establece la posibilidad de que los Estados miembros puedan reconocer, previa solicitud, a las organizaciones interprofesionales de un sector específico[190] que, entre otros aspectos, *"persigan una finalidad específica que tenga en cuenta los intereses de sus miembros y los de los consumidores"*, que en particular podrá consistir el objetivo específico consistente en *"establecer cláusulas normalizadas de reparto de valor en el sentido del artículo 172 bis, incluidos los beneficios y las pérdidas comerciales, que determinen cómo debe repartirse entre ellas cualquier evolución de los correspondientes precios de mercado de los productos de que se trate u otros mercados de materias primas"*.

Esta misma posibilidad también se contempla en el artículo 157.3.c).xii) del Reglamento (UE) n.º 1308/2013, al regular la posibilidad de reconocimiento de las organizaciones interprofesionales del sector lácteo y de los productos lácteos, siempre que cumplan diversos requisitos entre los que se encuentra el consistente *"en realizar, en una o varias regiones de la Unión, teniendo en cuenta los intereses de los miembros de estas organizaciones interprofesionales y de los consumidores una o varias de las actividades"*, como la consistente en establecer cláusulas normalizadas de reparto de valor en el sentido del artículo 172 *bis*.

Los anteriores preceptos del Reglamento (UE) n.º 1308/2013, además de reconocer la el establecimiento de cláusulas normalizadas de reparto de valor como una actividad considerada en el proceso de reconocimiento de las organizaciones interprofesionales, ofrecen las pautas en las que se podrán realizar, al remitir al sentido del artículo 172.*bis* del mismo cuerpo legal y al incidir en la posibilidad de incluir algunos de los parámetros barajados por dicho precepto, como se deduce de la inclusión de los beneficios y perdidas comerciales. Asimismo, e igualmente importante, dichos preceptos aluden a la función que están llamadas a desempeñar consistente en determinar cómo deben repartirse las partes la evolución de los correspondientes precios de mercado de los productos u otros de materias primas.

Sin embargo, como se ha dicho, la regulación específica y generalizada de las cláusulas de reparto de valor se encuentra en el vigente artículo 172.*bis* del

---

n° 26, 2014, pp. 135-166. Así como AMAT LLOMBART, P., "La política y las ayudas al desarrollo rural en la PAC 2014-2020: Proceso de aplicación en España", en AMAT LLOMBART, P.; MUÑIZ ESPADA, E. (eds. Lit.): *La nueva PAC 2014-2020: un enfoque desde el Derecho agrario*. Universitat Politècnica de València, Valencia, 2015, pp. 177-228. En la misma obra colectiva, vid. GUILLEM CARRAU, J. "Modos y cauces de decidir el Nuevo Derecho agrario de la UE (PAC post 2013)", pp. 1-26, y JIMENO FERNÁNDEZ, F., "Normas de competencia", pp. 101-134.

[190] Vid. art. 1.2 Reglamento (UE) n.º 1308/2013.

Reglamento (UE) n.º 1308/2013, en el que se establece que *"(s)in perjuicio de todas las cláusulas específicas de reparto del valor en el sector del azúcar, los agricultores, incluidas las asociaciones de agricultores, y su primer comprador podrán acordar cláusulas de reparto de valor, incluidos los beneficios y las pérdidas comerciales, que determinen la manera en que se reparten entre ellos la evolución de los precios de mercado pertinentes de los productos afectados u otros mercados de materias primas"*.

A través de este precepto, el legislador europeo instaura en el contexto agrícola un nuevo cauce de naturaleza contractual caracterizado, principalmente, por el alcance general con el que se dota, que supera al aludido sector del azúcar. Además, ofrece un mayor con respecto a los legitimados para su alcanzar su acuerdo, los parámetros que podrán considerarse y la finalidad centrada en la determinar el reparto de la evolución de los precios de mercado pertinentes, tanto de los productos afectados como de los precios de mercados de materias primas.

Con todo, no cabe duda de que la aproximación a este precepto revela diversas cuestiones que requieren una mayor claridad y concreción, como bien pueden las que surgen con respecto a su naturaleza, al fin que se persigue con esta novedosa, a la forma en que se deben pactar, a los criterios e indicadores que pueden emplearse, a su cumplimiento y a los remedios frente a su incumplimiento, así como pago y relación con la normativa prevista a los efectos de morosidad. Por otra parte, tampoco pueden pasar inadvertidas las cuestiones relacionadas con el encaje de las cláusulas de reparto de valor con la normativa en materia de defensa de la competencia, máxime a la luz de las especialidades que encuentra en el contexto de la política agrícola[191]. Estas cuestiones también han sido aproximadas[192], en un intento de determinar la configuración jurídica de este nuevo recurso y su potencialidad a la hora de equilibrar el re-

---

[191]   Vid. GUILLEM CARRAU, J. "Política Agrícola Común y Derecho de la Competencia", cit., pp. 135-166, id., "Las derogaciones a la normativa del Derecho de la competencia y las organizaciones de productores" *Revista Española de Estudios Agrosociales y Pesqueros*, nº 248, 2017, pp. 91-135; Jimeno Fernández, F. "Normas de competencia", cit., pp. 101-134; Amat Llombart, P., "La especial aplicación del derecho de la competencia a la producción y comercialización de productos agrícolas en el marco de la PAC", *Revista de Derecho Agrario y Alimentario*, nº 71, 2017, pp. 7-27, y, recientemente, CARBAJO CASCÓN, F., "Las exenciones agrícolas en el difícil equilibrio entre política agraria común y Derecho de la competencia en la Unión Europea", *Actas de Derecho Industrial y Derecho de Autor*, nº 40, 2019-2020, pp. 31-54

[192]   Vid. CORBERÁ MARTÍNEZ, J., "Cláusula de reparto de valor en el sector agroalimentario y derecho de la competencia", en Tato Plaza, A.; Costas Comesaña, J.; Fernández Carballo-Calero, F. J.; y Torres Pérez, F. (dirs.): *Nuevas Tendencias en el Derecho de la Competencia y de la Propiedad Industrial II*. Comares, Granada, 2019, pp. 19-32 y, asimismo, "Evolución de las cláusulas de reparto de valor en el sector agrícola en el Derecho de la Unión Europea", *Revista Española de Estudios Agrosociales y Pesqueros*, nº 255, 2020, pp. 99-134.

parto de valor en la cadena agrícola, del que también se han hecho eco algunas entidades sectoriales[193].

Todas estas cuestiones bien se pueden agrupar, *grosso modo* y en lo que ahora interesa, en dos grandes grupos: de un lado, aquellos aspectos de carácter contractual que atañen a las cláusulas de reparto de valor -a tenor de su vaga configuración en el artículo 172.*bis* del Reglamento (UE) n.º 1308/2013-, y de otro, las cuestiones referentes a su adecuación con la normativa sobre Derecho de la competencia. Sin perjuicio del interés que suscita y la importancia que reviste el enfoque centrado en la relación de dichas cláusulas con el Derecho de la competencia[194], en esta ocasión, el presente trabajo tiene como objeto la exposición sintética de algunos aspectos contractuales[195] de las cláusulas de reparto de valor en la contratación agrícola legalmente previstos en la normativa de la Unión Europea -y, en su caso nacional-, que viertan mayor certidumbre sobre este recurso impulsado por el legislador europeo.

Para tal fin, se partirá de la aproximación a la configuración vigente de las cláusulas de reparto de valor, en especial, en lo que atañe a los sujetos que podrán negociarlas y acordarlas, así como en relación con aquellos criterios que podrán ser tomados como referencia. Se acompañará la exposición de sus antecedentes legales y de su configuración en las modificaciones legislativas europeas proyectadas, en las que se evidencia la decidida voluntad del legislador de impulsar el empleo de este mecanismo, caracterizado como un elemento económico distinto del precio. También se atenderá a otros aspectos contractuales de las cláusulas de reparto de valor regulados de manera expresa, como es de ver en la regulación que ordena la relación de las cláusulas de reparto de valor con la normativa en materia de morosidad. Por otra parte, también resulta oportuno incidir en el importante papel de las de las organizaciones en la negociación, acuerdo e inclusive ejercicio de acciones frente al incumplimiento de las cláusulas de reparto valor. Finalmente, se formularán unas breves conclusiones sobre la potencialidad del empleo de las cláusulas de reparto de valor en la contratación agrícola.

---

[193]   Vid. Institut Valencià d'Investigació i Formació Agroambiental, IVIFA, *Estudio técnico sobre la inclusión de una cláusula de valor en los contratos agropecuarios y sobre la compatibilidad de la fijación de un precio mínimo de comercialización de acuerdo con el derecho de la competencia, que permita nuevos mecanismos de organización comercial para el sector agrario valenciano, y pueda coadyuvar a lograr un precio digno para los agricultores valencianos*, IVIFA, noviembre 2020, pp. 1-174.

[194]   Al respecto, vid. CORBERÁ MARTÍNEZ, J., "Cláusula de reparto de valor ...", cit., pp. 19-32, así como en la presente obra, MARTÍ MIRAVALLS, J., "La cláusula de reparto de valor desde la perspectiva del Derecho de la competencia" (vid. supra).

[195]   Con carácter general, sobre la contratación por contrato en la agricultura, vid., UNIDROIT, FAO, FIDA, *Guía jurídica sobre agricultura por contrato UNIDROIT/FIDA/FAO*, Roma, 2017, pp. 1-287.

2. ASPECTOS CONTRACTUALES DE LAS CLÁUSULAS DE REPARTO DE VALOR EN LA CONTRATACIÓN AGRÍCOLA

En la actualidad, la regulación de las cláusulas de reparto de valor se contiene, de manera principal, en el artículo 172.*bis* del Reglamento (UE) n.º 1308/2013 tras la modificación operada por a finales del año 2017 por el denominado Reglamento Ómnibus. En concreto, dicho precepto integra una nueva Sección 5*bis*, bajo la rúbrica "Cláusulas de reparto de valor", dentro el Capitulo III sobre "Organizaciones de productores y sus asociaciones, y organizaciones interprofesionales", del Título II del Reglamento (UE) n.º 1308/2013 dedicado a las "Disposiciones aplicables a la comercialización y a las organizaciones de productores". Este precepto, como se ha tenido ocasión de expresar, en otro momento y lugar, acota su ámbito de aplicación desde una concreta perspectiva subjetiva y objetiva de las que se deduce una configuración más amplia y generosa que la establecida en el antecedente normativo inmediato, únicamente aplicable al sistema de cuotas que regía el sector del azúcar en la Unión Europea hasta el año 2017.

En particular, en la actualidad, las cláusulas de reparto de valor son acuerdos voluntarios que inciden en un elemento económico distinto del precio de venta. Se ha estimado que se trata de una *"ventaja adicional, que se engloba en el concepto más amplio de retribución, pero que no forma parte del precio"*, y como una *"condición comercial que generan una posible obligación adicional de pago a favor de una de las partes"*196. *Inclusive podría identificarse con una prima. Un mejor entendimiento de este mecanismo debe partir de lo previsto en el Considerando 56º del Reglamento Ómnibus del año 2017. En concreto incide en diversos objetivos de las cláusulas de reparto de valor. Estos objetivo se centran, de un lado, en aquellos que afectan al mercado, y de otro, en los tocantes al papel de las organizaciones interprofesionales, como son los consistentes en facilitar una mejor transmisión de las señales del mercado, el refuerzo de los vínculos entre los precios al productor y el valor añadido en toda la cadena de suministro, así como el propio papel relevante de las Organizaciones Interprofesionales a la hora de posibilitar el dialogo entre agentes y promover las mejores prácticas y la transparencia en el mercado197.*

---

196   Vid. Institut Valencià d'Investigació i Formació Agroambiental, IVIFA, *Estudio técnico...*, cit., p. 162.

197   En concreto, el Considerando 56 del Reglamento Ómnibus indica el fin consistente en *"facilitar una mejor transmisión de las señales del mercado y reforzar los vínculos entre los precios al productor y el valor añadido en toda la cadena de suministro"*, para lo que los agricultores (así como las asociaciones de agricultores), *"deben poder ponerse de acuerdo con su primer comprador"* con respecto a las cláusulas de reparto de valor y de una manera particular las centradas en *"las ganancias y pérdidas comerciales"*. Asimismo, el Considerando 56º del Reglamento Ómnibus también liga el anterior fin a las funciones que están llamadas a realizar las organizaciones interprofesionales como instrumento vertebrador de

2.1. Sujetos legitimados

El artículo 172.*bis* del Reglamento (UE) n.º 1308/2013 indica las personas legitimadas para acordar este tipo de cláusulas al hacer referencia expresa a la parte vendedora y a la compradora. La parte vendedora se identifica con los "agricultores"[198], noción en la que incluye también a las asociaciones de agricultores, y la compradora con el primer comprador de los agricultores.

A estos efectos, es oportuno poner de manifiesto que, sin perjuicio de que la citada norma haga referencia expresa a los agricultores -en general-, parece lógico pensar que el contexto óptimo para la negociación y celebración de las cláusulas de reparto de valor, desde una perspectiva subjetiva, será el identificado con las asociaciones de agricultores y, en particular, a las organizaciones interprofesionales. Y así queda reflejado en el artículo 157.1.c).xv) del Reglamento (UE) n.º 1308/2013 al expresar el objetivo específico consistente en establecer cláusulas normalizadas de reparto de valor en el sentido del artículo 172.*bis*.

La idoneidad de las organizaciones interprofesionales para la negociación y celebración de las cláusulas de reparto de valor, se afirma ya no solo en atención a las implicaciones que puedan deducirse tomando en consideración el Derecho

---

la transparencia, y como expresa el citado Considerando 56º: *"a la hora de posibilitar el diálogo entre los agentes de la cadena de suministro y promover las mejores prácticas y la transparencia del mercado"*.

[198]   El Reglamento (UE) n.º 1308/2013 no ofrece definición de agricultor, y remite en su art. 3 a las definiciones que figuran en el Reglamento (UE) no 1306/2013 sobre la financiación, gestión y seguimiento de la Política Agrícola Común, por el que se derogan los Reglamentos (CE) no 352/78, (CE) no 165/94, (CE) no 2799/98, (CE) no 814/2000, (CE) no 1290/2005 y (CE) no 485/2008del Consejo (DOUE 20.12.2013 L 347/549) que, en este punto, se remite al Reglamento (UE) n ° 1307/2013 del Parlamento Europeo y del Consejo, de 17 de diciembre de 2013, por el que se establecen normas aplicables a los pagos directos a los agricultores en virtud de los regímenes de ayuda incluidos en el marco de la Política Agrícola Común y por el que se derogan los Reglamentos (CE) n ° 637/2008 y (CE) n ° 73/2009 del Consejo (DO L 347 de 20.12.2013), en cuyo art. 4.1.a) establece que, "agricultor" es *"toda persona física o jurídica o todo grupo de personas físicas o jurídicas, independientemente del régimen jurídico que otorgue la legislación nacional a este grupo y a sus miembros, cuya explotación esté situada en el ámbito de aplicación territorial de los Tratados, tal como se establece en el artículo 52 del TUE, leído en relación con los artículos 349 y 355 del TFUE, y que ejerza una actividad agraria"*. En este precepto también se define "explotación" como *"todas las unidades utilizadas para actividades agrarias y administradas por un agricultor y situadas en el territorio de un mismo Estado miembro"* y "actividad agraría" como *"i) la producción, la cría o el cultivo de productos agrarios, con inclusión de la cosecha, el ordeño, la cría de animales y el mantenimiento de animales a efectos agrarios, o ii) el mantenimiento de una superficie agraria en un estado adecuado para pasto o cultivo sin ninguna acción preparatoria que vaya más allá de los métodos y maquinaria agrarias habituales basándose en criterios que fijarán los Estados miembros, sobre la base de un marco establecido por la Comisión, o iii) la realización de una actividad mínima definida por los Estados miembros, en superficies agrarias naturalmente mantenidas en un estado adecuado para pasto o cultivo"*.

de la competencia, sino también atendiendo a la mejor posición negociadora de estas entidades, al mayor conocimiento de los parámetros o criterios económicos empleados para efectuar el reparto de valor y, asimismo, a la mayor capacidad de defensa de los intereses de los agricultores, como bien puede ser mediante la reclamación de cumplimiento de las cláusulas de reparto de valor[199]. En este sentido, es claro el Considerando 56° del Reglamento Ómnibus antes visto, en el que también se expresa, en consecuencia, que las organizaciones interprofesionales *"deben estar autorizadas a establecer cláusulas de reparto del valor"*.

2.2. Objeto del acuerdo

Por otro lado, el texto del artículo 172.*bis* del Reglamento (UE) n.º 1308/2013 ahonda en el tipo de cláusulas y los parámetros que podrán pactar las partes con una clara finalidad basada en el reparto de valor. Asimismo, del citado precepto también cabe identificar algunas notas que permitan su caracterización. En este sentido y de una forma general, se puede afirmar que esta norma permite que unas partes concretas, los agricultores y sus primeros compradores alcancen acuerdos sobre el reparto de valor, finalidad con la que el legislador europeo contempla la posibilidad de pacto de estas cláusulas.

Para lograr este fin, en primer lugar, se permite el empleo de todas las cláusulas específicas de reparto de valor del sector azúcar, en el que ya se contemplaban durante la vigencia del sistema de cuotas que finalizó en el año 2017. Pero, en segundo lugar, también se posibilita el acuerdo de cláusulas sobre el reparto de valor por las que se determine la forma de reparto entre las partes de la evolución de los precios de mercado pertinentes de los productos afectados, así como otros mercados de materias primas. Para tal fin la norma prevé que incluso se tomen en consideración los beneficios y pérdidas comerciales. Con todo, no se debe olvidar que en la actualidad las cláusulas de reparto de valor se configuran con carácter voluntario, a diferencia de la configuración prevista para estas cláusulas durante el sistema de cuotas del azúcar en la Unión Europea hasta finales del año 2017.

2.3. Cláusulas de reparto de valor en el sector del azúcar

Durante la vigencia del sistema de cuotas del sector del azúcar en la Unión Europea, hasta el año 2017, las cláusulas de reparto de valor se contemplaron en el Anexo XI, punto XI del Reglamento (UE) 1308/2013 como condiciones de compra en el sistema de cuotas[200]. En concreto, se establecía en el citado

---

[199]   Vid., supra.

[200]   Un ejemplo ilustrativo de cláusula de reparto de valor es de ver en el Acuerdo Marco Interprofesional Azucarera campaña 2015-16 a 2019-20, en el que se establece: *"9.6.1. De*

Anexo que se *"establecerá, en particular, lo siguiente: (...) j) sin perjuicio de lo dispuesto en el artículo 135, cláusulas relativas al reparto, entre la empresa azucarera y los vendedores de remolacha, de la diferencia que pueda haber entre el umbral de referencia y el precio real de venta del azúcar".*

Sin embargo, tras el periodo de vigencia del sistema de cuotas del sector del azúcar en la Unión Europea se estableció la posibilidad de pactar cláusulas de reparto de valor con carácter opcional o voluntario a través del Reglamento (UE) 2016/1166, de 17 de mayo de 2016 que modifica el anexo X del Reglamento (UE) n.º 1308/2013 del Parlamento Europeo y del Consejo en lo que atañe a las condiciones de compra de remolacha en el sector del azúcar a partir del 1 de octubre de 2017[201], y el Anexo X del Reglamento (UE) 1308/2013. En concreto, la posibilidad de acuerdo de cláusulas de reparto de valor se sustenta en diversos motivos recogidos en el Reglamento Delegado de 2016, como son, en primer lugar, el deber de celebración por escrito de los contratos entre productores y azucareras[202]. En segundo lugar, en la claridad y seguridad jurídica en el proceso de transición hacia la liberalización sectorial[203]. En tercer lugar, atención a la caracterización del sector del azúcar y la evolución del sector del azúcar tras el sistema de cuotas Finalmente, el Reglamento Delegado de 2016 también sustenta las cláusulas de reparto valor en el carácter optativo de su negociación y acuerdo a partir de ese momento, y que ha perdurado hasta la actual configuración en el artículo 172.*bis* del Reglamento (UE) n.º 1308/2013.

De esta forma, hasta el año 2017 el Anexo IX del Reglamento (UE) n.º 1308/2013 contempló las cláusulas de reparto de valor como una de las condiciones de compra durante la vigencia del sistema de cuotas y, con posterioridad a la vigencia de dicho sistema a finales del año 2017, a través del Reglamento Delegado de 2016 y Anexo X del Reglamento OCM, las cláusulas de reparto de valor se configuraron con carácter optativo o voluntario.

---

conformidad con el apartado j del punto XI del Anexo XI y el apartado 3 del punto II del Anexo X, del Reglamento 1308/2013, la remolacha calificada finalmente como de cuota, reporte o reclasificada en las campañas 15/16 y 16/17, y toda la remolacha contratada en el resto de las campañas, recibirá además del precio establecido en las cláusulas en 9.2, 9.3, 9.4 y 9.5, un complemento variable medido en €/t de remolacha tipo, calculado en base a los precios de mercado del azúcar, de conformidad con una fórmula que se fijará junto con la oferta de contratación para todas las campañas y que será incorporada al contrato de suministro".

[201]   DOUE L 193/17, de 19.7.2016 (en adelante, "Reglamento Delegado de 2016").

[202]   Vid. Considerando 1º Reglamento Delegado de 2016, en el que se incide en el sistema de cuotas y la transición, tras su finalización, a las condiciones previstas en el Anexo X.

[203]   Vid. Considerando 2º Reglamento Delegado de 2016, en el que se advierte que el fin del sistema de cuotas (que conlleva también el del precio mínimo de la remolacha) y la previsible evolución del sector, aconseja modificar las condiciones de compra.

2.4. *Expansión de las Cláusulas de reparto de valor en la Propuesta de modificación del Reglamento (UE) n.º 1308/2013*

En la actualidad, se aprecia una tendencia expansiva en la promoción de las cláusulas de reparto de valor en la contratación agrícola. Como se he expresado con anterioridad, el vigente artículo 172.*bis* del Reglamento (UE) n.º 1308/2013 ha ampliado el posible ámbito de aplicación de las cláusulas de valor. Desde una perspectiva subjetiva, el citado precepto supera la anterior aplicación circunscrita al sector del azúcar y la amplia al resto de sectores, toda vez que las cláusulas de reparto de valor pasan a reconocerse "*a los agricultores, incluidas las asociaciones de agricultores y su primer comprador*", sin incluir ninguna referencia expresa a un sector en particular.

Por otra parte, la vigente configuración supera igualmente la modalidad inicial de aquello que constituía el objeto de reparto durante el sistema de cuotas del sector del azúcar. En concreto, la modalidad inicial de reparto se asentaba en "*la diferencia que pueda haber entre el umbral de referencia y el precio real de venta del azúcar*", mientas que en la actualidad el artículo 172. *bis* del Reglamento (UE) n.º 1308/2013 añade otras en las incluso pueden estar "*incluidos los beneficios y las pérdidas comerciales, que determinen la manera en que se reparten entre ellos la evolución de los precios de mercado pertinentes de los productos afectados u otros mercados de materias primas*". La ampliación del ámbito de aplicación y de las modalidades del objeto del reparto evidencian una decidida apuesta del legislador europeo por la utilización de este recurso voluntario.

Esta orientación se observa en la Propuesta de modificación del Reglamento (UE) n.º 1308/2013 en curso. En el proceso de modificación se observa un mayor detalle sobre diversos aspectos relativas a las cláusulas de reparto de valor, como es de ver en el Informe de la Comisión de Agricultura y Desarrollo Rural del Parlamento Europeo sobre la propuesta de modificación, de mayo de 2019, que contiene enmiendas sobre aspectos relativos a las cláusulas de reparto de valor, y, en segundo lugar, en las Enmiendas aprobadas por el Parlamento Europeo el 23 de octubre de 2020 sobre la propuesta de Reglamento del Parlamento Europeo y del Consejo que modifica, entre otros, el Reglamento (UE) n.º 1308/2013.

Las Enmiendas inciden en aspectos tales como la finalidad de las cláusulas de reparto de valor, en uso eficaz de las mismas, la ampliación del ámbito subjetivo derivado de la inclusión de nuevas agentes en la cadena a los que se les reconocería la posibilidad de acuerdo de las cláusulas de reparto de valor, así como, finalmente, la aplicación de este tipo de acuerdos en la contratación de productos con denominación de origen.

Valga en este momento centrar la atención en la propuesta sobre uso eficaz de las cláusulas de reparto de valor. En concreto, la Enmienda 34 relativa al

Considerando 23.*Octies* describe diversos indicadores económicos que pueden servir, para garantizar un uso eficaz, de criterio en las cláusulas de reparto de valor, como bien podrían ser los costes pertinentes de producción y comercialización, los precios de los productos agrícolas y alimenticios observados en el mercado o mercados de que se trate, y su evolución, las cantidades, composición, calidad, trazabilidad, o, en su caso, la observancia de un pliego de condiciones. Se trata de un conjunto de circunstancias concretas que podrían ser tenidas en consideración a la hora de acordar el reparto de valor.

También resulta oportuno informar que, a través de la propuesta sobre la extensión de las normas referentes a las cláusulas de reparto de valor, en la Enmienda 122 relativa al artículo 164 del Reglamento (UE) n.º 1308/2013, expresa que un Estado miembro podrá disponer, previa solicitud de una Organización representativa de la producción, comercio o transformación de un producto, que algunos acuerdos pactados en el marco de dicha organización, entre los que se recogen expresamente los contratos tipo y las cláusulas de reparto de valor compatibles con la normativa de la Unión Europea, puedan ser obligatorios de una forma limitada en el tiempo para operadores del sector, tanto que estén asociados a dicha organización como incluso aunque no lo estén. En consecuencia, también en la normativa europea proyectada se aprecia una tendencia expansiva en la promoción de las cláusulas de reparto de valor en la contratación agrícola.

2.5. Régimen de morosidad y cláusulas de reparto de valor

Una vez sentado que la cláusula de reparto de valor se debe identificar con un complemento variable, es decir, como un elemento económico diferente al precio, es oportuno incidir, siquiera de forma breve, en otro aspecto contractual legalmente previsto que atañe a las cláusulas de reparto de valor. En concreto, se trata de las previsiones legales sobre morosidad emanadas en el ámbito correspondiente a la Unión Europea y seguidas por el legislador nacional, en las que se establece la manera en la que se debe cohesionar este tipo de cláusulas con el tratamiento legal de la morosidad.

2.5.1. Tratamiento de las cláusulas de reparto de valor en la Directiva sobre prácticas comerciales desleales en las relaciones entre empresas en la cadena de suministro agrícola y alimentario

En primer lugar, en el contexto de la Unión Europea la Directiva (UE) 2019/633 del Parlamento Europeo y del Consejo, de 17 de abril de 2019, relativa a las prácticas comerciales desleales en las relaciones entre empresas en la cadena de suministro agrícola y alimentario[204], establece que las cláusulas de reparto de valor no quedan sujetas a lo previsto en dicha normativa en materia de morosidad.

Así lo expresa la Directiva (UE) 2019/633 al afirmar en su Considerando 18° que *"(l)as disposiciones sobre mora que se establecen en la presente Directiva no deben afectar a los acuerdos relativos a cláusulas de reparto del valor a tenor del artículo 172 bis del Reglamento (UE) n.o 1308/2013 del Parlamento Europeo y del Consejo".* Y así se refleja en el artículo 3 de la Directiva (UE) 2019/633, referente a la "Prohibición de prácticas comerciales desleales". En este precepto se establece con carácter general, en su primer apartado, que los Estados miembros se asegurarán de prohibir, como mínimo, todas las prácticas comerciales desleales por las que el comprador pague al proveedor más de 30 días después de la finalización del plazo de entrega acordado, cuando el contrato de suministro establezca la entrega periódica de los productos, o más de 30 días después de la fecha en que se fije la cantidad pagadera para dicho plazo de entrega, eligiéndose la fecha que sea posterior de las dos, en el caso de productos agrícolas y alimentarios perecederos, y de 60 días para otros productos agrícolas y alimentarios. No obstante, el artículo 3.1.i) de la Directiva (UE) 2019/633 prevé un régimen diferenciado para las cláusulas de reparto de valor, toda vez que quedan excluidas de la anterior prohibición general. En concreto, dicho precepto establece a modo de excepción que *"(l)a prohibición indicada en la letra a) del primer párrafo se entenderá sin perjuicio de: (...), — la posibilidad de que un comprador y un proveedor acuerden una cláusula de reparto del valor a tenor del artículo 172 bis del Reglamento (UE) n.o 1308/2013".* La redacción del artículo 3 3.1.i) de la Directiva (UE) 2019/633 debe servir para resolver las dudas que podría generar la posibilidad de acuerdo de cláusulas de valor establecida en el artículo 172.*bis* del Reglamento (UE) n.° 1308/2013 en relación con la regulación nacional sobre lucha contra la morosidad establecida en la Ley 3/2004, de 29 de diciembre, por la que se establecen medidas de lucha contra la morosidad en las operaciones comerciales[205].

En este sentido se afirma que la orientación de la Directiva (UE) 2019/633 confirma *"la interpretación consistente en que la cláusula de valor no es el precio de la venta, sino una condición comercial de contenido económico que, por su propia función, no puede quedar sometida al estricto cumplimiento de los plazos de las obligaciones de pago en sede de morosidad"*206. En consecuencia, el de-

---

[204]   DOUE L 111/59 de 25.4.2019 (en adelante "Directiva (UE) 2019/633").

[205]   BOE núm. 314, de 30/12/2004 (en adelante "Ley de lucha contra la morosidad"). Vid., entre otros, PALAU RAMÍREZ, F. y VICIANO PASTOR, J. (dirs.), *Tratado sobre la morosidad*, Aranzadi, Cizur Menor, 2012, pp. 1-870.

[206]   Vid. Institut Valencià d'Investigació i Formació Agroambiental, IVIFA, *Estudio técnico...*, cit., p. 143. Asimismo, vid. MIRANDA SERRANO, L. M. y GARCÍA MANDALONIZ, M., "Morosidad y Ley 11/2013 de medidas de apoyo al emprendedor", *Revista de derecho*

vengo de las cantidades que deriven de la aplicación de las cláusulas de reparto de valor se producirá en un momento ulterior al del devengo de la obligación de pago del precio de la compraventa a la que acompañan207. Ahora bien, una vez devengado el derecho de cobro de las cantidades que derive de la aplicación de las cláusulas de reparto de valor sí que se aplicará el régimen general de morosidad. Así se deduce de lo previsto en la vigente Ley 12/2013, de 2 de agosto, de medidas para mejorar el funcionamiento de la cadena alimentaria208, en la que se abordan las prácticas comerciales desleales209.

2.5.2. Regulación del incumplimiento de plazos de pago en la Ley de cadena alimentaria

La Ley de cadena alimentaria contempla en su artículo 23.2 la causa de infracción grave consistente en el incumplimiento de plazos de pago en las operaciones comerciales de productos alimentarios[210], en los siguientes términos: *"se considera infracción grave el incumplimiento de los plazos de pago en las operaciones comerciales de productos alimentarios o alimenticios, conforme a lo establecido en la Ley 15/2010, de 5 de julio, de modificación de la Ley 3/2004, de 29 de diciembre, por la que se establecen medidas de lucha contra la morosidad en las operaciones comerciales"*. Ahora bien, se debe recalcar que el empleo de las cláusulas de reparto de valor no se ve afectado por la normativa sobre morosidad en el sentido antes comentado, como también queda reflejado en el Considerando 18 de la Directiva (UE) 2019/633, de prácticas comerciales desleales, en el que se expresa que *"(l)as disposiciones sobre mora que se establecen en la presente Directiva no deben afectar a los acuerdos relativos a cláusulas de reparto del valor a tenor del artículo 172 bis del Reglamento (UE) n.° 1308/2013 del Parlamento Europeo y del Consejo"*. Como se ha dicho, el régimen de morosidad se aplicará con respecto a las cláusulas de reparto de valor una vez devengado el derecho de cobro de las cantidades que derive de su aplicación.

---

concursal y paraconcursal. Anales de doctrina, praxis, jurisprudencia y legislación, n° 20, 2014, pp. 93-132.

[207] Vid. ult. loc.

[208] BOE núm. 185, de 03/08/2013 (en adelante "Ley de cadena alimentaria"). Sobre la Ley de cadena alimentaria, vid. VICIANO PASTOR, J. (Dir.), *Retos en el sector agroalimentario valenciano en el Siglo XXI. A propósito de la Ley 12/2013, de 2 de agosto, de medidas para mejorar el funcionamiento de la cadena alimentaria*. Valencia, Tirant lo Blanch, 2019.

[209] Vid., VICIANO PASTOR, J., "Prácticas comerciales desleales entre empresarios en la Ley de Cadena Alimentaria", en VICIANO PASTOR, J. (Dir.), *Retos en el sector agroalimentario...*, cit., p. 127-157.

[210] Vid., ALONSO MÁS, Mª. J., "El régimen sancionador", en VICIANO PASTOR, J. (Dir.), *Retos en el sector agroalimentario*, cit., pp. 255-305.

2.5.3 Régimen de morosidad de cláusulas de reparto de valor

También es oportuno incidir, siquiera brevemente, en el régimen nacional previsto en materia de morosidad en Ley de lucha contra la morosidad. El objeto de esta Ley, como se establece en su artículo 1, se centra en combatir la morosidad en el pago de deudas dinerarias y el abuso, en perjuicio del acreedor, en la fijación de los plazos de pago en las operaciones comerciales que den lugar a la entrega de bienes o a la prestación de servicios realizadas entre empresas o entre empresas y la Administración.

De esta manera, la introducción de cláusulas de reparto en contratos que recojan, jurídicamente, operaciones comerciales no deberá contravenir el objeto de la Ley de lucha contra la morosidad, *"tanto en lo que respecta a no incurrir en morosidad una vez que la deuda derivada de la aplicación de la cláusula de reparto de valor se encuentre vencida y sea exigible como en lo que atañe a no fijar plazos comerciales de carácter abusivo para el posible pago que se deduzca de las mismas"*211.

Todo ello se debe entender sin perjuicio de los criterios empleados en la cláusula de reparto de valor, que podrá tomar factores que se verificarán tras la entrega, como son los beneficios y pérdidas comerciales que determinen la manera en que se reparten entre ellos la evolución de los precios de mercado pertinentes de los productos afectados u otros mercados de materias primas, a los que hace referencia expresa el vigente artículo 172 *bis* del Reglamento (UE) n.º 1308/2013.

Por otra parte, dado que la morosidad es *"el incumplimiento de los plazos contractuales o legales de pago"*, conforme establece el artículo 2.c) de la Ley de lucha contra la morosidad, las cláusulas de reparto de valor deberán contemplar el plazo contractual por el que proceder al pago correspondiente que, en su caso, se deduzca de liquidación llevada a cabo de acuerdo con los parámetros o criterios tomados en consideración en la cláusula. Es decir, *"se recomienda que las cláusulas de reparto de valor contemplen, directa o indirectamente, el plazo contractual por el que proceder al pago una vez calculada y devengada su cantidad"*212. En este supuesto, se trataría de plazos de pago de carácter contractual y, por lo tanto, su incumplimiento, activará los efectos jurídicos derivados de la morosidad, como son el devengo de los intereses de demora previsto en el artículo 5 de la Ley de lucha contra la morosidad, sin necesidad de aviso o intimación213, siempre que se cumplan los requisitos

---

211   Vid. Institut Valencià d'Investigació i Formació Agroambiental, IVIFA, *Estudio técnico…*, cit., p. 144.
212   Vid. ult. loc.
213   Art. 5 Ley de lucha contra la morosidad: *"El obligado al pago de la deuda dineraria surgida como contraprestación en operaciones comerciales incurrirá en mora y deberá pagar el interés pactado en el contrato o el fijado por esta Ley automáticamente por el mero incum-*

contemplados en el artículo 6 del mismo cuerpo legal[214], y la indemnización por costes de cobro establecida en el artículo 8 de la Ley de lucha contra la morosidad en operaciones comerciales.

En lo que atañe a los intereses de demora que deberá pagar el deudor de acuerdo con el artículo 7 de la Ley de lucha contra la morosidad, será el que resulte del contrato, y en caso de no existir pacto al respecto, será el tipo legal establecido en el artículo 7.2 de la Ley de lucha contra la morosidad, consistente en la suma del tipo de interés aplicado por el Banco Central Europeo a la operación principal más reciente de financiación efectuada con anterioridad del primer día del semestre natural, más 8 puntos porcentuales.

A falta de previsión contractual, el plazo máximo de pago es el establecido en el artículo 4 de la Ley de lucha contra la morosidad. Este precepto contempla que el plazo de pago que deberá cumplir el deudor en este supuesto de falta de fecha o plazo de pago en el contrato será de 30 días naturales tras la recepción de las mercancías o prestación de los servicios, también cuando hubiera recibido la factura o solicitud de pago equivalente con anterioridad.

2.6. Inaplicación de la legislación sobre ordenación del comercio minorista

Finalmente, también se debe prestar atención a la relación qué media entre la normativa de lucha contra la morosidad y la centrada en la ordenación del comercio minorista[215], en concreto, el no previsto en el artículo 17 de la Ley 7/1996, de 15 de enero, de Ordenación del Comercio Minorista[216], en la que se regula el pago a proveedores[217]. Baste decir que la Disposición Adicional Primera de la Ley de lucha contra la morosidad se prevé la aplicación, en primer lugar, del artículo 17 de la Ley de Comercio Minorista en el contexto de los pagos a los proveedores del comercio, y de manera supletoria -en segundo lugar-, a lo establecido en la Ley de lucha contra la morosidad. Sin embargo, el régimen previsto en la Ley de Comercio Minorista *"es aplicable al aplazamiento del precio de venta, pero no al pago de la cláusula de valor, que queda*

---

        plimiento del pago en el plazo pactado o legalmente establecido, sin necesidad de aviso de vencimiento ni intimación alguna por parte del acreedor".

[214]   En concreto, deberán concurrir simultáneamente los requisitos consistentes en: *"a) Que haya cumplido sus obligaciones contractuales y legales. b) Que no haya recibido a tiempo la cantidad debida a menos que el deudor pueda probar que no es responsable del retraso".*

[215]   Vid. Institut Valencià d'Investigació i Formació Agroambiental, IVIFA, *Estudio técnico...*, cit., p. 145.

[216]   BOE núm. 15, de 17/01/1996 (en adelante, "Ley de Comercio Minorista").

[217]   Art. 17.1 Ley de Comercio Minorista: "A falta de plazo expreso, se entenderá que los comerciantes deben efectuar el pago del precio de las mercancías que compren antes de treinta días a partir de la fecha de su entrega".

*sometido al régimen general de pagos previstos en la ley de morosidad"*218, por lo que, en consecuencia, se trata del plazo de 30 días en el supuesto de falta de pacto, y de no más de 60 días en el supuesto existencia de pacto conforme al artículo 5 de la Ley de lucha contra la morosidad.

2.7. Cláusulas de reparto de valor y organizaciones agrarias

A pesar de que la redacción del artículo 172.*bis* del Reglamento (UE) n.° 1308/2013 contempla la posibilidad de que las cláusulas de reparto de valor sean negociadas y acordadas por el agricultor, directamente, con el primer comprador, es oportuno reiterar la conveniencia de que su negociación, acuerdo y el seguimiento de su cumplimiento se lleve a cabo a través de organizaciones agrarias. En este sentido, y más allá de la conveniencia que puede tener, en algunos supuestos, desde un punto de vista basado en la cohesión de las cláusulas de reparto de valor con la normativa en materia de defensa de la competencia[219], aspecto que excede del presente trabajo, es de interés destacar el papel que desempeña las organizaciones agrarias, ya no solo en el proceso de negociación y acuerdo entre los que se incluirán las cláusulas de reparto de valor, sino también en la observancia de su cumplimiento y en el consecuente ejercicio de acciones en aquellos supuestos de incumplimiento.

Al respecto, se debe hacer eco del reciente laudo de la Corte de Arbitraje de la Cámara de Comercio e Industria de Madrid de marzo de 2021 en el que, además de establecer una indemnización a favor de los agricultores del sector de la remolacha derivada de la reducción unilateral del precio de la remolacha establecido en el Acuerdo Marco Interprofesional, se *"establece que las organizaciones profesionales agrarias pueden negociar estos acuerdos con cláusulas de reparto de valor. Es decir, la negociación del precio base la podrán hacer los agricultores en sus contratos, bien individualmente –agricultor a agricultor- o bien colectivamente –contratando con Azucarera a través de la organización agraria, cooperativa o empresa a la que hayan cedido su contratación"*220.

---

[218] Vid. Institut Valencià d'Investigació i Formació Agroambiental, IVIFA, *Estudio técnico...,* cit., p. 146.

[219] Ibid., p. 53, al indicar al respecto que "el puerto más seguro es el de las organizaciones interprofesionales".

[220] Vid. COAG, "*COAG gana el arbitraje contra Azucarera y suma ya 15,5 millones de euros revertidos a los remolacheros por pleitos ganados a la industria y a la administración*", noticia de 15 de marzo de 2021 (disponible en: http://coag.chil.me/post/coag-gana-el-arbitraje-contra-azucarera-y-suma-ya-155-millones-de-euros-revertid-344102) (fecha de consulta: 5 de mayo de 2021). En concreto, como se explica al respecto: *"La Corte de Arbitraje de la Cámara de Comercio e Industria de Madrid ha dado la razón a la COAG en la demanda que presentó el 29 de julio de 2019 contra AB Azucarera Iberia S.L. por haber reducido unilateralmente el precio de la remolacha pactado en el Acuerdo Marco Interprofesional (AMI).*

3. CONSIDERACIONES FINALES

La posibilidad de negociación y acuerdo de las cláusulas de reparto de valor en el sector agrícola ha sido reconocida de manera general en nuevo el artículo 172.*bis* del Reglamento (UE) n.º 1308/2013. A través de este nuevo mecanismo el legislador europeo busca facilitar una mejor transmisión de las señales del mercado, reforzar los vínculos entre los precios al productor y el valor añadido en toda la cadena de suministro y subrayar el papel relevante de las Organizaciones Interprofesionales para promover, tanto el diálogo entre agentes como las mejores prácticas y la transparencia en el mercado. A pesar de las dudas de las dudas que puede suscitar la parca redacción de este mecanismo, permite identificar diversos rasgos contractuales definitorios.

En primer lugar, se debe concluir que la cláusula de reparto de valor no constituye precio de venta sino un elemento económico distinto, a modo de ventaja comercial o prima.

En segundo lugar, a la vista de los antecedentes legales inmediatos y de la normativa europea proyectada cabe deducir una clara tendencia expansiva en el fomento del empleo de las cláusulas de reparto de valor. En este sentido debe saludarse de manera favorable las previsiones contenidas en el proyecto de reforma del Reglamento (UE) n.º 1308/2013 que en la actualidad se encuentra en trámite.

En tercer lugar, aunque cabe la posibilidad de que las cláusulas de reparto de valor se negocien y acuerden por el agricultor y el primer comprador se debe indicar que serán organizadas interprofesionales, entre otras organizaciones, las entidades más aconsejables para elaborar, negociar, acordar y velar por el cumplimiento de las cláusulas de reparto de valor.

Finalmente, la conjugación de la regulación en materia de morosidad y la caracterización de las cláusulas de reparto de valor como ventaja comercial y no precio en sentido estricto revela que las cláusulas de reparto de valor no quedan sometidas a las obligaciones generales de pago previstas en la normativa sobre morosidad, tanto europea como nacional, si bien será de aplicación cuando se produzca el devengo del derecho de cobro que derive en su caso de la aplicación de las cláusulas de reparto de valor.

Tras la resolución, AZUCARERA deberá indemnizar a los agricultores que entregaron remolacha en la campaña 2019-2020, pagándoles el precio pactado en el AMI. (…)
El laudo de la Corte de Arbitraje de la Cámara de Comercio e Industria de Madrid es trascendental para el sector remolachero ya que, de cara a futuros acuerdos marco interprofesionales, establece que las organizaciones profesionales agrarias pueden negociar estos acuerdos con cláusulas de reparto de valor. Es decir, la negociación del precio base la podrán hacer los agricultores en sus contratos, bien individualmente –agricultor a agricultor- o bien colectivamente –contratando con Azucarera a través de la organización agraria, cooperativa o empresa a la que hayan cedido su contratación".

Algunos problemas prácticos de la aplicación de la ley de cadena alimentaria

ÁLVARO BARCELL MACEDO

Abogado

1. INTRODUCCIÓN Y ESTADO DE LA CUESTIÓN

1.1. *Últimos movimientos respecto a la Ley 12/2013, de 2 de agosto, de medidas para mejorar el funcionamiento de la cadena alimentaria ("LCA") y debate en la Comisión de Agricultura, Pesca y Alimentación ("CAPA")*

Cualquier ciudadano medianamente informado recordará que durante los meses de enero y febrero de 2020, y aún hasta la declaración del Estado de Alarma en marzo de ese mismo año, se realizaron en España diversas manifestaciones por parte de los operadores del sector primario, siendo de especial relevancia la concentración realizada el 5 de febrero de 2020 en Madrid. Dichas manifestaciones se realizaron bajo el paraguas de distintas asociaciones y reclamas, siendo la más reconocible y comentada la de "Agricultores al Límite". En estas concentraciones, además de reclamar una lucha activa por parte de nuestros gobernantes en cuanto al mantenimiento de los presupuestos de la Política Agraria Común, ponían su foco en los precios ofrecidos por el resto de los operadores a los agricultores, ganaderos y otros productores primarios por sus productos, y los precios a los que finalmente llegaban dichos productos al consumidor, señalando la falta de equilibrio y la multiplicación del precio en productos que muchas veces únicamente eran transportados, almacenados y puestos a la venta.

En este último punto, en la falta de equilibrio en el reparto del valor creado en la cadena alimentaria, se centró el foco del legislador en febrero de 2020, con la aprobación del Real Decreto-ley 5/2020, de 25 de febrero, por el que se adoptan determinadas medidas urgentes en materia de agricultura y alimentación (el "**RDL 5/2020**"), posteriormente derogado y, digamos que sustituido, por la Ley 8/2020, de 16 de diciembre, por la que se adoptan determinadas medidas urgentes en materia de agricultura y alimentación (la "**Ley 8/2020**"), y con los cuales se pretendía, entre otras cosas y según palabras del propio RDL 5/2020 y calco en la Ley 8/2020, en sus exposiciones de motivos:

"*[...] obligar a que cada operador abone al inmediatamente anterior un precio igual o superior al coste de producción de tal producto en que haya incurrido dicho operador, de modo que se preserve ese valor agregado creciente que fundamenta uno de los ejes vertebradores de la acción pública en este sector, que contribuya a aumentar su competitividad global a través del valor añadido y que, en último término, revierta en beneficio de toda la sociedad. [...]*"

Baste decir que la reforma operada por la citada Ley 8/2020, podría haberse abordado con mayor sosiego y cautela. La falta de lo anterior ha llevado a que se esté aprovechando el debate en el Congreso de los Diputados, durante la fase de enmiendas al actual Proyecto de Ley para modificar la LCA (el "**Proyecto de Ley**"), para poner de manifiesto que el RDL 5/2020 fue concebido, al igual que su sustituta la Ley 8/2020, cuanto menos, precipitadamente. En dicho Proyecto de Ley, a su vez, y entre otras cosas, se transpone la Directiva (UE) 2019/633 del Parlamento Europeo y del Consejo, de 17 de abril de 2019, relativa a las prácticas comerciales desleales en las relaciones entre empresas en la cadena de suministro agrícola y alimentario (la "**Directiva**").

De haberse llevado a cabo la modificación de la LCA mediante otro tipo de trámite, desde un principio, y habiendo introducido esas reformas tras consultas más amplias, seguramente se habrían puesto sobre la mesa algunas realidades diferentes, a las que entiendo, quisieron dar protección y soluciones los miembros del ejecutivo, y que ahora están casi monopolizando el debate en el Congreso de los Diputados durante la fase de enmiendas al Proyecto de Ley.

Pero como los deseos y los hechos son cosas bien distintas, nos encontramos con que ahora en plena tormenta, prácticamente todo el debate y las comparecencias parecen centrarse en:

a) Descifrar el quien, el como y el cuando del coste efectivo de producción. Esto lleva a un vaivén de ideas, entre las cuales se citan la posibilidad de fijaciones de precios mínimos de acuerdo con índices, la fijación de guías de cálculo elaboradas por distintos organismos, el uso de medias sectoriales, entre otros.

b) En poner el foco en otros tantos problemas de nuestra Cadena Alimentaria, como, por ejemplo, los acuerdos de comercio exterior (en diferentes sectores, y afectando a distintas realidades) que ponen al productor español a la cola en competitividad en cuanto a precios, en las ayudas de la PAC y en circunstancias excepcionales de regiones periféricas, término que se puede leer y ver reivindicado a lo largo de dicho debate en la CAPA.

Pero lo realmente llamativo del debate en la CAPA, hasta el día de hoy, es la poca mención que se hace a algunos de los puntos que en la práctica y el día a día de los operadores ocasionarán mayor incidencia y que, por tanto, para dichos operadores debería resultar, a mi parecer, de gran importancia, pero que se mencionan más bien de soslayo en alguna intervención. Lo anterior, obviamente, sin ánimo de eliminar el protagonismo, por lo relevante, del coste efectivo de producción y la prohibición de compra por debajo de dicha cantidad, una suerte de prohibición de "compra a pérdida"[221].

Con ello no se pretende criticar que, en el debate parlamentario, en la CAPA o donde proceda según el caso, se pueda exponer cualquier cuestión relativa al Proyecto de Ley, ni mucho menos, para eso está. Hay que tener en cuenta que, después de un año de la reforma operada por el RDL 5/2020, y la prácticamente idéntica, salvo alguna excepción menor, Ley 8/2020, se ha dado voz a muchos operadores que al parecer no pudieron pronunciarse entonces, y como no podía ser de otra forma estos han puesto de manifiesto la dificultad práctica que conlleva la delimitación de ese coste de producción en un mercado heterogéneo y con realidades que pueden llegar a ser prácticamente opuestas dependiendo del operador, y de hecho creo que vale la pena no dejar pasar la oportunidad de hacerlo. Ahora los plazos para la transposición aprietan, y tenemos una realidad que demanda prácticamente la totalidad de la atención del legislador, y siendo así, quizás lo que debería darse es un acuerdo respecto a una futura modificación del precepto recogido en la LCA, y centrarnos ahora en lo que tenemos entre manos. Entiendo que solo de esta forma se puede dar pie a una mejora del ambicioso proyecto que supone la modificación operada por el RDL 5/2020 y posteriormente por la Ley 8/2020, un proyecto a medio y largo plazo, y no una carrera contrarreloj.

Estamos en un momento en el cual, cada vez más, se hace necesario poder llevar a cabo el difícil y, entiendo que para la mayoría, deseado objetivo señalado por la LAC en su exposición de motivos, que no es otro que *"mejorar el funcionamiento y la vertebración de la cadena alimentaria de manera que aumente la eficacia y competitividad del sector agroalimentario español y se reduzca el desequilibrio en las relaciones comerciales entre los diferentes operadores de la cadena de valor, en el marco de una competencia justa que redunde en beneficio no sólo del sector, sino también de los consumidores"*

---

[221] Mención a dicho término hacen, entre otros Alfaro, J. *"La prohibición de comprar a pérdida en el nuevo artículo 12 ter de la Ley de Cadena Alimentaria"* disponible en el siguiente enlace, https://derechomercantilespana.blogspot.com/2020/02/la-prohibicion-de-comprar-perdida-en-el.html y por referencia a este, Fernández Darna, Y. y Barrientos de Alaiz, F. en *"El Real Decreto-ley 5/2020: Más dudas que certezas"*, revista de derecho administrativo Vlex, diciembre de 2020.

1.2. Estado de la cuestión respecto a la cadena alimentaria.

En conexión con el objetivo de la LAC, es necesario hacer mención a la ausencia de simetría en la distribución del valor de la cadena alimentaria, donde las fuerzas de negociación dependen en gran medida del tamaño, y que como señalaba el Profesor Ruiz Peris[222] es "*un problema crónico de red Europea*" extendido con mayor o menor grado de incidencia dependiendo del país. Es llamativa la diferencia también de realidades, puesto que en una misma área geográfica encontramos todas las caras de un dado, desde una industria alimentaria cada vez más avanzada y digitalizada, pasando por una explotación mediana y una industria alimentaria tradicional, mostrando todo lo anterior el perfil heterogéneo de la cadena alimentaria, lo cual condiciona el funcionamiento y las relaciones entre los agentes que operan a lo largo de dicha cadena y hace aflorar las deficiencias de la misma[223] y esto extendido a los tres sectores de mayor relevancia –el sector primario, la industria de transformación y la distribución–, que no los únicos.

Siendo esta realidad, aunque heterogénea, común denominador en los mercados de los Estados miembros de la Unión Europea, la Comisión Europea se puso manos a la obra, y ya en 2009 emitió una comunicación[224] donde señalaba lo que ya se viene reiterando en estas líneas: (1) que la cadena es tremendamente heterogénea, (2) que hay desequilibrios considerables entre las partes de la cadena, y (3) la diferencia de fuerza en la cadena. En 2014, en otra comunicación[225], insistió en la necesidad de hacer frente a las prácticas comerciales desleales, señalando que en una encuesta a nivel europeo un 96% de los proveedores habían declarado ser objeto de un tipo de práctica comercial desleal, y ponían a nuestro país como ejemplo, ya que un informe sobre las relaciones entre fabricantes y distribuidores en el sector alimentario, emitido por la extinta Comisión Nacional de la Competencia en 2011, señalaba que un 56% de los fabricantes en sus relaciones con minoristas habían sufrido con frecuencia o de forma ocasional, en palabras de la comunicación de la comisión, la "*modificación retroactiva de las*

---

[222]   González Castilla, F, Ruiz Peris, J.I. y otros, "*Estudios sobre el régimen jurídico de la cadena alimentaria*", 2016 (Marcial Pons).

[223]   Palma Fernández, J.L. en "*La noción «cadena alimentaria» como concepto jurídico integrador de la actividad agroalimentaria*", Diario la Ley, número 8.548, 27 de mayo de 2015.

[224]   Comunicación de la comisión al parlamento europeo, al consejo, al comité económico y social europeo y al comité de las regiones «Mejorar el funcionamiento de la cadena alimentaria en Europa», la cual se pude consultar en la siguiente dirección: https://eur-lex.europa. eu/LexUriServ/LexUriServ.do?uri=COM:2009:0591:FIN:ES:PDF

[225]   Comunicación de la comisión al parlamento europeo, al consejo, al comité económico y social europeo y al comité de las regiones «Hacer frente a las prácticas comerciales desleales en la cadena de suministro alimentario entre empresas», la cual se puede consultar en la siguiente dirección: https://eur-lex.europa.eu/legal-content/ES/TXT/PDF/?uri=CELEX:520 14DC0472&from=EN

cláusulas contractuales", terminando por señalar que "*En la mayoría de los casos, las prácticas aplicadas entre los participantes en el mercado que integran la cadena de suministro alimentario son leales y sostenibles*" pero que la Comisión seguiría los avances en este campo y de acuerdo a ello elaboraría un informe en el cual decidiría "*si procede adoptar medidas adicionales a nivel de la UE para dar respuesta a los problemas descritos*". Finalmente, tras otros trabajos de la Comisión, el Consejo y otros tantos organismos y grupos de trabajo, la Comisión sacó en claro, en su informe de 2015[226], que quedaba margen de mejora en cuanto a las iniciativas voluntarias principalmente ligadas a Iniciativa de Cadena de Suministro[227] y que debido a que varios de los Estados Miembros habían introducido medidas reguladoras y sistemas de garantía del cumplimiento, aun siendo el marco regulatorio muy heterogéneo, entendía que no había motivos para proponer una normativa armonizada.

Estas comunicaciones, informes y distintas iniciativas de ámbito europeo, de los distintos Estados miembros de la Unión Europea y nacionales, que no mencionaré para no extender en demasía la exposición, no buscaban otra cosa que lograr el equilibrio de la cadena alimentaria, algo digno de película, y en la medida de lo posible lograr una competencia justa[228].

No obstante, fue el Parlamento Europeo el que, en su resolución de 7 de junio de 2016 sobre prácticas desleales en la cadena de suministro alimentario[229] entendía que "*el problema de las prácticas comerciales desleales*" era "*especialmente evidente en la cadena de suministro alimentario y redunda negativamente en el eslabón más débil de la cadena*", además, señalaba "*que todos los agentes de la cadena de suministro alimentario y numerosas autoridades nacionales de competencia*" habían confirmado "*la existencia de dicho problema, y que, en sus trabajos hasta la fecha, tanto la Comisión como el Parlamento y el Comité Económico y Social Europeo*" lo habían "*señalado en reiteradas ocasiones*", y le pidió a la Comisión que presentara "*una propuesta o propuestas de un marco de la Unión Europea*" que estableciera los "*principios generales*" todo ello teniendo "*en cuenta las circunstancias nacionales y*

---

[226]   Informe de la comisión al parlamento europeo y al consejo «Sobre las prácticas comerciales desleales en la cadena de suministro alimentario entre empresas», el cual se puede consultar en la siguiente dirección: https://ec.europa.eu/transparency/regdoc/rep/1/2016/ES/1-2016-32-ES-F1-1.PDF

[227]   Se puede obtener más información en la siguiente dirección: https://www.supplychaininitiative.eu/

[228]   Arias Varona, F.J. y Crespo, D. en "*Hacia una regulación de la cadena alimentaria*", Gaceta jurídica de la Unión Europea y de la Competencia, ed. La Ley, número 33, mayo-junio de 2013.

[229]   Resolución del Parlamento Europeo, de 7 de junio de 2016, «sobre prácticas comerciales desleales en la cadena de suministro alimentario», la cual se puede consultar en la siguiente dirección: https://eur-lex.europa.eu/legal-content/ES/TXT/PDF/?uri=CELEX:52016IP0250&from=IT

*las mejores prácticas para abordar las prácticas comerciales desleales en toda
la cadena de suministro alimentario, con el fin de asegurar la igualdad de condiciones en los Estados miembros"* facilitando *"el correcto funcionamiento
de los mercados y el establecimiento de unas relaciones leales y transparentes
entre los productores, los proveedores y los distribuidores del sector alimentario"*, siendo solicitada una evaluación de impacta también por el Consejo
Europeo.

Y como se suele decir, de aquellos barros estos lodos, y la Directiva viene
a reflejar el moderado éxito de las medidas adoptadas desde entonces, la diferencia de incidencia de esas medidas en los distintos Estados miembros de
la Unión Europea, y con todo ello la necesidad de una norma armonizadora
que, aunque podríamos decir que en fase de pruebas, según las propias consideraciones de la misma *"debería beneficiar a los productores agrícolas y a
las personas físicas o jurídicas que son proveedores de productos agrícolas y
alimentarios"*, pero claro, no podemos exigir a la norma más que el intento, ya
que los operadores, las instituciones y el mercado serán los que con su proceder, decanten la balanza.

2. BREVE MENCIÓN AL PRODUCTOR ESPORÁDICO, A LA NO DESTRUCCIÓN DEL VALOR DE LA CADENA ALIMENTARIA Y LA RELACIÓN CON EL COSTE EFECTIVO DE PRODUCCIÓN

Quiero hacer una mención breve a los productores esporádicos, a la no
destrucción del valor de la cadena alimentaria y a la relación de esto con el
coste efectivo de producción, puesto que se hablará y se ha hablado, largo y
tendido sobre esta materia, únicamente para poner de manifiesto, como se ha
hecho en la discusión del Proyecto de Ley, tanto para los productores como el
resto de los operadores, la dificultad que entraña la aplicación práctica de las
disposiciones relativas a la cadena de valor y el coste efectivo de producción.
Lo anterior, lo traigo a colación porque se ha escuchado en diferentes foros, y
no pocas veces, el comentario de que "el productor sabe lo que le cuesta producir", y esto dependerá del tamaño y profesionalización de este.

Para determinados operadores, es difícil o cuanto menos imposible, determinar el coste efectivo de producción de determinadas mercancías, bien sea
por las categorías de comercialización de estas, o simplemente por no ser la
producción su principal actividad económica.

2.1. El operador esporádico o de "fin de semana"

Para empezar, con este tipo de planteamientos parece que partimos de la
base de que todos los operadores están profesionalizados, lo cual no es taxa-

tivamente cierto, ni además lo exige la LAC, para que dicha definición les sea de aplicación. La definición que realiza la norma de un operador, que además no se ve modificada por la actual redacción del Proyecto de Ley, establece que es un operador "*La persona física o jurídica del sector alimentario, incluyendo una agrupación, central o empresa conjunta de compra o de venta, que realiza alguna actividad económica en el ámbito de la cadena alimentaria*" excluyendo específicamente al consumidor, por tanto, un agricultor, pescador o ganadero para el que dicha actividad no sea la principal actividad económica, sigue siendo un sujeto de la LAC, por realizar en ese ámbito una actividad económica.

El problema principal de dichos operadores, es que no les sea de aplicación la definición de productor primario, que para la LAC es aquella "*persona física o jurídica cuya actividad principal la ejerce en la producción agrícola, ganadera, forestal o en la pesca*", por lo tanto, esos productores, entre los que hay muchos agricultores, pescadores o ganaderos de fin de semana o esporádicos, es decir, aquellos cuyo objetivo es, bien complementar su renta o simplemente no dejar morir la actividad primaria en los territorios en los que realizan su actividad –los cuales pueden tener grandes problemas de abandono del medio rural, que se agravarían en caso de abandono de esta actividad, y que supondrían la pérdida de grandes zonas de cultivo, explotación forestal, etc., en definitiva, perdida de economía y dinamización del medio rural, e incluso deficiencias en el cuidado de los montes–, están sujetos a la norma pero no en la definición de productor primario, y por lo tanto no gozan de las protecciones de esta categoría. Estos no quedan dentro de la definición de la LAC, que en este caso tampoco se prevé que sea modificada, lo cual, de momento, les excluye del ámbito de protección del artículo 2.3.b) (sin perjuicio de lo comentado en apartados anteriores), del ámbito del 9.1.j), y del supuesto previsto en el artículo 23.4, y dicha exclusión no se entiende, puesto que son un elemento más de la cadena alimentaria, y el eslabón quizás más débil.

Todo ello lo resalto para poner el foco sobre la leve cojera que queda esta pata de la cadena de valor, cuando no protegemos a todos los operadores que participan en la misma, dejando uno de los objetivos de la LAC, recogido en su artículo 3, que es el de fortalecer al sector productor, no todo lo protegido que sería deseable, puesto que de esta forma deja a una parte relevante del sector productor fuera del paraguas de la definición del productor primario y el extra de protección que dicha categoría otorga. Y todo ello es especialmente relevante cuando hablamos de la aplicación a estos sujetos de lo previsto en el capitulo I del Titulo II, respecto a la formalización de contratos y su contenido.

2.2. La no destrucción de la cadena de valor y la relación con el coste efectivo de producción.

Una de las principales preocupaciones, tanto desde el ámbito europeo como desde el ámbito estatal, ha sido revertir la situación de la cadena de valor, la cual está según los informes elaborados por distintos organismos mencionados con anterioridad muy deteriorada, y por tanto, la LAC, según las palabras de su exposición de motivos denuncia que se *"evidencia la existencia de claras asimetrías en el poder de negociación que pueden derivar, y en ocasiones derivan, en una fala de transparencia en la formación de precios y en prácticas comerciales potencialmente desleales"*. Se ha evidenciado, y sobre todo se ha puesto de manifiesto por múltiples operadores, que la cadena de valor se ha visto descompuesta, concentrándose muchas veces en los últimos eslabones de esta la mayor parte del valor generado.

Resulta necesario entender pues que la LAC tiene, entre otros propósitos, uno noble y loable, consistente en repartir el valor creado a lo largo de la cadena alimentaria, evitando que gran parte de dicho valor creado quede en un solo tramo, prueba de ello es que el Proyecto de Ley modifica el artículo 3, subapartados a) y b), siendo la redacción de esta última en dicha propuesta la siguiente:

> *"b) Mejorar el funcionamiento y la vertebración de la cadena alimentaria, en beneficio de los operadores que intervienen en la misma, garantizando a la vez una distribución sostenible del valor añadido, a lo largo de los sectores que la integran."*

Evidentemente, debería aspirarse a que no solo se cubran los costes de producción, sino a que cada eslabón de la cadena sea capaz de generar un cierto margen de beneficio en el cómputo global de sus operaciones, y digo en el cómputo global, porque entiendo que en determinados productos un productor en concreto asuma cubrir solo el coste de producción –lo cual por desgracia en la actualidad no sucede muchas veces–, puesto que a lo mejor ese producto, actúa como una suerte de generador de sinergias para la venta de otros que aportan, no solo la cobertura del coste, sino beneficios, coexistiendo dichos productos de forma simbiótica (o más bien, parasitaria uno de otro).

Esto que resalto en el párrafo anterior, evidentemente choca de bruces con la realidad, y por ello se buscó, mediante la introducción del artículo 12.ter de la LAC, eliminar las situaciones en las cuales los operadores venden por debajo del coste efectivo de producción mediante la inclusión de la prohibición de comprar por debajo del coste efectivo de producción. No entraré en el debate de lo rebuscado de la redacción, y únicamente diré que, en mi opinión, la interpretación de este artículo nos lleva a un resultado tan similar a una prohibición de venta a pérdida –pese al cambio en el sujeto–, que se me hace complicado de aceptar y no ver el fantasma de la malograda redacción del modificado artículo 14 de la Ley de Ordenación del Comercio Minorista.

Esta inclusión llevada a cabo primero por el RD 5/2020, y luego mantenida en integridad por la Ley 8/2020, no está exenta de problemas prácticos tanto para los compradores como para los vendedores, cuando ocupen esas posiciones, dentro de la cadena alimentaria, puesto que el concepto de valor en productos que dependen en gran medida del desarrollo natural, varía enormemente, y es que la homogeneidad de los productos alimentarios, sobre todo los provenientes directamente del sector primario, es difícil de lograr, dando por ello lugar a determinadas categorías de producto que no necesariamente, y es así en gran parte de los casos, conllevan un coste de producción diferente.

3. DIFICULTADES PRÁCTICAS EN LA APLICACIÓN DE LA LCA Y POSIBLES PROBLEMAS EN LA APLICACIÓN DEL ACTUAL TEXTO DEL PROYECTO DE LEY

A modo introductorio, señalaré que dichas dificultades prácticas, por mi ejercicio profesional, estarán en la mayor parte de los casos basadas en circunstancias a las que me he enfrentado, o bien he tenido que teorizar para resolver cuestiones y dudas planteados, y que por tanto las analizaré desde un prisma eminentemente práctico, y teniendo en cuenta las implicaciones relacionales que puedan tener entre los diferentes operadores de la cadena.

Como no puede ser de otro modo, me pronunciaré básicamente sobre la aplicación de la LCA y el Derecho español, aunque pondré sobre el papel, determinadas cuestiones relacionadas con negocios transnacionales, que ilustrarán algunos de los riesgos de la normativa actual, la posible huida, y algunas de las realidades alternativas en las cuales navegamos día a día.

3.1. La exclusión del canal HORECA[230]

Una de las reivindicaciones de determinadas asociaciones, tanto a lo largo de los últimos años, como a en el debate llevado a cabo en las sesiones de la CAPA con objeto del Proyecto de Ley[231] es la inclusión del canal HORECA dentro de la regulación de la LAC. Una petición que, sin querer entrar en va-

---

[230]   Acrónimo conformado por las dos primeras letras de las palabras hostelería, restauración y cafeterías.

[231]   Por orden de aparición, y no de forma exhaustiva, incluyo una serie de extractos respecto a las peticiones de inclusión del canal HORECA, a fin de dar una muestra de esas peticiones y menciones a lo largo de dicho debate, sin incluir además para ello todos los días en los que se ha celebrado sesión:
En la sesión número 9 (extraordinaria) de la CAPA, del martes 19 de enero de 2021:
Por el Secretario General de la Coordinadora de Organizaciones de Agricultores y Ganaderos *"Queremos que se incluya el canal Horeca"* y *"Fijaos que nosotros hemos dicho una cosa: el Canal Horeca debe incorporarse también al ámbito de aplicación de la ley"*

loraciones de lo conveniente o no de la misma, es cuanto menos entendible, teniendo en cuenta la importancia de dicho sector en nuestro país.

Para dar algunas pinceladas con cifras, entendamos que según datos de la Confederación Estatal de Hostelería de España (CEHE), en la presentación de su anuario de 2019 (último año con unas cifras no trastocadas por la situación vivida a partir de Marzo de 2020), representaba un 6,2% del Producto Interior Bruto, siendo la restauración un 4,8% del total, con 315.940 establecimientos, de los cuales 280.078 lo eran de restauración, y representando una producción de 129.341.000 €, proviniendo un 75,8% de servicios de restauración, es decir, 98.060.000 € (lo que incluye establecimientos de bebidas, comidas y restauración social)[232]. A su vez, es un motor económico y de empleo de relevancia, si

---

Por parte de la portavoz adjunta del grupo Conferderal: "*por las inversiones para sacar sus producciones adelante. Es algo tan fundamental como esto. Nosotras estamos absolutamente de acuerdo con lo que ha expuesto aquí, tanto con incluir el canal Horeca, que nos parece fundamental —el canal Horeca no puede quedar fuera—*" y en tono de pregunta "*qué piensa, si se debe incluir o no el canal Horeca en esta ley*".
En la sesión número 10 (extraordinaria) de la CAPA, del miércoles 20 de enero de 2021:
Por el Director General del Clúster de Alimentación de Euskadi: En referencia a determinados puntos a mejorar de la Ley "*haré una pequeña reflexión acerca de la construcción del precio que nos pueda hilar hacia las consideraciones que nos gustaría aportar ante esta Comisión, que básicamente tienen que ver con tres cosas: en primer lugar, con la consideración del Canal Horeca como una parte intrínseca de la cadena de valor*", además señala que le "*gustaría destacar el peso que tiene el Canal Horeca en la cadena de valor de alimentación, importante tanto en valor añadido bruto como en nivel de empleo, aunque tiene un nivel de organización quizá inferior al que pueda tener el retail*" y "*Como hemos visto, el Canal Horeca es parte intrínseca de la cadena alimentaria, un agente relevante. A pesar de ser un canal atomizado, absorbe buena parte de la producción primaria y también tiene operadores con alto poder de negociación*"
Por parte de la portavoz del grupo Ciudadanos: "*Siempre he visto el Canal Horeca como ese gran cliente de la cadena agroalimentaria, porque así lo es y los números que nos trae lo demuestran. Lo veo como un gran cliente, pero usted nos lo muestra como esa última parte de la cadena que debería estar dentro por el peso que tiene sobre la misma. Lo hemos visto, por ejemplo, en la crisis del COVID-19, porque el cierre del Canal Horeca ha influido directamente sobre el sector primario y la cadena agroalimentaria*".
Por parte del portavoz adjunto del grupo Popular: "*Nos parece interesante, y creo que es una observación importante, que no se tenga en cuenta ni a los consumidores ni a la Horeca, es decir, ni a la hostelería ni a la restauración y a la cafetería. Esto no lo vemos.*"
Por parte de la Directora Gerente de la Federación Nacional de Asociaciones Provinciales de Empresarios Detallistas de Pescados y Productos Congelados: "*Se excluye nuevamente —con esto no estamos de acuerdo— al canal Horeca, el canal de la hostelería, que sí entendemos que para pequeños operadores no debería incluirse, pero para las grandes empresas multinacionales de restauración colectiva pensamos que sería lo suyo.*", o "*¿Canal Horeca? Es que no entiendo por qué si hablamos de operadores alimentarios a veces el canal Horeca se considera la marca España en la gastronomía y sin embargo el comercio no, pero luego no se le considera un operador alimentario; lo es, y las grandes empresas del canal Horeca tienen también mucha potencia.*"
[232]   Anuario de la Hostelería de España, elaborado por CEHE, año 2020, datos extraídos de la presentación realizada en la sede de la CEOE el 15 de diciembre de 2020.

tenemos en cuenta que ocupaba a cerca de 1.307.575 personas, lo que representa un 76,2% del total del sector de la hostelería.

Si observamos además otros informes, de esas cifras totales, cerca de un 26,8% del total del mercado pertenecen al sector de la Restauración Organizada, es decir, grandes y medianas cadenas de restauración, dominadas sobre todo por franquicias y cadenas de restaurantes, o restaurantes bajo el paraguas de una empresa o grupo de empresas. Es decir, un gran sector dentro de la restauración está dominado por grandes actores[233].

Una vez expuestos los datos anteriores, vamos al *quid* de la cuestión, y es que no se entiende la exclusión del sector HORECA, al menos cuando hablamos de medianas o grandes empresas. Es cierto que el sector de la venta minorista es el gran canal de compra respecto al sector primario o transformador de alimentos dentro de la cadena, pero se hace complejo entender como uno de los motores de la economía de este país queda fuera, cuando tienen en su poder una gran porción del mercado de la alimentación. Ahora bien, es cierto que el análisis de como opera cada una de las empresas del sector HORECA respecto a la adquisición de los alimentos que procesan y venden es complejo. Tenemos un sector atomizado, en el cual hay desde centrales de compra, hasta establecimientos de restauración que acuden al minorista o a los mercados para abastecerse. Quizás como proponían en alguna intervención, debería incluirse a aquellos actores que por sus cifras anuales puedan suponer un elemento desequilibrante de la cadena alimentaria. Sin perjuicio de lo anterior, y vistas las cifras, el principal problema sería, como lo será en general ya sin esta inclusión, el control que debería ejercer la Agencia de Información y Control Alimentarios ("AICA"), haciendo más grande el terreno a controlar, y más difícil hacerlo.

Creo que con todo lo expuesto se puede intuir el peso del canal HORECA en la cadena alimentaria, casi semanalmente durante las semanas de obligatorio cierre de dicho canal podíamos oír declaraciones sobre lo que ha afectado el canal HORECA al sector primario, la reducción de las ventas de acuicultura y pesca, carnes, aceites y vino durante los cierres de dicho canal, informaciones que quizás nos tendría que hacer meditar sobre la importancia de incluir este eslabón (a nosotros y al legislador), sobre todo cuando tiene posiciones fuertes frente a los productores, transformadores e intermediarios. Algunas de las ideas que se daban en las sesiones de CAPA iban por la vía de incluir a las grandes empresas de restauración colectiva. No sé si por ese sobrenombre, pero poniendo cifras ligadas a volúmenes de compra, quizás si podríamos acercar a un sector de gran potencia y capacidad de desequilibrio en la cadena alimentaria a LAC.

---

[233]　Anuario de la Restauración de Marca en España, editado por KMPG y NPD, octubre de 2020.

Un complemento adicional sería la aplicación de la norma, sin perjuicio de establecer el factor volumen de compra, cuando se adquiera directamente al productor primario o a un intermediario que genere de forma directa o indirecta –es decir, actuando como intermediario de empresas productoras de su propio grupo– más de un 50% del producto adquirido por el restaurador. De esta forma, estaríamos protegiendo a un grupo de productores y de sectores que dependen en gran medida del canal HORECA para subsistir, ampliando el ámbito de aplicación de la LAC.

A su vez sería interesante ver esto desde el punto de vista de las franquicias o grupos que, gestionando contratos de suministros con productores primarios o transformadores, a través de contratos tipo de condiciones generales en los que se incluyen determinadas obligaciones -no de suministro- de calidad, cumplimiento y de suscripción de contratos de suministro, entre otros, o que gestionan, intermedian o propician la firma de estos contratos entre el transformador o productor primarios con franquiciados o filiales dependientes.

3.2. Necesidad de contratos por escrito, dificultades a la hora de suscribir y/o actualizar los contratos, y soluciones adoptadas

Es el artículo 8 de la LAC la que establece los contratos alimentarios deberán formalizarse por escrito, antes del inicio de las prestaciones, aunque este requisito no lo sea de existencia y validez del contrato, y se excluyan aquellas relaciones entre operadores de la cadena cuando el pago se realiza al contado contra la entrega del producto. Llama la atención que si bien el ámbito de aplicación previsto en el artículo 2 señale en su punto 3 (posible futuro punto 4) que el ámbito de aplicación del Capítulo I del título II de la Ley se circunscribe a determinadas relaciones comerciales:

a) Según la redacción actual de la norma, las de precio superior a 2.500 euros, si uno es PYME y el otro no, si uno depende económicamente del otro –represente al menos un 30% de la facturación del producto en el año precedente – o que uno sea productor primario agrario, ganadero, pesquero, forestal o una agrupación de estos, y el otro no.

b) Según el Proyecto de Ley, que modifica el precepto, son las que tengan un precio superior al importe del párrafo primero del artículo 7.1 de la Ley 7/2012, de 29 de octubre, de modificación de la normativa tributaria y presupuestaria y de adecuación de la normativa financiera para la intensificación de las actuaciones en la prevención y lucha contra el fraude[234], sin ningún apunte adicional[235].

No obstante, y como señalara el profesor Viciano Pastor[236], es curioso observar como en el capítulo II del Título II, se hacen referencias a la necesidad de contener determinadas cláusulas, de recoger determinados acuerdos o pactos, la necesidad de concretar por escrito la información que debe suministrarse, etc. lo cual nos lleva a que, para poder dar cumplimiento a la mayoría de las obligaciones que derivan de la LAC, salvo en los casos previstos en el artículo 8.3 de la misma, nos encontramos ante la obligación, de facto, de realizar acuerdos por escrito, añadiendo una complejidad adicional a las operaciones comerciales por someter a forma escrita relaciones comerciales que no parecen acoplarse a las previsiones del artículo 2.3 de la LAC, aunque sea por la vía de dar cumplimiento al resto del articulado de la norma.

3.2.1 Dificultades a la hora de suscribir y actualizar los contratos.

Aunque hay un gran número de productores primarios que quieren la seguridad de un contrato con el precio cerrado, y aunque es cierto que la AICA, en su informe/memoria de 2019 en el cual hacía un resumen de sus cinco años de actividad, reportó que un 16% de su actividad sancionadora se debe a la falta de contratos (además del 8% que no incluían todos los extremos que debieran en cumplimiento del artículo 9 de la LAC y el 1% de las modificaciones de las condiciones de dichos contratos no pactadas)[237], muchos pequeños minoristas, centrales de compras, transformadores e intermediarios, se encuentran con problemas a la hora de negociar los contratos con los productores primarios, así como con grandes presiones derivadas de los hábitos de consumo.

Se ha podido observar como intermediarios, productores, distribuidores y transformadores, han entendido en diversas ocasiones la obligación formal

[234]   La Ley 7/2012, de 29 de octubre, de modificación de la normativa tributaria y presupuestaria y de adecuación de la normativa financiera para la intensificación de las actuaciones en la prevención y lucha contra el fraude, fija un importe idéntico al previsto en la anterior redacción, es decir, 2.500 euros.
[235]   El Proyecto de Ley se deja por el camino diversos ámbitos de aplicación de la norma, mencionados en el punto anterior, es decir, (i) que uno de los operadores tenga la condición de PYME y el otro no, (ii) para productos agrarios no transformados, perecederos e insumos alimentarios, uno de los operadores tenga la condición de productor primario agrario, ganadero, pesquero o forestal o una agrupación de los mismos y el otro no, y (iii) que exista dependencia económica respecto del otro operador. Elimina también la mención a la compraventa a futuro o con precio diferido salvo que se superen los 2.500 euros.
[236]   González Castilla, F, Ruiz Peris, J.I. y otros, "*Estudios sobre el régimen jurídico de la cadena alimentaria*", 2016 (Marcial Pons).
[237]   Memoria de los 5 años de la AICA https://www.aica.gob.es/Data/UPLOAD/24jm2qfj.2jv.pdf

del contrato escrito como una falta de confianza, no del legislador, si no de su contraparte, una situación que ha llegado a tensar la cuerda de la relación comercial entre los diferentes sujetos de la cadena alimentaria en más de una ocasión. Es decir, si bien la norma establecía en su exposición de motivos que "*La novedad más significativa, para garantizar la seguridad jurídica y la equidad en las relaciones comerciales, es el establecimiento de la obligación de formalizarlos por escrito que afectará al contrato de suministro, el de compraventa y el de integración*", esta obligación de firma de un contrato ha suscitado no pocos problemas, tanto comerciales como de carácter organizativo, para determinados operadores de la cadena alimentaria. Entre ellos, pequeños transformadores, que no tienen el tamaño y por tanto las manos necesarias para asumir las tareas burocráticas internas que estas firmas conllevan, o pequeñas cadenas de distribución, para los cuales, la competencia con las grandes empresas de transformación y distribución ha complicado las relaciones, dificultado el abastecimiento y encarecido su operativa.

Además, la problemática que ha supuesto para los más pequeños y medianos, puede llegar a generar un gran perjuicio, ya que la previsión respecto a las infracciones de la LAC en su artículo 23 señala que:

> "*Se presume, salvo prueba en contrario, que son autores de las infracciones [...]*" respecto "*a no formalizar por escrito los contratos alimentarios y no incorporar en el contrato alimentario el precio recogido en el artículo 9.1.c), los operadores que no tengan la condición de PYME, los que no tengan la condición de productor primario agrario, ganadero, pesquero o forestal o agrupación de los mismos y los operadores respecto de los cuales el otro operador que interviene en la relación se encuentre en situación de dependencia económica, cuando cualquiera de ellos se relacione con otros operadores que tengan la condición de PYME o de productor primario o agrupación de los mismos, o se encuentre en situación de dependencia económica.*"

Es fácil imaginar que la picaresca pude tomar formas fácilmente previsibles cuando uno lee el artículo 8.3 de la LAC. Es fácil imaginar que más de un comprador y productor, habrán continuado su relación, lógicamente más expuestos a los vaivenes del mercado, con lo que podríamos llamar la expectativa de una compra, o una venta, y que se repite con periodicidad anual, sin ningún ánimo de cambio. Y esto me consta que sigue haciéndose en sectores como el de los frutos secos, como ejemplo, en el que no pocas veces se acude a los productores con un grado de organización bajo, y se adquiere a un precio, poco más que impuesto, con una factura datada con posterioridad a la entrega efectiva de la mercancía, –cuando se mide el rendimiento del fruto y por tanto se propone un precio–, y el pago mediante cheque –situación que en puridad es un pago al contado–. Lo complejo de la situación descrita es que sucede con mayor asiduidad cuanto más pequeño es el productor, menos capacidad tiene de asesorarse y menos organizado esta su entorno productivo, lo que genera una huida de la formalidad impuesta por la norma.

A su vez, a la problemática comentada a lo largo de este punto, debemos añadir la complejidad burocrática que supone para los productores, intermediarios, transformadores y cualesquiera otros sujetos, siempre que no cuenten con una estructura organizacional amplia, para controlar las modificaciones legislativas, realizar las novaciones de los contratos –o nuevos contratos, según el caso–, recabar las firmas de todos sus proveedores y mantener un control documental acorde. Esto, que parece algo fácilmente ejecutable, llevado a la práctica, pone en jaque muchas veces al sujeto, abrumado por la alta carga burocrática y de regulación del sector alimentario, cuando además le añades la carga de un nuevo trámite. No olvidemos a su vez que los grandes suelen estar mejor y más asesorados, lo cual nos lleva a que el pequeño, en muchos casos, debe hacer un sobre esfuerzo a nivel organizativo.

Sobre todo, hay una mención sobre la cual, la negativa a su inclusión, es habitual en la firma de contratos con productores primarios, y es además una de las inclusiones requeridas por la LAC en su artículo 9.1, en concreto el subapartado j), es decir, la indicación de que el precio pactado por el productor primario agrario, ganadero, pesquero o forestal, o agrupaciones de los anteriores, exprese a su primer comprador que cubre el coste efectivo de producción. Quizás esta negativa se deba al miedo a no tener un control constante, o que el coste efectivo de producción varíe dependiendo de circunstancias ajenas al control de las dos partes contratantes, o incluso a la certeza de que se vende sin cubrir dicho coste efectivo, pero en este supuesto concreto, no han sido pocas las veces que se han encontrado con la negativa a realizar esta manifestación.

También es relevante señalar que la firma de contratos rígidos, en un sector que es altamente dependiente del consumo, nos lleva a una disminución notable en la flexibilidad, que perjudica a quien ni produce ni distribuye, en muchos casos. Es complicado absorber determinados excedentes cuando estos provienen de productos perecederos, y por norma general las previsiones de producción o de venta de los intermediarios y transformadores quedan a merced del consumo. Esto nos lleva, en muchas ocasiones, a que en la cadena alimentaria estos sujetos intermedios de la cadena, no diré que sean los eslabones más débiles, pero sí parece evidente que asumen un amplio margen de riesgo y, sobre todo, soportan una gran tensión. De esta forma, el intermediario o transformador, que aporta valor –aun siendo, en ocasiones, solo el aporte logístico– a la cadena alimentaria, se ve atrapado entre dos fuerzas complejas de tratar como son el mercado y la regulación.

3.2.2 Soluciones adoptadas en la práctica

Como respuesta a los problemas de adaptación, una de las soluciones más sencillas y utilizadas es acudir a un contrato marco, donde quedan recogidos todos los puntos previstos en el artículo 9 de la LCA, pero donde se dejan las condiciones comerciales concretas recogidas en anexos con una duración determinada y muchas veces no superior a tres meses –habiendo casos incluso de duración semanal–.

Si bien es cierto, lo anterior no supone un paliativo a lo inflexible de la norma, que somete a forma escrita la práctica totalidad de las relaciones comerciales y, además, como se expone en párrafos anteriores, supone un escollo para las organizaciones, además de generar ineficiencias y costes económicos, que con este método no se pueden salvar. Pero, conseguimos una solución relacional, por la cual, ambas partes tienen un contexto regulatorio, pactos concretos y cuestiones jurídicas claras, aunque reducen la duración temporal para poder ajustar al mercado sus relaciones comerciales. Hablamos de la concreción mediante anexos tanto de las mercancías que se adquieren, como de las cantidades, del precio y los posibles descuentos específicos, de las condiciones de pago, de entrega y la puesta a disposición de los productos. Es decir, todo contenido susceptible de un mayor vaivén negocial, y con un amplio carácter comercial, queda recogido en anexos del contrato que no sujetan la duración del propio contrato a la duración de dichas relaciones comerciales, contrato que queda en una suerte de "letargo" siempre y cuando no haya acuerdo sobre la renovación de dichas condiciones comerciales.

De esta forma, se sortean algunos de los problemas de flexibilidad del contrato, pero no se ataja otro de los problemas del sector alimentario y en concreto del sector primario, que es la corta duración de las relaciones comerciales y la poca seguridad que una corta duración de las relaciones comerciales aporta a la cadena alimentaria.

3.3. Problemas en la aplicación del 12.ter de la LAC

Y es que, aunque otros tantos preceptos de la LAC han generado dificultades en su aceptación y aplicación, el del artículo 12.ter quizás sea el que más debate ha generado. Durante la discusión en la CAPA del actual Proyecto de Ley, entre otros, la presidenta de la Asociación de Agricultores y Ganaderos de Canarias sin olvidar la aprobación del proyecto no de ley del parlamento canario para la pedir la excepción del plátano de canarias en la aplicación de la LAC. Y, llamativo es también, que haciendo mención en la exposición de motivos de la Ley 8/2020 a las cada vez más frecuentes depresiones aisladas en niveles altos, borrascas de intensidad, y otros tantos daños por fenómenos climáticos, no hayan tenido en cuenta la pérdida de competitividad en precios que pueden conllevar la pérdida de producción que estos incidentes ocasionan, los gastos por ejemplo en reparación de invernaderos, de naves de cría, los problemas de contaminación del mar y los ríos, el cambio de los ciclos de plantas y animales, entre otros.

Es decir, con la actual redacción, sin excepción alguna, del artículo 12.ter, nos encontramos con que un agricultor, ganadero o pescador, que sufra un incidente de cualquier tipo que le ocasione una pérdida de cultivos, animales o pesca, o un aumento en los costes por reparaciones, puede quedar totalmente descartado por un comprador racional, o como un comprador que ha pactado unos precios que sí cubren los costes efectivos de producción, puede verse en la tesitura de tener que aceptar una modificación del precio para no incurrir en un incumplimiento del artículo 12.ter. Evidentemente en situaciones de subida de precios generalizada por la afectación a un sector concreto, este problema se diluirá, pero ¿Qué pasa cuando hablamos de un agricultor, ganadero, pescador, etc. concreto?, lo que sucede es que obligamos a su comprador a actuar en contra de cualquier lógica de mercado, que es pagar más por lo mismo que otros pagan menos (recordemos que precio no es igual a valor), o que si no tiene el productor un contrato firmado en la fecha de acaecimiento de aquello que eleve sus costes de producción, tendrá que salir al mercado con unos precios que por poco competitivos le dejarán fuera del mercado, o bien a no poder manifestar aquello a lo que les obliga el artículo 9.1.j), o a que dicha manifestación sea falsa, lo cual por otra parte, no lleva aparejado en la LAC o en la reforma prevista por el Proyecto ninguna sanción para el productor primario.

Por dar un ejemplo sencillo, pero que no por su sencillez deja de ser práctico, pensemos en las diferentes categorías de cualquier fruta, verdura u hortaliza, entre las cuales puede haber una categoría extra, una primera, una segunda y así sucesivamente, e imaginemos que vendiendo la categoría extra se obtiene beneficio, al igual que con la primera, que se cubre el coste de producción con la segunda, pero que cerca de un 30% de la producción, no es vendible por encima de ese coste efectivo de producción. Evidentemente, y a la luz de la actual redacción de la LAC, el comprador no debería pagar menos de lo que al productor le costó producirlo ¿Pero, ese coste efectivo de producción, lo hemos calculado conforme al coste total del productor primario, dividido por unidades de venta? ¿lo calculamos compensando en las categorías más bajas, el margen superior de las categorías más altas? ¿y si lo que el comprador quiere adquirir son categorías más bajas para transformar, le obligamos a pagar un precio que el mercado no ofrecería por ese producto? Evidentemente, las respuestas anteriores seguramente se tratarán a lo largo de esta obra con mayor acierto de lo que este capitulo pretende, pero no podemos olvidar que esa falta de seguridad jurídica, tiene a los operadores de la cadena alimentaria, al menos a muchos de ellos, haciendo equilibrios en una cuerda que se tambalea.

3.4. Aplicación en negocios con operadores de Estados miembros, o con operadores de países terceros, de la LAC según la redacción del Proyecto

En aras a no extender más mi este trabajo, pero sin querer dejar de hacer al menos mención testimonial, me gustaría hacer un par de menciones más, ya que el Proyecto en su propuesta de redacción del artículo "2. Ámbito de aplicación." Establece que:

> *"También será de aplicación esta ley a las relaciones comerciales entre cualquiera de los operadores que intervienen en la cadena alimentaria cuando uno esté establecido en España y el otro en un Estado miembro, cuando no resulte de aplicación la legislación de otro Estado miembro.*
>
> *Cuando uno de los operadores esté establecido en España y el otro no, deberá indicarse expresamente en el contrato a qué legislación se sujeta la relación comercial.*
>
> *Con independencia de la legislación aplicable, cuando una de las partes esté establecida en España, y la otra en un Estado no miembro de la Unión, resultarán siempre de aplicación las prohibiciones contenidas en esta ley y el correspondiente régimen sancionador establecido para estas en el título V."*

Más allá de las dificultades prácticas, que intuyo, esto ocasionará para la AICA en cuanto al control de este tipo de contratos transnacionales, esto supone por una parte la posibilidad de huir del Derecho español, y por otro, poner la soga a los operadores españoles cuando tratan con países terceros.

¿Qué impide a un operador con capacidad económica suficiente constituir una sociedad que actúe como central de compras en otro Estado miembro menos restrictivo, o en un país tercero?

Lo que extiende lo mencionado en la Directiva, la cual establece que:

> *"La presente Directiva se aplicará a las ventas entre un proveedor y un comprador cuando uno de los dos, o ambos, estén establecidos en la Unión."*

Pero nada menciona sobre la necesidad de aplicar una normativa sobre otra, lo que nos deja en la situación de que los operadores, en concreto operadores con capacidad económica y organizativa suficiente, puedan constituir centrales de compra en otros Estados miembros con normativas más laxas o al menos, menos invasiva respecto a la libertad de pactos -probablemente no en Francia o en Alemania, donde se han llevado a cabo determinadas medidas respecto a los precios, que no son objeto de este trabajo-.

Nada me impide constituir una sociedad como central de compras en un país de la UE con una normativa más laxa, o en ANDORRA o SUIZA, por poner un ejemplo, comprar desde allí, y teniendo en cuenta los ya escasos recursos de la AICA, quizás me interesa establecer que el sujeto obligado a la compra del producto primario es una sociedad externa a la UE, o de un país de la UE con una normativa más laxa. De esta forma, ya no tendré la obligación del 9.1.J, y suerte deseo a la AICA investigando a una sociedad extranjera.

4. BREVE CONCLUSIÓN

Todo lo anteriormente expuesto me lleva a concluir que, si bien estamos avanzando, quizás estamos matando determinadas "moscas a cañonazos" mientras al elefante en la habitación le damos con un periódico enrollado. Hemos dado grandes pasos en la normativa de cadena alimentaria, con conceptos cargados de buenas intenciones, pero quizás no tan meditados como requiere una realidad tan compleja como la de la cadena, tan heterogénea y con intereses tan distintos.

Ahora, a la espera de la publicación de la modificación definitiva de la LAC, pero viendo lo previsto en el Proyecto, podemos esperar un nuevo parche que quizás requiera de nuevo de un reequilibrio de obligaciones entre los distintos operadores. Pero al menos, podemos concluir que se están dando pasos para una profesionalización y un mayor control de algo tan crucial como la cadena alimentaria, y que se avanza.

Claros y no tanto de la reformas para la transparencia en la formación y formalización del contrato alimentario

ISABEL RODRÍGUEZ MARTÍNEZ

Catedrática de Derecho Mercantil. Universidad CEU Cardenal Herrera

1. OBJETIVOS Y CLAVES DE LAS ÚLTIMAS ACCIONES NORMATIVAS EN MATERIA DE CONTRATACIÓN ALIMENTARIA

Las distorsiones, la falta de equilibrio en las relaciones contractuales y la problemática derivada de estas en el sector agroalimentario han obligado tradicionalmente al legislador a adoptar una serie de medidas tendentes a garantizar no sólo las dificultades en que se sitúa gran parte del sector primario, sino también un correcto funcionamiento de la cadena que contribuya a aumentar su transparencia, con ello, su competitividad global y sostenibilidad mediante un reparto equitativo de los costes sociales, ambientales, etc…

Con esta finalidad, la Ley 12/2013, de 2 de agosto, de medidas para mejorar el funcionamiento de la cadena alimentaria (en adelante, LCA) se aprobó para articular en el ordenamiento español un específico régimen para la formalización de las relaciones contractuales entre los distintos operadores de la cadena alimentaria[238], consciente el legislador de que la transparencia en la fase de negociación y, especialmente, en la formalización del contrato alimentario constituye uno de los principales

---

[238]   Su principal objetivo no era otro que alcanzar la unidad de mercado en el ámbito de la cadena alimentaria –además del afloramiento de la economía sumergida en las relaciones comerciales del ámbito de la cadena alimentaria- y por ende, la competitividad y transparencia de este sector. También, y por otra parte, aspiraba su promulgación a contribuir a la seguridad jurídica y el reequilibrio y equidad en las relaciones comerciales, principios inspiradores de la regulación específica de los contratos alimentarios que se suscriben entre los operadores de la cadena alimentaria, contenida en el Capítulo I de Título II de la Ley 12/2013 con particularidades que afectan tanto al proceso de formación de la voluntad de las partes, como la perfección y formalización del contrato.

objetivos de una regulación sectorial necesaria por las características intrínsecas del mercado agroalimentario.

Sin embargo, el sector agroalimentario sigue siendo vulnerable pues la amplia diversidad de los agentes en la producción, transformación y fundamentalmente en la distribución ha venido -y sigue viniendo- acompañada de una atomización de los operadores en la cadena y de relaciones asimétricas propias de las características intrínsecas y heterogeneidad del mercado; por la oferta de ciertos productos como los perecederos sometidos a determinadas prácticas comerciales agresiva pero también por el incremento y asunción no equitativa de los costes de producción junto con la caída de los precios, todo ello de entre otras disfuncionalidades de las que, sin duda, la falta de equilibrio en la fijación de precios de la cadena agroalimentaria resulta ser la punta del iceberg.

Las últimas acciones normativas en esta línea de ámbito comunitario[239] e interno, y dentro de éste tanto vigentes –Ley 8/2020, de 16 de diciembre, por la que se adoptan determinadas medidas urgentes en materia de agricultura y alimentación (que deroga el RDLey 5/2020, de 25 de febrero) – como proyectadas –Proyecto de Ley para la modificación de la citada Ley 12/2013 en transposición a nuestro ordenamiento de la Directiva (UE) 2019/633 del Parlamento Europeo y del Consejo, de 17 de abril, de 2019– evidencian la preocupación del legislador por reforzar la competencia y el equilibrio en la contratación en el sector agroalimentario a través de nuevas medidas en orden a alcanzar el tan difícil equilibrio en la negociación, dando respuesta a la necesidad imperante y constante de introducir medidas adicionales para consolidar los objetivos emplazados por nuevos factores y mitigar las dificultades de un sector estratégico para la economía y por sus implicaciones sociales. Fundamentalmente estas reformas buscan reducir la incertidumbre respecto a déficits en determinados contenidos de los acuerdos entre operadores de la cadena en el sector agroalimentario que podrían dar lugar a abusos contractuales y, por tanto, persiguen incrementar en general la seguridad jurídica de

---

[239]   A nivel comunitario, destaca al objeto de este análisis la Directiva (UE) 2019/633 del Parlamento Europeo y del Consejo, de 17 de abril de 2019, relativa a las prácticas comerciales desleales en las relaciones entre empresas en la cadena de suministro agrícola y alimentario

las relaciones comerciales, revirtiendo aquellas en última instancia en beneficio de los consumidores[240].

Las novedades que introducen estas últimas acciones normativas en la regulación del contrato alimentario en sus fases de formación y formalización merecen un primer análisis de su alcance y efectos. Por un lado, resulta prioritario identificar y analizar la eficacia los instrumentos normativos para la transparencia en el proceso de formación del contrato en el sector agroalimentario, que incluyen todas aquellas que en la primera fase del contrato pretenden cercenar cualquier conducta propia de las actividades promocionales con incidencia en la negociación y contratación entre los operadores que induzca a error sobre el precio e imagen de los productos. A tal fin, el trabajo aborda el tratamiento y alcance de las nuevas medidas regulatorias sectoriales dirigidas a los operadores e introducidas en nuestro ordenamiento por el legislador español en la cadena alimentaria a través de la vigente Ley 8/2020, de 16 de diciembre, por la que se adoptan determinadas medidas urgentes en materia de agricultura y alimentación (que deroga el RDLey 5/2020, de 25 de febrero)[241]. Por otro lado, no puede obviarse por su calado y especial incidencia en la ansiada transparencia contractual las novedades

---

[240]   Sobre las relaciones jurídicas en el sector agroalimentario, v. CAZORLA GONZÁLEZ, Mª. J., "Relaciones contractuales en la cadena alimentaria y su incidencia en la competitividad de los mercados", *Revista de Derecho Agrario y Alimentario*, núm. 62, enero- junio 2013, pp. 9-31; NAVARRO FERNÁNDEZ, J.A., Competencia y contractualización en la cadena agroalimentaria. Particular referencia al sector lácteo, Revista de Derecho Agrario y Alimentario, no 63, julio-diciembre de 2013, pp. 141 a 176.

[241]   Se trata de medidas con incidencia en la fase de negociación y promoción del contrato que imponen a los operadores- más allá de las recogidas como *soft law* en el Código de Buenas Prácticas en la Contratación Alimentaria, y anticipándose a la futura reforma de la Ley 12/2013, de 2 de agosto, mediante el proyecto de Ley para la modificación de la citada Ley en transposición a nuestro ordenamiento de la Directiva (UE) 2019/633 del Parlamento Europeo y del Consejo, de 17 de abril, de 2019, relativa a las prácticas comerciales desleales en las relaciones entre empresas en la cadena de suministro agrícola y alimentario- la exigencia de que el lanzamiento y promoción de ofertas que se realicen en el ámbito de aplicación de la ley de la cadena se desplieguen en un marco equitativo de obligaciones y derechos, entre los que cabe destacar que la relación contractual se base en el acuerdo y libertad de pactos sobre la base de unos contenidos mínimos; el interés mutuo; y la flexibilidad para adaptarse a las circunstancias particulares de los distintos operadores. Especial interés merece como novedad la inclusión del coste de producción en el precio como elemento mínimo de los contratos, en la medida en que su libre determinación conforme a las reglas de mercado permite armonizar la libre formación de la voluntad y la autorregulación de oferta y demanda con el aseguramiento, tras su inclusión en la fase de formalización del contrato, de que esos costes efectivos de producción –que además deberán cubrirse con el precio y aparecer así en el contrato– no se destruyen en estadios sucesivos de la cadena.

previstas en el Proyecto de Ley para la modificación de la citada Ley 12/2013 en transposición a nuestro ordenamiento de la Directiva (UE) 2019/633 del Parlamento Europeo y del Consejo, de 17 de abril, de 2019, como son aquellas relativas al ámbito de aplicación general de la Ley y su incidencia, en consecuencia, sobre el régimen de contratación. En concreto, se analizan el alcance y efectos de dicha ampliación, así como la aplicación y eficacia de las reformas introducidas en el citado texto normativo en la contratación en el sector agroalimentario.

2. NOVEDADES INTRODUCIDAS EN LA FASE DE FORMACIÓN DEL CONTRATO: LA ACTIVIDAD DE PROMOCIÓN

2.1. Las actividades de promoción y su nueva regulación

una de las novedades vigentes más destacadas en el ámbito del contrato alimentario ha sido la introducida ex artículo primero de la Ley 8/2020, de 16 de diciembre, por la que se adoptan determinadas medidas urgentes en materia de agricultura y alimentación (que deroga el Real Decreto-ley 5/2020, de 25 de febrero). En concreto, su apartado dos ha introducido un nuevo artículo 12 bis en la LCA cuyo objeto es regular las denominadas actividades promocionales que se desarrollan en el ámbito de aplicación de la Ley de la cadena alimentaria. Se materializa así la preocupación del legislador por reforzar un marco equitativo y transparente en la contratación alimentaria, a través de una medida sectorial que, encaminada a la protección no tanto del consumidor sino desde otra perspectiva de la cadena de valor en el sector agroalimentario, establece como novedosa exigencia la observancia y cumplimiento de un marco equitativo de derechos y obligaciones entre los proveedores y distribuidores en el ámbito de los pactos promocionales para el lanzamiento y desarrollo de actividades de promoción de los productos alimentarios. No obstante, no debe obviarse que, en efecto, si quiera sea de forma indirecta, el régimen de los pactos promocionales tiene incidencia en la fase de formación del contrato alimentario entre aquellos y los consumidores[242].

---

[242]   Así, la regulación de las actividades promocionales operada por el citado precepto no sólo produce efectos en las relaciones contractuales entre los operadores de la cadena alimentario implicados en la actividad promocional.

Y es que, si bien la formación de los contratos alimentarios puede ser instantánea o momentánea, en no pocas ocasiones en este tipo de relaciones comerciales la perfección del contrato es resultado de un proceso de aproximación en el que se suceden propuestas y contrapropuestas, especialmente en aquellas operaciones de cierta envergadura en las que las partes necesitan un período de tiempo para deliberar o discutir las condiciones y para establecer, en su caso, el acuerdo al que se someten[243]. Pero también es habitual que en los tratos preliminares y en la oferta contractual de los proveedores de productos agroalimentarios participen distribuidores o terceros, quienes se encargan de promover la venta mediante la realización una serie de actos de promoción o soportes promocionales cuya finalidad es provocar el acto de compra y/o fidelización del cliente[244].

Los pactos promocionales entre proveedores y distribuidores y/o terceros determinan el marco de la actividad promocional a través de la realización de actos que buscan incidir en la voluntad del comprador mediante una actividad heterogénea de comunicación comercial[245] y de incentivos a corto plazo diseñados para estimular rápidas y/o grandes compras y que viene precedida y/o acompañada por actos cuya finalidad es dar a conocer al potencial comprador información sobre las características y calidad del producto y las condiciones del contrato.

En los actos de lanzamiento y promoción desarrollados por terceros (distribuidores y/o terceros), cuya finalidad última es en el comportamiento del cliente (consumidores y/o distribuidores)[246], éstos desempeñan una actividad que tiene una doble incidencia, no obstante. Así, en primer lugar, la actividad promocional incide en la percepción que los compradores puedan adquirir sobre los proveedores y/o fabricantes de los productos (calidad, características, etc..) y su política contractual, en definitiva, en la

---

[243]	PÉREZ VISCASILLAS, P., *La formación del contrato en la compraventa internacional de mercaderías*, ed. Tirant lo Blanch, Valencia, 1996, p. 152.

[244]	Sobre la oferta del contrato, v. MORENO QUESADA, B., "La oferta de contrato cuarenta años después", en IGLESIAS PRADA, J.L., (Coord.), *Estudios jurídicos en homenaje al profesor Aurelio Menéndez*, vol. 4, ed. Civitas, 1996, pp. 4979-4994, y "La oferta de contrato", *RDN*, 1956. abril-junio, pp. 107-2011 y julio-diciembre, pp. 213-253.

[245]	VÁZQUEZ, R y BALLINA, F.J., "Estrategias de promoción de ventas para las empresas detallistas: influencia sobre las percepciones y el comportamiento de compra de los consumidores", *Cuadernos Aragoneses de Economía*, vol. 6, núm. 2, 1996, pp. 389-419.

[246]	BLATTBERG, R. y NESLIN, S., Sales Promotion: Concepts, Methods and Strategies, New Jersey, Prentice Hall.

percepción de la cadena y el valor de los productos que los consumidores. De ahí que el artículo 12. bis de la LCA imponga una serie de principios que habrán de regir la actuación de quienes se encargan de promocionar los productos de proveedores en la cadena. Pero también, y sin duda, la promoción de ventas persigue incidir en la voluntad contractual del consumidor a través de las informaciones y condiciones contractual objeto de la oferta (promociones, rebajas, obsequios, etc..).

El legislador español, consciente de la relevancia de la actividad de promoción y su incidencia tanto en la imagen del proveedor/fabricante como sobre el consentimiento del consumidor, impone en el art. 12. bis LCA una serie de principios con evidente alcance también en la formación del contrato. Entre ellos destaca en concreto que el conjunto de actividades encaminadas a la promoción se basen en el acuerdo y libertad de pactos, si bien sobre la base de unos contenidos mínimos; el interés mutuo y la flexibilidad para adaptarse a las circunstancias particulares de los distintos operadores, sin que puedan realizarse actividades promocionales entre los mismos que induzcan a error sobre el precio e imagen de los productos, todo ello con el fin de evitar que se perjudique la percepción en la cadena sobre la calidad o valor de los productos, banalizando una actividad esencial para la economía y sociedad.

2.2. Los principios rectores de los pactos promocionales.

2.2.1. La buena fe

En aplicación del principio general en materia de contratos en nuestro ordenamiento, el art. 4 de la LCA recuerda que todas las relaciones comerciales sometidas a ella estarán regidas por el principio de buena fe, en aplicación al contrato alimentario del principio de buena fe que con carácter general el art. 1.258 del Código Civil instaura en nuestro Derecho en materia de contratación, de modo que una vez perfeccionados los contratos alimentarios, "obligan, no sólo al cumplimiento de lo expresamente pactado, sino también a todas las consecuencias que, según su naturaleza, sean conformes a la buena fe, al uso y a la ley".

En efecto, la buena fe es exigible ante el riesgo de que en la negociación la parte intente transgredir una norma o lesionar un derecho. Constituye un principio de reciprocidad, de equitativo reparto de la responsabilidad, y, por lo tanto, ambas partes, en una relación comercial, participan de una idea común, y tienen el deber de comportarse de manera honrada, adecuada y justa para dar satisfacción a los respectivos intereses, pero también asume la función de norma de conducta para juzgar un comportamiento[247].

Su alcance en el contrato alimentario, sin embargo, requiere de la atenta observancia tanto de la naturaleza y características intrínsecas de las relaciones comerciales, en este caso, los pactos promocionales, como de los dictados de la buena fe contractual en el sector agroalimentario. En este sentido, al legislador le preocupa que la buena fe entre las partes, como expresión de una conducta leal y justa, alcance tanto la fase de negociación como la fase de ejecución y desarrollo de las actividades de lanzamiento o desarrollo de promociones. Así, por un lado, el apartado 2º del art. 12. bis LCA recuerda el principio general de la buena fe en la fase de ejecución al recordar que "los pactos sobre promociones se respetarán en su naturaleza e integridad", para lo que "(d)ichos pactos, que deberán contar con el acuerdo explícito de ambas partes, recogerán los aspectos que definen la promoción: los plazos (fechas de inicio y finalización), los precios de cesión, los volúmenes, y aquellas otras cuestiones que sean de interés, así como también los aspectos de la promoción relativos al procedimiento, el tipo, el desarrollo, la cobertura geográfica y la evaluación del resultado de ésta". Por otro, el apartado 3º del recientemente introducido artículo 12 bis de la Ley 12/2013, refuerza las exigencias de la buena al establecer como principio la prohibición de las actividades promocionales que puedan transgredir la conducta leal y justa exigible a las partes, y en concreto, la prohibición de aquellas actividades promocionales que: (i) bien induzcan a error sobre las principales condiciones contractuales, esto es, el precio e imagen de los productos, (ii) bien "perjudiquen la percepción en la cadena sobre la calidad o valor de los productos".

2.2.2. El principio de equidad

La LCA dispone expresamente en su art. 4 que, entre otros, "las relaciones comerciales sujetas a esta Ley se regirán por los principios de equilibrio y justa reciprocidad entre las partes" y de "equitativa

---

[247]　GARCÍA AMIGO, M.: "Consideraciones a la buena fe contractual": Actualidad Civil, núm.1, 2000, págs.. 3 y ss.

distribución de riesgos y responsabilidades". En consecuencia, también los pactos de promoción entre proveedor/fabricante y distribuidores y/o terceros han de observar los principios de equilibrio y reciprocidad de modo que su contenido garantice un equilibrio justo entre derechos y obligaciones y asegure que ha tenido en cuenta los intereses de todas las partes. Así específicamente este principio obliga a incorporar en los acuerdos cláusulas de compensación en aquellos supuestos de falta de consecución de la promoción pactada o en fechas o términos distintos a los establecidos[248].

2.2.3. Acuerdo y el principio de libertad de pactos

La LCA respeta el principio de autonomía de la voluntad del artículo 1255 del Código Civil. En materia de contratos alimentarios, la libertad de pactos se aplica en la determinación del régimen del contrato alimentario con efectos plenos, esto es, como consecuencia de la negociación libre y equilibrada entre las partes del contrato, con los únicos límites legales que establece la LCA, como establece con carácter general la citada norma en sus arts. 4 y 9.2[249].

El principio de autorregulación o libertad de pactos permite a las partes la libre negociación y la fijación del contenido del contrato alimentario (art. 1.255 del C.C). El contenido del contrato alimentario, fijado en la fase de negociación, ha de ser resultado de los pactos entre las partes, que tienen fuerza de ley y deberán cumplirse en los mismos términos en que fueron impuestas (art. 1.091 del C.C). La voluntad es, por tanto, fuente principal del contrato y un instrumento especialmente útil cuando no existe una fijación del modelo contractual en la ley[250], sin que exista más

---

[248]   En estos términos debe entenderse que el Código de Buenas Prácticas Mercantiles en la Contratación Alimentaria, aprobado por Acuerdo de 24 de noviembre de 2015 (Resolución de 10 de diciembre de 2015, de la Dirección General de la Industria Alimentaria, por la que se publica el Código de Buenas Prácticas en la Contratación Alimentaria) establezca que "(d)eberá compensarse a la parte perjudicada por cualquier causa, que no sea ajena a la otra parte, que motive la no consecución de la promoción pactada, o su realización en fechas o términos distintos a los establecidos. Dicha compensación deberá establecerse mutuamente, teniendo en cuenta los efectos ocasionados" (sección V.8 Actividades promocionales).

[249]   Esta circunstancia no debe, sin embargo, obviar la tendencia en nuestro ordenamiento a la homogeneización de los instrumentos contractuales, mediante la utilización de los denominados contratos-tipo, que, sin embargo, no parecen transformar la concepción inicial y equilibrada de este principio.

[250]

limitación a la misma que la impuesta por la Ley, la derivada de la moral o el orden público (artículo 1.255 del C.C).

Tras la reciente modificación operada por la Ley 8/2020, la introducción del art. 12 bis de la LCA establece expresamente como principio rector que el contenido de las actividades de lanzamiento y desarrollo de promociones en el ámbito de esta Ley se negocien libremente entre las partes, siempre que, también de acuerdo con el art. 1.255 del C.C., "no sean contrarios a la ley, a la moral ni al orden público".

2.2.4. El interés mutuo y cooperación

Recogido este principio con carácter general en el art. 4 LCA como rector de todas las relaciones comerciales sometidas a su ámbito de aplicación, el legislador insiste en que también los pactos promocionales se regirán por el interés mutuo, recordando que en la consecución de estos las partes en el contrato deberán abogar por alcanzar acuerdos que resulten satisfactorios para ambas.

Puesto en conexión con los pactos promocionales en el ámbito de la cadena alimentaria, el principio impone a las partes la búsqueda de acuerdos que no sólo permitan la obtención de un mutuo y recíproco beneficio, provecho y/o utilidad, entendidos éstos como ganancia o lucro, sino también la necesidad de que los acuerdos respeten la competitividad y la imagen de los operadores implicados, especialmente los proveedores/fabricantes.

La necesidad de establecer acuerdos que resulten provechosos de forma recíproca enlaza ineludiblemente con el principio de cooperación mutua también previsto para todas las relaciones comerciales sometidas a su ámbito de aplicación en el art. 4 LCA, en cuanto que propiciador de la máxima eficiencia y, por tanto, también conexo a la obligación del cumplimiento íntegro de los acuerdos y de colaboración en la ejecución[251],

---

[251] Como expresión de su aplicación máxima en este sector, el principio de colaboración permitió la adopción del Código de Buenas Prácticas Mercantiles en la Contratación Alimentaria, aprobado por Acuerdo de 24 de noviembre de 2015 (Resolución de 10 de diciembre de 2015, de la Dirección General de la Industria Alimentaria, por la que se publica el Código de Buenas Prácticas en la Contratación Alimentaria). En efecto, el Código se inspira en un sistema de libre adhesión, ya que únicamente a partir de aquella quedarán obligados los operadores a que sus relaciones comerciales se ajusten a los principios y reglas que en el mismo se contienen (AMAT LLOMBART, P., "Mejoras en el funcionamiento de la cadena

en los términos previstos en el apartado 2 del art. 12.b LCA o lo que es lo mismo en materia de (i) plazos (fechas de inicio y finalización); (ii), precios de cesión; (iii) volúmenes; (iv) los aspectos de la promoción relativos al procedimiento, el tipo, el desarrollo, la cobertura geográfica y la evaluación del resultado de ésta y, finalmente, (v) aquellas otras cuestiones que sean de interés.

2.2.5. La flexibilidad en la negociación

Ya previsto en el Código de Buenas Prácticas Mercantiles en la Cadena Alimentaria, en concreto en la sección V.8 Actividades de promoción, el principio de "flexibilidad para adaptarse a las circunstancias particulares de los distintos operadores" o de flexibilidad de la negociación adoptado por art. 12. bis LCA, impone a las partes la necesidad de adaptar el contenido de los acuerdos promocionales a las "circunstancias particulares de los distintos operadores" procurando conciliar durante la negociación los objetivos e intereses propios con los de la contraparte.

En consecuencia, el contenido y términos de los pactos promocionales deberán ser el reflejo de una verdadera negociación que garantice la consecución de los objetivos de ambas contrapartes, en definitiva, el interés mutuo.

2.2.6. La prohibición de inducción a error

El Código de Buenas Prácticas Mercantiles en la Contratación Alimentaria aprobado imponía a los operadores adheridos, terceros y/o distribuidores, que actuaran en la actividad de promoción, la obligación de desplegar esta actividad bajo determinados parámetros de conducta, encuadrables bajo el canon de buena fe y lealtad. En concreto, el mencionado Código ya recogió, como principio rector de la actividad promocional de los operadores adheridos, la necesidad de colaborar

---

alimentaria en la Unión Europea y en España a partir del régimen jurídico de negociación y contratación: el contrato alimentario y el contrato tipo agroalimentario", *Revista de Derecho Agrario y Alimentario*, núm. 66, 2015, (pp. 7-50), p. 24; MARTÍ MIRAVALLS, J., "El Código de Buenas Prácticas Mercantiles en la contratación alimentaria", en VICIANO PASTO, J. y CORBERÁ MARTÍNEZ, J.M., Coord.), *Retos en el Sector Agroalimentario valenciano en el siglo XXI. A propósito de la Ley 12/2013, de 2 de agosto, de medidas para mejorar el funcionamiento de la cadena alimentaria*, ed. Tiran lo Blanch, 2019, (pp. 227-254), p. 232.

con sus proveedores/fabricantes para mejorar la percepción que tiene el consumidor de los productos alimentarios como productos de alta calidad mediante los instrumentos promocionales adecuados.

Su inclusión en el apartado 3° del reciente art. 12. bis de la LCA, somete a cualquier operador que por virtud de pacto se obligue al lanzamiento o despliegue de promociones a la prohibición de realizar actividades promocionales que directa o indirectamente "induzcan a error sobre el precio o imagen de los productos o que perjudiquen la percepción en la cadena sobre la calidad o el valor de los productos". Sin más desarrollo, el cumplimiento de este precepto impone a los operadores la obligación de adoptar las medidas necesarias para trasladar una imagen correcta y fiel del proveedor y la calidad del producto, lo que implica entre otras, la de identificar claramente en la información publicitaria, en la cartelería y en los tiques de compra su precio, de forma inequívoca, de tal forma que el consumidor tenga conocimiento exacto del alcance de la campaña promocional[252].

3. NOVEDADES VIGENTES Y PROYECTADAS EN MATERIA DE FORMALIZACION Y CONTENIDO MÍNIMO DEL CONTRATO

3.1. *En cuanto al ámbito de aplicación proyectado del régimen del contrato*

Como novedad destacada de la reforma proyectada por el Proyecto de modificación de la LCA, destaca la que afecta al de su doble ámbito de aplicación, a saber: un ámbito más general previsto en su art. 2, y uno más concreto y delimitado referido al específico régimen contractual en materia de documentación (forma y contenido) de determinados contratos alimentarios que se encuentran en situaciones de desequilibrio.

Ambos son objeto de reforma con el proyecto de modificación de la LCA, si bien con distinto alcance y efectos en relación con la actual redacción vigente, en la medida en que, si bien ambos ámbitos se amplían a prácticamente la totalidad de las relaciones comerciales en el sector

---

[252]   En este sentido, v. sección V.8 del Código de Buenas Prácticas Mercantiles en la Contratación Alimentaria.

alimentario, lo cierto es que el ámbito objetivo de aplicación del régimen previsto en la Ley en materia de formalización contractual proyecta ciertas limitaciones por razón de la cuantía.

3.1.1. Mayor alcance del nuevo ámbito de aplicación general de la LCA

En efecto, una de las principales novedades que el Proyecto de modificación de la LCA plantea introducir es precisamente la ampliación en su ámbito general de aplicación. Y es que, aunque el proyecto de reforma mantiene los elementos esenciales y la sistemática de la Ley, sin embargo modifica el ámbito subjetivo general de aplicación previsto art. 2 LCA, en su redacción inicial, más constreñido el actual en función de ciertas características como su volumen de negocio, para abarcar "las relaciones comerciales que se produzcan entre los operadores establecidos en España que intervienen en la cadena alimentaria desde la producción a la distribución de productos agrícolas o alimentarios". En consecuencia, y en consonancia con la Directiva (UE) 2019/633 del Parlamento Europeo y del Consejo, de 17 de abril de 2019, relativa a las prácticas comerciales desleales en las relaciones entre empresas en la cadena de suministro agrícola y alimentario, a partir de la aprobación y entrada en vigor de esta reforma, pasarán a estar sujetas a la LCA todas las relaciones contractuales de la cadena, sin restricción en cuanto al volumen de negocio, e independientemente de si existe o no especial dependencia jerárquica, por lo que a partir de aquella aprobación, estarán sometidas también las establecidas entre PYMES y las relaciones entre mayoristas.

Por aplicación de la Directiva, también se añade un párrafo 2º del proyectado art. 2.1 LCA, que viene a extender su ámbito de aplicación ad extra para someter a su régimen "las relaciones comerciales entre cualquiera de los operadores que intervienen en la cadena alimentaria cuando uno esté establecido en España y el otro en un Estado miembro, cuando no resulte de aplicación la legislación de otro Estado miembro", incluyendo así las relaciones comerciales entre un proveedor y un comprador cuando uno esté establecido en España y el otro en otro Estado miembro y no resulte de aplicación la legislación de otro Estado miembro. También como novedad, se deberá indicar expresamente en el contrato la circunstancia de que "uno de los operadores esté establecido en España y el otro no" (nuevo párrafo 3º del art. 2.1). Como norma ius cogens, se prevé en la modificación operada en su art. 2 que, independientemente de la legislación aplicable, cuando una de las partes tenga su establecimiento en España y la otra en un tercer Estado, resultarán de aplicación las prohibiciones contenidas en esta Ley el correspondiente régimen sancionadora establecido para estas en el Título V (nuevo párrafo 4º del art. 2.1.)

3.1.2. La deseada ampliación del nuevo ámbito de aplicación de la obligación de formalización

Por su parte el ámbito específico de aplicación del régimen de formalización contractual se ha visto también modificado con motivo de la reforma proyectada sobre la LCA, al operar sobre el ámbito de aplicación de su Capítulo I del Título II. En concreto, la modificación introducida en el proyectado art. 2.4, inicialmente limitado en el vigente art. 2.3 a los contratos alimentarios cuyo precio superan los 2.500 euros, siempre que alguna de las partes se encuentren en exclusivamente en «(alguna de las siguientes) situaciones de desequilibrio:», lo amplía al eliminar cualquier referencia a la exigencia de constatación de relaciones de desequilibrio o dependencia y extenderlo con carácter expreso a cualesquiera relaciones comerciales de los operadores que realicen transacciones comerciales cuyo precio sea superior al importe fijado en el primer párrafo del artículo 7.1 de la Ley 7/2012, de 29 de octubre, de modificación de la normativa tributaria y presupuestaria y de adecuación de la normativa financiera para la intensificación de las actuaciones en la prevención y lucha contra el fraude.». Por su parte, y también como novedad, en el proyectado art. 2.2, donde se mantiene la vigente exclusión del ámbito de aplicación de la Ley relativo de las entregas que se realicen entre cooperativas y entidades, se sustituye la mención hecha a las entidades "agrarias" para referirse a entidades "asociativas", lo que permite así extender tal exclusión a la pesca.

En términos generales se observa que, mientras el alcance del vigente art. 2.3 de la LCA se limita a un ámbito subjetivo de la obligación de formalización más constreñido, al quedar limitado aquél a aquellos contratos alimentarios en los que concurra dos requisitos, a saber: uno objetivo, esto es, que tengan por objeto transacciones comerciales cuyo precio supere los 2.500 euros, y otro subjetivo, que exige que alguna de las partes se encuentren en exclusivamente en alguna de las siguientes situaciones de desequilibrio previstas en el precepto[253], el alcance y eficacia en materia de transparencia de la reforma proyectada por el Proyecto de Ley de modificación de la LCA es mucho mayor. Así el correspondiente al proyectado art. 2.4 amplía los supuestos en los que es obligatorio la formalización para extender la exigencia a prácticamente todas las relaciones contractuales en el ámbito alimentario, incluidas las relaciones entre pequeñas y medianas empresas que cumplan con el requisito objetivo por la cuantía. En efecto, al exigirse que «(e)l ámbito de aplicación del capítulo I del título II de esta ley se circunscribe a las relaciones comerciales de los operadores que realicen transacciones comerciales cuyo precio sea superior al importe fijado en el primer párrafo del artículo 7.1 de la Ley 7/2012, de 29 de octubre, de modificación de la normativa tributaria y presupuestaria y de adecuación de la normativa financiera para la intensificación de las actuaciones en la prevención y lucha contra el fraude», el legislador pasa a exigir exclusivamente para someterse a la obligación que se trate de una relación comercial cuyo precio supere los 2.500 euros, incluidas también las entregas de producción de un socio a una cooperativa o a una entidad asociativa, «salvo que los estatutos o acuerdos de la cooperativa o de la entidad asociativa establezcan, antes de que se realice la entrega, el procedimiento de determinación del valor del producto entregado por sus socios y el calendario de liquidación y estos sean conocidos por los socios. A tal efecto, deberá existir una comunicación fehaciente a los interesados, que será incluida en el acuerdo y será aprobado por el órgano de gobierno correspondiente».

---

[253]   En efecto, el art. 2.3 vigente mantiene como situaciones de desequilibrio económico cualquiera de las siguientes: a) Que uno de los operadores tenga la condición de PYME y el otro no. b) Que, en los casos de comercialización de productos agrarios no transformados, perecederos e insumos alimentarios, uno de los operadores tenga la condición de productor primario agrario, ganadero, pesquero o forestal o una agrupación de los mismos y el otro no la tenga. c) Que uno de los operadores tenga una situación de dependencia económica respecto del otro operador, entendiendo por tal dependencia, que la facturación del producto de aquél respecto de éste sea al menos un 30% de la facturación del producto del primero en el año precedente.
Sobre un análisis más extenso sobre el específico ámbito de aplicación del régimen previsto en el Capítulo I Título II de la LCA v. RODRÍGUEZ MARTÍNEZ, I., "Los contratos alimentarios o de la cadena alimentaria", en VICIANO PASTO, J. y CORBERÁ MARTÍNEZ, J.M., Coord.), *Retos en el Sector Agroalimentario valenciano en el siglo XXI. A propósito de la Ley 12/2013, de 2 de agosto, de medidas para mejorar el funcionamiento de la cadena alimentaria*, ed. Tiran lo Blanch, 2019, (pp. 47-77), pp. 59-62.

Debe darse cuenta, finalmente, que la reforma exceptúa aquellos casos en los que por la propia idiosincrasia de la relación no se hace necesario adicionar especiales garantías al ámbito de la libre conformación de la voluntad, saber: (i) cuando el pago sea al contado en el momento de la entrega del bien o, (ii) cuando, en el caso de cooperativas y otras entidades similares, existan acuerdos previos que se puedan reputar equivalentes al propio contrato.

4. LA FORMALIZACIÓN DEL CONTRATO

4.1. Requisitos y formalidades proyectadas

la reforma planteada por el Proyecto de modificación de la LCA mantiene en esencia en el vigente art. 8 LCA el requisito de la forma por escrito de los contratos alimentarios, pero introduce importantes cambios y novedades que afectan a cuestiones importantes en esta materia, a saber:

La nueva redacción mantiene el respeto al principio de libertad de forma de nuestro Derecho contractual[254]/[255], en la que además el legislador parece seguir aviniéndose en el contrato alimentario la postura doctrinal que ha venido entendiendo que en todos aquellos casos en que, por disposición legal o por voluntad de las partes el documento, no sea exigido como una forma constitutiva del negocio, el documento cumple una función meramente probatoria[256], como se desprende del vigente art. 8.1 LCA al no establecer para el caso de inobservancia efectos invalidantes sobre el contrato[257].

Se admite expresamente la posibilidad de que la formalización se realice en documento electrónico mediante firma electrónica como alternativa a

---

[254]   VALPUESTA FERNÁNDEZ, R., *Código Civil comentado, art. 1278*, Vol. III, Libro IV, ed. Thomsom Reuters, Navarra, 2011, pp. 684.

[255]   ALBALADEJO, M., *La forma y la interpretación del negocio jurídico*, Oviedo, 1958; DE LOS MOZOS, *La forma en el negocio jurídico, Anuario de Derecho Civil*, 1968, pp. 745 y ss. LÓPEZ Y LÓPEZ, A.M., *Comentarios a los artículos 1278 a 1280 del CC*, Ministerio de Justicia, II, Madrid, 1991, pp. 502 y ss.

[256]   DIEZ PICAZO, L., *Fundamentos del Derecho Civil Patrimonial, Tomo I, Introducción a la Teoría del contrato*, ed. Civitas, Madrid, 1996, p. 257.

[257]   No es este el caso en que, como sucede en ocasiones, la ley determina una forma fija u obligatoria como único vehículo de manifestación de la voluntad para un determinado negocio, de cuya observancia hace depender su eficacia negocial.

la formalización en soporte físico, pero impone el requisito de la firma "por cada una de las partes que intervienen en ellos".

La nueva redacción prevé expresamente que, tras la formalización, la copia del documento deberá quedar "en poder de cada una de las partes". Con su nueva redacción se hace notar, por tanto, que, junto a la obligación de formalización, el legislador impone a las partes intervinientes el deber de hacerse entrega del documento una vez éste haya sido firmado por cada una de estas.

Especialmente novedosa es la obligación de formalización en las entregas de producción del socio a cooperativas o entidades asociativas como medida de protección de los socios en las entregas de producción. En concreto, cada entrega de producción de un socio a una cooperativa o a una entidad asociativa requerirá la formalización por escrito de un contrato alimentario individualizado, que deberá además incorporar los mismos elementos mínimos recogidos en el art. 9 LCA. No obstante, también prevé una excepción a esta obligación en aquellos casos en los que, siendo conocidos por los socios, los estatutos hubieran establecido procedimiento de determinación del valor del producto entregado por sus socios, así como el calendario de liquidación.

Se introducen como novedad en la redacción proyectada del art. 8 LCA varios principios rectores de las cláusulas de un contrato alimentario, al exigir que su redacción deberá ajustarse y respetar los principios de transparencia, claridad, concreción y sencillez.

Por su parte, y finalmente, cabe destacar que, si bien aún no vigente, el Proyecto de Ley de modificación de la LCA, en transposición de la Directiva (UE) 2019/633, del Parlamento Europeo y del Consejo, de 17 de abril de 2019 prevé como medida encaminada a asegurar el cumplimiento de la obligación de documentación contractual en los términos previstos por la LCA la posibilidad de que las partes puedan solicitar una mediación, "que se llevará a cabo en los términos establecidos en su legislación" para los casos en que existan discordancias o falta de acuerdo entre el vendedor y el comprador en la formalización del contrato alimentario (v. Disposición final tercera del Proyecto).

4.2. Especial referencia a los problemas de control de incorporación de los pretendidos principios de transparencia, claridad, concreción y sencillez

Una de las novedades que más calado tiene en relación con el régimen de formalización del contrato alimentario es la que afecta precisamente a su redacción. El legislador apuesta por introducir la exigencia de que la redacción de las cláusulas respete los principios de transparencia, claridad, concreción y sencillez, prácticamente en los mismos términos en que el art. 5.5 de la Ley 7/1998 (en adelante, LCGC) lo exige para los contratos basados en condiciones generales de la contratación en su sistema de control de incorporación.

En aras de conferir una mayor transparencia y un mayor equilibrio de las contraprestaciones, se establece, por tanto, para los contratos alimentarios que su redacción debe ser acorde con los principios o criterios de transparencia, claridad, concreción y sencillez, sin embargo, no prevé la norma, en aras de una mayor protección de la parte más débil, consecuencias civiles del incumplimiento de tales principios sobre la eficacia de aquellas cláusulas que, contrarias a tales principios, resulten ilegibles, ambiguas, oscuras o incomprensibles, ni tampoco parece establecer un auténtico sistema de control de incorporación a modo del previsto por el art. 5.5 LCGC para los consumidores.

No obstante ello, lo cierto es que el control de incorporación en la aplicación de los criterios o principios rectores en materia de transparencia de los contratos alimentarios, al albor de la nueva redacción del art. 8.1, parece plantear mayores problemas en las cláusulas no negociadas individualmente; no así en los contratos tipo agroalimentarios[258], modelos

---

[258]   Así ocurre en el caso de los contratos tipo de productos agroalimentarios, modelos cuyo contenido ha sido pactado entre los representantes de los sectores productor, transformador y comercializador, que es homologado por el Ministerio de Agricultura, Alimentación y Medio Ambiente, y publicado mediante la correspondiente Orden en el Boletín Oficial del Estado (arts. 5 a 7 Ley 2/2000). El contrato tipo agroalimentario así homologado adquiere la naturaleza de modelo contractual, al que podrán ajustarse de forma voluntaria.
El régimen de homologación no altera el principio de libertad de pactos en materia de contratos agroalimentarios, en la medida en que la voluntariedad de la adhesión a los modelos de contratos tipos promueve que las partes, siempre, y al menos en principio, en el ejercicio de la su autonomía de la voluntad, incorporen los pactos y cláusulas objeto de negociación que van a integrar el contenido de tales contratos a su relación contractual (art. 2.1 Ley 2/2000). De esta forma el contrato tipo constituye el modelo al cual podrán ajustar sus

de contratos que no han sido redactados por las partes, sino que tienen su origen en la homologación de contratos tipos agroalimentarios con la Ley 2/2000, de 7 de enero (LCTPA), objeto de desarrollo reglamentario por el Real Decreto 686/2000, de 12 de mayo (RCTPA) cuya finalidad última es la homologación administrativa de contratos-tipo que facilitan la función facilitadora de la fase de negociación[259] y de interpretación en caso de controversias derivadas de su aplicación[260] y, fundamentalmente, favorecen el principio de seguridad jurídica (v. art. 7, b LCGC)

En definitiva, y como sucede en nuestro ordenamiento de forma genérica en la LCGC, en donde se evidencia una ausencia real -que no formal- de controles de contenido en los contratos entre profesionales y empresarios[261], el legislador también ha optado por renunciar a imponer auténticos controles de transparencia entre las partes contratantes en el sector alimentario y reforzar el control de transparencia por vías indirectas[262].

---

contratos, sometidos al derecho privado, los operadores del sistema agroalimentario. No obstante, la homologación de contratos tipo facilita la interpretación de los contratos, generando un clima de transparencia en las negociaciones que facilita la concurrencia en el sector agroalimentario.
Sobre el papel de los contratos-tipo de productos agroalimentarios, v. LÓPEZ BENÍTEZ, M., "Los mercados agroalimentarios en España: una ojeada a la regulación de los contrato tipo de productos agroalimentarios en el ordenamiento español", en *Rivista di Diritto alimentare*, anno VI, núm. 3, luglio-settembre, 2012, (pp. 15-26), pp. 21 y ss.

[259] No ha de olvidarse que se trata habitualmente de contratos entre empresas que se caracterizan por ser una relación contractual asimétrica en el poder contractual, en la doctrina italiana, v. ROPPO, V., «Contratto di diritto comune, contratto del consumatore, contratto con asimetría di potere contrattuale: genesi e sviluppi di un nuovo paradigma», in *Riv. Dir. Priv.* 2001, pp. 769 y ss. Del mismo autor, Parte generale del contratto, contratti del consumatore e contratti asimmetrici (con postilla sul "terzo contratto"), *Riv. Dir. Priv.* 2007, pp. 669 y ss.; VETTORI, G., «Le asimmetrie informative fra regale di validità e regule di responsabilità», *Riv. Dir. Priv.*, 2003, pp. 241 y ss.

[260] Esta intervención y control administrativo sobre lo que se denomina el «terzo contratto», no ha estado exento de polémica y ha sido objeto de crítica den el Derecho comparado, v. DI CATALDO, L'Autorita Garante della concorrenza e del mercato a vent'anni dalla sua istituzione. Appunti critici, in *Concorrenza e mercato*, 2010, p. 468 y ss. En nuestro Derecho, la adhesión voluntaria a un contrato tipo homologado se ha planteado alguna duda. En esta línea, LÓPEZ BENÍTEZ, M., "Los mercados agroalimentarios en España ...", *cit.*, pp. 23 y ss.

[261] En este sentido, v. R. BERCOVITZ RODRIGUEZ-CANO, que habla de "desconcierto y frustración" ante la falta de control efectivo de las condiciones generales en la contratación entre profesionales (BERCOVITZ RODRIGUEZ-CANO, R., "Comentario al art. 8" en Comentarios a la Ley de Condiciones Generales de la Contratación, coord. por BERCOVITZ RODRÍGUEZ-CANO, R, 2000, (pp. 259-270), p. 268.

[262] V. *infra*, epígrafe IV, 2. La sanción administrativa por incumplimiento.

5. EL NUEVO CONTENIDO MÍNIMO VIGENTE Y PROYECTADO

5.1 Modificaciones operadas en el contenido del art. 9 LCA.

5.1.1. El contenido mínimo obligatorio tras la reforma operada por el Real Decreto-ley 5/2020 y la Ley 8/2020, de 16 de diciembre

La obligación de formalización por escrito del contrato alimentario no supone la única de las obligaciones formales que las partes han de cumplir. Como complemento a la de formalización del contrato, el art. 9 de la LCA, modificado en sus apartados 1.c) y nueva letra j) por sendos arts. 1.1 del Real Decreto-ley 5/20202, de 25 de febrero y Ley 8/2020 de 16 de diciembre, y, tras su convalidación, por la citada Ley 8/2020, de 16 de diciembre, que deroga el citado Real Decreto-ley, exige la incorporación al contrato de una serie de menciones, a saber: a) la identificación de las partes contratantes y (b) el objeto del contrato; c) el precio del contrato, con expresa indicación de todos los pagos, incluidos los descuentos aplicables, que se determinará en cuantía fija o variable; d) las condiciones de pago así como también e) las condiciones de entrega y puesta a disposición de los productos; f) los derechos y obligaciones de las partes contratantes y g) la información que deben suministrarse según lo dispuesto en el art. 13 de la Ley; h) la duración del contrato y las condiciones de renovación y modificación; i) las causas, formalización y efectos de la extinción del contrato y, finalmente, de forma novedosa j) la indicación expresa de que el precio pactado entre el productor primario agrario, ganadero, pesquero o forestal o una agrupación de éstos y su primer comprador cubre el coste efectivo de producción.

5.1.2. Alcance y efectos de la nueva cláusula obligatoria relativa al precio del contrato

Mención especial merecen, precisamente por ser objeto de la modificación operada por las Ley 8/2020, de 16 de diciembre, las indicaciones contenidas en las letras c) y j) del vigente art. 9 en materia de contenido mínimo.

Así, en relación con la contenida en la letra c), el citado art. 9.1 vigente exige expresamente que en el contrato haya que indicar necesariamente el "precio del contrato alimentario, con expresa indicación de todos los pagos, incluidos los descuentos aplicables, que se determinará en cuantía fija o variable", habida cuenta de que "(e)n este último caso, se determinará en función únicamente de factores objetivos, verificables, no manipulables y expresamente establecidos en el contrato", pero permitiendo que los factores a emplear puedan "ser, entre otros, la evolución de la situación del mercado, el volumen entregado y la calidad o composición del producto". El precepto aclara al respecto que "(e)n todo caso, uno de los factores deberá ser el coste efectivo de producción del producto objeto del contrato, calculado teniendo en cuenta los costes de producción del operador efectivamente incurridos, asumidos o similares" y que "(e) n el caso de las explotaciones agrarias se tendrán en cuenta factores tales como las semillas y plantas de vivero, fertilizantes, pesticidas, combustibles y energía, maquinaria, reparaciones, costes de riego, alimentos para los animales, gastos veterinarios, trabajos contratados o mano de obra asalariada. Se entenderá por factores objetivos aquellos que sean imparciales, fijados con independencia de las partes y que tengan como referencia datos de consulta pública. En el caso de las explotaciones agrarias, éstos serán tales como los datos relativos a los costes efectivos de las explotaciones publicados por el Ministerio de Agricultura, Pesca y Alimentación". Como última novedad, el tenor de la norma impone una prohibición a la hora de fijar el precio al advertir de que "(e)n ningún caso se utilizarán factores que hagan referencia a precios participados por otros operadores o por el propio operador".

En definitiva, puede concluirse que el precepto, en su letra c), tan sólo regula los factores "objetivos, verificables, no manipulables y expresamente establecidos en el contrato" a tener en cuenta cuando la fijación del precio lo es de forma variable, tales como "entre otros, la evolución de la situación del mercado, el volumen entregado y la calidad o composición del producto" pero asegurando que "en todo caso, uno de los factores deberá ser el coste efectivo de producción del producto objeto del contrato, calculado teniendo en cuenta los costes de producción del operador efectivamente incurridos, asumidos o similares". A los efectos de determinar otros posibles factores, la norma también indica que se entenderá por factores objetivos aquellos que sean "imparciales, fijados con independencia de las partes y que tengan como referencia datos de consulta pública", para evitar que en la determinación del coste se introduzcan factores que lo distorsionen, como las referencias circulares, de ahí que expresamente establezca que "(e)n ningún caso se utilizarán factores que hagan referencia a los precios participados por otros operadores o por el propio operador",. Por su parte, cuando el precio sea calculado a partir de una cuantía fija, en todo caso este deberá hacer referencia *al coste efectivo de producción de manera obligatoria* y, en el caso de las explotaciones agrarias, la norma admite una serie de inputs o factores que pueden considerarse, tales como semillas y plantas de vivero, fertilizantes, pesticidas, etc., haciéndose además referencia explícita a que *podrán* considerarse aquellos publicados por parte del Ministerio.

La modificación operada ha sido bien acogida con carácter general por el sector, especialmente, en la medida en que las referencias sean detalladas, correctamente actualizadas y específicas para cada uno de los diferentes segmentos. Sin embargo, la literalidad del precepto plantea dos cuestiones objetables. En primer lugar, que quede a la elección de las partes la utilización de los índices del MAPA u otras referencias, al albor del principio de libertad de pacto, pues no es desventurado pronosticar al especto que sea la parte con mayor poder de negociación quien imponga los índices y, por consiguiente, el precio final del contrato. En segundo lugar, resulta equívoca la referencia a los "precios participados" para aludir a aquellos precios sobre los que el operador tenga cierto control, lo que abre el debate doctrinal acerca de cuál ha de ser ese grado de participación y si éste se alcanza o no, por ejemplo, los supuestos en que el precio es fijado de forma multilateral (lonjas, etc...).

Por cuanto se refiere a la segunda de las novedades relativas al precio del contrato como parte del contenido mínimo del contrato, debe destacarse por su incidencia en el contrato la prohibición de vender productos por debajo de los costes productivos a través de la obligación de incluir en los contratos alimentarios la indicación expresa de que el precio pactado cubra el coste efectivo de producción y se mantenga en todas las operaciones que se realicen a lo largo de la cadena, introducida en la letra j del art. 9.1 LCA tras la aprobación del Real Decreto-ley 5/20202, de 25 de febrero y, su convalidación, por la Ley 8/2020, de 16 de diciembre, que deroga el citado Real Decreto-ley. Al respecto, los términos de la formulación de la exigencia de la letra j), que obliga a las partes a incluir como parte del contenido mínimo del contrato alimentario la mención expresa "de que el precio pactado entre el productor primario agrario, ganadero, pesquero o forestal o una agrupación de éstos y su primer comprador cubre el coste efectivo de producción", está generando muchas incertidumbres y cuestiones objetables. En primer lugar y, fundamentalmente, porque se albergan serias dudas acerca de la legalidad de la obligación de que los precios de los contratos alimentarios hayan de cubrir los costes de producción, especialmente después de los pronunciamientos del Tribunal de Justicia de la Unión Europea /TJUE) en los que se opone a que los Estados miembros adopten medidas más restrictivas que aquellas previstas en el Derecho de la Unión Europea en materia de venta a pérdida[263]. En España, cabe recordar que la **CNMC ya se manifestó en 2013 contraria a la aplicación de un suelo en los precios** coincidente con los costes de producción recordando que «los acuerdos de precios, adoptados generalmente para garantizar el mantenimiento de las rentas de los productores, están prohibidos por el derecho de la competencia, desde la fijación directa y las recomendaciones de precios, a cualquier otra fórmula que evite que se definan libremente como contraposición entre la oferta y la demanda»[264]. En segundo lugar, porque la mera inclusión de la cláusula, sin otra medida de control externo ni previsión de consecuencia civil a los efectos de su incumplimiento, lejos se encuentra al parecer de la eficacia pretendida por el legislador con su nueva previsión.

En definitiva, tras las últimas modificaciones en vigor en materia de contenido mínimo, puede concluirse que, más allá de que las nuevas medidas en esta materia sean o no cuestionables y permitan alcanzar o no el fin pretendido, estos es, una mayor transparencia en la contratación de la cadena alimentaria, la finalidad inicial de la norma se refuerza, pues el legislador no únicamente exige con la formalización del contrato un medio probatorio de la existencia de la relación contractual sino también que éste describa de forma fiel los términos esenciales de la misma, esto es, los relativos a las partes y el objeto, así como el contenido del contrato resultado de los pactos. Y todo ello, en definitiva, con absoluto respeto al principio de autonomía contractual, en tanto en cuanto su apartado 2º del art. 9 aclara que "(e)l contenido y alcance de los términos y condiciones

---

[263]   Especial referencia merece la Sentencia TJUE de 19 de octubre de 2017.
[264]   V. CNMC, *Informe sobre competencia y sector agroalimentario*, 2013, pág. 53.

del contrato serán libremente pactados por las partes, teniendo en cuenta los principios rectores recogidos en el artículo 4 de la presente Ley".

5.2. *Las nuevas menciones obligatorias proyectadas por la reforma prevista en el Proyecto de Ley por el que se modifica la LCA*

El Proyecto de Ley por el que se modifica la LCA, en transposición de la Directiva (UE) 2019/633, del Parlamento Europeo y del Consejo, de 17 de abril de 2019, opera sobre el contenido mínimo del contrato alimentario previsto en el art. 9.1 de dos formas. Por un lado, modificando las letras b) y h) y, por otro, introduciendo nuevas menciones o exigencias en su contenido mínimo.

En concreto, modifica en aras de una mayor transparencia dos menciones de evidente calado. Así, en primer lugar, concreta la mención de su letra b) relativa al objeto de contrato, para obligar a las partes que, al respecto, indiquen "en su caso, las categorías y referencias contratadas", pero también, y en segundo lugar, la letra h) relativa a la duración del contrato, en la que introduce como novedad la indicación expresa en los contratos sometidos a plazo o condiciones de "la fecha de su entrada en vigor", así como también de las condiciones de renovación y modificación del contrato alimentario.

Finalmente, introduce dos nuevas menciones como parte del contenido mínimo del contrato alimentario. Así, la letra k) obliga a las partes a incluir en el contrato mención expresa acerca de posibles penalizaciones contractuales "por no conformidades, incidencias o cualquier otra circunstancia debidamente documentada", que, en todo caso, "habrán de ser proporcionadas y equilibradas para ambas partes", operando sobre la misma en definitiva tanto un control formal de inclusión como material. Por su parte, la proyectada nueva letra l) también incorpora, a través de un doble control formal y material, la exigencia de que en el contrato se haga constar expresamente los supuestos y "excepciones de causa de fuerza mayor", cláusulas que en todo caso deberán ser conformes con lo dispuesto en la "Comunicación C (88) 1696 de la Comisión relativa a «la fuerza mayor» en el derecho agrario europeo, y en el artículo 1105 del Código Civil".

6. NOVEDADES VIGENTES Y PROYECTADAS EN MATERIA DE INCUMPLIMIENTO DE LAS OBLIGACIONES DE FORMALIZACIÓN Y CONTENIDO MÍNIMO

6.1. Razones para las reformas operadas y proyectadas en materia sancionadora

También en materia de incumplimiento se han introducido importantes novedades, implementadas unas, programadas otras en el Proyecto de Ley de modificación de la LCA, en transposición de la Directiva (UE) 2019/633, del Parlamento Europeo y del Consejo, de 17 de abril de 2019. En cuanto a las recientemente operadas en nuestro ordenamiento, en concreto son dos las novedades las operadas en su momento por el Real Decreto-ley 5/2020, de 25 de febrero, que introdujo en materia de contratación alimentaria en esta materia, y posteriormente convalidadas por la Ley 8/2020, de 16 de diciembre, por la que se adoptan determinadas medidas urgentes en materia de agricultura y alimentación. Por un lado, se incorporan a nuestro ordenamiento la publicidad de las infracciones graves y muy graves, con fines disuasorios y punitivos, adelantándose nuestro legislador a la exigencia de la normativa europea en la materia. Por otro lado, se eleva la cualificación de la infracción y, correspondientemente, la sanción administrativa de los incumplimientos de las obligaciones de formalización del contrato alimentario y de su contenido mínimo, como se analiza a continuación.

Por lo que respecta a las proyectadas, el citado Proyecto de Ley por el que se modifica la LCA pretende en materia punitiva, con carácter general, asegurar la plena virtualidad, protección de los valores tutelados y eficacia del régimen sancionador, que incluye mejoras procedimentales en materia de sanciones, como la fijación del importe mínimo para las sanciones por infracciones leves o los agravamientos por conductas u omisiones reiteradas a partir de la comisión de una segunda o ulterior infracción que suponga reincidencia de una anterior cometida en el plazo de dos años, sin que sea necesario que se trate de la misma actuación del sujeto.

6.2. La sanción administrativa por incumplimiento

Como se señalaba, el reformado artículo 23.1 LCA elimina como infracción leve el incumplimiento de la obligación de formalizar el contrato alimentario, dejando sin contenido la letra a) del citado precepto, pero incorporando en el apartado 2 un último párrafo que, con el fin de reforzar el efecto disuasorio de la omisión, eleva a grave la tipificación administrativa de la conducta consistente en el incumplimiento de la obligación de formalización y, consecuentemente, la sanción a una cuantía de entre, mínimo, 3.001 euros a, máximo 100.000[265].

En efecto, el apartado 2 del art. 23 de LCA refuerza las medidas disuasorias en esta materia al incorporar un párrafo que eleva a infracción grave, la consideración de las siguientes conductas y omisiones: (i) el incumplimiento en la formalización; (ii) la ausencia de indicación en el contrato alimentario del precio recogido en el art. 9.1 c LCA, mientras que mantiene como leve la infracción consistente en la no incorporación en el contrato de las restantes menciones contenidas en el art. 9; (iii) las modificaciones de precio incluido en el contrato que no estuvieran expresamente pactadas por las partes; (iv) la destrucción de valor en la cadena alimentaria conforme al artículo 12 ter y, finalmente, (v) la realización de actividades promocionales que induzcan a error sobre el precio e imagen de los productos conforme al artículo 12 bis.

Se observa, en definitiva, en la reforma operada y actualmente vigente que el legislador no sólo consolida un régimen de cumplimiento de las obligaciones de transparencia en la contratación alimentaria con efectos contundentes en la esfera de la relación contractual, sino que además refuerza el efecto disuasorio del incumplimiento del régimen de formalización del contrato alimentario, mediante el establecimiento de un régimen sancionador que atribuye la competencia en esta materia a la Administración General del Estado o, en su caso, a las Comunidades Autónomas (art. 26 Ley 12/2013). Sigue primando en la norma la imposición de una vía preventiva y disuasoria de carácter administrativo, desde luego más efectiva que el régimen anterior, con el fin de conseguir mayor equilibrio en las relaciones comerciales entre los diferentes

---

[265] Art. 24.1 b) de la Ley 12/2013.

operadores, sobre la posible exigencia de responsabilidad civil contractual por incumplimiento.

Por su parte, la reforma proyectada por el Proyecto de modificación de la LCA, pese a reformular y añadir nuevas infracciones administrativas, 'mantiene en materia de transparencia contractual y formalización del contrato la tipificación como infracción grave de las conductas incumplidoras de la obligación de formalización del contrato del art. 8 y de la ausencia de indicación del precio en el contrato alimentario prevista en el art. 9.1 c LCA, así como leves las infracciones consistentes en la ausencia de indicación de contenido mínimo para las restantes indicaciones del citado art. 9.1.

6.3. La sanción civil por incumplimiento. Alcance y limitaciones

Por lo que respecta a los efectos del incumplimiento de las obligaciones de formalización y contenido mínimo, la modificación proyectada en los art. 8 y 9 LCA apenas incide en la esfera contractual[266]. En este sentido la regulación proyectada en materia de documentación contractual no incorpora mecanismos para garantizar que las partes, especialmente la más débil, puedan exigirse eficazmente su cumplimiento. Hubiera sido deseable que el legislador, claramente preocupado por contribuir a la ansiada transparencia y equilibrio de las prestaciones, hubiera previsto la posibilidad de instar la nulidad o anulabilidad del contrato a instancias de la parte más débil cuando se incumpliera cualquier de las obligaciones de formalización y documentación del contenido mínimo contractual y dicha infracción supusiera una clara lesión de sus intereses. En este sentido, sería deseable que la Ley estableciera expresamente la obligación de documentación a cargo de una de las partes, en concreto de quien en situaciones de desequilibrio se encuentre en situación de hacer valer sus interese y su poder negociador, atribuyendo, por un lado, la consideración de forma *ad solemnitatem* al requisito de formalización documental y, por otro, sancionando su incumplimiento con la anulabilidad del contrato únicamente en favor de la parte más débil a la que el régimen de la Ley pretende proteger.

---

[266]   Sobre el análisis de esta cuestión, v. RODRÍGUEZ MARTÍNEZ, I., "Los contratos alimentarios o de la cadena alimentaria", *cit.*, pp. 67-71.

6.4.Contratos preexistentes

El Proyecto de Ley de modificación de la LCA, en transposición de la Directiva (UE) 2019/633, del Parlamento Europeo y del Consejo, de 17 de abril de 2019 da cuenta también de la regulación de los contratos alimentarios celebrados con anterioridad a su entrada en vigor, tras su aprobación. En concreto, su Disposición Transitoria única respeta la validez de los contratos alimentarios ya celebrados y "en vigor" con anterioridad a la entrada en vigor de la Ley por la que se modifica la LCA, incluidas sus prórrogas y novaciones, si bien deberán adaptarse a las novedades proyectadas, entre ellas, las relativas a su formalización y contenido mínimo, en el plazo de un año a la fecha de su entrada en vigor en aquello en que no se ajusten a lo dispuesto en la misma.

PARTE SEGUNDA
PROPIEDAD INDUSTRIAL Y SECTOR AGROALIMENTARIO

Nuevas orientaciones en la protección de la innovación en agricultura: ¿agricultura inteligente *versus* agricultura ecológica?

ESPERANZA GALLEGO SÁNCHEZ
Catedrática de Derecho Mercantil. Universidad de Alicante

1. PRELIMINAR

La agricultura se enfrenta en la actualidad a grandes retos. Mientras se estima que, en el año 2050, hará falta un 60% más de alimentos para alimentar a la población mundial, se es consciente de que la mayor parte del aumento de la demanda de alimentos, en torno al 85% tendrá que atenderse con un aumento de la productividad de los cultivos y no destinando más suelo a uso agrícola. Además, este aumento de la productividad ha de ser sostenible lo que implica múltiples factores entre los que destacan la protección del medio ambiente, de la biodiversidad, de los recursos naturales y de los conocimientos tradicionales[268]; así como el derecho a la salud [269].

A fin de atender a esos requerimientos se ha hecho imprescindible acelerar la innovación en esta materia, lo que ha conducido a la implantación de una nueva categoría conocida ya de forma generalizada con la denominación de agricultura inteligente (*"Smart breeding"*) o TAI (tecnologías de agricultura inteligente).

La agricultura inteligente supone la integración en el sistema productivo agrícola de las tecnologías digitales. Por eso se la conoce también como agricultura 4.0, denominación inspirada en el mundo del *software*, que alude a la llamada cuarta revolución productiva tras el

---

[268] GALLEGO SÁNCHEZ, E., "Sistemas de protección de las variedades vegetales" en MORRAL SOLDEVILA, R. (Dir.) *Problemas actuales de Derecho de la Propiedad Industrial. IX Jornada de Barcelona de Derecho de la Propiedad Industrial*, Madrid, 2020, págs. 57-91, pg. 63.

[269] GEIGER, C., *Research Handbook on Human Rights and Intellectual Property*, Edward Elgar, Cheltenham, 2015, pg. 543.

desarrollo de los primeros cultivos, la revolución verde y la aparición de la agricultura de precisión. Pero no se reduce a ello, sino que alcanza también a la innovación en la fase de creación con técnicas procedentes de la biotecnología. Se trata, pues, de un fenómeno de amplios contornos que alcanza a todas las fases de la cadena alimentaria, desde la previa relativa a la creación del producto pasando por el cultivo, la producción, la distribución, la logística o el almacenaje hasta la recepción del producto por el consumidor final y la selección de este y de sus características con fundamento en las inclinaciones de potenciales clientes, lo que confiere al fenómeno una perspectiva circular ya que las decisiones adoptadas en las primeras fases se nutren de las informaciones procedentes de las últimas.

2. LA AGRICULTURA INTELIGENTE. ÁMBITOS DE APLICACIÓN

2.1. *Innovaciones vegetales generadas por las nuevas técnicas de mejora. La mutagénesis dirigida. En particular, la edición genómica*

La agricultura inteligente no se limita al ámbito de la explotación agraria, de la producción y el cultivo. Por el contrario, sobrepasa este ampliamente, en primer término en la fase de creación de nuevas plantas mejoradas a través de la biotecnología. A las técnicas de mejora vegetal tradicional, como el cruce y la selección, se han venido adicionado, en efecto, otras que proceden de la ingeniería genética, que permiten provocar mutaciones genéticas de la más diversa índole.

En lo que ahora interesa [270], la mutagénesis consiste en la alteración del genoma de una especie viva. Se trata, por tanto, de una técnica de ingeniería genética diferente de la transgénesis, ya que mientras esta última consiste en insertar uno o varios genes de una especie en el genoma de otra especie, la mutagénesis no implica, en principio, insertar ADN extraño en un organismo vivo.

Las técnicas de mutagénesis han evolucionado de forma vertiginosa en los últimos tiempos como resultado del progreso científico en el ámbito

---

[270]   Cfr. Conclusiones del Abogado General. STJUE (Gran Sala) de 25 de julio de 2018, ECLI:EU:C:2018:583.

de la biotecnología. En un primer momento solo se utilizaban de forma habitual técnicas convencionales de mutagénesis como la mutación inducida por radiación ionizante o mediante el recurso a agentes químicos. En la actualidad, sin embargo, se ha generalizado el uso de técnicas de mutagénesis avanzadas, entre las que destacan los métodos de mutagénesis dirigida que aplican nuevas técnicas de ingeniería genética, como la mutagénesis dirigida por oligonucleótidos (ODM)[271] o la mutagénesis dirigida por nucleasa (SDN1)[272].

Mientras que la mutagénesis convencional entraña mutaciones aleatorias, algunas de las nuevas técnicas provocan una mutación concreta en un gen. Entre estas, resalta la edición genómica CRISPR (*Claustered Regularly Interspaced Short Palindromic Repeats*) que permite la activación o desactivación de determinados genes en función de las características que se desean obtener en el vegetal resultante sin necesidad de recurrir a la inserción de genes externos a la variedad que se está tratando, tal y como sucede con los transgénicos. El uso de esta tecnología no solo permite obtener nuevas variedades vegetales en menor tiempo, sino que amplía el ámbito de la investigación con la finalidad de conocer las funciones de los genes y su interacción, posibilitando así el desarrollo de invenciones de producto, de procedimiento o de uso en relación con los mismos[273].

El sistema CRISPR permite editar genomas de cualquier especie y cambiar la secuencia del ADN casi a voluntad, eliminando o insertando un nuevo ADN. A grandes rasgos, esta técnica se basa en el diseño de una molécula de ARN (CRISPR o ARN guía) que, posteriormente, será insertada en una célula. Una vez dentro reconoce el sitio exacto del genoma donde la enzima elegida deberá cortar. Aunque no es la única, la más generalizada hasta ahora es Cas9, que es una enzima endonucleasa, es decir, una proteína capaz de romper un enlace en la cadena de los ácidos nucleicos [274]. De ahí que este método sea usualmente conocido como

---

[271]   La ODM consiste en introducir en las células una corta secuencia de ADN que provocará en la célula una mutación idéntica a la que lleva el oligonucleótido.

[272]   La SDN1 utiliza diferentes tipos de proteínas (nucleasas con dedos de zinc, TALEN, CRIspr/Cas) capaces de cortar o editar el ADN.

[273]   CURTO POLO, Mª. M., *La protección de las innovaciones vegetales en la Unión Europea. Patentes vs Títulos de obtención vegetal*, Valencia 2020, pg. 38.

[274]   Cas9 genera lo que se llaman "*extremos romos*" en el corte que hace en el ADN, mientras que otras enzimas, como Cpf1, lo hacen dando lugar a "*extremos cohesivos*". En cualquier

CRISPR/Cas9. El proceso de edición del genoma con CRISPR/Cas9 incluye dos etapas. En la primera, el ARN guía se asocia con la enzima Cas9. Este ARN guía es específico de una secuencia concreta del ADN, de tal manera que, por las reglas de complementariedad de nucleótidos, se hibridará en esa secuencia, la que interesa editar o corregir. Entonces actúa Cas9, cortando el ADN. Básicamente podemos decir que el ARN guía actúa de perro lazarillo llevando a Cas9, el ejecutor, al sitio donde ha de realizar su función. El ARN guía dirige entonces a la enzima, en nuestro caso Cas9, que corta en ese punto, a modo de tijeras moleculares. A partir de ahí se repara la cadena de ADN.

En la segunda etapa pueden activarse al menos dos mecanismos naturales de reparación del ADN cortado. El primero llamado *indel* (inserción-deleción) provoca que, después del sitio de corte (la secuencia específica del ADN donde se unió el ARN guía), aparezca un hueco en la cadena, lo que ocasiona la perdida de la función original del segmento de ADN cortado. El segundo, por el contrario, consiste en insertar un segmento más de cadena. Permite la incorporación de una secuencia concreta exactamente en el sitio original de corte. Para esto, lógicamente, ha de darse a la célula la secuencia que se pretende integrar en el ADN.

2.2. *Innovación y proceso productivo. La digitalización de la agricultura*

En el aspecto del proceso productivo la agricultura inteligente constituye una evolución de la agricultura de precisión. Comparten ambas el recurso a sensores y al uso de datos, pero se separan en que los meros sensores han sido sustituidos por el Internet de las Cosas, se ha ampliado el número y la calidad de los mismos y, sobre todo, se han convertido en potentes conectores, capaces de mantener entre ellos y con el sistema un máxima conectividad. Del mismo modo ha excedido el ámbito de la recopilación de datos para crear máquinas que pueden realizar labores antes restringidas a los humanos. El uso de datos, además, ha sido sustituido por el Big Data. Y a todo ello se ha adicionado la inteligencia artificial y el *block chain* o cadena de datos, entre las técnicas más difundidas.

---

caso la tecnología puede definirse simplemente como CRISPR y, sobre esa denominación, se añadirán las secuencias subsiguientes según la enzima que se use en cada momento.

El Internet de las Cosas (*Internet of things*, en adelante, IOT) provee a la agricultura inteligente de una ingente cantidad de información que recoge a través de conectores de la más diversa índole. Miles de sensores distribuidos por el campo o instalados en las máquinas que miden múltiples parámetros y transmiten una cantidad exhorbitante de datos, controlando qué ocurre realmente en cualquier zona de la explotación (sondas de humedad, dendrómetros, cámaras, etc.). Los sensores son capaces de determinar en cada momento la posición de una máquina y su velocidad, la temperatura en un determinado lugar, la presión, la cantidad de grano cosechado en un momento concreto, la fertilidad del suelo en una zona del campo o el nivel de vegetación del cultivo, entre otros ejemplos. Junto a ellos se ha generalizado el uso de drones que sobrevuelan los campos equipados con cámaras multiespectrales y térmicas, que permiten una alta precisión y una resolución óptima de las imágenes y son capaces de obtener datos y características precisas de las explotaciones agrícolas con precisión milimétrica. Tampoco es inusual el recurso a satélites, como los VHR, que obtienen imágenes con resolución espacial de 3 metros (GSD). Las visitas pueden hacerse de forma diaria y la información es capturada por un sensor integrado en un satélite artificial.

Toda esta información recabada por IOT es almacenada, tratada y procesada con mecanismos Big Data, expresión con la que se hace referencia a nuevas tecnologías que, mediante el uso de complejos algoritmos informáticos, permiten almacenar y analizar ágilmente cantidades masivas de datos provenientes de fuentes dispares con la finalidad de obtener conclusiones aplicadas a los más distintos fines. La especificidad de estos datos suele resumirse en las denominadas "tres uves" [275]: "volumen", puesto que habilita para manejar grandes cantidades de datos; "variedad", dado que el origen de esos datos puede ser muy variado y asimismo lo es la índole de los mismos, ya que pueden consistir en datos estructurados, no estructurados, o semi-estructurados. Y finalmente, "velocidad", en el sentido de rapidez, incluso inmediatez, para manejar los datos. Sin embargo, Big Data no solo almacena estos datos, sino que es capaz de estandarizarlos y unificarlos en un lenguaje común a fin de

---

[275]   PUYOL MONTERO, J: "Big Data, en AA.VV. (coor. PÉREZ BES): *El Derecho de Internet*, Barcelona 2016, págs. 6-86, pg.70.

que puedan ser visualizados y explotados con la ayuda de la inteligencia artificial.

La inteligencia artificial se basa en algoritmos informáticos, esto es, algoritmos matemáticos insertos en programas de ordenador – *software*- que son capaces de resolver autónomamente problemas, simulando razonamientos y conductas propios de los humanos a través de determinadas secuencias de instrucciones -estructura algorítmica- que especifican las diferentes acciones que debe ejecutar el computador para resolver un determinado problema, utilizando los datos que le son suministrados. Entre los distintos tipos de Inteligencia artificial, destaca la *"machine learning"*, denominada así porque se basa en algoritmos de aprendizaje automático en virtud de los cuales un programa de ordenador, una vez creado, y con el suficiente entrenamiento *"training"*, es capaz de solucionar problemas distintos a aquellos para los que fue diseñado. Es capaz de aprender cómo realizar actuaciones inteligentes fuera de la noción programada.

Las ventajas de los algoritmos que emplean estos sistemas son obvias. En lugar de tener que crear un programa distinto para resolver cada problema individual, el algoritmo de la *"machine learning"* simplemente necesita aprender, a través de un proceso llamado *"training"*, para resolver cada nuevo problema. De modo que los algoritmos inteligentes no se programan solo para resolver problemas específicos, sino también para aprender cómo resolver problemas [276], pero dentro de un propósito concreto. Estos sistemas, que constituyen la base de aplicaciones tan extendidas como motores de búsqueda y filtros de spam, se dirigen a reproducir a través de un proceso artificial dos actuaciones propias de los humanos: de un lado, la capacidad de aprender, y de otra, el llamado aprendizaje adaptativo.

Subcategoría de la *"machine learning"*, que constituye una evolución de la misma, es el *deep learnig*, conocido también como *"conocimiento profundo"* o *"redes neuronales artificiales"*, porque son un subconjunto de algoritmos de aprendizaje automático que están inspirados en las conexiones neuronales que se producen en el cerebro humano. La referencia a las neuronas se explica porque se trata de sistemas que tratan de emular

---

[276]   TUTT, A: "An FDA for algorithms", Administrative Law Review 83 (2017), ttps://papers. ssrn.com/sol3/papers.cfm?abstract_id=2747994, págs. 83-123, págs. 83 y ss.

la actividad del cerebro humano – *"brain-inspired computation"*-, debido a que este se considera la mejor *"máquina"* para aprender y resolver problemas.

Toma en cuenta algunos aspectos de la forma en que funciona el cerebro humano al objeto de permitir que el sistema aprenda sin necesidad de intervención humana adicional. En particular es capaz de captar relaciones, estructuras y arquitecturas y de mejorar autónomamente su rendimiento, así como de realizar predicciones, razonando sus decisiones [277]. En este sistema, el algoritmo aprende a clasificar directamente a partir de textos, imágenes o sonido y realiza un *"aprendizaje completo"*, puesto que se le proporcionan datos sin procesar y una tarea a realizar y aprende como hacerlo de forma automática, creando patrones, efectuando predicciones, adoptando decisiones de forma autónoma y mejorando constantemente en la medida que se le proporcionan más datos [278], de modo que es una técnica especialmente apta para la agricultura, en la medida en que reduce los errores humanos y puede tomar mejores decisiones en escenarios reales sin intervención humana, como qué cantidad de riego o de abono hay que utilizar o la hora en que debe hacerse la intervención.

En este punto vuelve el Internet de las cosas que permite al sistema ejecutar las decisiones de forma autónoma. Máquinas y robots que son capaces de diferenciar entre cultivo y mala hierba y cardan automáticamente, diferencian entre frutos maduros o verdes y los recogen en el momento adecuado.

---

[277]   Cfr. ENNE SZE/ YU-HSIN CHEN/ TIEN-JU YANG/ JOEL S. EMER:" Efficient Processing of Deep Neural Networks: A Tutorial and Survey", *Proceedings of the IEEE*, 105 (2017), Disponible en https://ieeexplore.ieee.org/document/8114708, pág. 2296.

[278]   Se dice por eso que los datos son el combustible de la inteligencia artificial. De cuántos más datos se disponga, mejor es la capacidad de aprendizaje del sistema. Según expresa la Comunicación de la Comisión al Parlamento europeo, al Consejo europeo, al Consejo, al Comité económico y social europeo y al Comité de las regiones -Plan coordinado sobre la inteligencia artificial- de 7 de diciembre de 2018 (www.ipex.eu/IPEXL-WEB/dossier/files/.../082dbcc5679fb7b40167a1b3f76300c1.do), los datos son el sustento de la Inteligencia Artificial, ya cuanto más grande sea el conjunto de datos, mejor podrá la Inteligencia Artificial entrenar y, por ende, aprender y descubrir incluso relaciones sutiles en los datos. Una vez entrenados, los algoritmos son capaces de clasificar correctamente objetos que nunca han visto, en más y más casos con una precisión superior a la de los seres humanos. Por lo tanto, el acceso a los datos es un componente clave para un entorno competitivo de Inteligencia Artificial.

De otro lado, es importante recordar que el desarrollo de estas tecnologías no sería posible sin una elevada capacidad informática y una extrema conectividad. La computación de alto rendimiento, las nuevas tecnologías de computación y almacenamiento, como la computación en la nube (*cloud computing*), que permite el procesamiento y la gestión de estos datos al ampliar la capacidad computacional a un coste reducido y que, además, posibilita el acceso a la información en cualquier momento, desde cualquier lugar y desde cualquier dispositivo, son imprescindibles para que la inteligencia artificial consiga sus objetivos.

La conectividad es asimismo esencial. La implementación efectiva de estas técnicas requiere la existencia de una conectividad reforzada a través de la coordinación del espectro, redes móviles 5G y fibras ópticas muy rápidas, nubes de próxima generación o tecnologías satelitales [279]. La tecnología logra que dispositivos y sistemas colaboren entre ellos y con otros, en una suerte de hibridación entre el mundo físico y el digital, es decir, posibilitan la vinculación del mundo físico (dispositivos, materiales, productos, maquinaria e instalaciones) al digital (sistemas), lo que, a su vez, permite modificar los productos, los procesos y los modelos de negocio, con lo que ello significa de salto cualitativo en la organización y gestión de la cadena de valor de los distintos sectores[280] y, en particular, de la agricultura, ya que los agricultores se benefician de una **reducción de costes** y de la **mejora en el proceso de toma de decisiones, que se adoptan a mayor velocidad y con menos riesgos de error.**

No es posible, finalmente, cerrar esta breve exposición sin hacer referencia a la cadena de bloques o *Blockchain.* Como es sabido se trata de un sistema de almacenamiento de datos descentralizados, distribuidos y encriptados que involucran una pluralidad de nodos. Una vez que los datos se escriben en una cadena de bloques en cada nodo, por un lado, significa que los datos se hacen públicos para toda una red; por otro lado, que es sumamente difícil eliminar y manipular los datos escritos en la cadena

---

[279]   Anexo a la Comunicación de la Comisión al Parlamento europeo, al Consejo europeo, al Consejo, al Comité económico y social europeo y al Comité de las regiones -Plan coordinado sobre la inteligencia artificial 7.12.2018, www.ipex.eu/IPEXL-WEB/dossier/files/.../082d bcc5679fb7b40167a1b3f76300c1.do).

[280]   *Digital Globalitation. The new era of global flows.* March 2016. McKinsey Global Institute. Disponible en : https://www.mckinsey.com/business-functions/mckinsey-digital/our-insights/digital-globalization-the-new-era-of-global-flows#

de bloques, ya que cada usuario tiene una copia y, si uno de ellos, altera cierta información de su copia, los demás podrán saberlo y su versión será anulada. De este modo, todos asumen el papel de vigilantes, cuidando y evitando alteraciones o modificaciones.

Con fundamento en ello, las tecnologías *Blockchain* son cada vez más utilizadas en el campo del registro de datos. Su aplicación más popular sigue siendo sin duda el ámbito de las "criptomonedas" o "criptoactivos", pero existen muchos otros ámbitos en los que se está utilizando y, en particular, en la agricultura tiene dos aplicaciones principales: asegurar la trazabilidad y fiabilidad de los datos relativos a cualquier producto e instrumentar las certificaciones de producto. Con la tecnología *Blockchain* si un consumidor usa su móvil para escanear un código de barras de un brick de leche, puede saber, por ejemplo, en qué día y hora fue producida, la granja donde se produjo, la temperatura del transporte, el ID de la vaca o el ID del que colectó la leche. Todo ello sin intervención humana y de manera fiable.

Esta tecnología está siendo utilizada públicamente en países como Argentina para brindar mayor seguridad fitosanitaria a la producción vegetal de ese país, en especial en las áreas protegidas de plagas ya que **puede detectar productos contaminados en cuestión de segundos, puesto que,** mediante un código QR, que puede escanearse desde el teléfono móvil, se puede acceder a todo el proceso de producción, elaboración y comercialización del producto.

A nivel privado, *Blockchain* también está siendo utilizado con éxito para la trazabilidad de los productos agrícolas. Fue pionera IBM *Food Trust.* Con esta red *Blockchain* es factible rastrear productos alimenticios en segundos. Aporta también una trazabilidad global de los datos de la cadena de suministro, v.gr. operaciones de embalaje, gestión del inventario, calidad, pedidos, ventas, despacho y facturación. Y además visibilidad en sentido ascendente o descendente, de manera que es posible consultar la ubicación o el estado, y verificar la credibilidad o la seguridad. Walmart, famosa cadena de alimentación estadounidense, fue la primera en constatar la idoneidad del sistema. Walmart adoptó esa decisión tras una serie de infecciones provocadas por la bacteria *Echerichia coli* asociadas con un lote de lechuga romana cultivada en una región del Estado de Arizona. Como las autoridades sanitarias no pudieron precisar inicialmente el origen del lote de lechugas contaminadas, se sacaron del mercado millones de bolsas de este vegetal, sin importar la región de origen. Para evitar situaciones similares Walmart solicitó a sus proveedores de vegetales de hojas verdes **implementar un sistema de trazabilidad de extremo a extremo y en tiempo real de sus productos**, usando la red *Blockchain* de IBM.

Esta red de IBM también tiene el módulo de Certificados para cargar y gestionar documentos de certificación. Desde las Bodegas Emilio Moro, en España, destacaron el uso de nuevas tecnologías en la producción de vino, entre ellas la aplicación de *Blockchain* para certificar la denominación de origen del vino afirmando que una empresa como Bodegas Emilio Moro debe a menudo proporcionar a un tercero toda la información sobre la parcela de viñedo de procedencia de la uva, así como los datos relativos a su recorrido y circunstancias para acreditar que cumple las exigencias de control y certificación de producto que requiere la obtención del sello D.O. Con este proyecto, afirman, que el proceso se hace mucho más rápido, descentralizado, sin intermediario y con la posibilidad de ser fácilmente consultado por diferentes agentes.

2.3. Innovación y comercialización. La digitalización de las decisiones empresariales sobre la base del perfil del consumidor

Las técnicas anteriores no se restringen al proceso productivo, ni siquiera al almacenamiento, la logística y la distribución, sino que permiten a las empresas agrícolas crear auténticos perfiles digitales de sus clientes a fin de optimizar no solo las políticas de venta y la publicidad adaptándolas perfectamente a los gustos y preferencias de los consumidores, sino también conocer las tendencias del mercado y prepararse para ellas adelantándose a cualquier competidor o creando nuevos productos adecuados a las necesidades y gustos de los clientes, debido a la capacidad que tienen de medir esas necesidades y la satisfacción de la clientela comparando tendencias históricas y datos en tiempo real, de forma cada vez más eficiente con múltiples ventajas sobre los humanos. La decisión se efectúa a coste marginal cero ya que, una vez entrenado el algoritmo, una decisión más no incrementa los costes de la organización. Son mucho más rápidos, responden sólo a razones racionales y objetivas, trabajan de forma permanente, y son capaces de analizar millones de datos (externos e internos: condiciones macroeconómicas, perfil de riesgo, exigencias de objetivos corporativos, etc.).

3. LA PROTECCIÓN JURÍDICA DE LAS TÉCNICAS DE AGRICULTURA INTELIGENTE

3.1. *La protección jurídica de las nuevas innovaciones vegetales Derecho de obtenciones vegetales y Derecho de patentes. Un equilibrio inestable*

La protección de estas innovaciones vegetales puede arbitrarse a través del Derecho de obtenciones vegetales o mediante el sistema de patentes [281].La primera únicamente requiere que la innovación reúna los requisitos generales relativos a la noción de variedad, los atinentes a la variedad susceptible de protección y la inscripción en el Registro pertinente, que determina la concesión del título de obtención vegetal, todo ello conforme a las disposiciones del Convenio Internacional para la Protección de las Obtenciones Vegetales (en adelante, CUPOV) en los términos especificados en el Acta de 19 de marzo de 1991, que fueron trasladados al Reglamento (CE) 2100/94, del Consejo, de 27 de julio, relativo a la protección comunitaria de las obtenciones vegetales (en adelante, ROV) y a la Ley 3/2000, de 7 de enero, de régimen jurídico de la protección de las obtenciones vegetales (en adelante, LOV). El ROV instaura un título de protección de las obtenciones vegetales que goza de vigencia en todo el territorio de la Unión Europea (en adelante, UE)[282]; mientras que la LOV dispensa una tutela reducida al ámbito nacional.

La conjunción de estos dos textos obliga, no obstante, a concluir que, al contrario de lo que sucede con otros derechos de propiedad intelectual, no está prevista la doble protección como obtención vegetal de la UE y como obtención vegetal nacional. Mientras que es posible, por ejemplo, que una misma persona sea titular de una o varias marcas nacionales y

---

[281]   A pesar de que ambas formas de protección tienen un común denominador por cuanto otorgan un derecho exclusivo durante un tiempo determinado, difieren en aspectos importantes que afectan a su régimen jurídico. En este sentido, la elección de la forma concreta por la que se opte para proteger determinadas innovaciones en el ámbito vegetal tendrá importantes consecuencias en relación con el ámbito de protección conferido sobre el material resultante de la investigación desarrollada y los límites a los que quede sometido el derecho de exclusiva, CURTO POLO, Mª. M., *La protección de las innovaciones vegetales en la Unión Europea. Patentes vs Títulos de obtención vegetal*, cit, pg, 29.

[282]   QUINTANA CARLO, I., "El Reglamento CE número 2100/1994 relativo a la protección comunitaria de las obtenciones vegetales", ADI 16 (1994-1995), págs. 81 y ss.

de una marca de la UE, formadas por el mismo signo y registradas para los mismos productos y servicios y está permitida también la titularidad simultánea de un diseño registrado en la UE y, a la vez, en una o varias oficinas nacionales, tratándose de obtenciones vegetales esta situación no puede darse. En estos términos se pronuncia el artículo 92.1 ROV cuando dispone que *"ninguna variedad que sea objeto de una protección comunitaria de obtención vegetal podrá ser objeto de una protección nacional de obtención vegetal (...) para tal variedad. No surtirá efecto alguno ningún derecho que se conceda en contravención de esta disposición"* [283].

En el caso inverso, esto es, que exista una protección nacional anterior a la protección en la UE, los derechos conferidos por la protección nacional no podrán ser invocados mientras que siga vigente para esa variedad la protección europea de obtención vegetal, según dispone el artículo 92.2 ROV y la disposición adicional quinta LOV. Por tanto, en estos casos, es posible mantener la titularidad de los dos derechos, si bien la obtención nacional carecerá de eficacia. Aun así no deja de resultar recomendable continuar abonando las tasas de mantenimiento para evitar la caducidad, que, además, se reducen en un 70%, por cuanto no hay que descartar que el título comunitario se extinga por cualquier motivo o sea declarada su nulidad. Y entonces, tal y como establece la disposición adicional quinta LOV, a la finalización de la vigencia de la protección de la variedad en la Unión, el titular del derecho español de obtención vegetal podrá volver a invocar los derechos que de él derivan, hasta tanto no caduque el título nacional por el transcurso del tiempo de duración.

La protección mediante patente se halla, no obstante, más restringida. Además de la necesaria presencia de los requisitos exigibles a toda invención, se precisa que la innovación no consista en una variedad vegetal específica, ni reúna todos los requisitos para que tal variedad sea susceptible de protección conforme a las normas anteriores. Esta prohibición no deriva del Acuerdo sobre los Aspectos de los Derechos de Propiedad Intelectual relacionados con el Comercio de 15 de abril de 1994 (en adelante, ADPIC), ni tampoco del CUPOV 1991, sino del Convenio sobre la concesión de patentes europeas de 5 de octubre de 1973

---

[283]   Sobre la interpretación de este precepto, vid. GALLEGO SÁNCHEZ, E. "Sistemas de protección...", cit.

(en adelante CPE), que fue trasladada al ROV y a la Directiva 98/44/CE del Parlamento Europeo y del Consejo, de 6 de julio de 1998, relativa a la protección jurídica de las invenciones biotecnológicas (en adelante, la Directiva 98) y, de ahí, directamente, a nuestra normativa nacional.

La posibilidad de la doble protección se incluye de forma expresa en el Acuerdo ADPIC, cuyo artículo 27.3 b) dispone *"los Miembros otorgarán protección a todas las obtenciones vegetales mediante patentes, mediante un sistema eficaz sui generis o mediante una combinación de aquéllas y éste"*. Por tanto, el ADPIC obliga a proteger las obtenciones vegetales, pero permite hacerlo por medio de patentes, mediante un sistema *sui generis* que garantice una protección *"efectiva" 284, o por medio de una combinación de ambos sistemas. Si bien concede libertad a los Estados miembros que "podrán excluir de la patentabilidad a las plantas, excepto a los microorganismos, y a los procedimientos esencialmente biológicos para la producción de plantas, que no sean procedimientos no biológicos o microbiológicos"*.

Asimismo el artículo 2 del CUPOV 1991, según el cual *"cada Parte Contratante concederá derechos de obtentor y los protegerá"* impone la protección del obtentor conforme a las condiciones del Convenio, especificando que debe hacerse por medio del título específico de propiedad industrial que el mismo regula, no a través de una patente con regulación adaptada al Convenio, como, al contrario autorizaba la versión de 1961. Pero no prohíbe ningún tipo de doble protección como hacía el texto de 1961, de modo que autoriza a los Estados miembros a permitir dicha tutela en virtud de otros derechos de propiedad industrial, como pueden ser, sustancialmente, las patentes adaptadas al CUPOV, otras patentes específicas u otras sometidas a la normativa general sobre patentes. Tal es,

---

284 El sistema sui generis más extendido es el implantado por el CUPOV. Solo algunos Estados miembros de la OMC han optado por diseñar un sistema propio de protección de las obtenciones vegetales con la intención de desarrollar determinadas políticas en el sector agrario y proteger determinados intereses. Tal es el caso de la India que desarrolló su propio sistema de protección sui generis de las obtenciones vegetales a través de la *Protection of Plant Varieties and Farmers' Rights Act* de 2001 (PVPFR) o Tailandia por medio de la *Plant Variety Action* de 1999. Constituye otro ejemplo que se enmarca en esta categoría la Ley modelo africana para la protección de los derechos de las comunidades locales, los agricultores y obtentores para la regulación del acceso a los recursos biológicos de 1998, por medio de la cual se crea la Organización para la Unidad Africana (OUA).

además, lo que hay que deducir de la Conferencia Diplomática de Ginebra que precedió a la revisión de 1991[285].

Aunque el ROV se basa en el CUPOV 1991 y este, tal y como se ha indicado, elimina la prohibición de doble protección, que, además, está ausente del ADPIC, el artículo 92 de ese texto legal dispone que ninguna variedad que sea objeto de una protección comunitaria de obtención vegetal podrá ser objeto de patente alguna para tal variedad, sancionando con la ineficacia todo derecho que se conceda en contravención de esta disposición.

Este mismo esquema se reproduce en la legislación española. La disposición final primera de la LOV modificó, respectivamente, los artículos 5.1.b) y 143.3 de la Ley de Patentes de 1986 para disponer que no eran patentables las variedades vegetales, ni podrían ser protegidas como modelos de utilidad. Esta orientación se mantiene en la modificación de la Ley consecuencia de la Ley 10/2002, de 29 de abril, por la que se incorpora a nuestro ordenamiento la Directiva 98 que, conforme a la misma, dio una nueva redacción al artículo 5.2 de la LP de 1986, disponiendo, de manera equivalente a la Directiva, que no podrán ser objeto de patente las variedades vegetales.

La misma previsión que se encuentra hoy en el artículo 5.2 de la Ley 24/2015, de 24 de julio, de Patentes, que, aunque prescinde de la referencia expresa a la prohibición de proteger las variedades vegetales como modelos de utilidad, la mantiene, sin duda, incluida en la exclusión general prevista en artículo 137.2, a cuyo tenor no podrán ser protegidas como modelos de utilidad las materias e invenciones excluidas de patentabilidad, las invenciones de procedimiento y las que recaigan sobre materia biológica, entre otras.

En los Considerandos del ROV consta que ello obedece a la conveniencia de adaptar sus previsiones al CPE; motivo por el que únicamente aplica la prohibición de patentar variedades vegetales en la medida en que lo hace el citado Convenio, a saber, a las variedades vegetales como tales. Y lo mismo se establece en los Considerandos 15 y 29 de la Directiva 98, que parten de

---

[285]   https://www.upov.int/edocs/pubdocs/fr/upov_pub_346.pdf, y vid. GALLEGO SÁNCHEZ, E., "Sistemas de protección de las variedades vegetales", cit. pg 79, CURTO POLO, Mª. M., *La protección de las innovaciones vegetales en la Unión Europea. Patentes vs Títulos de obtención vegetal*, cit. pg, 45.

que el CPE no contempla la prohibición o exclusión de la patentabilidad de la materia biológica, sino solo de las variedades vegetales, razón por la cual el artículo 4.1 de la Directiva reproduce la prohibición de patentabilidad de las variedades vegetales contenida en el CPE.

El artículo 53 b) CPE dispone, en efecto, que no se concederán patentes europeas para variedades vegetales. Por consiguiente todo el sistema – el de la Unión Europea y el interno- es tributario de las prescripciones de este Convenio, con la que se pretende [286] evitar el posible conflicto con la normativa sobre protección de variedades vegetales y actos de modificación genética que pretendan apropiarse de una variedad concreta. Ahora bien, resulta evidente que la prohibición tiene un alcance limitado. No impide patentar todo tipo de innovaciones en materia vegetal, sino solo aquellas que consistan en una variedad vegetal.

Eso obliga a delimitar en qué casos se está ante una invención patentable o ante una variedad vegetal no patentable, ya que una innovación vegetal que no reúna los requisitos propios de una variedad no puede considerarse como tal y, en consecuencia, será patentable, si, además, como resulta lógico, reúne los requisitos de patentabilidad.

La regla 26 (4) del Reglamento de Ejecución CEP define la variedad vegetal como cualquier agrupación de plantas dentro de un único taxón botánico del rango más bajo conocido, cuya agrupación, independientemente de que se cumplan plenamente las condiciones para la concesión de un derecho de obtención vegetal, puede: (a) ser definida por la expresión de las características que resultan de un genotipo dado o combinación de genotipos, (b) distinguirse de cualquier otro grupo de plantas por la expresión de al menos una de dichas características, y (c) ser considerada como una unidad con respecto a su idoneidad para propagarse sin cambios.

Literalmente el Reglamento reproduce, pues, el mismo concepto de variedad que instituye el CUPOV 1991 y el ROV. Lo que no resulta tan claro es si la interpretación del mismo es también idéntica en todo caso. Según la Decisión de la Cámara Técnica de Recursos de la OEP, Lubrizol/

---

[286]   MARTÍNEZ CAÑELLAS, A. "La protección dual de la propiedad industrial de las plantas transgénicas: como invenciones y como variedades vegetales, InDret 1/2011, WWW. IN-DRET.COM, págs. 1 y ss. 24.

hybrid plants, T 0320/87, de 10 de noviembre de 1988 [287] el concepto de *"obtenciones vegetales"* según el Artículo 53 (b) CPE, se refiere a cualquier grupo de plantas dentro de un único taxón botánico del rango más bajo conocido que, independientemente de si sería elegible para la protección en virtud del Convenio de la UPOV, se caracteriza por al menos una única característica transmisible que la distingue de otros grupos de plantas y que es suficientemente homogénea y estable en sus características pertinentes (véanse los puntos 21 y 22 supra; artículo 1, punto (vi) del Convenio de la UPOV revisado, Ginebra 1991).

No obstante, el Considerando 30 de la Directiva 98, que constituye un medio complementario de interpretación del CPE [288], declara que *"el concepto de variedad vegetal se define en la legislación sobre obtenciones vegetales y que, según esta, una variedad se caracteriza por la totalidad de su genoma y posee, por ello, individualidad y puede ser diferenciada claramente de otras obtenciones vegetales"*; motivo por el cual, en el Considerando 31 se estima que *"un conjunto vegetal caracterizado por la presencia de un gen determinado (y no por la totalidad de su genoma) no es objeto de la protección de variedades; y, por esta razón, no está excluido de la patentabilidad, aun en el caso de que este conjunto abarque variedades vegetales"*. En consecuencia, la Directiva precisa que la variedad vegetal se define por la totalidad de su genoma, lo propone ciertas diferencias con la noción de variedad que instituye el CUPOV, así como el ROV y la LOV, textos en los que, aunque deriven del genotipo, se concede preferencia a los caracteres fenotípicos y en los que, por otra parte, solo se exige que el conjunto de plantas se distinga de cualquier otro conjunto por la expresión de uno de dichos caracteres como mínimo.

Con todo, en este mismo sentido se orienta la Decisión G 0001/98 (Planta transgénica / NOVARTIS II) de 20.12.1999 [289] al declarar que la

---

[287]   ECLI: EP: BA: 1988: T032087.19881110.

[288]   Cfr. Directriz de examen EPO GII-5.2, señalando que la Directiva 98 se utilizará como medio de interpretación complementario. Añade que también deben tenerse en cuenta los considerandos que preceden a las disposiciones de la Directiva y que las sentencias del Tribunal de Justicia de la Unión Europea sobre la interpretación de la Directiva de la UE 98 no son vinculantes para la OEP. Aun así, pueden considerarse persuasivos. Y vid. las Decisiones de la Cámara técnica de Recursos, T 2221/10, (Cultivo de células madre / TECHNION) de 4.2.2014, ECLI: EP: BA: 2014: T222110.20140204, y T 1441/13 (Células madre embrionarias, descargo de responsabilidad / ASTERIAS) de 9.9.2014, ECLI: EP: BA: 2014: T144113.20140909.

[289]   ECLI: EP: BA: 1999: G000198.19991220

referencia a la expresión de las características que resulta de un genotipo dado o combinación de genotipos es una referencia a la constitución completa de una planta o un conjunto de información genética, de modo que una planta transgénica definida por determinadas características que permiten a las plantas inhibir el crecimiento de patógenos vegetales descrita por secuencias únicas de ADN recombinante no es un grupo de plantas individuales al que se pueda atribuir una constitución completa. No es un ser vivo concreto o una agrupación de seres vivos concretos, sino una definición abstracta y abierta que abarca un número indefinido de entidades individuales definidas por una parte de su genotipo o por una propiedad que le confiere esa parte.

En un sentido contrario se pronunció no obstante la Decisión de la Cámara Técnica de Recursos de la OEP, Plant Genetic Systems/ glutamine synthetase inhibitors, T 0356/93, de 21 de febrero de 1995 [290], afirmando que, si bien, las células vegetales como tales no pueden considerarse incluidas en la definición de planta o variedad vegetal, de modo que el objeto de esta reivindicación no representa una excepción a la patentabilidad en virtud del artículo 53 (b) del CPE, las plantas o semillas modificadas genéticamente que incluyen esa célula constituyen variedades vegetales, independientemente de si pertenecen o no a una variedad particular, en la medida en que se distinguen de todas las demás plantas por la característica específica declarada que se transmite de manera estable a la progenie, aunque la reivindicación defina el rasgo distintivo común a todas las plantas cubiertas por la misma, ya que los ejemplos prácticos de la patente en litigio muestran que las formas prácticas de realización de la invención son variedades de plantas *"transformadas genéticamente"*. En consecuencia, el objeto de la reivindicación abarca variedades de plantas transformadas genéticamente que muestran dicho rasgo distintivo único, aunque esta reivindicación no está redactada en términos de una descripción de variedad.

De otro lado, aunque según disponen las Directrices de examen EPO[291], la innovación vegetal podrá ser patentable si no cumple con la definición de variedad vegetal establecida en la regla 26 (4) del Reglamento de Ejecución

---

[290]   ECLI: EP: BA: 1995: T035693.19950221.
[291]   GII-5.4.1,5.4 y 5.2.

CEP, lo cierto es que la doctrina de las Salas de Recurso EPO [292] permiten la patentabilidad si la invención no reúne todos los requisitos exigidos para ser considerada una variedad susceptible de protección conforme al CUPOV 1991 y al ROV. De hecho no es inusual que las Decisiones de las Cámaras de Recurso EPO se refieran de forma indistinta a *"variedad vegetal"* y a *"obtención vegetal"* como si fueran conceptos sinónimos, cuando no lo son. De esta forma, si la innovación puede ser protegida por medio de un título de obtención vegetal, por cumplirse los requisitos de novedad, distinción, homogeneidad y estabilidad establecidos, no puede ser objeto de protección por medio de patente[293].

Adicionalmente[294], la patentabilidad de la innovación se supedita a que la viabilidad técnica de la invención no se limite a una determinada variedad vegetal específica o a variedades vegetales específicas en el sentido expresado por dicha regla, aunque pueda abarcar variedades vegetales. Se requiere a este efecto que no se especifique la categoría taxonómica dentro de la clasificación tradicional del reino vegetal al que pertenecen las plantas reivindicadas, ni las características adicionales necesarias para evaluar la homogeneidad y estabilidad de las variedades dentro de una especie determinada y que la enseñanza técnica se pueda implementar en un número indefinido de variedades vegetales, pero sin que se defina una multiplicidad de variedades que necesariamente consta de varias variedades individuales. En ausencia de la identificación de variedades

---

[292]   Decisión de la Cámara Técnica de Recursos de la OEP, T 0049/83 (*Ciba Geigy*) de 26.07.1983, ECLI: EP: BA: 1983: T004983.19830726; Decisión de la Cámara Técnica de Recursos de la OEP, T 0320/87 (Lubrizol/hybrid plants) de 10.11.1988, ECLI: EP: BA: 1988: T032087.19881110 al hilo de una solicitud de patente de procedimiento en la que se reivindicaban también los productos así obtenidos (*product by process*). En esta Decisión también se insiste en que las variedades vegetales excluidas de patentabilidad son aquellas susceptibles de protección por vía del Convenio de la UPOV y que, por lo tanto, presentan, entre otras, las características de homogeneidad y estabilidad. Dado que los híbridos reivindicados no presentaban la nota de estabilidad, la Cámara de Recursos entendió que no se trataba de una variedad vegetal y, en consecuencia, consideró que eran objeto de protección por patente.

[293]   GARCÍA VIDAL, A., "Las relaciones entre el sistema de las obtenciones vegetales y el sistema de patentes (la prohibición de patentar las variedades establecida en los Derechos europeo y español)", *Derecho de las obtenciones vegetales*, Valencia, 2017, págs 132-175, pg. 146.

[294]   Decisión de la Gran Cámara de Recursos EPO, G 1/98, (Planta transgénica / NOVARTIS II) de 20.12.1999. ECLI: EP: BA: 1999: G000198.19991220. En contra, Decisión de la Cámara Técnica de Recursos de la OEP, T 0356/93, (Plant Genetic Systems/glutamine synthetase inhibitors) de 21.02. 1995, ECLI: EP: BA: 1995: T035693.19950221.

Nuevas orientaciones en la protección de la innovación en agricultura...

225

específicas en las reivindicaciones del producto, el objeto de la invención reivindicada no se limita ni siquiera se dirige a una variedad o variedades. Por ello, no se concederá una patente para una sola variedad vegetal, pero se podrá otorgar si las variedades pueden incluirse en el ámbito de sus reivindicaciones ya que no es suficiente para que se aplique la exclusión del artículo 53 (b) del CPE que una o más variedades vegetales estén comprendidas en las reivindicaciones o puedan estarlo.

Por el contrario, las reivindicaciones de una semilla híbrida y una planta cultivada a partir de ella como resultado de un cruce particular y, por tanto, no para una semilla o planta definida simplemente por la presencia de una única secuencia de ADN recombinante, pertenecen a una *"multiplicidad de variedades que necesariamente consta de varias variedades individuales"*, en lugar de un rasgo particular que puede transferirse a numerosas variedades o plantas, por lo que no es patentable, tal y como resolvió la Decisión T 1208/12 (Semillas oleaginosas / PIONEER HI-BRED) de 7.2.2017 de la Cámara técnica de recursos EPO [295].

En consecuencia, la exclusión de la patentabilidad referida a las variedades vegetales ha de recibir una interpretación estricta, de forma que ha de circunscribirse a las invenciones que puedan beneficiarse de la protección por derechos de obtentor[296]. De modo que nada se opone [297] a que sea objeto de protección por medio del sistema de patentes un gen particular que incluya la secuencia genéticamente alterada o creada por la invención patentada para un conjunto de plantas que exceda de dicha variedad, ni, por ende, que sean patentables las invenciones relativas a las plantas que abarquen distintas variedades vegetales, siempre que no se reivindiquen directamente como tales variedades, lo que, en la práctica, produce una fuerte interferencia entre ambos sistemas de protección que el legislador europeo ha tratado de resolver a través de un sistema de licencias obligatorias cruzadas[298].

---

[295] ECLI: EP: BA: 2017: T120812.20170207
[296] SANDERSON, J., Plants, *People and Practices. The Nature and History of the UPOV Convention*, Cambridge, 2017, pg. 132.
[297] MARTÍNEZ CAÑELLAS, A., "La protección dual de la propiedad industrial de las plantas transgénicas: como invenciones y como variedades vegetales", cit. pg.26, GALLEGO SÁNCHEZ, E., "Sistemas de protección de las variedades vegetales", cit. pg. 86.
[298] CURTO POLO, Mª. M., *La protección de las innovaciones vegetales en la Unión Europea. Patentes vs Títulos de obtención vegetal*, cit. pg, 193.

De otro lado, es importante destacar que el método de producción de la planta, ya sea mediante tecnología genética o mediante un proceso clásico de fitomejoramiento, es irrelevante, de forma que si el resultado es una variedad vegetal, queda excluida de la patentabilidad. El artículo 53 b) CEP dispone que no se concederán patentes europeas para los procedimientos esencialmente biológicos de obtención de vegetales [299]. Añade que no se aplicará esta disposición a los procedimientos microbiológicos ni a los productos obtenidos por dichos procedimientos.

---

[299] Ni para productos obtenidos de tales procedimientos. En relación con esta última prohibición, relativa a los productos, véase la regla 28.2 del Reglamento de ejecución del CEP, adoptada por Decisión del Consejo de Administración CA / D 6/17 de 29.06.2017 (DO EPO 2017, A56), que entró en vigor el 01.07.2017. Conforme a ella, con arreglo al artículo 53 b) CEP, no se concederán patentes europeas respecto de plantas obtenidas exclusivamente mediante un proceso esencialmente biológico. Y vid. la Decisión de la Gran Cámara de Recursos EPO G 3/19 [Pimientos (seguimiento de "Tomates II" y "Brócoli II")] de 14.5.2020, ECLI: EP: BA: 2020: G000319.20200514 y el Dictamen de la misma fecha. Tras la adopción por el Consejo de Administración de la Regla 28.2 CEP, la Gran Cámara abandona la interpretación que había concedido al artículo 53 b) CEP en las Decisiones G 2/12 (Tomates II) de 25.3.2015, ECLI: EP: BA: 2015: G000212.20150325, y G 2/13 (Brócoli II) 25.3.2015, ECLI: EP: BA: 2015: G000213.20150325, para sostener que, a la luz de la Regla 28.2 CEP, el término *procesos esencialmente biológicos para el producción de plantas* en el artículo 53 b) del CEP debe entenderse y aplicarse en el sentido de que se extiende a los productos obtenidos exclusivamente mediante un proceso esencialmente biológico o si la característica del proceso reivindicada define un proceso esencialmente biológico. De modo que concluye que la excepción a la patentabilidad de procesos esencialmente biológicos para la producción de plantas prevista en el artículo 53 b) CPE tiene un efecto negativo en la admisibilidad de las reivindicaciones de producto y de producto por proceso dirigidas a plantas o material vegetal, si el producto reivindicado se obtiene exclusivamente mediante un proceso esencialmente biológico o si las características del proceso reivindicado definen un proceso esencialmente biológico. La Gran Cámara acepta así que, de la redacción de la Regla 28.2 CEP y los trabajos preparatorios de la misma, hay que deducir que la intención del legislador CEP fue la de establecer, por este medio, una interpretación particular del artículo 53 b) CEP, conforme a la cual se excluyen de la patentabilidad las plantas obtenidas exclusivamente mediante procesos esencialmente biológicos. Con todo, a fin de garantizar la seguridad jurídica y proteger los intereses legítimos de los titulares y solicitantes de patentes, la Gran Cámara considera apropiado que la nueva interpretación del artículo 53 b) CPE dada en este Dictamen no tenga efecto retroactivo sobre las patentes europeas que contengan tales reivindicaciones que se concedieron antes del 1 de julio de 2017, cuando entró en vigor la Regla 28.2 CPE, o en solicitudes de patente europeas pendientes que solicitaban protección para tales reclamaciones que se presentaron antes de esa fecha. La regla se aplica, por tanto, a las solicitudes de patente con fecha de presentación y / o fecha de prioridad posterior al 1 de julio de 2017. No se aplica a las patentes concedidas antes de esa fecha ni a las solicitudes de patente pendientes con una fecha de presentación y / o una fecha de prioridad antes del 1 de julio de 2017.

Según disponen la Directrices de examen EPO [300] y las Decisiones de las Cámaras de Recursos EPO [301], un procedimiento es esencialmente biológico cuando no se produce ninguna intervención técnica directa en el genoma de las plantas, ya que las plantas parentales relevantes simplemente se cruzan y se selecciona la descendencia deseada o, cuando existiendo dicha intervención, el proceso técnico excede del mero cruce y selección, es decir, no sirve simplemente para permitir o ayudar a la realización de los pasos del proceso esencialmente biológico, de modo que los procedimientos de cruce y selección son esencialmente biológicos[302], aunque existan pasos técnicos que los faciliten como puede ser el uso de marcadores moleculares[303]. El mero hecho de utilizar un elemento técnico en un procedimiento de cultivo, en definitiva, no es suficiente para

---

[300]   GII-5.

[301]   Según la Decisión T 0320/87 (Plantas híbridas) de 10.11.1988, ECLI: EP: BA: 1988: 032087.19881110
la evaluación acerca de si un proceso es "esencialmente biológico" en el sentido del artículo 53 b) CPE ha de efectuarse "sobre la base de la esencia de la invención teniendo en cuenta la totalidad de la intervención humana y su impacto en el resultado obtenido". En el caso, la Cámara consideró que los procesos reivindicados para la preparación de plantas híbridas representaban una modificación esencial de los procesos de fitomejoradores clásicos y biológicos conocidos que tenían un impacto decisivo en la población híbrida resultante deseada. Vid. asimismo la Decisión G 3/19 [Pimientos (seguimiento de "Tomates II" y "Brócoli II")] de 14.5.2020, ECLI: EP: BA: 2020: G000319.20200514. Señala que un proceso de producción de plantas que comprende al menos un paso técnico esencial, que no puede realizarse sin intervención humana y que tiene un impacto decisivo en el resultado final no se incluye en las excepciones a la patentabilidad del artículo 53 b) del CPE. En lo que respecta al proceso evaluado, la Gran Cámara concluye que no es "esencialmente biológico" porque la etapa de transformación de las células o tejidos vegetales con un ADN recombinante, independientemente de que su rendimiento dependa del azar o no, es un paso técnico imprescindible que tiene un impacto decisivo en el resultado final deseado. Si no se realiza con éxito, es muy probable que las plantas o semillas aún puedan regenerarse a partir de las células o tejidos vegetales y puedan replicarse, pero no mostrarán la característica distintiva deseada de tener el ADN heterólogo integrado en su genoma de manera estable. Por lo tanto, aunque los pasos posteriores de regeneración y replicación de las plantas o semillas hacen uso de la maquinaria "natural", el paso decisivo, a saber, la inserción de la secuencia de ADN relevante en el genoma de la planta, no podría ocurrir sin la intervención humana. A este respecto, también se observa que la etapa de regeneración no es completamente biológica, sino agrotécnica, ya que se requiere cierto grado de intervención técnica en la selección de las condiciones de trabajo adecuadas. Por lo tanto, el proceso en su conjunto no es "esencialmente biológico" y, por lo tanto, no está excluido de la patentabilidad en virtud del artículo 53 b) del CPE. Vid. asimismo la Decisión de la Cámara Técnica de Recursos de la OEP, T 0356/93 (Plant Genetic Systems/glutamine synthetase inhibitors) de 21.02. 1995, ECLI: EP: BA: 1995: T035693.19950221.

[302]   SANDERSON, J., Plants, *People and Practices*, cit. pg. 132.

[303]   Decisiones de la Cámara Técnica de Recursos de la OEP de 9 de diciembre de 2010, dictadas en el caso G 2/07 (Brocili/PLANT BIOSCIENCE), ECLI: EP: BA: 2010:

otorgar a dicho procedimiento el carácter técnico y, por tanto, considerarlo patentable[304].

En consecuencia, un procedimiento para la producción de plantas que esté basado en el cruce de dos genomas completos y la subsiguiente selección de plantas que incluye la utilización de un elemento técnico que sirve para posibilitar el desarrollo del procedimiento, sigue excluido de patentabilidad por ser un procedimiento esencialmente biológico[305]. Sin embargo, si el procedimiento de cruce y selección incluye un paso de naturaleza técnica por medio del cual se introduce o modifica una característica en el genoma de la planta[306], dicho procedimiento no estará excluido de patentabilidad en virtud del artículo 53 b) CPE[307]. Por lo tanto, las plantas transgénicas, denominadas técnicamente organismos genéticamente modificados, y los mutantes técnicamente inducidos son patentables, mientras que los productos del mejoramiento convencional no lo son. En concreto tanto la mutación dirigida, por ejemplo, con CRISPR / Cas, como la mutagénesis aleatoria, como la mutación inducida por UV, son tales procesos técnicos. Al observar la descendencia de organismos transgénicos o mutantes, si la mutación o transgén está presente en dicha descendencia, no se produce exclusivamente por un método esencialmente biológico y, por tanto, es patentable.

Sin embargo, si el objeto reivindicado es una variedad vegetal, aunque haya sido obtenida por medio de esos procedimientos técnicos, está excluida de la patentabilidad. Tal y como advierte la Decisión de la Gran Cámara de Recursos EPO G 1/98 [308] la exclusión del artículo 53 (b) CPE se hizo con el propósito de excluir de la patentabilidad la materia que es elegible para su protección bajo el sistema de derechos de obtentor. En la medida en que no hay ninguna diferencia en los requisitos establecidos

---

G000207.20101209 y en el caso G 1/08 (Tomates /STATE OF ISRAEL), ECLI: EP: Título: 2010: G000207.20101209.

[304] CURTO POLO, Mª. M., *La protección de las innovaciones vegetales en la Unión Europea. Patentes vs Títulos de obtención vegetal*, cit. pg, 200.

[305] GALLEGO SÁNCHEZ, E., "Sistemas de protección de las variedades vegetales", cit. pg. 87.

[306] CURTO POLO, Mª MERCEDES, "Plant Patents in the European Union: Recent Developments", *Revista electrónica de Direito (RED)*, Junho 2019, Nº 2, vol. 19, págs. 42-69, pg. 63.

[307] GARCÍA VIDAL, A., "El sistema de protección de las variedades vegetales", cit. pg. 172.

[308] ECLI: EP: BA: 1999: G000198.19991220. y vid. Decisión T 1854/07 (Aceite de semillas / CONSEJO SUPERIOR) de 12.5.2010, ECLI: EP: BA: 2010: T185407.20100512 y G 0001/98 (Planta transgénica / NOVARTIS II) de 20.12.1999, ECLI: EP: BA: 1999: G000198.19991220.

Nuevas orientaciones en la protección de la innovación en agricultura...

229

en el CUPOV o en el ROV sobre los derechos de obtención vegetal en relación a cómo se obtuvo una variedad, si una variedad vegetal es el resultado de técnicas tradicionales de mejoramiento, o si se utilizó la ingeniería genética para obtener un grupo de plantas distinto, no importa para los criterios de distinción, homogeneidad y estabilidad y el examen de los mismos. Esto significa que el término "variedad vegetal" es apropiado para definir el límite entre la protección por patente y la protección de los derechos de obtentor, independientemente del origen de la variedad. El mero hecho, pues, de haber obtenido la variedad mediante ingeniería genética no otorga a los productores de tales variedades vegetales una posición privilegiada con respecto a los obtentores de variedades vegetales resultantes de crianza tradicional solamente. Por lo tanto, las variedades de plantas que contienen genes introducidos en una planta ancestral mediante tecnología genética recombinante están excluidas de la patentabilidad.

Esta conclusión no varía si el producto ha sido obtenido mediante un proceso microbiológico. El artículo 53 b) CPE, siguiendo lo dispuesto en el artículo 27.3 b) ADPIC, dispone que los Estados Miembros no podrán excluir de la patentabilidad los procedimientos para la producción de plantas que sean microbiológicos ni los productos obtenidos por dichos procedimientos. Según las Directrices EPO, el producto de un proceso microbiológico también puede ser patentable *per se* (reclamación del producto). Así, el microorganismo puede protegerse ya que es un producto obtenido por un proceso microbiológico. Sin embargo[309], las reivindicaciones de producto para variedades de plantas no pueden permitirse, incluso si la variedad se produce por medio de un proceso microbiológico ya que la excepción a la patentabilidad se aplica a las variedades de plantas independientemente de la forma en que se producen.

---

[309] Decisión de la Cámara Técnica de Recursos de la OEP, T 0356/93 (Plant Genetic Systems/ glutamine synthetase inhibitors), de 21.02.1995, ECLI: EP: BA: 1995: T035693.19950221] y G 0001/98 (Planta transgénica / NOVARTIS II) de 20.12.1999, ECLI: EP: BA: 1999: G000198.19991220.

3.2. La protección jurídica de las tecnologías aplicadas al proceso de producción y comercialización. Entre el Derecho de patentes y el Derecho de Autor. Ineficiencias del sistema.

Tal y como he indicado antes, el desarrollo de las técnicas que soportan la digitalización de los procesos de producción y comercialización de la agricultura, Big Data, Inteligencia Artificial, Block Chain o Internet de las Cosas se basan en modelos y algoritmos informáticos, lo que plantea innumerables dudas acerca de la protección de la innovación en sí misma. Hoy por hoy el sistema de tutela oscila entre el Derecho de patentes y el Derecho de autor, pero ninguno de los dos está exento de inconvenientes. A grandes rasgos, puede decirse que la patentabilidad de estas técnicas se enfrenta a dos serios problemas que derivan de su propia configuración. El artículo 52 CEP y asimismo el artículo 4.4. LP excluyen la consideración de invención tanto de los métodos matemáticos, como de los programas de ordenador, que, según lo dicho, constituyen los dos soportes de estas tecnologías. Recuérdese que están basadas en métodos computacionales que utilizan algoritmos, y, por tanto, las invenciones relativas a la mismas se clasificarían bien como simples programas de ordenador o bien como meros programas de naturaleza matemática abstracta, constitutivos de métodos abstractos privados de carácter técnico. Esto implica que, por sí solas, como tales, estas tecnologías no cumplen los requisitos de patentabilidad [310]. De modo que hay que demostrar, caso por caso, que el método o el programa revisten *" carácter técnico",* lo que no deja de revestir grandes dificultades debido no solo a que el concepto de carácter técnico no está legalmente determinado, sino también a que la doctrina de las Salas de Recurso EPO dista de ser lo suficientemente homogénea y estable. En particular resulta ambigua en un grado no irrelevante cuando analiza los programas informáticos y los métodos implementados en un

---

[310]   En este sentido se pronuncian la Directrices de examen EPO. Las Directrices disponen que la inteligencia artificial se basa en modelos computacionales y algoritmos para la clasificación, agrupación, regresión y reducción de la dimensionalidad, tales como redes neuronales, algoritmos genéticos, máquinas de vectores de soporte, k-medias, regresión del núcleo y análisis discriminante y que dichos modelos computacionales y algoritmos son *per se* de naturaleza matemática abstracta, independientemente de si pueden ser "entrenados" en base a datos de entrenamiento. En atención a ello, concluye que la patentabilidad de la misma debe ser analizada en el contexto de las Directrices relativas a los métodos matemáticos. De hecho, las especificaciones que se contienen en ellas en relación con la IA constituyen un subapartado de los "métodos matemáticos", incluidas en la parte G II- 3.1, dentro de la lista de exclusiones.

sistema informático [311]. Entre otros problemas, la patentabilidad de estas técnicas se enfrenta también a la prueba de la presencia de actividad inventiva y a la necesidad de que se efectúe una descripción exhaustiva de la tecnología subyacente, lo que no constituye un obstáculo de menor entidad, dada la complejidad de los razonamientos.

No menos cuestiones plantea la protección conforme al régimen del Derecho de autor. La tutela de los programas de ordenador a través del Derecho de autor se basa en la afirmación de que el *software* es una mera creación intelectual, no del tipo de las invenciones técnicas, que, en la medida en que está escrito en un código es similar a una obra literaria. Así, se manifiesta expresamente el artículo 1 de la Directiva 24/CE del Parlamento Europeo y del Consejo, de 23 de abril de 2009, sobre la protección jurídica de programas de ordenador cuando declara que *"...los Estados miembros protegerán mediante derechos de autor los programas de ordenador como obras literarias tal y como se definen en el Convenio de Berna para la protección de las obras literarias y artísticas"*. En el mismo sentido se pronuncia el ADPIC, cuyo artículo 10.1 señala que *"los programas de ordenador, sean programas fuente o programas objeto, serán protegidos como obras literarias en virtud del Convenio de Berna"* y el Tratado de la Organización Mundial de la Propiedad Intelectual (en adelante, OMPI) sobre Derecho de Autor adoptado en Ginebra en 1996, cuyo artículo 4 dispone que *"los programas de ordenador están protegidos como obras literarias en el marco de lo dispuesto en el artículo 2 del Convenio de Berna. Dicha protección se aplica a los programas de ordenador, cualquiera que sea su modo o forma de expresión"*.

Sin embargo, el Derecho de autor no protege las ideas y principios en los que se basan los elementos de un programa de ordenador incluidos los que sirven de fundamento a sus interfaces, según dispone el artículo 96.4 LPI. En el mismo sentido, el ADPIC declara que la protección del Derecho de autor abarcará las expresiones, pero no las ideas, procedimientos, métodos de operación o conceptos matemáticos en sí (art. 9.2 ADPCIC). La exclusión del algoritmo como obra protegible queda reflejada en el Considerando 11 de la Directiva 2009/24/CE, sobre la protección jurídica

---

[311]　Sobre estas cuestiones, ampliamente, GALLEGO SÁNCHEZ, E: "La patentabilidad de la inteligencia artificial. La compatibilidad con otros sistemas de protección", *La Ley Mercantil*, 59 (2019), consultado en Smarteca, págs. 1 y ss

de los programas de ordenador, la cual señala que *"en la medida en que la lógica, los algoritmos y los lenguajes de programación abarquen ideas y principios, estos últimos no están protegidos con arreglo a la presente Directiva"*. En la misma línea se expresa el artículo 1.2 de dicha Directiva señalando que *"las ideas y principios en los que se base cualquiera de los elementos de un programa de ordenador, incluidos los que sirven de fundamento a sus interfaces, no estarán protegidos mediante derechos de autor con arreglo a la presente Directiva"*. Por tanto, los algoritmos matemáticos en que se basan estas tecnologías no están protegidos por los derechos de autor.

A estos inconvenientes no ha sido ajeno incluso el propio Parlamento Europeo. Tras ponerlos de manifiesto, advirtiendo, además, de que en otros países, como Estados Unidos, el *software* no está excluido específicamente de la materia patentable, de manera que podría ocurrir que determinadas invenciones relacionadas con *software* o programas informáticos se consideren materia patentable en una jurisdicción, mientras que las mismas invenciones queden fuera del ámbito de la materia patentable en otra jurisdicción, la Resolución de 20 de octubre de 2020, sobre los derechos de propiedad intelectual para el desarrollo de las tecnologías relativas a la inteligencia artificial [312] recrimina a la Comisión que no haya abordado el problema de la protección de los Derechos de Propiedad Intelectual en el contexto del desarrollo de la Inteligencia Artificial y las tecnologías conexas, instándola a dictar una marco regulador operativo armonizado de la materia, que adopte la forma de Reglamento, no de Directiva con miras a evitar la fragmentación del mercado único digital europeo y promover la innovación. Pone de relieve, a este respecto, la función del marco de protección mediante patente a la hora de incentivar los inventos de Inteligencia Artificial y fomentar su difusión, así como la necesidad de crear oportunidades para las empresas europeas y las empresas emergentes al objeto de impulsar el desarrollo y a adopción de la Inteligencia Artificial en Europa; pero no descarta el ámbito de los derechos de autor, ni el de los secretos empresariales.

Asimismo señala la diferencia entre las creaciones humanas asistidas por la Inteligencia Artificial y las creaciones generadas por ella, puesto que estas últimas plantean nuevos retos normativos en materia de protección

---

[312]   2020/2015(INI).

de los Derechos de Propiedad Intelectual, como cuestiones sobre la titularidad, la condición de inventor y la remuneración adecuada, y otras relacionadas con la posible concentración del mercado, subrayando que no sería adecuado tratar de dotar a las tecnologías de Inteligencia Artificial de personalidad jurídica, dado el impacto negativo de esta posibilidad en los incentivos para los creadores humanos.

El 21 de abril de 2021, la Comisión aprobó una propuesta de Reglamento sobre inteligencia artificial [313]. Sin embargo, como era de esperar, no se refiere en absoluto a los Derechos de Propiedad Intelectual, lo que no resulta extraño porque, como es sabido, la Unión Europea no se ha decidido hasta la fecha a crear una patente de la Unión Europea, ni se prevé que lo haga en un futuro próximo. Aunque, tal vez, podría haber acudido a una Directiva para solventar estas cuestiones, no creo que el remedido hubiera resultado eficaz dado el sistema instaurado por el CPE.

4. NUEVOS RETOS PARA AGRICULTURA INTELIGENTE. AGRICULTURA ECOLÓGICA Y ORGANISMOS GENÉTICAMENTE MODIFICADOS

La promoción de la digitalización está incluida claramente en la agenda política europea respecto al sector agroalimentario y el medio rural. En la comunicación de la Comisión Europea sobre la próxima PAC y el futuro de la Alimentación y la Agricultura de noviembre de 2017 se remarcaba como prioridad la completa conexión de los agricultores y el medio rural con la economía digital. Según se lee en dicha Comunicación el desarrollo tecnológico y la digitalización posibilitan grandes avances en la eficiencia de los recursos, mejorando una agricultura ecológica y climáticamente inteligente, que reduce el impacto ambiental y climático de la agricultura, aumenta la resiliencia y la salud del suelo y reduce los costos para los agricultores.

A ello se alude también en el Libro Blanco sobre la Inteligencia artificial

---

[313]	Propuesta de Reglamento del Parlamento europeo y del Consejo por el que se establecen normas armonizadas en materia de inteligencia artificial (ley de inteligencia artificial) y se modifican determinados actos legislativos de la unión de 21.4.2021. Com(2021) 206 final 2021/0106 (cod).

de 2020 [314]. Se estima en él que la digitalización aumentará la eficiencia de la agricultura, contribuirá a la mitigación del cambio climático y a la correspondiente adaptación y mejorará la eficiencia de los sistemas de producción a través de un mantenimiento predictivo, observándose, además, que, en cierta medida, esto ya es realidad en la medida en que Europa produce más de un cuarto de todos los robots de servicios industriales, profesionales y agrícolas.

Se afirma que con la agricultura inteligente los agricultores podrán reducir en la práctica sus costes sin bajar la producción y aumentar notablemente la productividad, lo que supone un impulso aún mayor a las economías a escala local. Además, dejando a un lado apreciaciones de tipo económico, se asegura que la agricultura inteligente permite vislumbrar también importantes ventajas para el medio ambiente, pues se considera un medio para lograr que el sector agroalimentario europeo sea más sostenible a largo plazo, especialmente en el marco de los empeños por reducir el uso de productos químicos agrícolas como los plaguicidas. Y que podría contribuir al objetivo más general de satisfacer la demanda creciente de alimentos al tiempo que asegura la sostenibilidad de la producción primaria por medio de un planteamiento de la gestión de la producción más exacto y eficiente en el uso de los recursos, esto es, *"producir más con menos"*.

Esta orientación se hace más evidente en el Pacto Verde [315], en el que se afirma que las tecnologías digitales son un factor crítico para facilitar la consecución de los objetivos de sostenibilidad que el Pacto persigue. En concreto, la Comisión se compromete a explorar medidas que garanticen que las tecnologías digitales, tales como la inteligencia artificial, las redes 5G, la computación en la nube y el internet de las cosas, puedan acelerar y potenciar los efectos de las políticas para combatir el cambio climático y proteger el medio ambiente. Se estima, además, que la digitalización brinda nuevas oportunidades para el control a distancia de la contaminación del aire y del agua, o para la monitorización y optimización del modo de

---

[314] Libro Blanco sobre la inteligencia artificial–un enfoque europeo orientado a la excelencia y la confianza. 19.2.2020, COM(2020) 65 final.
[315] Comunicación de la Comisión al Parlamento europeo, al Consejo europeo, al Consejo, al Comité económico y social europeo y al Comité de las regiones. El Pacto Verde Europeo, 11.12.2019, COM(2019) 640 final.

utilización de la energía y los recursos naturales, afirmándose que Europa necesita un sector digital articulado en torno a la sostenibilidad.

Se reconoce igualmente que los datos accesibles e interoperables radican en el centro de la innovación impulsada por los datos. Estos datos, combinados con la infraestructura digital (superordenadores, nubes, redes ultrarrápidas) y las soluciones de inteligencia artificial, facilitan las decisiones basadas en datos contrastados y amplían la capacidad de comprender y abordar los retos medioambientales. A este respecto se asegura que la Comisión apoyará el trabajo destinado a materializar todas las ventajas de la transformación digital en apoyo de la transición ecológica, constituyendo una prioridad inmediata potenciar la capacidad de la UE para predecir y gestionar catástrofes medioambientales.

En esta misma dirección se orienta la Estrategia "de la granja a la mesa" [316], que persigue estimular el consumo de alimentos sostenibles y fomentar una alimentación saludable y abordable para todos, reduciendo el despilfarro de alimentos; así como ofrecer propuestas para mejorar la posición de los agricultores en la cadena de valor. Para conseguir el primer objetivo la Comisión se compromete a examinar nuevos medios para informar mejor a los consumidores, entre otros, medios digitales, sobre aspectos como el origen de los alimentos, su valor nutricional y su huella medioambiental. De otro lado, la mejora de la posición de los agricultores requiere, según la Estrategia, que transformen sus métodos de producción con mayor rapidez y que utilicen de la manera más óptima posible soluciones tecnológicas, digitales y basadas en la naturaleza y en el espacio, para obtener mejores resultados climáticos y medioambientales, aumentar la resiliencia frente al cambio climático, y reducir y optimizar el uso de insumos (por ejemplo, plaguicidas y fertilizantes).

Se observa, pues, que la Comisión confía en la agricultura inteligente como medio para conseguir que se transforme en una agricultura ecológica. La fusión de estas dos dimensiones se produce con todo de forma más decidida en la Comunicación sobre producción ecológica [317], en la que

---

[316] Comunicación de la Comisión al Parlamento europeo, al Consejo, al Comité económico y social europeo y al Comité de las regiones. Estrategia "de la granja a la mesa" para un sistema alimentario justo, saludable y respetuoso con el medio ambiente, 20.5.2020, COM(2020) 381 final.

[317] Comunicación de la Comisión al Parlamento europeo, al Consejo, al Comité económico y social europeo y al Comité de las regiones sobre el plan de acción para el desarrollo de la

se defiende de manera terminante que *"Europa deberá ser ecológica y digital"*, estimándose que, al potenciar las rentas de las zonas rurales, la agricultura ecológica desempeña un papel fundamental en la recuperación de la Unión. Y que la agricultura ecológica debe ser el modelo a seguir ya que, aunque no es el único sistema agrario sostenible, es por el momento, el único reconocido por un sólido método de certificación.

Sin embargo, tal y como consta en el Anexo de esa Comunicación esos propósitos no van mucho más allá de promover pasaportes fitosanitarios y certificaciones ecológicas de carácter digital mediante el recurso a la inteligencia artificial y al *Blockchain*. Estima la Comisión que las tecnologías digitales pueden ayudar a etiquetar, rastrear, localizar y compartir datos relacionados con los productos, lo que podría resultar benéfico para el sector ecológico, habida cuenta especialmente de que este se caracteriza por unas cadenas de valor cada vez más complejas y una gran necesidad de transparencia. En su opinión, estas tecnologías pueden contribuir a fortalecer la certificación ecológica al garantizar la transparencia a lo largo de la cadena de suministro y la trazabilidad de los productos, lo que contribuye a la confianza de los consumidores.

Además, sin discutir la bondad de estos propósitos no es, sin embargo, seguro que apostar por la digitalización pueda revertir los obstáculos que, hoy por hoy, genera la agricultura ecológica, ni que sea este un modelo practicable, ni por ende, sostenible con el carácter de generalidad que quiere imponer la Comisión.

Conforme a la normativa de la Unión [318] la agricultura ecológica comprende el uso de métodos de producción que cumplan lo dispuesto en dicha normativa en todas las etapas de la producción, preparación y distribución. Comprende en primer término el uso de *"variedades ecológicas apropiadas para la producción ecológica"*, que se definen como variedades vegetales en el sentido del ROV caracterizadas por una diversidad genética y fenotípica elevada entre las unidades reproductoras individuales y por proceder de las actividades de producción ecológica contempladas en la normativa de referencia que, entre otros aspectos,

---

producción ecológica 25.3.2021 COM(2021) 141 final.

[318]   Reglamento (UE) 2018/848 del Parlamento europeo y del Consejo de 30 de mayo de 2018 sobre producción ecológica y etiquetado de los productos ecológicos y por el que se deroga el Reglamento (CE) 834/2007 del Consejo; Reglamento (UE) 2017/625 del Parlamento europeo y del Consejo de 15 de marzo de 2017. Normas sobre la cadena agroalimentaria.

exigen que la innovación proceda de la selección y el cruce natural. De modo que se excluyen no solo los transgénicos sino cualesquiera vegetales obtenidos por mutación genética, incluidas las mutaciones tradicionales como las provocadas por radiaciones ionizantes.

El cultivo del vegetal ha de producirse, además, sobre y dentro de suelo vivo en contacto con el subsuelo y la roca madre. En lo que se refiere a la gestión y fertilización del suelo, la prevención de los daños causados por plagas y malas hierbas la utilización de productos fitosanitarios está muy restringida, concediéndose prioridad a aquellas medidas que eviten daños por plagas y malas hierbas a través de técnicas que no requieran la utilización de productos fitosanitarios, tales como la rotación de cultivos. Los agricultores ecológicos no están autorizados a utilizar abonos sintéticos y solo pueden utilizar una gama limitada de plaguicidas químicos.

Junto a ello la Comunicación sobre producción ecológica[319] plantea la promoción de este tipo de agricultura como medio para contribuir significativamente a la consecución de los objetivos previstos en las Estrategias sobre biodiversidad y *"de la Granja a la Mesa"*. Conforme a estos textos la Comisión prevé una transformación radical del sistema productivo de alimentos para el año 2030. La estrategia de la Granja a la Mesa, en el contexto del Pacto Verde, deberá implementarse mediante la adopción de varias prácticas, incluyendo la disminución substancial en el uso de fertilizantes y productos sintéticos para la protección de las cosechas (hasta un 50%) y una conversión de, al menos, el 25% de la tierra cultivada a un régimen ecológico.

La Comisión asegura que estas acciones se promueven con el fin de garantizar suficientes alimentos para toda la población producidos de forma sostenible y segura para el medio ambiente y para los humanos, pero hay motivos para dudar de que sea medianamente practicable. Hay quien ha dicho que, si fuéramos agricultores en Europa hoy en día, probablemente estaríamos muy preocupados por nuestro futuro. Y añado, siendo consumidores también hemos de estarlo. Y no menos han de hacerlo los fitomejoradores.

---

[319]   Comunicación de la Comisión al Parlamento europeo, al Consejo, al Comité económico y social europeo y al Comité de las regiones sobre el plan de acción para el desarrollo de la producción ecológica 25.3.2021 COM(2021) 141 final.

El Tribunal de Justicia UE no parece haber contribuido mucho a imponer un criterio razonable en este proceso. Los alimentos que contienen o están compuestos por organismos genéticamente modificados (en adelante OMGs), se han producido a partir de un OMG o incluyen ingredientes producidos a partir OMGs están sometidos a una ingente normativa de índole pública que abarca, entre otros aspectos, un rígido sistema de autorización para su comercialización [320]. Hasta el año 2018 resultaba generalmente admitido que esa normativa únicamente se aplicaba a los organismos modificados por transgénesis, pero no mediante mutagénesis. Sin embargo, la situación dio un giro radical con la Sentencia del Tribunal de Justicia UE de 25 de julio de 2018[321]. La Sentencia declara que los organismos que se han obtenido mediante métodos de mutagénesis que no han venido siendo utilizados convencionalmente en varios usos y para los que no se dispone de amplia experiencia de utilización segura, como es el caso de los organismos cuyo genoma es modificado con la técnica de edición genética CRISPR-Cas u otras similares, quedan comprendidos en el ámbito de aplicación de la Directiva 2001/18/CE, del Parlamento Europeo y del Consejo, de 12 de marzo de 2001, sobre liberación intencional en el medio ambiente de organismos modificados genéticamente, y por tanto, están sujetos a las obligaciones que de ella se derivan.

El fundamento de esta interpretación radica en que los riesgos que entraña la utilización de las técnicas o métodos nuevos de mutagénesis son distintos de los que se derivan de las técnicas que han venido siendo utilizadas convencionalmente y para las que se dispone de una amplia experiencia de utilización segura. En consecuencia, el Tribunal de Justicia sostiene que la exclusión prevista en el Anexo 1 B de la Directiva 2001/18/ CE no es aplicable a técnicas o métodos de mutagénesis dirigida que implican recurrir a la ingeniería genética y cuyos riesgos para el medio ambiente o para la salud humana no pueden determinarse con certeza actualmente, señalando que los Estados miembros tienen la facultad de

---

[320]   Vid. ASENSI MERÁS, A., "La protección de los organismos modificados genéticamente (OMG) mediante patente de invención biotecnológica", *La Ley mercantil*, n° 20, diciembre 2015, pgs.1-16.

[321]   Sentencia del Tribunal de Justicia de la Unión Europea (Gran Sala) de 25 de julio de 2018 asunto C-528/16. [ECLI:EU:C:2018:583]. Y vid. IÑIGUEZ ORTEGA, P., "La especial problemática de la edición genómica en plantas (comentario a la Sentencia del Tribunal de Justicia de la Unión Europea (Gran Sala) de 25 de julio de 2018) (c-528/16)", ADI 39 (2018-2019), págs. 351-365, pg. 354.

definir su régimen jurídico sujetándolos a las obligaciones previstas por la Directiva 2001/18 o a otras obligaciones, dentro del respeto del derecho de la Unión, en particular, de las normas relativas la libre circulación de mercancías establecidas en los artículos 34 TFUE a 36 TFUE.

Sin embargo, no se puede decir que la Sentencia haya tenido, ni deba tener, una acogida favorable. De hecho se desvía incluso de las conclusiones del Abogado General [322] y del tenor de la Directiva 2001/18, cuyo artículo 3.1 dispone que no se aplicará a los organismos obtenidos mediante las técnicas de modificación genética que se enumeran en el Anexo I B, siendo así que el citado Anexo cita de modo expreso la mutagénesis sin distinguir el tipo de la misma. De otro lado, se ha considerado [323] con razón que esta decisión ha supuesto un claro retroceso para las perspectivas futuras de las técnicas de edición genómica y para la innovación en materia vegetal, ya que la ralentización del proceso puede ocasionar la imposibilidad de patentar los resultados obtenidos ante la falta de novedad respecto de dichas invenciones, además de restringir la competitividad del sector agroalimentario europeo respecto de productos de terceros países cuyas legislaciones sean menos estrictas y no obliguen a revelar el origen de la mutación.

---

[322] https://curia.europa.eu/juris/document/document.jsf?text=&docid=198532&pageIndex=0&doclang=ES&mode=lst&dir=&occ=first&part=1&cid=422624

[323] IÑIGUEZ ORTEGA, P., "La especial problemática de la edición genómica en plantas (comentario a la Sentencia del Tribunal de Justicia de la Unión Europea (Gran Sala) de 25 de julio de 2018) (c-528/16)", pg. 364; CURTO POLO, Mª. M., *La protección de las innovaciones vegetales en la Unión Europea. Patentes vs Títulos de obtención vegetal*, pg, 65.

Marcas colectivas y de garantía en el sector agroalimentario

PILAR MONTERO GARCÍA-NOBLEJAS
Profesora titular de derecho mercantil. Universidad de alicante

1. CONSIDERACIONES PRELIMINARES

Las marcas colectivas y de garantía constituyen signos distintivos con un gran potencial en el mercado en diversos sectores, pero muy especialmente en el sector agroalimentario. Se trata de un ámbito en el que se muestra especialmente importante comunicar a los consumidores las especiales características de los productos que consumen. Y para ello, el uso de esta clase de marcas representa una ventaja competitiva considerable.

Actualmente los consumidores se encuentran muy interesados por tener una información más completa de los productos, especialmente de los agroalimentarios, pues es cada vez más importante la preocupación por una dieta saludable, que además reúna otras características como el respeto al desarrollo sostenible, el empleo de técnicas artesanas y/o de producción de proximidad. Aspectos todos ellos que se han potenciado más si cabe con posterioridad a la situación de pandemia mundial a la que hemos asistido.

Con ánimo de responder a estas necesidades se muestra esencial diseñar estrategias diferenciadoras que permitan a los productores poner en valor sus productos, comunicando sus especiales características, la agrupación a la que pertenecen y/o la localidad de la que provienen. Se busca así ofrecer garantías a los consumidores sobre los productos que consumen, aumentando la confianza y la fidelidad de los mismos.

Estas garantías pueden responder a diversas necesidades informativas, como la responsabilidad social de los productores, el respeto de requisitos de seguridad alimentaria, de trazabilidad o su carácter de agricultura ecológica. De esta forma, los consumidores tendrán información no solo el resultado final del producto, sino la cadena de elaboración y/o distribución, garantizando la veracidad de la información con la que se accede al mercado.

La economía local puede beneficiarse de la aplicación de regímenes de calidad para los productores, que recompensen sus esfuerzos para producir una diversidad de productos y servicios en unos ciertos niveles de calidad y seguridad y, en su caso, que sean originarios de una zona geográfica determinada. Esto tiene una especial relevancia paralas zonas menos favorecidas, cuyo sector terciario y agrario representa una parte significativa de su economía y cuyos costes de producción son elevados.

Es por ello que los signos de calidad pueden tener numerosos beneficios, constituyendo medios complementarios en beneficio de una política de creación de empleo, de desarrollo rural, apoyo al mercado y de sostenimiento de la renta. Y de este modo es frecuente que este tipo de signos distintivos en el sector agroalimentario se utilicen para la realización de campañas de promoción agroalimentaria de las diferentes regiones en el ámbito nacional e internacional, constituyendo adicionalmente elementos fundamentales para el turismo de las diversas localidades.

Dentro de estos signos distintivos de calidad encontramos a las denominaciones de origen y las marcas de garantía, pudiendo emplearse en ocasiones las marcas colectivas con finalidades similares. Se trata de signos que se pueden caracterizar como signos distintivos de calidad, si bien, como tendrá ocasión de analizarse, la información esencial que transmiten no va a ser la misma en ambos casos. En este trabajo nos vamos a centrar en las marcas colectivas y de garantía. Y en este sentido, aunque sea frecuente estudiar ambos signos de manera conjunta, se muestra esencial conocer sus diferencias, dado que un uso inadecuado de las mismas puede tener consecuencias perjudiciales, ocasionando inconvenientes de difícil solución para los productores del sector agroalimentario.

2. DELIMITACIÓN CONCEPTUAL Y FUNCIONAL DE LAS MARCAS COLECTIVAS Y DE GARANTÍA

2.1. Concepto y función de las marcas colectivas y de garantía

si comparamos el concepto y la función de las marcas colectivas y de garantía podemos observar que tienen características muy diferentes, a pesar de que en la práctica en ocasiones puedan converger.

En el caso de las marcas colectivas, se produce una modificación de la función típica de las marcas individuales, pero a la vez se encuentra próxima a ellas. Esto es así porque a pesar de que permanece la función indicadora del origen empresarial, es decir, son marcas típicas de empresa, en lugar de diferenciar los productos de un único empresario, su función es indicar el origen empresarial de los productos o servicios de las empresas integradas en una asociación legítimamente autorizada para el uso del signo constituido como marca por parte de sus miembros[324]. La función de esta clase de marcas se aprecia tanto en la Ley de Marcas, en la Directiva, así como en el Reglamento de Marca de la Unión Europea[325].

Así, en todas las definiciones de los diversos textos legales citados, se contempla que una marca colectiva permite distinguir los productos o servicios de los miembros de una asociación de los de otros operadores del mercado. Con este tipo de marcas se persigue que los miembros de la asociación puedan aprovecharse de una reputación colectiva[326].

Por otro lado, se entiende en la Ley española por marca de garantía todo signo que sirva para distinguir los productos o servicios que el titular de la marca certifica respecto de los materiales, el modo de fabricación de los productos o de prestación de los servicios, el origen geográfico, la

---

[324] BOTANA AGRA, M.J., *Las denominaciones de origen*, Marcial Pons, Madrid 2001, pág. 27; LARGO GIL, R., *Las marcas colectivas y las marcas de garantía*, Civitas, Madrid, 2006, pág. 164.

[325] Cfr. art. 62.1 Ley 17/2001, de 7 de diciembre, de Marcas (en adelante LM), art. 27 a) de la Directiva (UE) 2015/2436 del Parlamento Europeo y del Consejo, de 16 de diciembre de 2015, relativa a la aproximación de las legislaciones de los Estados miembros en materia de marcas (en adelante Directiva de marcas) y art. 74.1 Reglamento (UE) 2017/1001 del Parlamento Europeo y del Consejo, de 14 de junio de 2017, sobre la marca de la Unión Europea (en adelante RMUE).

[326] ROUBIER, P., *Le Droit de la Propriété Industrielle, Partie spéciale*, Sirey, Paris, 1954, pág. 645.

calidad, la precisión u otras características de los productos y servicios que no posean esa certificación[327]. Estableciéndose un régimen similar al de la Directiva y al Reglamento de marca de la Unión Europea. Si bien con la diferencia fundamental de que, en el caso de la marca de la Unión Europea,se emplea el término "marca de certificación", y no se permite la diferenciación de los productos en base al origen geográfico[328].

Las marcas de garantía, o marcas de certificación en la Unión Europea, representan un signo distintivo con peculiaridades frente a las marcas individuales, en la medida en que en las primeras pasa a un segundo plano la función indicadora del origen empresarial (función esencial en las marcas individuales), y adquiere una mayor relevancia la función indicadora de la calidad o características de los productos o servicios, siendo objeto de protección en el ámbito jurídico[329]. En este caso las marcas de garantía cumplen la función de dar certeza o seguridad a los terceros sobre el cumplimiento de unas determinadas características o de propiedades presentes en los productos o servicios[330].

2.2. El riesgo de la polivalencia funcional entre ambos tipos de marcas

Las marcas de garantía presentan particularidades respecto de las marcas colectivas, dado que se produce una modificación sustancial de la función, puesto que en las colectivas permanece la función indicadora del origen empresarial como función esencial típica de las marcas, si bien se trata en este caso de diferenciar no a los productos de un único empresario, sino que su función es indicar el origen empresarial de los productos o servicios de las empresas integradas en la asociación legítimamente autorizada para el uso del signo constituido como marca por parte de sus miembros[331].

No obstante, se ha puesto de manifiesto por la doctrina que las marcas colectivas pueden cumplir ulteriores funciones. Así por ejemplo, el hecho

---

[327]   Cfr. art. 68 de la Ley de Marcas. Sobre su régimen jurídico vid. LEMA DEVESA, C., "La marca de certificación de la Unión Europea", *ADI*, Tomo 38, 2017-2018, págs. 207 y ss.

[328]   Cfr. Arts.83.1 RMUE y art. 27 de la Directiva de marcas.

[329]   FERNANDEZ NOVOA, C., *Tratado sobre derecho de marcas*, Madrid, 2004, pág. 679; LARGO GIL, R., *Las marcas colectivas y las marcas de garantía, op. cit.* pág. 54.

[330]   MONTERO GARCÍA-NOBLEJAS, P., "Marcas de garantía o de certificación", *La Ley mercantil*, Nº. 15 (junio), 2015, págs. 2 y ss.

[331]   BOTANA AGRA, M.J., *Las denominaciones de origen, op. cit.*, pag. 27.

de que se admita en derecho español que puedan contener términos geográficos permitiría que, además de la función que les es propia, puedan informar adicionalmente sobre el origen geográfico de los productos o servicios[332]. Y sería posible que desempeñen otras funciones, como sucede en el caso de las marcas individuales que pueden tener diversas funciones, pero con una intensidad mayor. Esto puede suceder en el caso de que se refuerce su función de garantía[333], puesto que es posible que una marca colectiva informe, además de un origen empresarial colectivo, sobre una calidad presente en todos los productos de los empresarios de esa asociación[334].

Por este motivo, en ocasiones se ha afirmado que se trata de signos intercambiables, dado que la diferenciación realizada desde el punto de vista de la Ley, no se aprecia siempre en la práctica[335]. No obstante, no debería admitirse esta circunstancia, dado que en el caso de las marcas colectivas nos encontramos ante marcas de empresa y, en este sentido, son como las individuales[336]. Lo importante es la función esencial protegida por el ordenamiento jurídico para esta clase de marcas, con independencia de que puedan cumplir otras funciones. Por este motivo creemos que, a pesar de que sea posible que las marcas colectivas cumplan en parte otra función, deberá ser siempre con carácter *accesorio* respecto de la función indicadora del origen empresarial, que es la protegida de forma esencial por el ordenamiento jurídico.

Esta interpretación viene avalada por la jurisprudencia del Tribunal de Justicia de la Unión Europea, que ha afirmado que el uso de una marca individual que cumpla únicamente la función de indicar una determinada calidad y/o un origen geográfico, no debería considerarse como un uso efectivo y real, que permita el mantenimiento de la marca[337]. Razonamiento que es posible encontrar también en la jurisprudencia española, en la que

---

[332]	FERNANDEZ NOVOA, C., *Tratado sobre derecho de marcas, op. cit*, pág. 691.

[333]	BELSON, J., *Certification and collective marks*, Elgar, Glos, UK, 2017.págs. 38 y ss.

[334]	FERNANDEZ NOVOA, C., *Tratado sobre derecho de marcas, op. cit.* pág. 691

[335]	KUR, A/SENFTLEBEN, M., *European Trade Mark Law*, Oxford University Press, Oxford, 2017, pág. 516.

[336]	LOBATO GARCÍA-MIJÁN, L., *Comentario a la Ley 17/2001, de marcas*, Civitas, Madrid, 2002, *op. cit.*, pág. 926.

[337]	STJUE (Sala Segunda) de 8 de junio de 2017, asunto C 689/15 (Flor de algodón), afirma que: *"la colocación sobre productos, por el titular o con su consentimiento, de una marca individual de la Unión como sello de calidad no es un uso como marca que esté comprendido en el concepto de «uso efectivo» en el sentido de esta disposición (…)"*.

tampoco se considera uso el que se realiza con otra finalidad, en este caso se afirma que el uso se asimilaba a una marca de garantía[338]. Este aspecto, relativo al uso adecuado a su función esencial es posible por tanto extrapolarlo a las marcas colectivas, teniendo en consideración que cumplen una función similar.

Adicionalmente, se ha afirmado que en el caso de que los titulares de las marcas colectivas sean personas jurídico-públicas, su función se modifica y pasa a ser una función de certificación o garantía[339]. Se trata de un razonamiento que no compartimos porque no se debería admitir que se proteja por estas marcas otra función diferente de la que se le asigna por el ordenamiento jurídico[340]. En este sentido se ha pronunciado el Tribunal de Justicia de la Unión Europea que afirma que a pesar de que la marca colectiva pueda desempeñar otras funciones, al igual que sucede en el caso de las marcas individuales, *su función esencial es la indicación del origen empresarial*. De manera que no es posible considerar que la función esencial de una marca colectiva sea servir de indicación del origen geográfico de los productos o servicios[341]. Y por ello, a la hora de evaluar el riesgo de confusión en relación con las marcas colectivas, se deben seguir las mismas pautas que se aplican a las marcas individuales. De manera que el origen geográfico de los productos o servicios debería resultar indiferente[342], así como su calidad o características que de él se derivan.

La importancia de la diferencia en la función se pone de manifiesto por ejemplo en la prohibición que existe en Derecho Inglés de registrar el mismo signo como marca colectiva y marca individual. Pues en este caso

---

[338] Sentencia del Juzgado de lo Mercantil de Madrid de 23/10/2019 365/2019, en la que se decidió a favor de la caducidad de una marca por falta de uso, dado que el uso realizado era, según la sentencia, un uso como marca de garantía, pues su finalidad era informar en el mercado que los servicios prestados por las mismas respondían a un cierto nivel de calidad, consecuencia de ser prestado por una empresa perteneciente a un grupo empresarial. No obstante, es preciso señalar que en la sentencia se afirma que lo que la marca indica en este caso es que las empresas pertenecen a un grupo empresarial. Si fuera ese el caso, la función debería haberse asimilado más a una marca colectiva.

[339] LARGO GIL, R., *Las marcas colectivas y las marcas de garantía, op. cit.* págs. 158 y ss.

[340] En este sentido, BINCTIN, N., *Droit de la propriété intellectuelle*, L.G.D.J, Issy-les-Moulineaux, 2018, pág. 550; LE GOFFIC, C., *La protection des indications géographiques*, LexisNexis, Paris, 2011, pág. 52.

[341] STJUE 20 sept 2017, asunto C-673/15P a C-676/15P (Darjeeling).

[342] Vid. Comentario a la Sentencia de BASIRE, Y., "Droit des marques et autres signes distinctifs", *Propriétés Intellectuelles*, n. 67, avril, 2018, pág. 77.

se produciría una causa de caducidad, dado que la marca podría dar la impresión de ser otra cosa distinta a una marca colectiva[343].

En la práctica de la Oficina de Propiedad Intelectual de la Unión Europea se aprecia en las Directrices una variación significativa, antes y después de la previsión de las marcas de certificación. Pues de conformidad con la normativa anterior, se admitía que una marca colectiva tuviera una función de certificación. Aspecto que actualmente no se menciona, resaltándose su función esencial como indicadora del origen empresarial tanto en las resoluciones de la Oficina de Propiedad Intelectual de la Unión Europea[344], como también en la Jurisprudencia de la Unión Europea[345].

Será interesante analizar la práctica de la Oficina de la Unión Europea en el futuro, teniendo en cuenta el hecho de que los eventuales posibles titulares de marcas de garantía o certificación seguirán intentando el registro de sus signos de garantía como marcas colectivas a nivel de la Unión Europea. Esto es así muy especialmente por la limitación existente en Derecho de la Unión Europea que impide el registro de los signos geográficos bajo la forma de marcas de certificación. Esta circunstancia debería llevarnos a una reflexión sobre las funciones protegidas por cada clase de marca por el ordenamiento jurídico, y la conveniencia o no de que se refleje así en el registro de las mismas.

En lo que se refiere a las marcas nacionales españolas, se puede poner de manifiesto que en ocasiones podemos encontrar marcas registradas como individuales o colectivas, que cumplen una función de certificación o garantía. Así se muestra frecuente que se utilicen de manera que permitan diferenciar unos productos certificados por determinados organismos como que cumplen ciertas características, e incluso se dice en ocasiones que se trata de marcas accesorias, que se pondrán junto a la marca principal del fabricante. Aspectos que se compaginan difícilmente con el uso de una

---

[343] BELSON, J., *Certification and collective marks*, *op. cit.* pág. 74; vid. UK Trade marks manual, Certification and collective marks, punto 2.1.3 Assessing acceptability under Section 3(1).
Section last updated: January 2019.

[344] Decisión de la Segunda Sala de Recurso de la EUIPO de 15/2/2011, Caso R 675/2010-2 – BIODYNAMIC apartados 19 a 21. En la que pone de manifiesto la improcedencia de registrar como marca colectiva un signo que cumpla una función de garantía, dado que será percibido por los consumidores como algo distinto a una marca colectiva;

[345] STG (Sala Cuarta) de 7 de octubre de 2015 HALLOUMI asuntos T-292/14 y T-293/14; STG Sala Segunda, de 25 de septiembre de 2018, asunto T-328/17, apartados 35 y 36.

marca individual. En todo caso, debería tenerse en consideración, que este uso de una marca individual con una función de garantía, de conformidad con la jurisprudencia de la Unión Europea, sería un uso que no podría alegarse para justificar un uso efectivo y real de la marca[346].

Debe resaltarse la importancia de conocer el régimen de las marcas colectivas y de las de garantía o certificación, y no emplear marcas colectivas o incluso individuales en los supuestos en los que debieran utilizarse marcas de garantía. Y esto porque las marcas de garantía o certificación tienen un régimen específico que protege el derecho de la competencia así, como que no se produzcan abusos, situación que podría sortearse mediante el registro de una marca colectiva o individual[347].

3. LOS TITULARES DE LAS MARCAS COLECTIVAS Y DE GARANTÍA

en relación con los posibles titulares que pueden instar el registro de una marca colectiva, la Ley de Marcas mantiene, de conformidad con la Directiva y el Reglamento de Marca de la Unión Europea, la legitimación de las asociaciones de fabricantes, productores, prestadores de servicios o comerciantes, así como las personas jurídicas de Derecho público.

Resulta así habitual, tanto en Derecho español como en países de nuestro entorno, que el titular de una marca colectiva sea una asociación y, en este sentido, suela ser una persona jurídica. Sin que en cambio se deba considerar que las asociaciones solo puedan solicitar marcas colectivas[348], pues dada la amplitud de la legitimación existente para solicitar marcas individuales, podrán elegir entre uno u otro tipo. No obstante, deberá tenerse en cuenta que, en el supuesto de elegir una marca individual, no se aplicará ni la especial función, ni el régimen jurídico aplicable a las marcas colectivas. Aspecto que afectaría de forma significativa al uso de la misma para que no lleve a error a los consumidores. Por ello, a pesar de que nos encontremos ante marcas colectivas, su titular es único, si bien su

---

[346]   Vid. STJUE (Sala Segunda) de 8 de junio de 2017, asunto C 689/15 (Flor de algodón).

[347]   AAVV, "The collective Trademark: invitation to abuse", 68 *Yale Law Journal*, 528, 1959, pág. 532.

[348]   Así VAREA SANZ, M., "Concepto y titularidad", en BERCOVITZ RODRIGUEZ-CANO, A., (dir), *Comentarios a la Ley de Marcas*, T. II, Cizur Menor (Navarra) 2008, pág. 1079.

especialidad radicará en que será utilizada por diversas personas[349], que serán los miembros de la asociación[350].

El empleo del término asociación en las marcas colectivas tanto en la Ley de Marcas como en el Reglamento de Marca de la Unión Europea debería interpretarse en sentido amplio, en cuanto al término que clasifica las personas jurídicas entre fundaciones y asociaciones[351], y que equivaldría a considerarlo en realidad como sociedad, en cuanto se refiera al género de los fenómenos asociativos. Esta interpretación se muestra coherente con la Directiva en la que se opta por el término mucho más amplio de "agrupación"[352]. La ausencia de una definición respecto del término asociación en esta normativa de la Unión Europea, comporta que se considere por la doctrina que existe una amplia libertad en la determinación de este concepto[353], dentro del cual se podría estimar que se incluirían otras formas jurídicas económicas como las cooperativas u otras agrupaciones bajo la forma de sociedades de capital[354].

La legitimación para poder ser titular de una marca de garantía se muestra como una diferencia sustancial frente al régimen de las marcas colectivas, que precisamente se esgrimió como beneficio de la previsión de las marcas de certificación de la Unión Europea. En derecho español, así como en la normativa de la Unión Europea, pueden solicitar la marca de garantía cualquier persona, aspecto que difiere de las marcas colectivas.

El único requisito que debe cumplir el titular de la marca de garantía es que tiene que ser un tercero independiente que certifique el cumplimiento del reglamento de uso. De esta manera se prevé expresamente que no podrán solicitar marcas de garantía quienes fabriquen o comercialicen

---

[349] Directrices de la EUIPO, Parte B, Examen, Sección 2, Formalidades, punto 9.2.1, «por colectivas no se entiende que la marca pertenezca a varias personas (cosolicitantes y cotitulares) ni designe ni cubra a más de un país»; PEUKERT, A., "Individual, multiple and collective ownership of intellectual property rights- which impact on exclusivity?", *The structure of Intellectual Property Law*, Edward Elgar, Glos, UK, 2011, pág. 215.

[350] LARGO GIL, R., *Las marcas colectivas y las marcas de garantía, op. cit.* pág. 186, puntualiza que, en el caso de que los miembros sean a su vez empresas, también podrá ser empleada por los socios de las mismas.

[351] FERRARA, F., *Teoría de las personas jurídicas*, Reus, Madrid, 1929, págs. 654 y ss.

[352] Cfr. art. 29.2 Directiva de Marcas.

[353] PASSA, J., *Droit de la propriété industrielle, op. cit.* pág. 861 considera que debería considerarse el término asociación, en la marca colectiva de la UE, como sinónimo de agrupación.

[354] V. MÜHLENDAHL/OHLGART/V. BOMHARD, *Die Gemeinschaftsmarke*, Beck, Múnich, 1998, pág. 85.

productos o servicios idénticos o similares a aquéllos para los que fuera a registrarse la citada marca. Se aprecia de este modo la separación que existe tradicionalmente entre titularidad y uso de las marcas de garantía, que lo que pretende es evitar la situación de conflicto de interés y posible falta de independencia en el control. Esto podría producirse si la misma persona que se ocupa de certificar el cumplimiento de los requisitos de la marca de garantía, se certificara a sí misma sus productos[355].

Además de las personas jurídicas privadas, la Ley de marcas permite que sean titulares de las marcas colectivas las personas jurídicas de Derecho público, del mismo que se admite para las marcas de garantía. La especialidad en este caso radica en las marcas colectivas porque, si se tiene en cuenta lo establecido en las directrices de la Oficina de Propiedad Intelectual de la Unión Europea para las marcas colectivas de la Unión, a estas entidades de derecho público se le aplican parámetros parecidos a las marcas colectivas, de manera que deberían ser asociaciones en el sentido formal o tener una estructura interna de carácter asociativo.

Especial mención debe hacerse en el ámbito agroalimentario a los Consejos Reguladores como posibles titulares de marcas colectivas, que suelen constituirse como corporaciones de derecho público[356]. Se trata de una posibilidad permitida por el ordenamiento jurídico, y que puede ser muy beneficiosa para diferenciar los productos de sus miembros en el mercado. Si bien, esta marca lo que distingue es la pertenencia de los productores al Consejo Regulador, aunque adicionalmente informe sobre el hecho de que se trate de un producto que respeta el pliego de condiciones de una denominación de origen.

En este caso, la denominación con el uso del adjetivo "público" no debería llevar a error respecto de su naturaleza jurídica. Una corporación

---

[355]   DE MARTIN MUÑOZ, A., "La regulación de las marcas de garantía en la Ley 17/2001, de marcas", *La Ley, Revista Española de Doctrina, Jurisprudencia y Bibliografía*, 2, 2003, pág. 1627. Así se explica tradicionalmente en Derecho americano, vid. GOLDSTEIN, P., *Copyright, Patent, Trademark and Related State Doctrines*, Westbury, 1993, pág. 260; RIBEIRO DE ALMEIDA, A.F., *Denominaçao de origen e marca*, Coimbra, 1999, pág. 371.

[356]   Cfr. art. 15 Ley 6/2015, de 12 de mayo, de Denominaciones de Origen e Indicaciones Geográficas Protegidas de ámbito territorial supraautonómico, BOE 13 de mayo de 2015 (en adelante Ley 6/2015 DOIGP). Sobre las distintas formas posibles de los consejos reguladores vid. GUILLEM CARRAU, J., "La forma jurídica del Consejo Regulador: el modelo de las fundaciones y asociaciones como alternativa para la gestión de las denominaciones de origen en tiempos de crisis", *Revista española de estudios agrosociales y pesqueros*, Nº 236, 2013, págs. 13 y ss.

de derecho público se caracteriza como un ente de estructura asociativa que emana de la iniciativa de la sociedad, que no del Estado. Suponen una estructura representativa de intereses sectoriales, de una colectividad, de manera que no deben confundirse con el interés público[357]. Por este motivo, estos Consejos Reguladores, se encuentran sometidos al derecho privado, aunque se les permita el ejercicio controlado de funciones públicas[358]. Se produce en ellos así una conexión, más que una dependencia, respecto de la administración[359].

El registro de una marca colectiva por un Consejo regulador puede ser muy beneficiosa para identificar al propio consejo como asociación, y distinguir los productos de los miembros. Si bien, no sería equivalente el registro de una marca de garantía. En este caso, si se elige el registro de una marca de garantía por parte de un Consejo Regulador, debería ser para identificar en el mercado que los productos cumplen con el pliego de condiciones de la denominación de origen. Pero no podrían servir para identificar a los miembros del consejo, dado que esta marca debería estar disponible para su uso por todos los que cumplan el pliego de condiciones, con independencia de que pertenezcan o no al Consejo.

4. EL USO DE LA MARCA COLECTIVA Y DE GARANTÍA

una de las características fundamentales en las marcas colectivas y de garantía es que se trata de marcas que están llamadas a ser empleadas por terceros distintos del titular. No obstante, se trata de una afirmación que debe ser matizada, tanto para diferenciar unas marcas de otras, como para determinar, con carácter preliminar, lo que se entiende por el uso.

De conformidad con la normativa española y de la Unión Europea, el titular de la marca de garantía no podrá fabricar, comercializar ni distribuir productos o servicios idénticos o similares a aquéllos a los que vaya a

---

[357] ARIÑO RUIZ, G., "Corporaciones profesionales y administración pública", *RAP*, Nº 72, 1973, págs. 37 a 39.

[358] Vid. art. 17.c) Ley 6/2015, de 12 de mayo, de Denominaciones de Origen e Indicaciones Geográficas Protegidas de ámbito territorial supraautonómico.

[359] vid. ALONSO UREBA, A. *La sociedad mercantil de capital como forma de la empresa pública local*, Universidad Complutense, sección de publicaciones, Madrid, 1988, págs. 36 y ss; Sobre los riesgos de este género de entidades vid. GALLEGO SÁNCHEZ, E., "Insuficiencias e ineficiencias de la reforma del sector público empresarial. La necesidad de avanzar", *RdS*, 51, 2017, págs. 27 y ss.

registrarse la marca. La razón de esta norma es asegurar la imparcialidad en los controles desarrollados por el titular. Esta circunstancia comporta que el uso entendido como comercialización y distribución de los productos o servicios solo pueda realizarse por las personas facultadas para ello.

Se trata de una prohibición que no consta en las marcas colectivas, en la medida en que, por su diferente función, no se produce este riesgo que se trata de evitar. De esta manera, las marcas colectivas, a pesar de estar destinadas a ser utilizadas por personas distintas a su titular, podrán ser también utilizadas por el titular, a diferencia de lo que sucede con las marcas de garantía.

No obstante, el titular de la marca, incluso de garantía, podrá realizar algunas actuaciones susceptibles de ser consideradas como uso de la marca, siempre que no comporte una distribución o comercialización de los productos. Por tanto, es posible que el titular lleve a cabo algunas actuaciones como por ejemplo campañas publicitarias relacionadas con la marca de garantía[360]. Incluso en ocasiones el titular se reserva esta facultad en exclusiva, impidiendo a los autorizados para el uso de la marca que realicen publicidad sobre la misma, como forma de unificar la imagen de la marca que se proyecta frente a terceros.

Teniendo en consideración estas especialidades, en las disposiciones comunes a las marcas colectivas y de garantía de la normativa española se dispone que la exigencia de uso de estas marcas se entenderá cumplida por el uso que cualquier persona facultada haga conforme al artículo que regula el uso de la marca[361].

5. LOS TÉRMINOS GEOGRÁFICOS EN LAS MARCAS COLECTIVAS Y DE GARANTÍA EN EL SECTOR AGROALIMENTARIO

es preciso resaltar la frecuencia con la que en el sector agroalimentario se emplean símbolos geográficos en las marcas colectivas o de garantía. Esta circunstancia resulta facilitada por el hecho de que estas marcas

---

[360]   En este sentido COHEN JEHORAM, T./VAN NISPEN, C./HUYDECOPER, T., *European Trademark Law*, AH Alphen aan den Rijn (The Netherlands), 2010, pág. 461. GOMEZ LOZANO, M.A., "Sobre el uso de marcas de garantía no registradas", *ADI*, 29, pág. 821.

[361]   Cfr. Art. 75 LM.

cuenten con una excepción respecto de las prohibiciones absolutas de registro de marcas, que permiten de forma expresa el registro como marca colectiva o de garantía de signos o indicaciones que puedan servir en el comercio para señalar la procedencia geográfica de los productos o de los servicios a los que se aplica[362]. Podemos encontrar esta precisión también en la Directiva de Marcas, y en el Reglamento de Marca de la Unión Europea, si bien, con la diferencia sustancial que solo se prevé para las marcas colectivas y no para las de certificación[363].

Si bien, dada la posibilidad de que existan varias marcas colectivas o de garantía que se refieran a los mismos productos y servicios, así como a la misma zona geográfica, sería posible la coexistencia de diversas marcas para una misma zona geográfica. En estos supuestos se debería prestar una atención especial a que no existiera riesgo de confusión entre ellas, que pueda llevar a error al público[364].

Esta excepción permitiría el registro de denominaciones de origen e indicaciones geográficas como marcas colectivas o de garantía en España (o solo colectivas en la Unión Europea), siempre y cuando no se infrinja el derecho conferido por este signo distintivo. Los Consejos Reguladores se encuentran interesados en el registro de marcas que incluyan la denominación de origen por varios motivos. Primero porque esto les puede permitir tener una mayor seguridad a nivel internacional, dada la diversidad de normativa aplicable a las denominaciones de origen en otros países, además porque así puede estar en una mejor situación para proteger su derecho frente a los conflictos que pueden ocasionarse en relación con los nombres de dominio y además se podrá lograr la protección de ulteriores elementos de la denominación, dado que la denominación de origen protege únicamente el nombre denominativo. No obstante debe tenerse en consideración que la amplia protección otorgada por la normativa sobre denominaciones de origen e indicaciones geográficas permite abarcar una protección que supera al mero nombre[365].

---

[362] Cfr. art. 62.3 y 68.3 LM.
[363] Cfr. art. 29.3 de la Directiva de Marcas y art. 74.2 y 83.1 RMUE.
[364] LOBATO GARCÍA-MIJÁN, L., *Comentario a la Ley 17/2001, de marcas, op. cit.* pág. 930 que señala la dificultad para lograrlo.
[365] Sobre la protección de estos Derechos de Propiedad Intelectual vid. ampliamente MON-TERO GARCÍA-NOBLEJAS, P., *Denominaciones de Origen e Indicaciones Geográficas,* Tirant lo Blanch, Valencia, 2016, págs. 253 y ss.

Desde un punto de vista práctico, a la hora de registrar denominaciones de origen como marcas colectivas de la Unión Europea, las directrices de la Oficina de Propiedad Intelectual de la Unión Europea disponen que debe reflejarse de manera precisa en los reglamentos uso de las marcas colectivas cualquier limitación que se haya incluido para superar eventuales conflictos[366]. Afirmación que se refiere a la práctica de la Oficina de exigir una limitación de los productos para los que se destine la marca correspondiente, en los casos de marcas colectivas que incorporen la denominación de origen. De manera que solo se autoriza el registro para el uso de la marca en productos que respeten el pliego de condiciones.

En relación con las posibles infracciones por parte de terceros, debe tenerse en cuenta que la normativa sobre denominaciones de origen otorga a los beneficiados por la misma una protección significativa. Esto es así en la medida en que, si se pretendiera el registro de un término geográfico que suponga la infracción de una denominación de origen o indicación geográfica protegida anterior, existen dos tipos de prohibiciones, tanto absolutas como relativas, por las que se podrá denegar el registro de este signo, si bien, siguiendo las particularidades de cada tipo de prohibición[367].

Si se tiene en cuenta que la función principal de la marca colectiva es la indicadora del origen empresarial, las denominaciones de origen que opten por el registro de una marca colectiva como sistema de protección, podrían encontrarse con que no tendría como función esencial la protección que abarque a la calidad y características que se deriven del origen, pues se trata de signos con finalidades y normativas diferentes.

Así se puede apreciar que, en la jurisprudencia de la Unión Europea, se ha puesto de manifiesto en reiteradas ocasiones que la función esencial de una marca colectiva de la Unión es distinguir los productos o servicios de los miembros de la asociación que sea su titular de los de otras empresas, y no distinguir esos productos según su origen geográfico ni según sus

---

[366]   Directrices relativas al examen de las marcas de la Unión Europea, Oficina de Propiedad Intelectual de la Unión Europea (EUIPO), Parte B examen, sección 4: motivos de denegación absolutos, capítulo 15: marcas colectivas de la Unión Europea (01/10/2017), pág. 4.

[367]   Vid. arts. 5.1.h) y 9.3 LM. Protección que se establece en los diversos Reglamentos que protegen a las denominaciones de origen, así por ejemplo se establece en el art. 14. 1 del Reglamento 1151/2012 de 21 de noviembre de 2012 sobre los regímenes de calidad de los productos agrícolas y alimenticios. Así como en la Ley 6/2015, de 12 de mayo, de Denominaciones de Origen e Indicaciones Geográficas Protegidas de ámbito territorial supraautonómico, en su art. 13.5.

especiales características. De manera que no se respetaría esa función si se pretendiera considerar que la función esencial de una marca colectiva de la Unión es servir de indicación del origen geográfico de los productos o servicios ofrecidos al amparo de esta marca. Esto es así además porque nada impide que una región cuyo nombre geográfico esté registrado como marca colectiva sea la fuente de diferentes materias primas aptas para utilizarse en la elaboración lícita de productos diferentes[368].

Precisamente, la voluntad de impedir conductas contrarias a la competencia justifica que se establezca en las marcas colectivas y de garantía españolas que el derecho conferido por esta clase de marca no permitirá a su titular prohibir a un tercero el uso en el comercio de tales signos o indicaciones geográficas, siempre que dicho uso se realice con arreglo a prácticas leales en materia industrial o comercial. Y de manera expresa se dispone en particular que dicha marca no podrá oponerse a un tercero autorizado a utilizar una denominación geográfica.

Se trata de un límite específico para este tipo de marcas, si bien el uso que se realice de estos signos debe respetar las *"prácticas leales en materia industrial o comercial"*, precepto que se puede considerar referido a la exclusión del riesgo de confusión y/o de aprovechamiento de reputación ajena. De acuerdo con la doctrina y jurisprudencia, se pone de manifiesto que este uso no será conforme a las prácticas leales si se realiza de manera que puede inducir a pensar que existe un vínculo comercial entre el tercero y el titular de la marca, si afecta al valor de la marca al obtener indebidamente una ventaja de su carácter distintivo o de su reputación, si desacredita o denigra dicha marca, o si el tercero presenta su producto como imitación o réplica del producto que lleva la marca ajena[369]. Este precepto ha sido objeto de interpretación reciente en la jurisprudencia española, habiéndose considerado en el ejercicio de una acción de infracción que el uso de los términos "Clóchina de Valencia" y "Clóchina valenciana" constituían un uso conforme a los usos en materia industrial y comercial, a pesar de la existencia de una marca colectiva

---

[368] Vid. STJUE (Sala Segunda) de 20 de septiembre de 2017 asuntos C 673/15 P a C 676/15 P (Darjeeling).

[369] Vid. STJUE de 23 de febrero de 1999, ampliamente sobre esta cuestión GARCÍA VIDAL, A., *El uso descriptivo de la marca ajena*, Madrid, 2000; MARTÍNEZ GUTIERREZ, A., *La marca engañosa*, Civitas, Madrid, 2002, pág. 93-94.

previa con la misma denominación[370]. Y en otro supuesto se ha estimado improcedente por ejemplo el empleo del término "persimon" con una finalidad descriptiva, dada la existencia de una marca de la Unión Europea previa colectiva con idéntica denominación[371].

Esta excepción relativa a los términos geográficos persigue el respeto del objetivo protegido por la prohibición absoluta que prohíbe el registro como marca de signos geográficos, en la medida en que se pretende que los signos o las indicaciones descriptivas de las categorías de productos o servicios para las que se solicita el registro puedan ser utilizados libremente por todos, incluso como marcas colectivas o en marcas complejas o gráficas[372].

De este modo, a la hora de establecer el contenido del reglamento de uso de las marcas colectivas se pretende asegurar la protección de este requisito, al disponer que en los supuestos en los que la marca colectiva consistiera en una indicación de procedencia geográfica, el reglamento de uso deberá prever que cualquier persona cuyos productos o servicios provengan de esa zona geográfica y cumplan las condiciones prescritas por el mismo, podrá hacerse miembro de la asociación[373]. Se trata de un precepto que no se puede aplicar de forma directa en los casos de personas jurídicas de derecho público. Motivo por el cual se estima que debe reinterpretarse y considerar que deberá preverse que la persona en la que concurran esas circunstancias podrá tener la autorización de uso de la misma[374].

En cambio, para las marcas de garantía, dada la diferente función, no se prevé que deba admitirse a quien cumpla el reglamento como miembro de la asociación, sino que se desarrolla el principio de puerta abierta que se verá con posterioridad, puesto que en este caso, si la marca de garantía consistiera en una indicación de procedencia geográfica, el reglamento de uso deberá prever que cualquier persona, cuyos productos o servicios

---

[370]   Vid. Sentencia del Juzgado de lo Mercantil N°. 3 de Valencia, de 6 de Marzo de 2020, Rec. 301/2019.
[371]   Vid. Sentencia del Tribunal de Marcas de la Unión Europea de 28 de Septiembre de 2020. En la que se afirma que cuando la compañía FRESH incluye el término "PERSIMMON" trata de presentar su producto como una imitación del identificado con el signo "PERSI-MON", por lo que su uso es contrario a las prácticas leales.
[372]   Vid. STJUE (Sala Segunda) de 20 de septiembre de 2017 asuntos C 673/15 P a C 676/15 P (Darjeeling).
[373]   Vid. art. 63.2 LM y arts. 30.2 de la Directiva de Marcas y 75.2 RMUE.
[374]   VAREA SANZ, M., "Concepto y titularidad", op. cit. págs. 1078 y 1079.

provengan de esa zona geográfica y cumplan las condiciones prescritas por el mismo, podrá utilizar la marca. Todo esto nos permite reflexionar sobre la circunstancia de que, a nivel de la Unión Europea, se haya limitado la excepción geográfica a las marcas colectivas y no a las de certificación, lo cual produce un refuerzo del sistema de las denominaciones de origen (dado que impide el registro de marcas de garantía geográficas).

Por ello, el hecho de que en España sea posible el registro de las denominaciones de origen como marcas colectivas, no debería producir un solapamiento de la misma protección. A pesar de que esto en la teoría pueda parecer sencillo, puesto que una marca colectiva es una marca de empresa y una denominación de origen un signo que identifica una determinada calidad y características, lo cierto es que en la práctica la diferenciación no resulta tan sencilla. Normalmente se muestra complicado diferenciar ambas funciones en el caso de marcas colectivas que incluyan una denominación de origen, a saber, la función indicadora del origen empresarial referida normalmente a identificar a los miembros del Consejo Regulador, y la función típica de una denominación de origen, que se refiere a la identificación de un producto por su origen geográfico y su calidad derivada de cumplir un pliego de condiciones.

6. EL PRINCIPIO DE PUERTA ABIERTA DE LAS MARCAS DE GARANTÍA AGROALIMENTARIAS

Como se ha podido avanzar, una característica esencial de la función de las marcas de garantía es el principio de puerta abierta. Según este principio, dado que la marca de garantía cumple una función certificadora del cumplimiento de unos determinados requisitos se exige que, para no incurrir en conductas que sean contrarias a la competencia, todo el que cumpla con esos requisitos, deba ser autorizado para utilizarla. Aspecto que difiere en las marcas colectivas, en las que no existe este principio, por tratarse de marcas de empresa, que informan de la pertenencia de los usuarios de la misma a una asociación.

Este principio ha encontrado una plasmación expresa en nuestro Derecho para el caso de las marcas de garantía geográficas, en las que, dentro del contenido del reglamento de uso se debe prever que cualquier persona, cuyos productos o servicios provengan de esa zona geográfica y cumplan las condiciones prescritas por el mismo, pueda utilizar la marca[375].

Se trata de un principio que aproxima a las marcas de garantía a las denominaciones de origen, poniendo de manifiesto la proximidad en su función. Esto es así porque una de las características típicas de las denominaciones de origen, a diferencia de otros signos distintivos, es el hecho de que se prevea en los diferentes Reglamentos de la Unión Europea la obligación para los Estados miembros de garantizar que los operadores que deseen acogerse a las disposiciones de uno de los regímenes de calidad establecidos, puedan hacerlo sin enfrentarse para su participación en él a obstáculos que sean discriminatorios o que carezcan de motivación objetiva[376].

Se muestra por tanto esencial garantizar este derecho en todos los ámbitos de uso de las denominaciones de origen, que permite a todos aquellos que respeten el pliego de condiciones la utilización del nombre protegido. Si bien, debe precisarse si este derecho de uso del nombre comporta además el derecho al registro de una marca que contenga el nombre protegido.

En principio, a falta de prohibición expresa en nuestro derecho, y la práctica de la Unión Europea, debería estimarse admisible la posibilidad del registro de marcas que contengan dicha denominación, siempre que se respete el pliego de condiciones de los productos. No obstante si se observa la normativa de española de Denominaciones de Origen de ámbito supraautonómico se aprecia que según esta norma no se podrán registrar como marcas, los signos que reproduzcan, imiten o evoquen una denominación de origen protegida, siempre que se apliquen a los mismos productos o a productos similares, comparables o que puedan considerarse ingredientes o que puedan aprovecharse de la reputación de aquéllas[377].

Se trata de un precepto que ha sido recientemente objeto de interpretación por diversas sentencias españolas, las cuales han considerado posible el registro del nombre de la denominación de origen en el registro de marcas,

---

[375]   Cfr. art. 69.3 LM.
[376]   Cfr. Art. 46 Reglamento N. 1151/2012 de 21 de noviembre de 2012 sobre los regímenes de calidad de los productos agrícolas y alimenticios.
[377]   Cfr. art. 13.5 de la Ley Española de Denominaciones de Origen de ámbito supraautonómico.

pero únicamente si los titulares son los productores autorizados a elaborar productos protegidos. Esto se deriva de que en estas resoluciones se ha estimado que no era posible el registro de una marca, que contuviera un signo que hiciera referencia a una denominación de origen, en supuestos en los que las empresas que registraran esas marcas no elaborasen ese tipo de producto protegido, considerando que podría tratarse de una práctica susceptible de inducir a error en los consumidores[378].

Se trata de una limitación considerable, que no resulta sencilla de fundamentar en base al citado artículo de la normativa de denominaciones de origen. Esto es así porque la literalidad de este precepto o bien impediría completamente el registro de los nombres protegidos por todo tipo de productores (elaboren o no los productos protegidos), o bien lo que impediría es el registro de marcas que incluyan la denominación protegida y emplearlo en productos que no respeten el pliego de condiciones. Pero la interpretación de que esa apreciación deba realizarse *a priori* por la Oficina Española de Patentes y Marcas se muestra complicada, máxime cuando además las oficinas de registro suelen solicitar la limitación de los productos a la hora del registro de las marcas, indicando expresamente que solo puedan emplearse en productos con denominación de origen protegida. Debería ser por tanto responsabilidad de los productores que han registrado el signo el respeto de la limitación establecida en el certificado de registro de la marca. De este modo, exigir que las oficinas de registro deban adicionalmente controlar la capacidad productiva de los titulares de esas marcas, supone una interpretación muy amplia de la protección, que podría poner en peligro la necesidad de evitar obstáculos injustificados de acceso a los regímenes de las denominaciones de origen.

Debe apreciarse además que de este modo la jurisprudencia española se muestra más restrictiva que la práctica existente a nivel de la Unión Europea, impidiendo el registro de una marca, antes incluso de que el signo haya sido utilizado. De conformidad con esta interpretación se impone una carga que puede estimarse como excesiva para las Oficinas de registro de marcas, puesto que les exige realizar un control previo casi imposible, pues tendrán que analizar la capacidad industrial de las empresas con carácter previo al uso de estos signos en el mercado. Todo

---

[378] Sentencia del Tribunal Supremo, Sala Tercera, de lo Contencioso-administrativo, Sección 3ª, Sentencia 1695/2020 de 10 Diciembre de 2020, núm. 1695.

ello sin contar la posibilidad de que una empresa que no produce ese producto protegido por una denominación de origen, efectivamente lo comercialice, eliminando de este modo el riesgo de error. Sería ciertamente posible que si a posteriori, la empresa utiliza la marca para productos que no cumplen el pliego de condiciones, se esté produciendo una infracción de la denominación de origen. Pero sería una infracción que debería valorarse en un momento posterior al registro de la marca.

7. EL INFORME DE LA ADMINISTRACIÓN EN LAS MARCAS DE GARANTÍA AGROALIMENTARIAS

una característica fundamental, que diferencia a las marcas colectivas y de garantía, reside en la obligatoriedad de solicitar un informe previo en las marcas de garantía, aspecto especialmente importante cuando nos encontramos en el sector agroalimentario.

Esto es así porque, dada la gran diversidad de productos o servicios que pueden resultar beneficiados por las marcas de garantía, y la función que cumplen, se exige que el reglamento de uso sea informado favorablemente por el órgano administrativo competente en atención a la naturaleza de los productos o servicios a los que la marca de garantía se refiere[379]. La certificación por parte de un organismo independiente se convierte así en un elemento caracterizador de las marcas de garantía en nuestro Derecho, dada la ausencia de este requisito en el ámbito de la marca de certificación de la Unión Europea, otorgando legitimidad a la función certificadora de las mismas.

En la práctica española, la falta de determinación del organismo administrativo competente ha ocasionado que sea usual que el informe lo emita la Consejería de Industria de la sede social del solicitante[380], si bien en ocasiones puede suceder que coincidan el solicitante de la marca y el órgano administrativo competente para la realización del informe[381]. Teniendo en cuenta la importancia de las certificaciones en los productos agroalimentarios,

---

[379]   CASADO CERVIÑO, A., "Marcas colectivas y de garantía, marca derivada, marca internacional. El nombre comercial y el rótulo de establecimiento", *AC*, 43, 1990, pág. 668 afirma que el valor de este requisito se encuentra en que va a impedir que se eludan controles de obligado cumplimiento en determinados productos o servicios.

[380]   DE MARTIN MUÑOZ, A., "La regulación de las marcas de garantía en la Ley 17/2001, de marcas", *op. cit.* pág. 1635.

[381]   LARGO GIL, R., *Las marcas colectivas y las marcas de garantía, op. cit.* págs. 266 y ss.

la existencia de este informe previo supone una garantía complementaria que otorga una mayor seguridad y confianza en el uso de la marca.

En aras a una mayor agilidad en la tramitación se precisa que el informe se entenderá favorable por el transcurso del plazo de tres meses desde su solicitud sin que el órgano administrativo competente lo haya emitido. Si bien en este supuesto deberá acreditarse dicho acto, así como la competencia del órgano ante el que se solicitó el informe[382]. En todo caso, su importancia se pone de relieve en el hecho de que en la hipótesis de que fuera desfavorable, se denegará, en su caso, la solicitud de registro de la marca de garantía previa audiencia del solicitante[383]. Esta decisión de la oficina podrá recurrirse, o bien sería posible plantear una modificación del reglamento, o del tipo de marca para el que se solicita, siempre y cuando cumpla los requisitos para poder registrar la marca como una marca individual o colectiva, y esta actuación presente utilidad para el solicitante.

8. CONCLUSIONES

de esta breve aproximación a algunas de las características fundamentales de las marcas colectivas y de garantía, se pone de manifiesto como se trata de unos signos distintivos especialmente adecuados en el ámbito agroalimentario para diferenciar, bien los productos de provienen de una agrupación de productores, o bien los productos que cumplen con los determinados requisitos de calidad y/o características.

No obstante, han sido apuntados también los riesgos que comporta la ausencia de un conocimiento pleno de la normativa específica que rige esta clase de marcas, tanto a nivel español como de la Unión Europea, así como de sus interacciones y eventual complementariedad con otros signos distintivos esenciales en el sector agroalimentario, como son las denominaciones de origen.

Por todo ello, se muestra especialmente importante que los operadores agroalimentarios conozcan los diferentes signos distintivos existentes tanto a nivel español como de la Unión Europea, para de este modo lograr la protección que más de adecúe a sus necesidades.

---

[382] Cfr. art. 38.3 Reglamento de ejecución de la Ley de marcas.
[383] Cfr. art. 69.2 LM.

La indemnización razonable del obtentor por los actos realizados en el periodo de protección provisional tras la sentencia del tjue en el asunto c-176/18

BENJAMÍN SALDAÑA VILLOLDO

Profesor Contratado Doctor. Universidad de Valencia

1. PLANTEAMIENTO

Al margen de un cierto debate existente en la doctrina, el alcance del derecho del obtentor en el periodo de protección provisional ha sido resuelto hasta ahora de manera uniforme por nuestras Audiencias Provinciales. El sentido de estas resoluciones parte sin paliativos de considerar la fase de protección provisional como un mecanismo por el que se opera una ampliación real de los derechos del obtentor. Dicho posicionamiento, como es sabido, a efectos prácticos, ha supuesto la acumulación de las consecuencias de los artículos 94 y 95 del Reglamento CE 2100/94 respecto de los actos propagativos de la variedad realizados en el periodo de protección provisional[384]. En base a este criterio nuestra jurisprudencia ha aducido que el mantenimiento en cultivo de los árboles multiplicados sin licencia durante el periodo de protección provisional produciría nuevos actos de infracción (ya bajo la vigencia del título de protección). Estos nuevos actos infractores provocarían la aplicación de las consecuencias del artículo 94 del Reglamento (indemnización más cese de la infracción), sin que ello, no obstante, impidiera la aplicación del artículo 95, puesto que este precepto debía entenderse como una ampliación -que no una limitación- de los derechos del titular de la variedad protegida.

Este estado de cosas ha venido a ser alterado recientemente por la Sentencia del TJUE de 19 de diciembre de 2019 recaída en el Asunto C-176/18, de la que

---

[384] Por todas, puede verse la SAP Granada, Secc. 3ª, de 10 de mayo de 2019, núm. 360/2019, en la que se contiene una amplia referencia de esta doctrina seguida durante los últimos años por nuestra jurisprudencia menor, particularmente las resoluciones emanadas de las Audiencias Provinciales de Murcia (Secc. 4ª) y de Valencia (Secc. 9ª), que han seguido el criterio de la SAP Zaragoza (Secc. 5ª) de 2 de junio de 2007 la cual, como es sabido, ha tenido una importancia nuclear en este asunto y es buena muestra de los términos en que ha venido planteado el debate y de los argumentos, a favor y en contra, de la acumulación de los efectos de los artículos 94 y 95 del Reglamento CE 2100/94.

trae causa la Sentencia del Tribunal Supremo, Sala 1ª, de 11 de junio de 2020, número 282/2020, que es propiamente la primera sentencia en la que el Alto Tribunal español se ha pronunciado sobre esta cuestión.

La referida resolución del TJUE supone, por tanto, un giro interpretativo relevante respecto del alcance del derecho del obtentor en la fase de protección provisional con muy diversas derivadas[385]. El presente trabajo no trata del análisis de dicha resolución. Sin embargo, para lo que aquí interesa, señalaremos que la sentencia, en esencia, mantiene que durante el periodo de protección provisional no pueden darse actos de infracción, habida cuenta de que la concesión del título de protección tiene carácter constitutivo, de modo que durante la protección provisional no se encontraría vigente el *ius prohibendi* cuyo núcleo esencial viene consagrado en el artículo 13.2 del Reglamento comunitario. Esta consideración permite concluir al Tribunal que el posterior cultivo de las plantas multiplicadas durante esta fase de protección provisional, y siempre que ello no implique nuevos actos de multiplicación de la variedad, no puede considerarse como "empleo no autorizado componentes de la variedad protegida".

La situación descrita, por tanto, reduciría las consecuencias con las que podría accionar el obtentor respecto de los actos llevados a cabo en el periodo de protección provisional a la aplicación del artículo 95 del Reglamento comunitario, de modo que por tales actos cabría únicamente reclamar la indemnización razonable a la que se refiere el precepto.

Hasta este momento, la acumulación de las indemnizaciones *ex* artículos 94 y 95 incluyendo, asimismo, el cese de la infracción con la correspondiente eliminación del material vegetal, ha supuesto el encaje de la indemnización del artículo 95 en dicho contexto con una significativa reducción en su importe (50%). En este aspecto pretende centrarse el presente trabajo, particularmente en la cuestión relativa al *quantum* indemnizatorio en el que, a nuestro juicio, debiera situarse ahora la indemnización razonable por el periodo de protección provisional tras la citada sentencia del TJUE, habida cuenta de que los ejes sobre los que se fijaba y modulaba su importe han cambiado significativamente.

---

[385] Al respecto puede verse EMBID IRUJO, J. M. y SALDAÑA VILLOLDO, B., "Hacia la delimitación de los derechos del obtentor: a propósito de la sentencia del Tribunal de Justicia de la Unión Europea en el asunto C-176/18", *La Ley mercantil*, núm. 68, 2020, pp. 1-39; GARCÍA VIDAL, A., ¿En qué casos infringe el derecho de obtención vegetal la plantación de árboles y la cosecha de sus frutos? *Análisis Gómez Acebo & Pombo*, enero 2020, pp. 1-5.

2. LA ACUMULACIÓN DE LOS ARTÍCULOS 94 Y 95 DEL REGLAMENTO CE 2100/94 COMO ESTADO PREVIO DE LA CUESTIÓN

2.1. Introducción

Como ya hemos apuntado, la jurisprudencia española ha venido aplicando de forma cumulativa las consecuencias derivadas de los artículos 94 y 95 del Reglamento comunitario sobre obtenciones vegetales respecto de los actos propagativos de la variedad realizados durante el periodo de protección provisional. El artículo 94.1 y el artículo 95 recogen en términos nominalmente idénticos la conocida como "indemnización razonable" a favor del titular de la variedad. Sin embargo, aun con esta coincidencia terminológica, como es sabido, la conducta o supuesto generador de la aplicación de cada uno de estos preceptos es cualitativamente muy distinta, como claramente advertimos ya desde el encabezamiento de cada uno de ellos. El artículo 94 contiene la respuesta normativa a una serie de supuestos considerados como infracción del derecho del obtentor, siendo aplicable tras la concesión del título de protección, comprendiendo una indemnización modulable en su número dos, bajo distintos elementos y aspectos subjetivos de la conducta del infractor, además de prever un mandato de cese de la conducta infractora (eliminación del material vegetal). El artículo 95 trata, sin embargo, por su parte, simplemente de compensar económicamente al titular de la obtención respecto de aquellos actos propagativos -sin infracción de derecho- realizados en el periodo comprendido entre la publicación de la solicitud y la concesión del título.

Este último aspecto se pone de manifiesto con claridad, asimismo, en la redacción del artículo 13 del Acta UPOV de 1991 (relativa a la protección provisional de obtentor), por el que los Estados signatarios quedan obligados a "salvaguardar los intereses del obtentor" en el periodo de protección provisional[386]. Cabe recordar que la obtención vegetal es un producto tecnológico, fruto del esfuerzo investigador y de desarrollo del obtentor, con independencia

---

[386]   Esta protección previa al registro, a la que algún autor gráficamente se ha referido como "preuso" de la variedad (en este sentido puede verse el trabajo de FEMENÍA TORRES, J., "Protección de las variedades hortofrutícolas. El pre-uso en las variedades vegetales", *Revista Jurídica de la Comunidad Valenciana*, núm. 38, 2011, pp. 5-46), constituye un mecanismo imprescindible para que la variedad pueda tener viabilidad económica, constituyendo un elemento de protección imprescindible para el obtentor que evitaría la pérdida de utilidad del título como consecuencia de una propagación masiva de la variedad previa a su registro. Asimismo, más allá del punto de vista del obtentor, el establecimiento de una etapa de protección provisional racionaliza la concurrencia de los operadores interesados en la misma, impidiendo que pueda lograrse una ventaja competitiva injustificada por el acceso *alegal* y gratuito a la variedad antes de su registro.

del momento en que el operador acceda a la nueva variedad vegetal, de modo que el Acta UPOV viene a reflejar la necesidad de no desproteger al obtentor respecto de los actos propagativos realizados antes de que la variedad accediera a la protección del registro[387]. Lo que estableció en esta sede el Acta UPOV de 1991, en definitiva, es la obligación para los Estados signatarios de reconocer un derecho mínimo o básico a favor del obtentor dentro del periodo de protección provisional[388], fijándose el contenido mínimo de ese derecho en la denominada "remuneración equitativa", pero permitiéndose a los Estados ampliar el derecho del obtentor en tal periodo de protección provisional. De esta forma, desde la perspectiva del Acta UPOV, es dable la plena equiparación del derecho del obtentor en los periodos de protección provisional y definitiva por la vía del desarrollo legislativo de cada Estado[389].

Lo cierto es que la aplicación y adición sobre un mismo hecho de las consecuencias jurídicas de los artículos 94 y 95 del Reglamento CE 2100/94, que están previstos para supuestos fácticos diferentes, obligó a nuestros Tribunales a realizar una tarea de coordinación y coexistencia entre las indemnizaciones razonables previstas en ambos preceptos. Como veremos seguidamente, esta concurrencia de indemnizaciones propició a la postre, en la mayor parte de supuestos, una reducción drástica (50%) en la indemnización razonable derivada del artículo 95[390]. Tal disminución ha venido justificándose bajo distintas premisas, siendo la más recurrente aquella que se centraba en el menor desvalor de la conducta de quien multiplicó la variedad cuando esta no se hallaba todavía protegida, en contraposición con los actos de multiplicación posteriores al

---

[387]   Esta protección previa al registro, sin embargo, no se confiere de forma ilimitada en cuanto a su retroacción temporal, sino que, como es sabido, queda limitada a un concreto periodo de tiempo que abarca desde presentación de la solicitud o la publicación de esta, según sea el ámbito normativo español o comunitario ante el que nos encontremos, hasta la concesión del título de protección.

[388]   Sobre los antecedentes y evolución de esta cuestión en el Convenio UPOV véase GRAU CORTS, J. R., "Cuestiones al respecto de la cuantificación de la denominada «indemnización razonable» prevista en el artículo 95 del Reglamento (CE) nº 2100/94 sobre obtenciones vegetales", en PLAZA PENADÉS, J. (Dir.) *Cuestiones actuales sobre la protección de las obtenciones vegetales*, Revista Aranzadi de Derecho Patrimonial (monografía núm. 31), 2014, pp. 114-120.

[389]   Respecto de la intensidad con la que fue incorporada esta protección provisional en el Reglamento CE 2100/94, en relación con las notas explicativas de UPOV, puede verse SALDAÑA VILLOLDO, B., "Cuestiones en torno a la extensión de la protección provisional del obtentor de una variedad vegetal en el Reglamento (CE) núm. 2100/94", *Cuadernos del Derecho y Comercio*, núm. 59, 2013, pp. 165-168.

[390]   Entre las muchas sentencias que han fijado la indemnización razonable del artículo 95 en el 50% del precio del royalty puede verse la SAP Valencia, Secc. 9ª, de 22 de diciembre de 2011, núm. 491/2011 que, confirmando en este punto la sentencia de instancia, rechazó el importe íntegro (100%) del royalty como importe de la indemnización razonable por la vía del artículo 95, propugnando la referida reducción a la mitad. Esta resolución fue seguida por muchas otras en el mismo sentido.

título, que se realizarían con manifiesta vulneración del derecho de exclusiva ya vigente del obtentor.

La justificación de tal reducción de la indemnización razonable respecto de la protección provisional, no obstante, toma también fundamento en su coexistencia y acumulación con la indemnización del artículo 94, así como en la necesidad de modular la indemnización total que debe percibir el obtentor en aras de que la misma cumpla el carácter de "razonable" que proclaman ambos preceptos, de forma que eliminada esta concurrencia de indemnizaciones desaparece también, a nuestro juicio, el fundamento último para tal reducción. En los epígrafes siguientes trataremos de analizar los argumentos esgrimidos hasta ahora para la justificación de la reducción de la indemnización razonable por el periodo de protección provisional, de modo que tal análisis pueda contribuir a revelar la insostenibilidad de tal reducción tras la doctrina emanada de la reciente Sentencia del TJUE en el Asunto 176/18, así como la necesidad en este momento de fijar dicha indemnización al menos en el importe íntegro del royalty exigido por el obtentor por el uso de su variedad.

2.2. Menor reprochabilidad de los actos de multiplicación realizados durante el periodo de protección provisional

La cuestión del mayor o menor desvalor que pudiera merecer la conducta del sujeto que multiplicó la variedad sin autorización y, con ello, el grado de reproche que pudiera resultar de tales actos de reproducción, es una cuestión que ha gravitado sobre este asunto relativo al modo de hacer efectiva la acumulación de las indemnizaciones de los artículos 94 y 95 del Reglamento comunitario. Se trata de un asunto que, ciertamente, ha influido en la fijación a la baja del *quantum* indemnizatorio *ex* artículo 95 pero que, sin embargo, carece a nuestro juicio de un apoyo cierto en el tenor literal del Reglamento CE 2100/94 y que ha descansado, en cierta forma, sobre un argumento voluntarista más próximo a criterios de equidad encuadrable en la referida acumulación de indemnizaciones. Motivadamente se ha venido atribuyendo un menor grado de desvalor y reproche jurídico a la conducta consistente en propagar la variedad cuando esta no se hallaba todavía protegida (periodo de protección provisional), respecto de los actos de propagación de la variedad una vez que esta tenía conferido título de protección (protección definitiva por la vía del art. 94)[391].

---

[391]   Al respecto véase, con cita de un buen número de resoluciones en idéntico sentido, la SAP Granada (Secc. 3ª) de 10 de mayo de 2019, número 360/2019, donde se parte de la compatibilidad de la doble protección temporal del titular de la variedad y en la que se confirma como acorde con el concepto de "indemnización razonable" por la vía del art. 95 el 50% del precio del royalty establecido sobre la variedad (FJ 4º). Un comentario crítico de esta jurisprudencia puede verse en PLAZA PENADÉS, J., "La jurisprudencia sobre la protección pro-

La cuestión vino reflejada claramente, entre otras, en la Sentencia de la Audiencia Provincial de Murcia, Sección 4ª, de 18 de octubre de 2012 (núm. 661/2012)[392] cuando indicaba que "la sanción correspondiente a los actos infractores llevados a cabo durante aquel período provisional, se limitan sólo a la denominada *indemnización razonable*, que prevé el artículo 95 del Reglamento, en cambio las consecuencias legales de los actos infractores producidos en el período definitivo y por tanto con plena efectividad ya de la concesión comunitaria, resultan lógicamente de mayor intensidad y gravedad, como, en efecto, así se hace constar en el artículo 94 del Reglamento. Al mismo tiempo y como antes decíamos, la compatibilidad entre las citadas protecciones jurídicas en los períodos que regulan resulta incuestionable, siempre que subsistan actos infractores realizados con posterioridad temporal a la definitiva concesión de la protección comunitaria".

La menor reprochabilidad de los actos de multiplicación previos a la concesión del título se ha apoyado también, en buena medida, sobre el análisis de la buena o mala fe[393] del sujeto que multiplica la variedad habiendo título vigente o no. Efectivamente, este aspecto debía de tenerse en cuenta, sobre la base de que se ha venido considerando como infracción del título de protección la obtención de fruto de los árboles multiplicados en el periodo de protección provisional, aunque ello no implicase nuevos actos de multiplicación. En este sentido, la Sentencia de la Audiencia Provincial de Granada, Sección 3ª, de 10 de mayo de 2019 (núm. 360/2019), con referencia a la Sentencia de la misma Sala de 21 de febrero de 2014 (núm. 44/2014), señaló que "por tanto lo determinante para establecer el importe de la indemnización a favor del titular de la obtención vegetal, tal y como venimos diciendo en las anteriores sentencias, no es si el infractor ha obtenido beneficios en su explotación agraria -lo que ocurrirá normalmente, pues en otro caso el agricultor cambiara la estrategia de cultivo- sino si actuó con dolo y negligencia, teniendo en cuenta que, ni en este ámbito ni en ningún otro, el dolo se pueden presumir, entre otras cosas, porque cuando la entidad demandada inició su explotación la actora no había obtenido la concesión sobre esta clase de mandarinos."

---

visional de las obtenciones vegetales", en PLAZA PENADÉS, J. (Dir.) *Cuestiones actuales sobre la protección de las obtenciones vegetales*, Revista Aranzadi de Derecho Patrimonial (monografía núm. 31), 2014, pp. 148-156. Asimismo, en relación con esta jurisprudencia puede verse PETIT LAVALL, M.ª V., "Derechos del titular de una obtención vegetal", en GARCÍA VIDAL, A. (Dir.), *Derecho de las obtenciones vegetales*, Tirant lo Blanch, 2017, pp. 564-568.

[392]   Véase también la SAP Murcia, Secc. 4ª, de 7 de junio de 2012, núm. 394/2012.

[393]   La incidencia de la buena o mala fe del sujeto que efectuó los actos de propagación no se ha descartado por la jurisprudencia como criterio de modulación de las indemnizaciones pudiendo, en su caso, moderar la cantidad a compensar. En este sentido puede verse la SAP Valencia, Secc. 9ª, de 12 de septiembre de 2018, núm. 827/2018.

Con anterioridad a la Sentencia del TJUE a la que nos venimos refiriendo, por la doctrina[394] también se refirió la necesidad, respecto de la reclamación por el periodo de protección provisional, de tener en cuenta las concretas circunstancias de cada supuesto y valorar la potencial buena fe de los actos realizados con anterioridad a la fecha de concesión del título, por cuanto la buena fe es presupuesto general del ejercicio de los derechos en nuestro ordenamiento, conforme al artículo 7 del Código Civil. Se postuló también antes de la Sentencia del TJUE de 19 de diciembre de 2019, sobre la base de ser una cuestión no resuelta ni tratada expresamente por el TJUE, un paralelismo cierto y la existencia de elementos de coincidencia entre las indemnizaciones de los artículos 94.1 y 95 del Reglamento comunitario, pero propugnando al tiempo una cierta minoración en la cuantía de la indemnización del artículo 95, habida cuenta de que el precepto contempla actos de multiplicación realizados sin estar vigente todavía el título de protección[395].

Para la Sentencia de la Audiencia Provincial de Granada (Secc. 3ª), de 28 de junio de 2013 (núm. 240/2013), respecto de la indemnización en el 50% del precio del royalty por el periodo de protección provisional, "lo impuesto por la sentencia recurrida satisface la premisa y exigencia de «indemnización razonable» en escala inferior a la que corresponde del período definitivo. Así lo explica con acierto la sentencia de instancia valorando tanto el grado de responsabilidad ante un cultivo que aún no estaba prohibido a su inicio [...]". Añadiendo esta resolución en relación con el precio del royalty por árbol y con referencia a la SAP de Murcia (Secc. 4ª) de 7 de junio de 2012, que el mismo se considera base suficiente para el cálculo de esta «singular indemnización complementaria»". En análogo sentido, la Sentencia de la Audiencia Provincial de Granada (Secc. 3ª) de 21 de febrero de 2014 (núm. 44/2014), señala que la repetida indemnización razonable cuantificada en el 50% del precio del royalty "satisface la premisa y exigencia de «indemnización razonable» en escala inferior a la que corresponde del período definitivo".

En este sentido la ya indicada Sentencia de la Audiencia Provincial de Granada (Secc. 3ª) de 10 de mayo de 2019, número 360/2019, con referencia a resoluciones de otras Audiencias señaló (FJ 4º) que "ambos períodos prevén consecuencias distintas y compatibles. Así, el período provisional se limita a amparar «la indemnización razonable» que normativamente se concibe con menor extensión e intensidad en su cuantificación frente a las acciones infractoras cometidas en el período definitivo que arbitra expresamente acciones indemnizatorias y de cesación y prohibición de forma proporcionalmente combinadas, de lo que se deduce la compatibilidad entre ambas protecciones".

---

[394]   PLAZA PENADÉS, J., "La jurisprudencia sobre ...", cit., p. 145.
[395]   GRAU CORTS, J. R., "Cuestiones al respecto ...", cit., pp. 126, 127 y 131.

Tal planteamiento, aun siendo plausible en cuanto a su intención de hacer equitativa y viable la acumulación de los efectos de los artículos 94 y 95, partiría, a nuestro juicio, de una premisa equivocada, como es aquella relativa a considerar actos de infracción aquellos relativos al cultivo sin propagación de los ejemplares de la variedad multiplicados durante el periodo de protección provisional. Este posicionamiento, como venimos exponiendo, estimamos que debiera modificarse tras la Sentencia del TJUE de 19 de diciembre de 2019. Por tanto, si no hay conducta reprochable jurídicamente en los actos comprendidos en el artículo 95, dado que no hay infracción del título de protección ni vulneración del *ius prohibendi*, tampoco existe ninguna consecuencia *sancionadora* que deba modularse por su mayor o menor grado de antijuricidad en comparación con las conductas del artículo 94.1. En consecuencia, del artículo 95 se infiere exclusivamente una conducta que dará lugar a una indemnización razonable a favor del obtentor, pero que no constituye, en ningún caso, un comportamiento análogo al previsto en el artículo 94.1 pero merecedor de un menor reproche jurídico. Con todo, a nuestro juicio, la modulación y consiguiente reducción a la mitad de la indemnización razonable del artículo 95 se erigió obre una base jurídica difícilmente sostenible tras la referida Sentencia del TJUE.

El enfoque jurisprudencial que se acaba de exponer ha tenido también reflejo en buena parte de la doctrina científica[396] que ha tratado este asunto. La construcción dogmática de esta tesis, como exponemos a lo largo del trabajo, parte de la premisa fundamental de la acumulación de las acciones frente a los actos de infracción realizados tras la concesión del título con la acción de reclamación para los actos propagativos realizados durante el periodo de protección provisional y de la acumulación de las consecuencias jurídicas previstas los artículos 94 y 95 del Reglamento, en el entendimiento fundamental (como señalara la SAP de Zaragoza, Sección 5ª, de 2 de julio de 2007) de que

---

[396] En este sentido pueden verse los trabajos de PETIT LAVALL, M.ª V., "Derechos del titular de una obtención vegetal", en GARCÍA VIDAL, A. (Dir.) *Derecho de las obtenciones vegetales*, Tirant lo Blanch, 2017, pp. 533-573; PETIT LAVALL, M.ª V., "Ámbito de protección de las obtenciones vegetales en derecho europeo y español", *Gaceta jurídica de la Unión Europea y de la competencia*, núm. 23, 2011, pp. 9-29; PALAU RAMÍREZ, F. "Alcance de los derechos de obtención vegetal y protección provisional de la solicitud [Comentario a la Sentencia de la Audiencia Provincial de Zaragoza (Sección 5ª) de 2 de julio de 2007, caso «MOMÉE»]", *Revista de Derecho Mercantil*, núm. 266, 2007, pp. 1103-1122; PALAU RAMÍREZ, F., "Una vez más sobre el alcance de los derechos de obtención vegetal: la protección provisional como ampliación de la protección. Comentario a la sentencia de la Audiencia Provincial de Murcia (Sección nº 4) de 3 de marzo de 2011", *Revista de Derecho Mercantil*, núm. 280, 2011, pp. 256-269; ASENSI MERÁS, A. "Presupuestos y alcance de la protección provisional del obtentor de una obtención vegetal", *La Ley Mercantil*, núm. 16, julio-agosto 2015, pp. 1-13.

el periodo de protección provisional no constituye una limitación sino una ampliación de los derechos del obtentor.

Para lo que aquí interesa, de esta postura se infiere en buena lógica que la indemnización razonable del artículo 95, y en el mismo sentido la compensación económica equitativa referida en el artículo 18.2 de la Ley 3/2000, no pueden identificarse con una indemnización de daños y perjuicios como la que establece el artículo 22 de la citada Ley ni, por tanto, tampoco, es equiparable a la indemnización razonable del artículo 94.1 del Reglamento comunitario. Se señala, con ello, que para la determinación de la cuantía de esta indemnización por la etapa de protección provisional solo deberán tenerse en cuenta las consecuencias negativas que ha provocado al obtentor la explotación de la variedad durante dicho periodo de protección provisional[397].

En consonancia con la jurisprudencia ya reseñada de nuestras Audiencias también se ha postulado una diferenciación entre las indemnizaciones de los artículos 94 y 95, señalándose que dentro de los criterios para la determinación de la indemnización por el periodo de protección provisional puede atenderse a aspectos como la envergadura de los actos llevados a cabo en este periodo o el grado de culpa, insistiéndose en que solo deberían tenerse en cuenta para el cálculo las consecuencias negativas que haya sufrido el obtentor por los actos de explotación de la variedad en el periodo de protección provisional[398]. Con esta última cuestión cabe estar de acuerdo, si bien estimamos que debe adaptarse al nuevo escenario abierto por la repetida Sentencia del TJUE en el Asunto C-176/18 como exponemos posteriormente.

Por ello entendemos que esta doctrina también resulta útil en este momento para justificar la necesidad de igualar la indemnización razonable del artículo 95 (en el entendido de que la misma vaya ahora a aplicarse como única indemnización por los actos realizados en el periodo de protección provisional), con aquella otra de igual nombre que se recoge en el artículo 94.1 del Reglamento, como consecuencia de la doctrina que ha venido a establecer la Sentencia del TJUE de 19 de diciembre de 2019. Esta resolución implica que ya no se contaría con la posibilidad de aplicar a los actos realizados en el periodo de protección provisional las consecuencias del artículo 94, contando por tanto ahora el obtentor como único remedio indemnizatorio con la indemnización *ex* artículo 95 respecto de los actos propagativos realizados en la fase de protección provisional. En consecuencia, en este momento y a tenor de la mentada sentencia la única forma de restituir e indemnizar razonable y equitativamente al obtentor respecto de los actos propagativos realizados en el periodo de protección provisional es configurar la indemnización del artículo 95 como una auténtica y completa reparación del perjuicio sufrido por el obtentor.

---

[397]   En este sentido véase PETIT LAVALL, M.ª V., "Ámbito de protección ...", cit., pp. 24-25.
[398]   PETIT LAVALL, M.ª V., "Derechos del titular ...", cit., pp. 568-569.

Por mor de la indicada Sentencia del TJUE, las plantas multiplicadas durante el periodo provisional pasan a ser inatacables por la vía del artículo 94, por lo que podrán permanecer en producción (aunque sin nuevos actos de multiplicación). De este modo, como consecuencia perjudicial directa para el obtentor respecto de estos actos de multiplicación realizados en periodo de protección provisional encontramos que aquel no puede ejercer frente a tales actos propagativos la acción de cesación (eliminación de las plantas), ni reclamar la indemnización del artículo 94. Por tanto, el único medio válido para compensar *razonablemente* al obtentor será equiparando la indemnización del artículo 95 con un mecanismo resarcitorio real, equiparable plenamente con la indemnización plena que aquel hubiera podido reclamar por el uso bajo licencia de la variedad. Tal indemnización, en definitiva, para su eficacia resarcitoria, deberá alcanzar el importe íntegro de los royalties que estuviera exigiendo el obtentor por la variedad. De este modo, a partir de ahora y confirmándose este escenario posterior a la Sentencia del TJUE, la forma de evitar los perjuicios que al obtentor le han supuesto los actos de multiplicación en periodo de protección provisional es la exigencia frente a los mismos del importe íntegro de los royalties aplicables a la variedad.

Puede afirmase, por tanto, que no cabe realizar el análisis en base a un mayor o menor grado de desvalor de la conducta prevista en el artículo 95 del Reglamento. El citado precepto no viene formulado en términos de graduación del reproche del concreto acto de propagación de la variedad, sino en términos de una adecuada y suficiente indemnización que ha de percibir el obtentor que le permita resarcirse del perjuicio causado por los actos de propagación realizados sin su consentimiento antes de la concesión el título. La indemnización razonable que aquí prevé el Reglamento no constituye un régimen sancionador, sino meramente resarcitorio, por lo que habrá de atenderse a la pérdida sufrida por el obtentor. Existe, pues, en nuestra opinión, una coincidencia plena entre las consecuencias indemnizatorias previstas en los artículos 95 y 94.1 del Reglamento.

2.3. *Reducción de la indemnización razonable con fundamento en la menor duración del periodo de protección provisional*

También desde la óptica de la coexistencia y acumulación de los efectos de la protección provisional y de la protección definitiva, con referencia al supuesto del Derecho de patentes, se ha postulado el razonamiento de una menor cuantía de la indemnización razonable del periodo de protección provisional, sobre la base de la duración temporal más reducida de la protección del titular del derecho de propiedad industrial en dicha etapa, en relación con la mayor extensión temporal de la fase de protección definitiva. Desde esta tesis la cuantificación de la indemnización razonable tomaría en consideración y debería ajustarse al tiempo que media entre la publicación de la solicitud y la concesión del título, de modo que habrían de ser objeto de indemnización los daños y perjuicios causados al obtentor durante el citado periodo. Esta cuestión, si bien ha sido abordada por la doctrina científica, no ha encontrado la adecuada claridad en sede jurisprudencial[399].

Estimados que se plantean aquí determinadas dudas aplicativas que solo apuntaremos sucintamente, como aquella relativa a la cuestión de segmentar o compartimentar el perjuicio que sufre el obtentor en los años que pueda tener vigencia la protección provisional respecto de aquellos otros perjuicios que sufriría durante la vigencia del título pero que dimanarían, en principio, de unos mismos actos de multiplicación. Este asunto se relaciona estrechamente con el objeto primario sobre el que recae el derecho del obtentor (actos de reproducción y multiplicación) y su agotamiento, porque un mismo acto de multiplicación no autorizado realizado en el periodo de protección provisional crea un individuo de la variedad sobre el que el titular podrá ejercer su derecho (royalty) una sola vez. Resulta problemático discriminar en qué medida puede acotarse la pérdida sufrida en el periodo de protección provisional y en el definitivo, o bien determinar el daño que dimana de ese mismo acto de multiplicación en uno y otro periodo.

En base a ello puede plantearse la cuestión, asimismo, de si habría que detraer del importe de la indemnización razonable que se establezca por el periodo de protección definitiva (art. 94) el importe de la indemnización recibida por el periodo de protección provisional, puesto que ha de tenerse en cuenta el carácter de "razonable" que la misma norma exige respecto de la indemnización. Como es sabido, la Sentencia del TJUE de 5 de julio 2012 (Asunto C-509/10), resulta fundamental para el estudio de la materia relativa al límite o "techo" a la indemnización razonable del artículo 94 y sus posibles derivadas analógicas sobre la indemnización *ex* artículo 95. Esta materia vemos que queda estrechamente ligada con la doctrina seguida por la Audiencia Provincial de Murcia que exponemos seguidamente.

Sin embargo, es lo cierto que este posicionamiento parte en todo caso también de la repetida premisa de la acumulación de las consecuencias de los artículos 94 y 95, por lo que podría tener una nueva lectura tras la Sentencia del TJUE de 19 de diciembre de 2019. La menor duración del periodo de protección provisional podría justificar, en principio, una minoración en la indemnización razonable para dicho periodo. Entendemos que este planteamiento, todavía abierto, permite apuntar a una indemnización razonable que comprendería los meses o años que hubieran transcurrido (dentro del periodo

---

[399]   PALAU RAMÍREZ, F. "Alcance de los derechos …", cit., pp. 1120-1121; PALAU RAMÍREZ, F., "Una vez más …", cit., pp. 268-269; ASENSI MERÁS, A. "Presupuestos y alcance …", cit., p. 5.

de protección provisional) desde la multiplicación hasta la finalización de dicho periodo de protección provisional, fijándose la indemnización en el precio que el obtentor hubiera exigido por la licencia durante esa fase temporal.

Cabe estar de acuerdo con esta postura, en cuanto que plantea de fondo la necesidad de que la indemnización razonable por el periodo provisional indemnice plenamente al obtentor por el perjuicio (en el sentido de pérdida) que le irrogan los actos de multiplicación realizados en tal periodo. Aunque se postula acotar la indemnización del artículo 95 en base al menor transcurso de tiempo que acoge y a su coexistencia con la indemnización del artículo 94, en la hipótesis de no darse la acumulación de indemnizaciones de ambos preceptos, esta doctrina proporciona un argumento compatible con lo que venimos defendiendo. Sobre la base de la no acumulación de indemnizaciones que se derivaría de la repetida Sentencia del TJUE, la pérdida causada al obtentor por los actos de multiplicación realizados en el periodo provisional sería solamente resarcible a través del artículo 95, por lo que el perjuicio derivado de tales actos propagativos solo sería reparado a través de la indemnización razonable prevista en dicho precepto en una cuantía que debiera equipararse al precio íntegro de la licencia.

Si los ejemplares multiplicados durante la protección provisional pueden permanecer en cultivo durante todo el periodo de vigencia del título, se produce, de hecho, una proyección -o una suerte de *ampliación*- del perjuicio irrogado al obtentor por tales actos de multiplicación que va más allá del periodo de protección provisional. En esta concreta nueva situación, se dificultaría la delimitación del perjuicio causado en el periodo de protección provisional respecto de aquel derivado del periodo de protección definitiva En cualquier caso, el perjuicio irrogado al obtentor por tales actos propagativos ahora solo podría remediarse por la vía de la indemnización del artículo 95 por lo que, necesariamente, esta indemnización deberá razonablemente y de forma global resarcir al obtentor respecto de esta situación que se extiende tanto sobre el periodo provisional como sobre el de protección definitiva.

2.4. El importe del royalty como límite en la acumulación de las indemnizaciones de los artículos 94 y 95 del Reglamento comunitario

Por último, como parte de esta doctrina a la que nos estamos refiriendo han de destacarse un grupo de sentencias que, aun no siendo mayoritario, resultan de indudable interés. Se trata de determinadas resoluciones de la Audiencia Provincial de Murcia de las que se desprende determinada unidad de tratamiento o, cuando menos, una cierta coordinación entre las indemnizaciones de los artículos 95 y 94 en sentido distinto al expuesto hasta ahora. Se trata, con todo, de un posicionamiento jurisprudencial que, aun acumulando los efectos de estos dos preceptos tal y como hacen el resto de nuestras Audiencias (incluyendo también la condena al cese de la infracción y consiguiente eliminación del material vegetal protegido), plantea un límite en el *quantum* indemnizatorio derivado de tal adición de indemnizaciones. Se considera que, pese a la acumulación de las indemnizaciones razonables de los artículos 95 y 94.1, no cabe imponer por los actos propagativos realizados en fase de protección provisional una suma indemnizatoria conjunta superior al 100% del precio de los royalties sobre la variedad.

En este sentido puede verse la Sentencia de la Audiencia Provincial de Murcia, Sección 4ª, de 5 de febrero de 2015, número 58/2015, donde refiere la doctrina de la Sala relativa a aceptar la compatibilidad entre las indemnizaciones derivadas de los periodos de protección provisional y definitivo[400], pero fijando para ambas un quantum indemnizatorio total conjunto coincidente con el precio íntegro del royalty por cada planta exigido por el titular par los licenciatarios de la variedad. Se trataría, por consiguiente, de un importe unitario con el que se pretende englobar[401] la indemnización razonable de los artículos 94 y 95 y que se hace coincidir con el importe íntegro del royalty por planta. Por tanto, esta postura supone un criterio de ponderación distinto al mantenido por otras Audiencias Provinciales que, a la postre, vienen a establecer una indemnización acumulativa por ambos periodos que alcanza el 150% del royalty exigido por el titular a los licenciatarios de la variedad.

Este criterio particular de la Audiencia Provincial de Murcia supone que, aun antes de la Sentencia del TJUE de 19 de diciembre de 2019, encontramos pronunciamientos que no fraccionan la indemnización de los daños y perjuicios sufridos por el obtentor como consecuencia de los actos de multiplicación realizados en fase provisional, sino que vienen a considerar como una suerte de perjuicio unitario aquel derivado de la multiplicación realizada en dicho periodo, consistente en la pérdida del importe de la licencia, que es el daño que conjuntamente y, en cualquier caso, en forma global vienen a reparar los artículos 94 y 95.

Esta doctrina resulta de interés porque plantea un resarcimiento por los actos de multiplicación realizados en el periodo de protección provisional sobre la base plena del royalty dejado de percibir, de modo que el importe del royalty opera como base cuantitativa y como límite máximo del total de la indemnización, rechazando aquí la Audiencia que la indemnización razonable acumulada por ambos preceptos supere el importe del precio de las licencias.

---

[400] La Audiencia, no obstante, también parte de la base de que los que denomina "actos infractores" realizados en el periodo de protección provisional tienen una respuesta legal de menor intensidad y gravedad respecto de los previstos en al artículo 94 del Reglamento CE 2100/94 (SAP Murcia, Secc. 4ª, de 18 de octubre de 2012, núm. 661/2012, FJ 2º).

[401] SAP Murcia, Secc. 4ª, de 18 de octubre de 2012, núm. 661/2012 y SAP Murcia, Secc. 4ª, de 7 de junio de 2012, núm. 394/2012.

La importancia de esta doctrina, para lo que ahora interesa, es entender que la multiplicación de la variedad durante el periodo de protección provisional genera un único perjuicio al obtentor que ha de ser indemnizado de forma global y conjunta mediante la percepción por el obtentor del precio del royalty.

3. MOTIVACIÓN ACTUAL PARA UNA INDEMNIZACIÓN PLENA POR LA FASE DE PROTECCIÓN PROVISIONAL

3.1. *Revisión del quantum de la indemnización razonable del artículo 95 tras la sentencia del tjue*

Se constata, en primer término, la necesidad de proteger al obtentor de aquella situación no equitativa en la que se encuentra tras la publicación de la solicitud, sin contar todavía con el derecho de exclusiva, pero habiendo identificado públicamente su variedad[402]. También ha de señalarse que respecto de la remuneración justa que ha de percibir el obtentor por este periodo no puede obviarse la fuerte inversión económica, el tiempo y los diversos trámites administrativos necesarios para el desarrollo de una nueva variedad vegetal. Con todo, para proteger el esfuerzo investigador de los fitomejoradores, tan esencial para nuestras sociedades, resulta necesario que los obtentores reciban una contraprestación acorde con su esfuerzo investigador y económico en la que se tengan en cuenta los costes de obtención y permitan, asimismo, un margen de beneficio, de modo que se fomente adecuadamente este tipo de transferencia tecnológica[403].

Ha de señalarse el amplio periodo de tiempo que con frecuencia transcurre entre la solicitud de protección y la concesión del título en materia de obtenciones vegetales. La propia naturaleza de los presupuestos de registro de la obtención vegetal (particularmente los requisitos de uniformidad y estabilidad de la variedad candidata), precisan que los centros evaluadores designados por la Oficina de registro realicen distintos ciclos reproductivos, de modo que pueda verificarse con la debida seguridad que se cumplen estos presupuestos de registro.

La posibilidad de que el obtentor pueda explotar la variedad en este largo periodo de tiempo viene favorecida por la protección provisional, garantizando un adecuado retorno económico por todas las operaciones de propagación

---

[402]   En este sentido PALAU RAMÍREZ, F. "Alcance de los derechos ...", cit., p. 1119; ASENSI MERÁS, A. "Presupuestos y alcance ...", cit., p. 1; PETIT LAVALL, M.ª V., "Ámbito de protección ...", cit., p. 19.

[403]   GRAU CORTS, J. R., "Cuestiones al respecto ...", cit., pp. 111, 112 y 125.

(autorizadas o no) previas al registro de la obtención vegetal. La figura permite de igual modo al futuro titular programar y gestionar desde el principio con una mínima cobertura jurídica su obtención. Puede encontrarse, asimismo, un fundamento positivo en la protección provisional como vía de potenciar el beneficio de las diversas actividades agrícolas al disponer de forma temprana en el mercado[404] de las nuevas variedades vegetales de mayor interés.

En cualquier caso, la doctrina[405] ha manifestado con claridad que, con independencia de la fórmula que se utilice para la fijación de la cuantía de esta indemnización razonable, "solo pueden tomarse en consideración las consecuencias negativas de la explotación de la variedad durante el periodo de protección provisional". Con todo, en relación con la determinación del importe de la indemnización, se ha señalado que deberá ser fijado por el Juez en atención a las circunstancias de cada caso y que para determinar la cuantía deberá atenderse exclusivamente a las consecuencias negativas que haya producido al obtentor la explotación de la variedad vegetal por terceros en la repetida etapa de protección provisional[406]. Se ha destacado también que la Sentencia del TJUE de 5 de julio de 2012 señaló, en relación con la indemnización razonable referida en el artículo 94, que esta debía fijarse en base y con el límite cuantitativo del precio de la licencia del material de propagación de la variedad protegida, quedando fijado el daño irrogado en el precio de la licencia no percibida por el obtentor, así como que el artículo 94 no comprende sanción administrativa alguna ni cláusula penal a favor del titular de la obtención[407].

Con todo ello cabe estar de acuerdo, incluyendo la consideración favorable a la analogía[408] con el artículo 95 del análisis que el TJUE hace de la indemnización razonable *ex* artículo 94, aunque su sentencia de 5 de julio de 2012 no se refiera al periodo de protección provisional, siendo por ello, asimismo, *el techo* de la indemnización razonable por el periodo de protección provisional el royalty que exige el titular por la comercialización del material reproductor de la variedad[409].

No es objeto de discusión, por tanto, que el royalty resulta especialmente idóneo para la fijación de la indemnización razonable del obtentor también

---

404   ASENSI MERÁS, A. "Presupuestos y alcance …", cit., p. 3.
405   PALAU RAMÍREZ, F. "Alcance de los derechos …", cit., p. 1119; ASENSI MERÁS, A. "Presupuestos y alcance …", cit., p. 4.
406   En este sentido PALAU RAMÍREZ, F., "Una vez más…" cit., pp. 268-269.
407   ASENSI MERÁS, A. "Presupuestos y alcance …", cit., pp. 4-5.
408   PLAZA PENADÉS, J., "La jurisprudencia sobre …", cit., p. 163, se refiere al interés de la STJUE de 5 de julio de 2012 en cuanto a las afecciones que realiza del concepto de indemnización razonable, identificándola con el coste de la obtención de licencia, y su posible extrapolación a la indemnización razonable del art. 95, aun con la cautela de recordar que no estamos ante un pronunciamiento explícito del Tribunal.
409   En este sentido ASENSI MERÁS, A. "Presupuestos y alcance …", cit., pp. 4-5.

respecto de la fase de protección provisional. La tipología de cada cultivo, su perdurabilidad para mantenerse en producción (*v. gr.* variedades de grano o variedades arbóreas) y, en definitiva, la rentabilidad que de la obtención vegetal vayan a percibir los agricultores, determinarán el precio del royalty en cada caso. De este modo, el precio de la licencia que fija el mercado permite baremar adecuadamente lo que hubiera percibido el obtentor en el *ejercicio normal* de su derecho a través de la concesión de licencias, por lo que este concepto debiera actuar a modo de límite o "techo" de la compensación económica del obtentor en el periodo de protección provisional[410].

Con este planteamiento cabe estar plenamente de acuerdo siendo, asimismo, compatible con la situación generada tras la Sentencia del TJUE de 19 de diciembre de 2019 a la que se refiere este trabajo. Sin embargo, en mayor medida tras la referida Sentencia, no cabe estar de acuerdo con la consideración de que la indemnización por el periodo de protección provisional deba ser necesariamente inferior a dicho royalty, porque los postulados sobre los que se asentaba tal argumentación han cambiado radicalmente. El razonamiento de que la indemnización del artículo 95 debe situarse por debajo del royalty decae en este momento como consecuencia de la referida resolución del TJUE, atendiendo a los mismos argumentos que acaban de exponerse y que hasta ahora han sujetado teóricamente tal reducción. El solo reconocimiento, según se ha expuesto, de que la indemnización razonable debe ser bastante para cubrir la pérdida de royalties sufrida por el obtentor, motiva que si solo va a ser de aplicación la indemnización razonable del artículo 95 por los actos propagativos del periodo de protección provisional, aquella deba cubrir el importe íntegro de la licencia.

En una situación como la existente hasta ahora en la que la indemnización razonable *ex* artículo 95 (en un 50% del importe del royalty) se acumula a la indemnización razonable por la vía del artículo 94.1 (100% del royalty), resulta evidente que quedan cubiertas suficientemente las pérdidas que hubiera sufrido el titular de la variedad por los actos de multiplicación realizados en el periodo de protección provisional sin su autorización. Ahora bien, si tras la interpretación del alcance del derecho del obtentor en el periodo de protección provisional que ha realizado la repetida sentencia del TJUE, definitivamente, ya no resultara posible la acumulación de las indemnizaciones de ambos preceptos, parece evidente que una cuantificación de la indemnización razonable del artículo 95 por debajo del importe de los royalties no cubriría las pérdidas sufridas por el obtentor por los actos realizados en fase de protección provisional. Ello supondría que la indemnización razonable no cumpliría su finalidad resarcitoria en los términos que acabamos de exponer y que se desprenden de

---

[410]   GRAU CORTS, J. R., "Cuestiones al respecto ...", cit., p. 125.

la doctrina analizada y, en particular, del fundamento dado a la indemnización razonable por la Sentencia del TJUE de 5 de julio de 2012.

Si la situación a la que nos avoca la Sentencia del TJUE de 19 de diciembre de 2019 es que la indemnización razonable del artículo 95 va a operar desde ahora en solitario, resulta inviable mantener su cuantía en los términos actuales (mitad del royalty), pues ello implicaría que dicha indemnización dejaría de cumplir a todas luces su utilidad y finalidad últimas como elemento resarcitorio. Procede, en consecuencia, relacionar este módulo indemnizatorio con el importe íntegro -sin reducciones- del precio del royalty exigido por el obtentor para el material de multiplicación. A mayor abundamiento, ha de referirse el efecto distorsionador del mercado que se produciría en caso contrario, con la posibilidad de producir un *efecto llamada* perjudicial para el sector.

La revisión de la indemnización razonable del artículo 95 en este punto resulta imprescindible, en aras de evitar la propagación incontrolada de la variedad en el periodo de protección provisional. Tal propagación *alegal* e incontrolada posee potenciales derivadas indeseables a nivel de derecho del obtentor, de seguridad fitosanitaria y, asimismo, pudiera ser origen de una eventual ventaja competitiva injusta obtenida por determinados sujetos en detrimento de los licenciatarios. Respecto del derecho del obtentor, resultaría inaceptable y contrario a la letra y a la finalidad de la normativa vigente que determinados sujetos aprovecharan la fase de protección provisional para acceder a la variedad vegetal a un precio injustificadamente reducido, en perjuicio de las legítimas expectativas y necesidades económicas de los obtentores. El artículo 95 no debiera ser cauce para favorecer a quienes acceden a la variedad sin autorización del obtentor mediante el pago de unas regalías menores, respecto de los sujetos que, tanto en periodo de protección provisional como después de la concesión del título, solicitaron al obtentor la oportuna licencia.

Por lo que se refiere a la seguridad fitosanitaria, ha de impedirse la multiplicación sin control de la variedad. Por ello, habría de equiparse el pago exigible a quienes multiplicaron sin licencia durante la protección provisional con el pago que deben satisfacer los operadores que han solicitado licencia. De este modo se favorece que, ante la igualdad de costes de acceso a la variedad, los operadores opten por dirigirse al obtentor y dotarse del material vegetal reproductor de calidad acorde con las exigencias administrativas y de seguridad fitosanitaria (pasaporte fitosanitario, etc.).

En última instancia podemos referir que para algún autor el derecho a la indemnización razonable por el periodo de protección provisional en la normativa comunitaria, a diferencia de la normativa española, nace tras la concesión del título y, por tanto, esta indemnización requiere como paso previo que se esté en plena posesión de los derechos como titular de la variedad, por lo que la indemnización razonable debería calcularse del mismo modo que si se tratara de actos posteriores y que la mala fe sería un elemento multiplicador de la cuantía de la indemnización[411].

3.2. El tratamiento normativo análogo de la indemnización razonable previa y posterior al título en el Reglamento CE 2100/94

A la luz del tenor literal del Reglamento comunitario sobre obtenciones vegetales las indemnizaciones de los artículos 94.1 y 95 son idénticas. Respecto de la indemnización razonable del artículo 94.1 y en lo que pudiere resultar aplicable por analogía al artículo 95, ha de tenerse en cuenta la Sentencia del TJUE de 5 de julio de 2012 (Geistbeck, Asunto C-509/10). Esta resolución dejó sentado que la indemnización razonable no podrá superar el canon que habría de satisfacerse por la producción bajo licencia del material de propagación, pues este importe se identifica con el perjuicio efectivamente sufrido por el titular de la variedad. En esta línea la Sentencia del TJUE de 9 de junio de 2016 (Asunto C-481/14) afirma el carácter exclusivamente resarcitorio de los apartados 1 y 2 del artículo 94 y rechaza el carácter punitivo del artículo 94 de modo que "se desprende que el artículo 94 de dicho Reglamento crea un derecho de resarcimiento en favor del titular del derecho a la protección comunitaria de una obtención vegetal que no sólo es íntegro, sino que se funda, además, en una base objetiva, a saber, que cubre únicamente el perjuicio resultante de la infracción", añadiendo en relación con la extensión de la indemnización debida en base al citado precepto que esta "debe reflejar con precisión, en la medida de lo posible, los perjuicios reales y ciertos sufridos por el titular de la obtención vegetal como consecuencia de la infracción".

La identidad jurídica entre las indemnizaciones de los artículos 95 y 94.1 no nos parece cuestionable desde el punto de vista del Reglamento CE 2100/94, para lo cual no es obstáculo que en el caso de la indemnización razonable del artículo 94.1 esta pueda verse complementada con la previsión del artículo 94.2, así como con la exigencia del cese de la infracción y consiguiente eliminación del material vegetal, habida cuenta del mayor rigor del artículo 94 en su conjunto, que no puede negarse. Por ello, en conclusión, cabe entender

---

[411]   LÓPEZ DE HARO Y WOOD, R., "Los derechos del obtentor de variedades vegetales. Ampliación del derecho del obtentor al producto de la cosecha. Objetivos de la normativa internacional (UPOV)", en PLAZA PENADÉS, J. (Dir.) *Cuestiones actuales sobre la protección de las obtenciones vegetales*, Revista Aranzadi de Derecho Patrimonial (monografía núm. 31), 2014, pp. 47-48; es interesante destacar que este autor refiere también que la compensación económica por el periodo de protección provisional debe calcularse de forma que refleje el valor correspondiente al uso del derecho de propiedad intelectual reconocido por el ordenamiento jurídico pero, de manera tal vez contradictoria con este argumento, también señala que habida cuenta que en el periodo de protección provisional el obtentor carece de *ius prohibendi* ello deberá reflejarse en una disminución significativa de la compensación económica derivada del periodo de protección provisional.

como coincidentes los conceptos indemnizatorios de los artículos 95 y 94.1, difiriendo ambos solo respecto de las conductas desencadenantes de la indemnización y, para el caso de la indemnización *ex* artículo 94.1, viniendo la misma acompañada de la posibilidad de eliminación del material vegetal y, en su caso, complementada en su importe por la previsión del artículo 94.2.

La analogía entre ambas indemnizaciones en cuanto a su finalidad y tratamiento normativo se refleja también en el artículo 97 del Reglamento comunitario. El citado precepto en su número uno prevé la posibilidad de aplicar la legislación nacional (incluyendo las normas de Derecho internacional privado)[412], en aquellos casos en los que el autor de la infracción a que se refiere el artículo 94 hubiera obtenido un beneficio en detrimento del titular. Dicha extensión del Derecho nacional en materia de infracción señala el citado artículo que se realizará "en lo que respecta a la restitución". Nos parece relevante señalar que el número dos del artículo 97 amplía esta posibilidad resarcitoria adicional por la vía del Derecho nacional también al periodo de protección provisional. De esta forma, vemos que el artículo 97.2, aun cuidando de no equiparar los actos comprendidos en el artículo 95 con actos de infracción -pues se refiere a acciones derivadas de actos relativos al artículo 95 pero no a infracciones como sí indica el artículo 97.1-, permite ampliar las posibilidades de restitución del titular respecto de los actos realizados en el periodo de protección provisional y por la vía de la legislación nacional.

El alcance restrictivo, sin embargo, de este artículo 97 se desprende de su número tres cuando señala que "en todos los demás casos, los efectos de la protección comunitaria de obtención vegetal se determinarán únicamente de conformidad con lo dispuesto en el presente Reglamento". Por ello estimamos que la aplicación del Derecho nacional en el sentido apuntado ha se ceñirse a supuestos en que haya de restituirse al titular de la variedad respecto de un beneficio obtenido por el infractor precisamente en detrimento del titular. Aun con dicha limitación en su alcance, el precepto aparece como un complemento subsidiario a la vía indemnizatoria *ordinaria* a la que acudiría el titular *prima facie* para la tutela de sus derechos. El carácter subsidiario del artículo 97, con

---

[412]   En este sentido, la reciente SAP de Valencia, Secc. 9ª, de 8 de enero de 2021, núm. 14/2021 tiene en cuenta el artículo 97 ROV en relación con la acción de indemnización de daños y perjuicios derivados de la infracción del derecho de exclusiva. El precepto lleva a que en le resolución se aplique la normativa nacional en cuanto al artículo 22.3 de la Ley 3/2000, el cual establece que la indemnización de daños y perjuicios a favor del titular comprende el valor de la pérdida que haya sufrido y el de la ganancia que haya dejado de obtener así como también el perjuicio que suponga el desprestigio de la variedad objeto del título de obtención vegetal causado por el infractor mediante una utilización inadecuada, así como que la indemnización en ningún caso podrá ser inferior al beneficio obtenido por la persona que cometió la infracción. Asimismo, anteriormente la SAP de Valencia, Secc. 9ª, de 22 de diciembre de 2011, núm. 491/2011, también se refiere al art. 97 ROV relativo a la aplicación subsidiaria de la legislación nacional en materia de infracción.

todo, podría complementar la indemnización razonable a que se refiere el artículo 94 en supuestos allí indicados.

Ha de tenerse en cuenta, a mayor abundamiento, que el artículo 97 se refiere a una "aplicación subsidiaria" y no a una "aplicación complementaria" del Derecho nacional lo cual no puede considerarse casual y que tendría su justificación en el hecho de que el Reglamento comunitario sobre obtenciones vegetales contiene en el artículo 94 un régimen específico en relación con las infracciones [413].

Más allá de esta referencia básica al citado artículo 97, lo que interesa en este punto es destacar que esta vía subsidiaria, que persigue la adecuada restitución del titular frente a conductas infractoras, se extiende plenamente y sin género de dudas a los actos de multiplicación realizados en el periodo de protección provisional. En consecuencia, existe una previsión normativa expresa del legislador comunitario (derivadamente, entendemos, del art. 13 del Acta UPOV de 1991) de establecer mecanismos para una plena restitución del obtentor respecto de los actos propagativos realizados también en el periodo de protección provisional, como mecanismo subsidiario de la indemnización razonable prevista para dicho periodo. Esta previsión del legislador comunitario apunta, una vez más, en la dirección de la equiparación de la indemnización razonable de los artículos 94.1 y 95 en el sentido de que ambas tienen como objetivo restituir adecuada y plenamente desde el punto de vista económico al obtentor por los actos de multiplicación de la variedad no consentidos realizados en cada periodo.

3.3. La regulación del privilegio del agricultor como referencia interpretativa

El Reglamento comunitario, conforme a lo dispuesto en el artículo 15 el Acta UPOV de 1991 relativo a las excepciones del derecho del obtentor, regula en su artículo 14 un supuesto concreto de excepción a la aplicación de los efectos de la protección comunitaria sobre la variedad vegetal por el que se permite, bajo determinadas condiciones, que los agricultores utilicen en sus explotaciones el material de propagación obtenido de sus cosechas. Dentro de los condicionantes para que pueda ser efectiva esta limitación del derecho del obtentor (art. 14.3) encontramos el relativo a que determinados agricultores deberán pagar al titular de la variedad "una remuneración justa, que será apreciablemente menor que la cantidad que se cobre por la producción bajo licencia de material de propagación de la misma variedad en la misma zona [...]".

[413]   QUINTANA CARLO, I., "El Reglamento CE número 2100/1994 relativo a la protección comunitaria de las obtenciones vegetales", *Actas de derecho industrial y derecho de autor*, tomo 16, 1994-95, p. 98.

Del citado precepto, para lo que aquí interesa, se infiere claramente que el legislador comunitario, allí donde ha pretendido que la indemnización equitativa o justa que deba percibir el obtentor sea inferior al precio del royalty, lo ha manifestado expresamente. A mayor abundamiento, cabría señalar que de la redacción del artículo 14.3 del Reglamento se colige que el legislador parte de la base de que la indemnización justa para el obtentor se relaciona directamente con la producción bajo licencia de material de propagación, esto es, el royalty por el material reproductor de la variedad. Allí donde, por las circunstancias muy concretas (*v. gr.* regulación del privilegio del agricultor), el legislador estima que la remuneración justa del obtentor debe ser inferior al precio del royalty así lo ha indicado expresamente y, además, la forma de modular esa reducción de la indemnización justa del obtentor es objeto de desarrollo normativo específico[414]. Por contraste entre ambos, la redacción del antedicho artículo 14.3 del Reglamento refuerza el argumento de que la referencia del artículo 95 a la indemnización razonable es una referencia al importe íntegro de los royalties que hubiera exigido el obtentor.

4. A MODO DE CONCLUSIÓN

La Sentencia del TJUE de 19 de diciembre de 2019 sugiere, en esencia, la aplicación exclusivamente del artículo 95 a los actos propagativos realizados en protección provisional. De este modo se hace imperativo que por sí misma la indemnización razonable *ex* artículo 95, la cual ya no se adicionará a la indemnización del artículo 94, permita la plena reparación del titular por el perjuicio derivado de los actos de multiplicación realizados en protección provisional. La reducción de la indemnización del artículo 95 por debajo del precio del royalty traía causa, de algún modo, de su acumulación con la indemnización del artículo 94. Esta indemnización deberá alcanzar el importe íntegro del precio de los royalties exigidos por el titular de la variedad para poder cumplir con su finalidad resarcitoria. Los argumentos en los que se apoyaba, antes de la Sentencia del TJUE, la reducción del importe de la indemnización del artículo 95 han de replantearse en el nuevo escenario.

Tales argumentos no son incompatibles con una indemnización plena *ex* artículo 95 si se elimina de la ecuación la adición de los efectos del artículo 94. La indemnización derivada del artículo 95, por tanto, debe resarcir por sí misma suficientemente al titular respecto de la pérdida sufrida por las plantas

---

[414]   En este caso a través del Reglamento CE núm. 1768/95 de la Comisión de 24 de julio de 1995 por el que se adoptan normas de desarrollo de la exención agrícola contemplada en el apartado 3 del artículo 14 del Reglamento CE núm. 2100/94 relativo a la protección comunitaria de las obtenciones vegetales. En relación con el citado Reglamento CE núm. 1768/95 puede verse la STJUE, Sala Primera, de 5 de julio de 2012, Asunto C-509/10.

multiplicadas en protección provisional, que podrán mantenerse en cultivo (sin nuevos actos de multiplicación). De ello se infiere que el daño irrogado por tales actos de propagación es la pérdida del royalty de modo que, en nuestra opinión, esta misma deberá ser la compensación que perciba el titular por la vía del artículo 95.

Desde el punto de vista normativo, la equiparación de la indemnización razonable de los artículos 94 y 95 parece evidente, visto el tenor literal de ambos preceptos. Por su parte, el artículo 97 del Reglamento CE 2100/94 contempla la aplicación de la legislación nacional respecto de las acciones de los artículos 94 y 95, en supuestos en los que el infractor hubiera obtenido un beneficio en detrimento del titular. Puede así afirmarse que, desde el legislador comunitario, no hay un planteamiento de la indemnización razonable por el periodo de protección provisional como una indemnización inferior a la prevista en el artículo 94.1, sino que viene planteada como mecanismo de reparación plena de los perjuicios que al obtentor le hubiera inferido la multiplicación de la variedad en la fase de protección provisional.

El argumento queda reforzado, en mayor medida, por el artículo 14.3 del mismo Reglamento. Esta disposición es ilustrativa porque demuestra dos aspectos clave del pensamiento del legislador: que la indemnización justa para el titular de la variedad se equipara directamente con el precio de la producción bajo licencia del material de propagación y que, de otro lado, allí donde la norma ha pretendido que la indemnización justa a percibir por el titular fuera menor al precio de dicha licencia así se ha indicado expresa y directamente.

Cabe plantear la extensión analógica al artículo 95 de determinadas cuestiones que se han sentado en relación con la naturaleza y alcance de la indemnización razonable del artículo 94, particularmente determinadas conclusiones a las que llega la Sentencia del TJUE de 5 de julio de 2012 (Geistbeck, Asunto C-509/10) relativas al importe del precio de la producción bajo licencia como módulo para determinar la indemnización razonable.

La cuestión aquí analizada tiene unas consecuencias prácticas potenciales relevantes. En primer lugar, ha de señalarse que la equiparación de la indemnización razonable con el importe íntegro que los operadores han de pagar por el acceso a la variedad es un mecanismo necesario para evitar la propagación indiscriminada de la variedad en la fase de protección provisional. Tras la Sentencia del TJUE en el asunto C-176/18 ha de evitarse el posible *efecto llamada* derivado de una minoración de la indemnización razonable del artículo 95. En caso contrario podrían producirse derivadas negativas respecto del derecho del obtentor, la seguridad fitosanitaria y ocasionarse potenciales ventajas competitivas injustificadas para los sujetos que accedieron a la variedad por un precio anormalmente bajo.

Jamón, jamón. La especialidad tradicional garantizada o la indicación geográfica protegida como esquemas de calidad para la tutela del jamón serrano

VICENTE GIMENO BEVIÁ
Prof. Ayudante Dr. Derecho mercantil. Universidad de Alicante

1. INTRODUCCIÓN

El jamón serrano, además de uno de los platos más típicos de la gastronomía española, desde un punto de vista económico se encuentra, sin género de duda, entre los productos cárnicos más comercializados a nivel tanto nacional como internacional[415]. A ello ha contribuido gran parte de nuestro sector jamonero que vela por el mantenimiento de unos estándares de calidad y realiza, de manera conjunta, una importantísima labor de proyección y promoción del jamón serrano.

Precisamente, para la consecución de tales fines y como respuesta a las demandas de los empresarios, resultó fundamental la protección que desde finales de siglo pasado recibió el jamón serrano por parte de la Comisión Europea con su consideración como especialidad tradicional garantizada para productos de la clase 1.2. que comprende productos cárnicos (cocidos, en salazón, ahumados, etc.).

Ello no obstante, la protección actual no parece suficiente para parte de la industria cárnica que proponen un cambio a otro esquema de calidad diferenciada. La cuestión -que no es, ni mucho menos, pacífica- plantea uno de los debates de mayor actualidad en el sector. Concretamente, la disyuntiva versa entre el mantenimiento de la especialidad tradicional garantizada -ETG- o la opción por la indicación geográfica protegida -IGP- como medio para la tutela y promoción del jamón serrano.

El presente trabajo, tras una exposición del estado de la cuestión, centra su estudio, desde un punto de vista jurídico, en la valoración de cada uno de los

---

[415] Según datos del Consorcio del Jamón Serrano Español (CJSE) en el año 2020 se exportaron un total de 765.091 piezas de su marca Consorcio Serrano en 2020, lo que supone un incremento del 0,39% en comparación con el ejercicio anterior. En términos económicos, el valor de las exportaciones ascendió a 460,9 millones de euros. Más información en https://www.europapress.es/economia/noticia-consorcio-jamon-serrano-exporto-765091-piezas-2020-039-mas-20210120134520.html

argumentos a favor y en contra de la anulación del nombre "jamón serrano" como especialidad tradicional garantizada y su posible inscripción como indicación geográfica protegida.

2. LA ESPECIALIDAD TRADICIONAL GARANTIZADA Y LA INDICACIÓN GEOGRÁFICA PROTEGIDA COMO ESQUEMAS DE CALIDAD DIFERENCIADA

El conflicto en torno a la adecuada protección del jamón serrano tiene lugar entre dos signos distintivos de calidad pertenecientes a la categoría de esquemas de calidad diferenciada, regulados por la normativa de la Unión Europea: la especialidad tradicional garantizada -ETG- y la indicación geográfica protegida -IGP-.

La primera de ellas, prevista en el título III del Reglamento (UE) no 1151/2012 del Parlamento Europeo y del Consejo, de 21 de noviembre de 2012, sobre los regímenes de calidad de los productos agrícolas y alimenticios, tiene por objeto la protección de los métodos de producción y las recetas tradicionales de modo que los productores comercialicen sus productos e informen a los consumidores de tales características que les confieran un valor añadido[416]. En España, actualmente, hay cuatro especialidades tradicionales garantizadas: las tortas de aceite de Castilleja de la Cuesta, los panellets, la leche certificada de granja y el jamón serrano como la primera de todas ellas por orden cronológico. En otros países europeos, sirvan como ejemplos más conocidos la pizza napolitana, la mozzarella o el bacalao portugués.

Para el registro de un producto o alimento como ETG el criterio determinante es la tradición, exigida tanto en el procedimiento de elaboración y en las materias primas e ingredientes utilizados como en su identificación, esto es, que el nombre sea el que, desde tiempo atrás, se ha utilizado para referirse a ello[417]. Además, es necesario que cumplan con un pliego de condiciones que establezca los requisitos necesarios para que el productor exhiba el nombre registrado como ETG y su símbolo característico. A modo de ejemplo y habida cuenta de la temática del presente trabajo, la ETG "jamón serrano" está reservada para piezas osteomusculares correspondientes a las extremidades posteriores del cerdo con un peso mínimo determinado, transportados a una temperatura no superior a tres grados, con un tiempo de curación no inferior a siete meses, entre otros muchos requisitos. Aquellos jamones que, aun cuando

---

[416]   MONTERO GARCÍA-NOBLEJAS, P. *Denominaciones de origen e indicaciones geográficas*, Valencia, 2016 pág. 94

[417]   SEVILLE, C. *EU Intellectual Property Law and Policy,*United Kingdom, 2009 pág. 306

sean similares, no cumplan con tales condiciones del pliego se comercializarán, en su mayoría, como "jamón curado".

El segundo de los esquemas de calidad diferenciada, la indicación geográfica protegida, regulada en el título II del Reglamento (UE) no 1151/2012 del Parlamento Europeo y del Consejo, de 21 de noviembre de 2012, sobre los regímenes de calidad de los productos agrícolas y alimenticios junto a las denominaciones de origen protegidas, sirve para la protección de aquellos productos originarios de un lugar determinado, una región o un país que posean una cualidad concreta, una reputación u otra característica que pueda esencialmente atribuirse a su origen geográfico y de cuyas fases de producción, una por lo menos tenga lugar en el territorio definido[418]. La diferencia con la denominación de origen protegida -DOP- estriba en que tiene un vínculo menor con el territorio, toda vez que los requisitos relativos a las fases de producción no son cumulativos sino alternativos, esto es, basta con que tenga lugar al menos uno de ellos en la zona geográfica definida[419]. Actualmente, en nuestro país, hay noventa y seis indicaciones geográficas protegidas de productos agrícolas y alimenticios.

Para el registro como indicación geográfica protegida es necesario que el producto cumpla con lo dispuesto en un pliego de condiciones que contenga el nombre que vaya a protegerse, una concreta descripción de las materias primas empleadas y sus principales características, detalle del método de producción y, en su caso, del envasado, la delimitación y especificación de la zona geográfica de la indicación así como la justificación del vínculo existente entre dicho territorio y el producto. Precisamente, este último requisito sobre la relación con la geografía es la diferencia fundamental existente entre este signo distintivo de calidad y la especialidad tradicional garantizada. Así, por ejemplo, jamones como el de Trévelez o Serón como IGP u otros como el de Teruel, Los Pedroches, Jabugo, Guijuelo o Dehesa de Extremadura como DOP, están necesariamente vinculados a tales regiones homónimas.

---

[418]   Sobre la cobertura exclusiva de productos agroalimentarios y el debate existente en torno al régimen jurídico de las indicaciones geográficas y su posible extensión a los productos no agrícolas, véase MONTERO GARCÍA-NOBLEJAS, P. "Towards a core unitary legal regime for Geographical Indications in the European Union digital market" *Journal of Intellectual Property Law & Practice*, 2021, Vol. 16, págs.. 427 y ss.

[419]   Vid. GALLEGO SÁNCHEZ, E. y FERNÁNDEZ PÉREZ, N. *Derecho mercantil. Parte primera*, Valencia, 2019 pág. 246

3. PROTECCIÓN JURÍDCA DEL JAMÓN SERRANO.

3.1. Estado actual de la cuestión

El jamón serrano, como ha quedado de manifiesto anteriormente, está protegido como especialidad tradicional garantizada desde mil novecientos noventa y nueve. En su virtud, solo los jamones que cumplan con los requisitos previstos en el pliego de condiciones podrán beneficiarse del distintivo del citado esquema de calidad diferenciada y estarán facultados para el empleo del nombre "jamón serrano" junto a su marca individual.

Ello no obstante, parece que dicha tutela no es suficiente para gran parte del sector jamonero como la Fundación Jamón Serrano Español que reúne a más de un ochenta por ciento de la producción de jamón curado o la Asociación Nacional de Industrias de la Carne de España que tiene como asociados a más de seiscientos empresarios del sector cárnico. Ambos promueven la creación de una indicación geográfica protegida que sustituya a la actual especialidad tradicional garantizada como signo que identifique al jamón serrano.

Y en este camino emprendido cuentan con un amplio respaldo parlamentario. En este sentido, en 2014 fue aprobada por unanimidad una Proposición no de Ley sobre el jamón serrano español, presentada por el Grupo Parlamentario Socialista[420]. Ello cristalizó, posteriormente, en el apoyo expreso del Ministerio de Agricultura, Pesca y Alimentación que colaboró, de forma activa, en tal iniciativa que llevó en septiembre de 2016 a la solicitud de registro de la Indicación Geográfica Protegida (IGP) "jamón serrano"[421]. En el marco de dicho procedimiento enviaron, también, una solicitud de anulación de la Especialidad Tradicional Garantizada (ETG) "jamón serrano" en tanto que es requisito necesario para el registro como IGP, de conformidad con lo previsto en el artículo 6.3 del Reglamento (UE) nº 1151/2012, que no exista un nombre homónimo de otro que ya esté inscrito en el registro. Pero, para el caso de que finalmente no prosperase, supeditan la solicitud de anulación a la inscripción simultánea del jamón serrano como indicación geográfica protegida[422].

---

[420]   Más información sobre la PNL y su tramitación, disponible en https://www.congreso.es/web/guest/busqueda-de-iniciativas?p_p_id=iniciativas&p_p_lifecycle=0&p_p_state=normal&p_p_mode=view&_iniciativas_mode=mostrarDetalle&_iniciativas_legislatura=X&_iniciativas_id=161/002467

[421]   Ficha sobre la solicitud del jamón serrano como IGP, disponible aquí https://ec.europa.eu/info/food-farming-fisheries/food-safety-and-quality/certification/quality-labels/geographical-indications-register/details/EUGI00000017021

[422]   Solicitud de anulación de conformidad con el artículo 54, apartado 1, del Reglamento (UE) nº 1151/2012, disponible en https://www.mapa.gob.es/es/alimentacion/temas/calidad-diferenciada/solicituddeanulacionetg_tcm30-526237.pdf

Tras el intercambio de comunicaciones entre los servicios de la Comisión Europea y la Dirección General de la Industria Alimentaria como organismo adscrito al Ministerio de Agricultura, Peca y Alimentación, en noviembre de 2020 se dictó una resolución por la por la que dieron publicidad a la solicitud de registro de la Indicación Geográfica Protegida (IGP) "Jamón Serrano"[423]. El texto señalaba que, concluido el proceso de revisión técnica del expediente por parte de la Comisión Europea y en aras a un proceso transparente de tramitación que no genere indefensión en terceros, publicado el pliego de condiciones resultante de dicho expediente, se concedía un plazo de dos meses para que cualquier persona física o jurídica establecida o que resida en España y que tenga interés legítimo pueda oponerse a la solicitud de registro. Finalizado dicho lapso temporal, manifestaron su oposición cerca de una veintena de interesados entre las que se encuentran varios consejos reguladores de indicaciones geográficas y denominaciones de origen protegida, administraciones públicas como la Diputación de Granada o la Asociación Española de Denominaciones de Origen "Origen España", entre otros.

A día de hoy el expediente continúa pendiente de resolución por lo que, cinco años después de la solicitud de registro de la indicación geográfica protegida, el jamón serrano sigue registrado como especialidad tradicional garantizada.

3.2. Tesis favorable al registro del jamón serrano como indicación geográfica protegida

Los partidarios del cambio de protección del jamón serrano como indicación geográfica protegida justifican su posición con base en los siguientes argumentos.

El fundamento principal del cambio de la ETG a la IGP no es otro sino la limitación territorial de la protección pues, con la indicación geográfica protegida, el nombre "jamón serrano" quedaría reservado, exclusivamente, para aquellos jamones de España que reúnan las características indicadas en el pliego de condiciones[424]. En este sentido, en línea con lo previsto en el epígrafe anterior, mientras que la especialidad tradicional garantizada está vinculada con el método de elaboración tradicional, la nota determinante de la indica-

---

[423]   Resolución de 12 de noviembre de 2020, de la Dirección General de la Industria Alimentaria, por la que se da publicidad a la solicitud de registro de la Indicación Geográfica Protegida (IGP) "Jamón Serrano", disponible en https://www.boe.es/diario_boe/txt.php?id=BOE-B-2020-42142

[424]   En este sentido se expresa el Secretario general de la Asociación Nacional de Industrias de la Carne de España (Anice), HUERTA, M. "El sinsentido de oponerse a la IGP del jamón serrano" *Alimentación y Gran Consumo. El Economista* nº95, 2021 pág. 17 disponible en https://s03.s3c.es/pdf/d/5/d5566541a875c1f322b6ac1fc78510c7_alimentacion.pdf

ción geográfica protegida es la relación con el territorio, de modo que el signo distintivo de calidad puede circunscribirse a una concreta zona geográfica, no superior en extensión a la de un país, mientras que la ETG queda abierta a productores de otros Estados para que no se originen condiciones de competencia desleal[425]. De hecho, actualmente, existen productores en terceros países que utilizan la ETG jamón serrano, lo que no plantea problema alguno siempre y cuando cumplan con el pliego de condiciones[426].

Otro de los motivos más aducidos para la necesidad del registro como indicación geográfica protegida es la mayor protección que encuentran en los tratados de libre comercio suscritos por la Unión Europea con terceros países. Quizás la falta de equivalente en otros mercados y la menor importancia que tiene esta figura de calidad en relación con las denominaciones de origen y las indicaciones geográficas protegidas sean circunstancias que determinen su ausencia en tales negociaciones bilaterales. Así, acuerdos como los celebrados con Mercosur, Méjico o, recientemente, China, establecen la protección recíproca de sus DOP e IGP. A modo de ejemplo, el tratado suscrito con el país asiático comprendía un reconocimiento mutuo de un centenar de indicaciones geográficas y denominaciones de origen -una docena de ellas españolas- que pretende ampliarse en los próximos años y protegerá jamones como Jabugo o Guijuelo pero no el jamón serrano que, como especialidad tradicional garantizada, queda al margen de los acuerdos comerciales de la Unión Europea con terceros.

Además de estas razones, también hay otras relacionadas con la propia gestión del esquema de calidad diferenciada, más profesional en el caso de la indicación geográfica protegida. Como prueba de ello, mientras que para la ETG no está prevista la constitución de un órgano de gestión, en la IGP dicha labor se encomienda al Consejo Regulador[427]. La citada entidad, constituida como corporación de Derecho público o privado según el caso, previamente autorizada por el Ministerio de Agricultura, Pesca y Alimentación o por las respectivas consejerías autonómicas en función de su alcance territorial, tiene personalidad jurídica propia, un órgano de gobierno en el que están representados los intere-

---

[425] Así lo especifica el considerando 39 del Reglamento (UE) no 1151/2012 del Parlamento Europeo y del Consejo, de 21 de noviembre de 2012, sobre los regímenes de calidad de los productos agrícolas y alimenticios "todos los productores, incluidos los productores de terceros países, deben poder utilizar un nombre registrado de una especialidad tradicional garantizada, siempre que el producto de que se trate cumpla los requisitos del pliego de condiciones que le sea aplicable y que el productor se someta a un sistema de controles".

[426] Cita, precisamente, el jamón serrano como producto cárnico que puede producirse fuera de nuestro país GUILLEM CARRAU, J. *Denominaciones geográficas de calidad*. Valencia, 2021. pág. 704

[427] Más información sobre los consejos reguladores como estructuras de control en MONTE-RO GARCÍA-NOBLEJAS, P. *Denominaciones de origen...Op. Cit.* págs. 95 y ss.

ses económicos y sectoriales vinculados a la obtención del producto y cuentan con los medios necesarios para el desarrollo de sus funciones[428].

La IGP mantiene un mayor control sobre los empresarios en tanto que el Consejo Regulador lleva un registro en el que están inscritos los operadores amparados que están facultados para el uso del esquema de calidad en tanto permanezcan en el mismo. En el caso de los jamones, quedará constancia de todas las industrias transformadoras y elaboradoras que comprende los saladeros, secaderos, mataderos, salas de despiece, etc. Por lo que a su control hace referencia, además de la normal delegación en entidades concretas de certificación -por ejemplo, AENOR o ECAL-E certifican el cumplimiento de los requisitos de la ETG jamón serrano[429]-, las IGP, en su mayoría, llevan a cabo un sistema de control interno por parte de su Consejo Regulador. De este modo, la existencia de un registro, el requerimiento de informaciones periódicas a los inscritos sobre el cumplimiento de las condiciones del pliego y el rol del propio Consejo Regulador en su labor *in vigilando* y en la colaboración con las entidades de certificación y las autoridades competentes en materia agroalimentaria son circunstancias que determinan la existencia, por lo general, de un control más intenso en las indicaciones geográficas protegidas.

Y lo mismo también es predicable con respecto a la propia organización del esquema de calidad diferenciada. Las mayores formalidades o exigencias de la IGP en relación con la ETG con la existencia, además del pliego de condiciones, de un reglamento específico contribuyen a un mejor funcionamiento que redunda positivamente en la promoción y protección del producto. Para ello, el citado Consejo Regulador lleva a cabo una importante labor en la realización de campañas de difusión y publicidad así como la vigilancia ante posibles infracciones de la normativa vigente que afecten a sus intereses, especialmente en materia de propiedad intelectual o competencia desleal. La mayor formalidad de la IGP se hace, igualmente, evidente en el sistema de autofinanciación por el que las entidades de gestión se dotan de los recursos necesarios a partir de las contribuciones de los operadores inscritos. En el caso de las ETG, por el contrario, resulta más difícil la elaboración de una estrategia conjunta que dependerá, en cada caso particular, del compromiso de las agrupaciones que lo soliciten y sus asociados[430].

---

[428]   Así, véase el art. 15 de la Ley 6/2015, de 12 de mayo, de Denominaciones de Origen e Indicaciones Geográficas Protegidas de ámbito territorial supraautonómico. O, como muestra de la normativa autonómica, en el mismo sentido, el art. 12 de la Ley 2/2011, de 25 de marzo, de la Calidad Agroalimentaria y Pesquera de Andalucía.

[429]   Más información sobre los requisitos mínimos de control de las características específicas del jamón serrano, disponible en http://www.fundacionserrano.org/jamon-serrano-informacion-al-consumidor-vida-sana/la-etg/la-etg_1_45_2_0_1_in.html

[430]   En el supuesto particular de la ETG jamón serrano, fue solicitada por la Asociación de Industrias de la Carne Española, que reúne a más de seiscientos empresarios. Sin embargo, es

3.3. Tesis contraria al registro del jamón serrano como indicación geográfica protegida

Frente a la anterior pretensión, sin embargo, se alzan tanto productores externos -en su mayoría, de Portugal- como internos que creen que tal modificación perjudica a otras IGP nacionales relativas al jamón. En particular, entre las indicaciones geográficas protegidas, han manifestado su oposición la IGP Jamón de Trévelez y la IGP Jamón de Serón así como el Pleno de la Diputación Provincial de Granada[431].

Tales indicaciones geográficas protegidas de jamón curado de cerdo blanco consideran que la posible concesión al jamón serrano del signo solicitado implicará una devaluación de sus IGP. Para la justificación de tal argumento sostienen que el pliego de condiciones de la IGP jamón serrano tiene unos requisitos mucho menos exigentes en comparación con los de las indicaciones geográficas andaluzas. A modo de ejemplo, el tiempo de curación del jamón de Trévelez es más del doble que el del serrano y tiene lugar en secaderos naturales. En relación con el presente argumento, señalan, además, que el pliego de condiciones propuesto no plantea ningún cambio con respecto al que rige actualmente para la especialidad tradicional garantizada.

Otro de los motivos que fundamentan su oposición, bajo su punto de vista, reside en la falta de vinculación del producto con un origen geográfico. En la medida en que está protegido como ETG, consideran que el jamón serrano, en puridad, identifica un método de producción tradicional pero que no traslada al consumidor a ninguna procedencia en concreto. Señalan, además, que el hecho de que la solicitud de la IGP jamón serrano identifique la zona geográfica delimitada con todo el territorio administrativo del Estado español[432] es engañoso para los consumidores debido a su falta de homogeneidad. Ahondan también en la posible confusión con alusión a la propia semántica de la

---

la Fundación del Jamón Serrano quien se erige como Órgano de Representación de la ETG jamón serrano y requiere una donación anual de mil ciento diez euros para ser miembro de la fundación. A diferencia de la relación entre los operadores inscritos en la IGP, la membresía en la citada fundación no otorga el derecho al uso de la ETG. En el caso de que cumpla con los requisitos de las contraetiquetas de la fundación, que son distintas al esquema de calidad diferenciada, sí que podrá hacer uso de las mismas.

431   Declaración institucional en la que exponen sus argumentos en contra de la IGP jamón serrano, disponible aquí https://www.politico.eu/wp-content/uploads/2021/01/26/D.-I.-Jamo%CC%81n-Treve%CC%81lez.pdf

432   En la declaración institucional del pleno de la Diputación de Granada olvidan que el primer pliego de la IGP excluye las ciudades autónomas de Ceuta y Melilla. Documento disponible aquí https://www.politico.eu/wp-content/uploads/2021/01/26/D.-I.-Jamo%CC%81n-Treve%CC%81lez.pdf El pliego de condiciones anterior, contenía una exclusión expresa de municipios que no tienen las condiciones necesarias para la elaboración del jamón serrano. Disponible en https://carnica.cdecomunicacion.es/images/descargas/carnica/Pliego_de_condiciones_IGP_Jam%C3%B3n_Serrano__Documento_%C3%9Anico.pdf

IGP, pues como el término "serrano" evoca a la serranía como espacio para la elaboración y secado de jamones no debiera permitirse, según ellos, el uso de aparatos de control artificial de la temperatura ambiental.

Por último, también basan su negativa en la imposibilidad de registrarlo en virtud de lo dispuesto en el artículo 6.1 del que impide el registro como denominación de origen protegida y como indicación geográfica protegida de aquellos términos genéricos. En este sentido, mantienen que la palabra "serrano" como relativa a la sierra se trata de un nombre genérico que, según el Diccionario de la Real Academia Española, precedido del término "jamón", significa "jamón curado" y, por tanto, tiene la consideración de genérico.

3.4. Comentario sobre la viabilidad del registro del jamón serrano como indicación geográfica protegida

Pese a las resistencias existentes tanto en productores foráneos como nacionales, asociaciones e, incluso, administraciones públicas provinciales ante el posible reconocimiento de la indicación geográfica protegida, parece que los argumentos en contra son más aparentes que reales y no suponen un verdadero impedimento para que prospere la solicitud.

El criterio relativo a la menor exigencia del pliego de condiciones aportado en la solicitud de la IGP jamón serrano en comparación con otras indicaciones geográficas o denominaciones de origen no tiene una base jurídica que lo sostenga. Es fácilmente contrastable que el tiempo de curación del jamón serrano es menor que el de otras IGP o DOP y también que se contempla, excepcionalmente, el uso de aparatos idóneos para el mantenimiento de la humedad relativa, a diferencia de lo que ocurre con otros jamones que tienen unos requisitos más estrictos y unos procedimientos más costosos en términos económicos. Sin embargo, no hay norma alguna que señale que deban advertirse estándares comunes entre las propias indicaciones geográficas protegidas de un determinado producto, aunque haya Consejos Reguladores que consideren que ello afecta a su reputación o conlleva una dilución de su signo distintivo de calidad[433]. Es más, tampoco existen obstáculos para que las condiciones establecidas en el pliego de la especialidad tradicional garantizada "jamón serrano" se mantengan en la indicación geográfica protegida. Para que prospere la solicitud es suficiente con que el pliego de condiciones cumpla con el contenido mínimo previsto en el artículo 7 del Reglamento (UE) no 1151/2012 del Parlamento

---

[433]   Del periodo de elaboración depende la mención facultativa como "bodega", "reserva" o "gran reserva" para jamones o paletas no ibéricos con base en lo previsto en el Real Decreto 474/2014, de 13 de junio, por el que se aprueba la norma de calidad de derivados cárnicos, pero tal cuestión no tiene trascendencia a efecto del presente derecho de propiedad intelectual.

Europeo y del Consejo, de 21 de noviembre de 2012, sobre los regímenes de calidad de los productos agrícolas y alimenticios.

Tampoco parece terminante el argumento que señala la inexistencia del vínculo entre una cualidad determinada, la reputación u otra característica del producto y el origen geográfico, establecido como elemento esencial de dicho esquema de calidad según el art. 5.2 del citado Reglamento comunitario. En este caso, la solicitud incide en la reputación como factor predominante con el medio geográfico. La relación del serrano con España está justificada tanto por su reconocimiento externo y consideración en el extranjero de producto típico de nuestra gastronomía como por su presencia, de antiguo, en la cultura española. Para ello aportan como prueba referencias de prensa y revistas internacionales, páginas web de recetas y gastronomía o múltiples obras de nuestra literatura[434] en donde, en muchos casos, a la expresión "jamón serrano" le sigue el adjetivo calificativo "español", de modo que el público circunscribe el producto a un territorio determinado.

Precisamente, en relación con lo anterior, hay quien mantiene la tesis de que el jamón serrano no puede vincularse con una zona geográfica en particular, sino con un método de elaboración tradicional, puesto que el jamón serrano "no tiene unas connotaciones geográficas implícitas"[435]. Parece que el hecho de que opten por una extensión muy superior a la de cualquier otra DOP o IGP y que no pueda identificarse al jamón serrano con un paraje más acotado, con una climatología o características físicas de la geografía que resulte homogénea, es suficiente, según sus detractores, para negarle el vínculo con el territorio[436]. Dicha oposición, no obstante, la mantuvieron también frente al primer pliego de condiciones, publicado en 2015, que contenía un anexo con municipios parcialmente excluidos de la IGP jamón serrano.

Sin embargo, si en diversas regiones de España, simultáneamente, es posible el cumplimiento de las condiciones del pliego en relación con las características del producto, los requisitos mínimos de la materia prima, el proceso de elaboración o la presentación del jamón serrano, no habrá inconveniente en su registro con independencia de las evidentes variaciones climatológicas u orográficas que, por supuesto, existen, pero también se advierten en otras DOP o IGP regionales

---

[434]   Entre la prensa internacional citan periódicos de amplia difusión como el diario alemán *Frankfurter Allgemeine*, o el tabloide británico *The Telegraph*. También se hacen eco de la referencia al jamón serrano en obras de autores tan relevantes como Miguel Delibes o el premio Nobel Camilo José Cela.

[435]   En estos términos se expresa la citada declaración institucional del pleno de la Diputación de Granada en defensa del jamón de Trévelez y de Serón.

[436]   Sobre la posibilidad de que el ámbito geográfico coincida con un país, véase MONTERO GARCÍA-NOBLEJAS, P. *Denominaciones de origen...Op. Cit.* págs. 114 y 115 que realiza un análisis de la evolución de la normativa hasta que dejó de considerarse tal posibilidad, únicamente, de forma excepcional.

de una extensión considerable -por ejemplo, la IGP "Queso Castellano" que comprende todos los términos municipales de Castilla y León, o algunas cárnicas que también abarcan la totalidad del territorio autonómico[437]-.

Además, a diferencia del momento en que tuvo lugar el registro de la ETG jamón serrano, actualmente ya hay varias indicaciones geográficas protegidas que comprenden toda la extensión de un país. Este es el caso de los Países Bajos, que tienen varios quesos como Gouda o Edam a los que, además, acompaña el término "*Holland*" -Holanda-, para que quede clara su procedencia. Recientemente, incluso, fue admitida una denominación de origen protegida, "Halloumi", para quesos, que comprende toda la extensión de Chipre.

Y aunque es cierto que tales IGP o la DOP abarcan un territorio notablemente inferior al del pliego de condiciones de la IGP jamón serrano -que comprende, el territorio peninsular e insular de España-, no lo es menos que hay registradas en la Unión Europea otras indicaciones geográficas protegidas que tienen una extensión superior a la española, como es el caso de la IGP Café de Colombia que, aun cuando no incluye la totalidad del territorio de dicha República, utiliza su nombre en la denominación[438]. Y, aunque están sujetas a otra normativa[439] lo mismo ocurre también en el caso de algunas bebidas espirituosas[440].

Otro de los motivos aducidos para que no prospere la solicitud de registro es el relativo al supuesto carácter genérico de la expresión "jamón serrano".

---

[437]   A modo de ejemplo, la IGP "vaca de Extremadura" o la IGP "Lechazo de Castilla y León"

[438]   Aunque en la solicitud de registro especifican que la zona geográfica no incluye la totalidad del territorio de la República de Colombia, sino que la delimitan a unas coordenadas relativas al eje cafetero, prescinden de denominaciones regionales y la vinculan al nombre del país con base en los factores históricos, tradicionales, culturales y sociales. Solicitud de registro disponible en https://eur-lex.europa.eu/LexUriServ/LexUriServ.do?uri=OJ:C:2006:320:0017: 0020:ES:PDF En la resolución nº4819 de 2005 por la que se registra a nivel nacional como denominación de origen el Café de Colombia, distinguen entre delimitación política que identifican como Colombia y la delimitación geográfica que circunscriben a una zona concreta. Resolución disponible aquí https://www.sic.gov.co/sites/default/files/files/Denominacion%20 de%20Origen/Agro%20-%20Alimenticios/Caf%C3%A9%20de%20Colombia/cafe_de_co-lombia.pdf Sobre el riesgo de que las indicaciones geográficas con la denominación del país supongan un obstáculo desde el Derecho de marcas, véase CORTHÉSY, N. G. S. "Country name designation and international IP protection of national competitive identities" *Journal of Intellectual Property Law & Practice*, 2021, Vol. 16, pág. 358

[439]   Concretamente, el Reglamento (UE) 2019/787 del Parlamento Europeo y del Consejo, de 17 de abril de 2019, sobre la definición, designación, presentación y etiquetado de las bebidas espirituosas, la utilización de los nombres de las bebidas espirituosas en la presentación y etiquetado de otros productos alimenticios, la protección de las indicaciones geográficas de las bebidas espirituosas y la utilización de alcohol etílico y destilados de origen agrícola en las bebidas alcohólicas, y por el que se deroga el Reglamento (CE) n.° 110/2008

[440]   Como caso más significativo, hace dos años tuvo lugar el registro de la indicación geográfica Tequila que comprende todo el Estado de Méjico. También está protegido el Pisco desde 2012 o el Whisky escocés protegida como indicación geográfica desde 1989.

De apreciarse la falta de capacidad diferenciadora del término solicitado, debe rechazarse con base en la prohibición establecida en el artículo 6.1 del Reglamento (UE) n° 1151/2012 del Parlamento Europeo y del Consejo, de 21 de noviembre de 2012, sobre los regímenes de calidad de los productos agrícolas y alimenticios[441]. En última instancia, de conformidad con la definición de "genérico" del citado Reglamento, será una cuestión de prueba si el término propuesto, pese a referirse al lugar, región o país donde un producto se produjera o comercializara originalmente, se ha convertido o no en el nombre común de ese producto en la Unión Europea. En cualquier caso, la casuística en el registro de los esquemas de calidad revela una posición favorable a la admisibilidad de los términos propuestos[442], como quedó de manifiesto en la conocida sentencia del Tribunal de Justicia de la Unión Europea de 25 de octubre de 2005 sobre el supuesto carácter genérico del nombre "Feta"[443] y en otros casos posteriores[444].

Para la advertencia de dicha circunstancia deben valorarse indicios tales como las legislaciones pertinentes, la percepción del consumidor medio de la denominación supuestamente genérica, si el producto ha sido comercializado legalmente con dicha denominación en el mercado común, si la elaboración

---

[441]   Recientemente, sobre los criterios para la consideración de una indicación geográfica como genérica, véase RIBEIRO DE ALMEIDA, A. y CARLS, S. "The Criteria to Qualify a Geographical Term as Generic: Are We Moving from a European to a US Perspective?" *International Review of Intellectual Property and Competition Law*, Marzo, 2021 págs. 444 y ss.. que analizan la situación europea y el impacto que tendrá en acuerdos bilaterales como el alcanzado con China.

[442]   MONTERO GARCÍA-NOBLEJAS, P. *Denominaciones de origen…Op. Cit.* pág. 126; Como casos en los que se consideró el carácter genérico, GUILLEM CARRAU, J. *Denominaciones geográficas…Op. Cit.* pág. 349 cita la jurisprudencia del Tribunal de Justicia sobre los términos alemanes *"Sekt"*, *"Weinbrand"* y *"Prädikatsekt"* cuya reserva por la República Federal Alemana en los años setenta, constituía una medida arbitraria en tanto que eran términos genéricos.

[443]   El presente caso comenzó tras el registro de "Feta" como denominación de origen en la Unión Europea en 1996 en el anexo del Reglamento n° 1107/96. Tres años después, tras el recurso interpuesto por varios países europeos, el Tribunal de Justicia anuló el Reglamento n° 1107/96, en la medida en que éste registraba la denominación «feta» como denominación de origen protegida. En cumplimiento de tal sentencia, la Comisión Europea adoptó, el 25 de mayo de 1999, el Reglamento (CE) n° 1070/99, por el que suprimió la denominación «feta». Posteriormente, tras dos años realizando cuestionarios entre los Estados miembros sobre la fabricación, consumo y notoriedad del queso "Feta" en la UE, llegaron a la conclusión que dicho término no tenía carácter genérico y por tanto inscribieron dicha denominación en el registro de denominaciones de origen protegidas y de indicaciones geográficas protegidas previsto en el apartado 3 del artículo 6 del Reglamento (CEE) n° 2081/92 en calidad de denominación de origen protegida (DOP). Dinamarca y Alemania recurrieron, nuevamente, el nuevo Reglamento si bien, en este caso, el TJUE desestimó el recurso en tanto que consideró que el término "Feta" no tenía carácter genérico.

[444]   Así, por ejemplo, la STJUE de 26 de febrero de 2008 caso "parmesan", la STJUE de 12 de septiembre de 2007 caso "grana padano",

en el país de origen ha respetado el método tradicional, la cuota de mercado de productos que utilicen tal denominación pero que hayan sido elaborados al margen de tal método en comparación con los que sí cumplen con los criterios tradicionales o el número de Estados miembros que invoquen el supuesto carácter genérico del término propuesto[445]. Y en el caso concreto del jamón serrano, a la luz de tales indicadores, la respuesta a la posible genericidad del término resulta negativa. El motivo en contra aducido por los detractores de la IGP, consistente en el hecho de que el Diccionario de la Real Academia Española identifique el jamón serrano con el jamón curado, además de que no tiene trascendencia jurídica, se basa en una afirmación incorrecta. El jamón serrano no es genérico ni, mucho menos, es sinónimo de jamón curado, que hace referencia, únicamente, a un proceso de elaboración del producto que es común a todos los jamones amparados bajo un esquema de calidad diferenciada -tanto los jamones ibéricos como los de cerdo blanco protegidos por IGP o DOP-. Ello se deduce, fácilmente, de nuestra legislación específica, como el Real Decreto 474/2014, de 13 de junio, por el que se aprueba la norma de calidad de derivados cárnicos, que tiene una definición expresa del término "curado" vinculado con una de las técnicas específicas de elaboración de los derivados cárnicos[446]. Pero también puede comprobarse la distinción entre uno y otro término en cualquier supermercado o punto de venta, lo que pone de manifiesto el cumplimiento del criterio relativo al correcto modo de comercialización del producto, pues, en la mayoría de los casos, el consumidor diferencia, claramente, los jamones protegidos por una IGP o DOP específica, otros que utilizan la especialidad tradicional garantizada jamón serrano y, por último, jamones y paletas de otras marcas, visualmente similares, pero que identifican su producto con la expresión "jamón curado".

4. CONCLUSIONES

Desde un punto de vista económico, la especialidad tradicional garantizada, si bien fue útil en su momento para la promoción del jamón serrano y su comercialización en el mercado interior, actualmente se revela como un esquema de calidad que ofrece una protección insuficiente ante la apertura a nuevos

---

[445]   Véase, en este sentido, la STJUE de 12 de septiembre de 2007 en el asunto "grana padano" o la STJUE de 16 de marzo de 1999 sobre el queso "Feta".

[446]   Define dicho término como "Tratamiento con sal, que puede ir acompañada del uso de nitritos, nitratos y otros componentes o una combinación de ellos, que debe responder a una necesidad tecnológica, dando lugar a compuestos procedentes de la combinación de estos conservantes con las proteínas de la carne. El tratamiento se puede realizar mediante la aplicación en seco, a la superficie de la carne, de la mezcla de curado, mediante inmersión de la misma en la solución de curado o mediante inyección de la solución de curado en la pieza cárnica".

mercados y la posibilidad de que operadores extranjeros elaboren un producto típicamente español. Las pérdidas que implica su falta de reconocimiento en los acuerdos bilaterales hace necesario, al menos, el estudio sobre la viabilidad de su registro como indicación geográfica protegida.

Y a la luz de lo expuesto, ante el inminente pronunciamiento de la Comisión Europea sobre el posible registro de la indicación geográfica protegida "jamón serrano", parece que no existen motivos que justifiquen una resolución negativa. Sería, cuanto menos, paradójico, que no prosperara la solicitud con base en el criterio de la vinculación territorial cuando existen, actualmente, derechos de propiedad intelectual similares, no solo de Estados miembros, sino también de países que no forman parte de la Unión Europa. Descartado su carácter genérico y cumplidos los requisitos establecidos en la normativa comunitaria, no se advierten obstáculos para la concesión de la indicación geográfica protegida "jamón serrano".

Nutri-Score™ ¿incentivo para la competencia o restricción inadmisible?

VANESSA JIMÉNEZ SERRANÍA
Profesora contratada lectora UOC

1. INTRODUCCIÓN

Puede decirse que el término Nutri-Score™ se ha convertido en la estrella mediática de los últimos años en el ámbito del etiquetado de productos en España. El maniqueísmo que genera esta figura es llamativo: bien se le defiende a ultranza y se considera como una pieza clave dentro de la mejora de los hábitos alimenticios; bien se subraya su inutilidad considerando que ofrece una información nutricional sesgada y fácilmente manipulable, que no tiene en cuenta ciertos aspectos claves de la dieta mediterránea y que puede generar un impacto negativo en determinados productos de calidad diferenciada protegidos por derechos de propiedad industrial (D.O.P., I.G.P., E.TG.)[447].

No obstante, como en todo sujeto de discusión polarizado, es necesario apartar los prejuicios y centrarnos en el estudio detallado esta figura y su configuración para poder analizar adecuadamente la pertinencia o no de su implementación en el mercado español en el momento actual.

Para ello, es preciso, en nuestra opinión, que partamos una contextualización de esta figura desde su marco general regulatorio y su implantación internacional (II), para luego analizar la naturaleza jurídica y la configuración legal de este sistema (III), lo que nos permitirá realizar un análisis de su impacto tanto a nivel jurídico y como económico (IV).

---

[447] Por otro lado, también es llamativa la escasísima bibliografía jurídica analizando esta cuestión.

2. CONTEXTO: LOS SISTEMAS DE ETIQUETADO FRONTAL

2.1. La estrategia de la granja a la mesa (farm to fork strategy) y el reglamento (ue) 1169/2011

En 11 de diciembre de 2019, la Comisión presentó su Comunicación sobre el Pacto Verde Europeo[448], dentro de la cual se integraba la estrategia conocida bajo el nombre "de la granja a la mesa" (*farm to fork*) que persigue el objetivo de "*idear un sistema alimentario justo, saludable y respetuoso con el medioambiente*". Este objetivo implica, entre otros aspectos, la propuesta de medidas por parte de la Comisión para ayudar a los consumidores a elegir una alimentación saludable y sostenible[449].

Entre estas medidas, la Comisión se comprometió a proponer un etiquetado nutricional obligatorio en la parte delantera del envase (*front-of-pack nutrition labelling*, de aquí en adelante, **FOPL**) y a estudiar la posibilidad de proponer la ampliación de las indicaciones de origen o procedencia obligatorias a determinados productos, teniendo plenamente en cuenta las repercusiones en el mercado único[450].

Este tipo de etiquetado nutricional no es algo novedoso en el derecho europeo. Ya en el Reglamento nº1169/2011 de 25 de octubre de 2011, sobre la información alimentaria facilitada al consumidor se planteaba esta posibilidad en su artículo 35. Recordemos que en la Sección 3 de dicho reglamento, se establecían las reglas sobre la información nutricional obligatoria tanto respecto su contenido (art.30), el cálculo del valor energético (art.31) y la expresión de este valor energético por porción o unidad de medida (arts. 32 y 33) y su presentación (art.34), privilegiando la expresión de dicha información en formato de tabla con las cifras en columna (34.2). Junto a estas indicaciones se determina en el artículo 35, la posibilidad de establecer formas adicionales de formas de expresión y/o presentación mediante formas o símbolos gráficos además de mediante texto o números, siempre y cuando cumplieran una serie de requisitos[451].

---

[448]   Vid. https://eur-lex.europa.eu/legal-content/ES/TXT/HTML/?uri=CELEX:52019DC0640&from=ES (última visita 24 de septiembre de 2021).

[449]   Apuntaremos también otro aspecto significativo que subraya esta comunicación en su punto 2.1.6. sobre el que volveremos más adelante. Esta estrategia "de la granja a la mesa" deberá ofrecer propuestas para mejorar la posición de los agricultores en la cadena de valor.

[450]   COMISIÓN EUROPEA, *Farm to Fork Strategy*, p. 14. Vid. https://ec.europa.eu/food/system/files/2020-05/f2f_action-plan_2020_strategy-info_en.pdf (última visita 16 de septiembre de 2021).

[451]   Estos requisitos sobre estas formas o símbolos son los siguientes que: "*a) se basen* en estudios rigurosos *y válidos científicamente sobre los consumidores y* no induzcan a engaño al consumidor, (...); b) su desarrollo sea el resultado de la* consulta de un amplio abanico de

Dentro de estas formas o símbolos gráficos encontramos los FOPL, entre los que figura Nutri-Score™.

3. LOS FOPL

3.1. *¿Qué son los FOPL y para qué sirven?*

Los FOPL o etiquetados nutricionales en la parte frontal de los paquetes son uno de los tres tipos de etiquetado nutricional que identifica la Comisión del *Codex Alimentarius*.

Los sistemas FOPL se caracterizan por ser signos gráficos o formas que aparecen en la parte frontal de los envases de alimentos, esto es, en el campo de visión principal, y según la Organización Mundial de la Salud (OMS) pueden:

incluir un modelo de perfil nutricional[452] de apoyo que tenga en cuenta la calidad nutricional general del producto o los nutrientes de interés para las enfermedades relacionadas con la dieta; y

---

los grupos interesados; *c) estén destinadas a* facilitar la comprensión del consumidor sobre la contribución o la importancia del alimento en relación con el aporte energético y de nutrientes de una dieta; *d) estén* respaldadas por pruebas científicas válidas *que demuestren que el consumidor medio comprende tales formas de expresión y presentación; e) en el caso de otras formas de expresión, estén basadas en las ingestas de referencia armonizadas que se establecen en el anexo XIII, o, a falta de ellas, en dictámenes científicos generalmente aceptados sobre ingestas de energía o nutrientes; f)* sean objetivas y no discriminatorias, *y g) su aplicación* no suponga obstáculos a la libre circulación de mercancías." (subrayado propio). Volveremos sobre este listado de requisitos en nuestro análisis de Nutri-Score™.

[452] Los sistemas de la FOPL disponen de métodos específicos de elaboración de perfiles nutricionales. El enfoque adoptado para la elaboración de perfiles nutricionales depende del sistema FOPL seleccionado, y puede variar entre: establecer cantidades umbral que cumplan una directriz nutricional (utilizado en los sistemas interpretativos basados en nutrientes); aplicar algoritmos para el perfil nutricional global de los productos alimentarios (utilizados en los sistemas interpretativos de indicadores sintéticos); o basar los criterios en los valores de referencia de los nutrientes (utilizados en los sistemas no interpretativos basados en los nutrientes). World Health Organisation, *Draft Guidance On Labelling For Healthy Foods*, Mayo 2019, p.9, https://apps.who.int/nutrition/publications/policies/guidingprinciples-labelling-promoting-healthydiet/en/index.html (última visita 16 de septiembre de 2021). En la UE, el concepto de los perfiles nutricionales también se utiliza en el contexto de las declaraciones nutricionales y de propiedades saludables de los alimentos, en el que por «perfil nutricional» se entiende un umbral máximo de nutrientes como la grasa, la sal o los azúcares por encima del cual se limitan o prohíben las declaraciones nutricionales y de propiedades saludables, evitando de tal modo un mensaje sanitario positivo para los alimentos con un contenido elevado de estos nutrientes. De conformidad con Reglamento (CE) n°1924/2006 del Parlamento Europeo y del Consejo, de 20 de diciembre de 2006, relativo a las declaraciones nutricionales y de propiedades saludables en los alimentos, la Comisión debía fijar "perfiles nutricionales" para 2009, pero todavía no se han establecido por el elevado nivel

presentar información sencilla, a menudo gráfica, sobre el contenido de nutrientes o la calidad nutricional de los productos, para complementar las declaraciones de nutrientes más detalladas que suelen figurar en el reverso de los envases de los alimentos[453].

Estos sistemas FOPL sirven como complemento a las declaraciones sobre los nutrientes de un alimento que aparecen de manera detallada en la parte posterior de los envases, proporcionando información conveniente, relevante y fácilmente comprensible en la parte delantera de los envases, ya que la complejidad de la información cuantitativa que aparece en la parte posterior hace que, en muchas ocasiones, no sea fácilmente accesible para el consumidor medio y que, a menudo, se comprenda mal[454].

3.2. Principios de referencia sobre los que se construyen los FOPL

La Agencia Española de Seguridad Alimentaria y Nutrición (AESAN) señala que el desarrollo de los distintos tipos de FOPL se basa en perfiles nutricionales, que permiten clasificar los alimentos y bebidas en función de su composición nutricional utilizando criterios relacionados con la prevención de enfermedades y la promoción de la salud[455].

Por otro lado, dentro de los principios que según la OMS han de guiar el desarrollo de un sistema FOPL encontramos que el diseño de estos sistemas ha de ser interpretativo, basado en símbolos, colores, palabras o elementos cuantificables y que ha de ser comprensibles por todos los subgrupos de población. Por otro lado, estos sistemas han de ser implementados en los alimentos empaquetados[456] y no debe ser aplicado ni en alimentos para niños ni en bebidas alcohólicas[457].

---

de controversia que genera este tema. Vid. Comisión Europea, Informe de la Comisión al Parlamento Europeo y al Consejo sobre la utilización de formas adicionales de expresión y presentación de la información nutricional, Bruselas, 20 de mayo de 2020, COM (2020) 207 final, p.5 (https://eur-lex.europa.eu/legal-content/ES/TXT/?uri=COM:2020:207:FIN, última visita 16 de septiembre de 2021).

[453] WHO, *Draft Guidance...*, cit., p.11.

[454] WHO, cit., p.11.

[455] VV.AA. *Informe del Comité Científico de la Agencia Española de Seguridad Alimentaria y Nutrición (AESAN) sobre la aplicación en España del sistema Nutri-Score de información sobre la calidad nutricional de los alimentos.* AESAN-2020-004. Informe aprobado por el Comité Científico en su sesión plenaria de 4 de marzo de 2020, Revista del Comité Científico nº 31, p. 84 (Vid. https://www.aesan.gob.es/AECOSAN/docs/documentos/seguridad_alimentaria/evaluacion_riesgos/informes_comite/NUTRI-SCORE.pdf. Última visita 16 de septiembre de 2021).

[456] No obstante, su uso puede ser ampliado a productos no empaquetados, como sucede en el caso del Keyhole sueco que es utilizado también en frutas, vegetales, pan, queso, carne y pescados no empaquetados.

[457] WHO, *Draft Guidance...*, cit., pp. 25-26.

De una manera sucinta, podemos decir que los criterios para elaborar los FOPL pueden organizarse para discriminar entre los alimentos de una misma categoría[458] o entre todos los alimentos y pueden determinarse en base a puntos de corte[459] o algoritmos de puntuación[460].

A nivel científico, los sistemas FOPL se pueden clasificar de diversas maneras. Encontramos una primera clasificación que diferencia entre indicadores directos o indirectos del beneficio nutricional del producto para el consumidor. Otra clasificación distingue entre sistemas meramente reductivos (ya que ofrecen una versión reducida de la información nutricional que se encuentra en la parte trasera de los envases) o valorativos (puesto que ofrecen una valoración de la información nutricional). La tercera, más compleja y comúnmente utilizada, subdivide los sistemas FOPL en sistemas para nutrientes específicos, que pueden ser bien numéricos o con código de colores o bien sistemas de indicador sintético que se subdividen en símbolos positivos o "logotipos de aprobación" (que solamente pueden utilizarse en alimentos que cumplen determinados criterios nutricionales) o indicadores "graduados" (que proporcionan una información general graduada sobre la calidad nutricional de los alimentos)[461].

Como veremos a continuación, encontramos también dentro de las etiquetas para nutrientes específicos, ciertos sistemas FOPL que no son meramente valorativos, sino que directamente son de advertencia (negativa) respecto al contenido elevado de determinados elementos considerados poco saludables (por ejemplo, alto contenido en grasa o en sodio).

3.3. Sistemas FOPL actuales: especial referencia a la Unión Europea

En el Informe de la Comisión al Parlamento Europeo y al Consejo sobre la utilización de formas adicionales de expresión y presentación de la información nutricional, se ofrece una tabla muy ilustrativa de la aplicación de estas clasificaciones a los FOPL ya existentes en los Estados miembros y el Reino Unido que reproducimos a continuación[462]:

---

[458] Por ejemplo, leche y productos lácteos, bebidas, panes y cereales, y carne y pescado.

[459]   Por ejemplo, se pueden utilizan como punto de referencia las necesidades de nutrientes individuales que necesita un adulto "medio" (en el caso de la Unión Europea, la ingesta de referencia de un adulto medio sería de 8 400 kJ/2 000 kcal, art. 32 Reglamento 1169/2011»

[460]   Mediante la utilización de un algoritmo se obtiene una puntuación única con el fin de categorizar los alimentos de acuerdo con su composición nutricional, indicando cuales son más o menos saludables. Como veremos, este es el caso de Nutri-Score, que utiliza este enfoque para categorizar los alimentos y bebidas en cinco categorías, de mejor a peor calidad nutricional, en función de los resultados obtenidos de la aplicación de su algoritmo.

[461]   Vid. COMISIÓN EUROPEA, *Informe de la Comisión...*, cit., p.6.

[462]   Vid. COMISIÓN EUROPEA, *Informe de la Comisión...*, cit., p.8.

Taxonomías recogidas en la bibliografía				Ejemplos de sistemas de etiquetado en la parte frontal		Creador	Estado miembro de la UE
Etiquetas para nutrientes específicos	Numéricas	No directas	Reductivas (no interpretativas)	Etiqueta de ingestas de referencia		Privado	En toda la UE
				NutrInform Battery (pilas de información nutricional)		Público	IT
	Con códigos de colores	Semidirectas	Valorativas (interpretativas)	Etiqueta para la parte frontal de los envases del Reino Unido		Público	UK
				Otras etiquetas de tipo «semáforo»		Privado (minoristas)	PT, ES
Etiquetas sintéticas	Logotipos positivos (aprobación)	Directas	Valorativas (interpretativas)	Cerradura		Público	SE, DK, LT
				Logotipos de corazón/salud		ONG	FI, SI
						Público	HR
				Healthy Choice (elección saludable)		Privado	CZ, PL Retirado en NL
	Indicadores graduados			Nutri-Score		Público	FR, BE ES, DE, NL, LU

Por otro lado, como se puede apreciar en la imagen que adjuntamos a continuación[463], a nivel internacional, encontramos otros sistemas, especialmente, como comentábamos en el apartado anterior, en forma de etiqueta de advertencia, algunos de los cuales se encuentran bastante consolidados (un ejemplo es el sistema de advertencia de Chile).

Etiquetas para nutrientes específicos   **Etiquetas sintéticas**

Etiquetas numéricas y con códigos de colores   Logotipos positivos

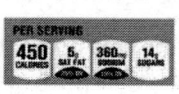 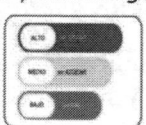    

Etiquetas de advertencia   Indicadores graduados

Queremos resaltar dos de los sistemas FOPL de la UE que aparecen en la primera tabla que hemos adjuntado: Nutri-Score™, por razones obvias, y NutrInform Battery, ya que es uno de los FOPL que se menciona frecuentemente como alternativa a la etiqueta Nutri-Score.

En el caso de Nutri-Score™ vemos que se trata de una etiqueta sintética, directa y valorativa que busca indicar la calidad nutricional de un alimen-

---

463   Vid. COMISIÓN EUROPEA, *Informe de la Comisión…*, cit., p.13.

to utilizando una especie de semáforo. Es decir, facilita una interpretación al consumidor de la información nutricional calificándolo de una manera más o menos positiva (del verde oscuro para alimentos muy saludables al rojo para alimentos considerados perjudiciales). Esta calificación se realizará, como veremos en el apartado siguiente, en función de una serie de cálculos algorítmicos partiendo de un conjunto de elementos.

Por su parte, NutrInform Battery, es una etiqueta de tipo reductivo para nutrientes específicos, indirecta y numérica. Esta etiqueta FOPL pretende mostrar de manera más resumida y comprensible para el consumidor la información que aparece en el etiquetado trasero del paquete, expresando la cantidad de energía y nutrientes que posee un determinado alimento en base a la ingesta diaria media[464].

Por consiguiente, ambos son sistemas FOPL, no obstante, tanto su manera de presentar la información nutricional como la propia información que suministran es diferente, lo que supondrá también, como veremos más adelante, un impacto diferenciado en el consumidor y, por ende, en el mercado. No obstante, para comprender estas cuestiones es necesario que observemos más detalladamente las características de Nutri-Score™.

4. NUTRI-SCORE™: CARACTERÍSTICAS PRÁCTICAS Y JURÍDICAS

4.1. Características técnico-jurídicas del sistema nutri-score™

En primer lugar, es necesario señalar que Nutri-Score™ es un sistema de etiquetado frontal de los productos alimenticios creado por *Santé publique France* (la Agencia nacional de salud pública francesa), a partir de los trabajos del Instituto nacional de la salud y la investigación médica de Francia (Inserm), como respuesta a una petición del Ministerio de Salud francés y que se introdujo como etiquetado voluntario en este país en 2017[465].

---

[464]   Recordemos que, en el caso de la Unión Europea, la ingesta de referencia de un adulto medio es de 8.400 kJ/2.000 kcal, cfr. art. 32 Reglamento 1169/2011

[465]   Orden ministerial de 31 de octubre de 2017 por la que se fija la forma de presentación complementaria a la declaración nutricional recomendada por el Estado en aplicación de los artículos L. 3232-8 y R. 3232-7 del código de salud pública. NOR: SSAP1730474A. JORF n°0257 de 3 noviembre de 2017. Texto n° 16. Modificado por la Orden ministerial de 30 de agosto de 2019. NOR : SSAP1911495A. JORF n°0206 de 5 de septiembre de 2019. Texto n° 6.

4.1.1. Características técnicas: El algoritmo del sistema Nutri-Score™

Desde un punto de vista técnico, este etiquetado consiste en un logotipo tiene cinco posibles variantes, cada una consta de un color (verde oscuro, verde claro, amarillo, naranja claro y naranja oscuro) asociado a una letra (A, B, C, D y E, respectivamente). Los productos se clasifican según su calidad nutricional y se les asigna una de las cinco variantes del logotipo, que van desde la A (verde oscuro) para los productos más favorables desde el punto de vista nutricional a la E (naranja oscuro) para los productos menos favorables.

Esta clasificación depende de los resultados derivados de un algoritmo que otorga una puntuación nutricional al producto en sí en base a dos componentes: una negativa y otra positiva.

La componente negativa (N) toma en cuenta la densidad energética (ingesta calórica en kJ por 100 gramos de alimento), los ácidos grasos saturados, los azúcares (en gramos por 100 gramos de alimento) y la sal (en miligramos por 100 gramos de alimento). El valor de N corresponde a la suma de los puntos atribuidos, de 1 a 10 por cada uno de estos elementos, según el contenido de la composición nutricional del alimento, puedo ir de 0 a 40[466].

La componente positiva (P) se centra en el contenido de frutas y verduras, legumbres, frutos secos de los alimentos, aceite de colza, de nuez o de oliva; la fibra y las proteínas (expresadas en gramos por 100 gramos de alimento). Por cada uno de estos elementos, se pueden atribuir de 0 a 5 puntos, siendo el margen de esta componente de 0 a 15 puntos.

El cálculo de la puntuación nutricional de un alimento se obtiene de restar la componente P de la componente N, estableciéndose ciertas reglas específicas para nivelar ciertos resultados en la puntualización nutricional final.

Estos parámetros que hemos mencionado se aplican a todos los alimentos con excepción de ciertos casos particulares (quesos, materias grasas saturadas y bebidas) que tienen unos baremos específicos.

4.1.2. Características técnicas: El algoritmo del sistema Nutri-Score™

El logotipo Nutri-Score™ ha sido registrado tanto como marca nacional en Francia, Reino Unido y Brasil, como marca de la Unión Europea y como marca internacional por la Agencia nacional de salud pública francesa (de aquí en adelante, **ANSF**) tanto para productos como para ciertos servicios.

---

[466]   Por ejemplo, un alimento con una densidad energética de 3350 kj. por 100grs., con más de 10 grs. de grasas saturadas por 100 grs., de 45 grs. de azúcar por 100 grs. y de 900 mgs. de sodio por 100 grs. obtendría una puntuación N de 40 puntos.

Pese a que en algunos de los registros aparece como marca individual y en otros, como es el caso de la marca de la Unión Europea, como marca colectiva, lo cierto es que, a efectos prácticos, su explotación se condiciona al cumplimento de un reglamento de uso, debiendo además el licenciatario inscribirse electrónicamente en una plataforma[467] que controla la ANSF a través de la pasarela electrónica "FranceConnect"[468]. Por tanto, el titular del logo Nutri-Score™ es, por el momento, la ANSF[469].

Esta licencia de uso de la marca es no exclusiva y gratuita. No obstante, como mencionábamos anteriormente queda condicionada a que se cumplan una serie de requisitos, recogidos en el reglamento de uso, por parte de los licenciatarios. Este reglamento de uso define a las personas habilitadas a explotar el logo[470], las condiciones generales del uso de este (fundamentalmente los métodos de cálculo y la carta gráfica que se ha de respetar), las condiciones particulares aplicables según los territorios y las autoridades nacionales de

---

[467]   Se distingue a nivel de registro en la plataforma en función de si la marca se comercializa exclusivamente en el territorio francés o si se distribuye en varios países o en un país para el que el legislador no ha establecido su propio procedimiento de inscripción (como es el caso de Alemania, Bélgica y Luxemburgo). Vid. https://www.santepubliquefrance.fr/determinants-de-sante/nutrition-et-activite-physique/articles/nutri-score (última consulta 20 de septiembre de 2021).

[468]   El teleservicio France Connect (creado por el *Arrêté du 8 novembre 2018 relatif au téléservice dénommé « FranceConnect » créé par la direction interministérielle du numérique et du système d'information et de communication de l'Etat*–Orden ministerial de 8 de noviembre de 2018 relativa al teleservicio denominado "FranceConnect" creado por la dirección interministerial del sistema digital y de información y comunicación del Estado, NOR : PRMJ1819224A, JORF n°0264 de 15 de noviembre de 2018) permite tanto la identificación como la autentificación de los usuarios con el fin de simplificar las gestiones llevadas a cabo ante la administración pública.

[469]   Decimos por el momento, porque según el Acuerdo internacional de los países que participan en el sistema Nutri-Score™, del que hablaremos más extensamente en el apartado siguiente, se establece que se prevé una fase de transición en la que se planificará la transmisión de los derechos de propiedad intelectual sobre Nutri-Score™ de la ANSF a su "sucesor potencial", señalando de preferencia una asociación internacional con fin no lucrativo de derecho belga (aunque no descarta otra posible forma jurídica como la de una agrupación europea de interés económico).

[470]   El reglamento de uso, en el punto 1.7, distingue entre explotador titular (que es el explotador titular o licenciatario exclusivo de los derechos de PI sobre los que denomina "productos fuente" (*produit source*) y explotador distribuidor (que comprende a aquellos hacen una explotación comercial lícita de los "productos distribuidos" (*produit distribué*) a través de un acuerdo directo o indirecto con el explotador titular. (El reglamento de uso define en el punto 1.11 como "producto fuente" los productos (es decir, todos los alimentos en el comercio, para los cuales se ha realizado una declaración nutricional) que han sido identificación por un explotador titular y como "producto distribuido" los productos identificados por un explotador distribuidor). Por otro lado, el reglamento de uso habla, en su punto 1.8, de "explotadores titulares terceros" que son aquellos que no han hecho una demanda de registro como explotador y que no están registrados según el reglamento de uso.

supervisión y de concesión de derechos sobre el logo (reguladores)[471] así como las sanciones que pueden aplicarse en caso de incumplimiento de las condiciones del reglamento de uso.

Dentro de las reglas que establece este reglamento, se determina que el solicitante de la licencia deberá identificar las categorías los productos para los que se va a utilizar el logo Nutri-Score™, debiendo utilizar el logo Nutri-Score™, en el territorio para el que solicita la autorización, para todos estos productos comercializados bajo la marca o marcas de las que el solicitante es titular. En el caso de que el solicitante sea un distribuidor de productos, este deberá notificar con, al menos, tres meses de antelación al titular de la marca o marcas de los productos distribuidos su intención de utilizar el logo Nutri-Score™ en estos productos[472].

La licencia sobre el logo Nutri-Score™, una vez obtenida, permite tanto su uso en los productos como para la comunicación y promoción de estos productos, siempre que se respeten las condiciones el reglamento de uso[473] y no puede ser transferida[474].

Es importante subrayar que en el caso de que se quiera utilizar el logo Nutri-Score™ para una o más marcas de las que es titular el solicitante, es necesario que se use en todos los productos identificados bajo esta marca o marcas. En este caso, se permite a este titular solicitante conceder a sus distribuidores (siempre que estén registrados y que dispongan de los derechos de explotación comercial de los productos en cuestión) un derecho limitado, no exclusivo, intransferible, irrevocable, sin la posibilidad de sublicenciarlo, sobre el uso de la imagen y el nombre de estos productos junto con el logo Nutri-Score™, a título gratuito, para el mundo entero y por la duración del registro del titular solicitante[475]. Por otra parte, los distribuidores no podrán utilizar un logo Nutri-Score™ de clasificación[476] diferente al utilizado por el titular so-

---

[471]   Como regulador se ha de entender aquella autoridad nacional pública o privada que dispone de un derecho exclusivo sobre el logo sobre su territorio en virtud del cual puede establecer condiciones particulares tanto respecto a las condiciones que deben cumplir las empresas para el acceso a la licencia de uso como respecto a las condiciones de uso del logo Nutri-Score™. Por el momento, la lista de países reguladores comprende (además de Francia, obviamente): Alemania, Bélgica, Luxemburgo y Suiza.

[472]   Además, se establece que en los contratos de explotación o distribución sobre estos productos se establece que el distribuidor no puede utilizar el logo Nutri-Score™, la licencia que haya obtenido para el uso de Nutri-Score™se considerará nula (Cláusula 4.3 del Reglamento de uso).

[473]   Cláusula 5 del Reglamento de uso.

[474]   Cláusula 5.4 del Reglamento de uso.

[475]   Cláusula 6.1.3. del Reglamento de uso.

[476]   Como señala el reglamento en su apartado 1.10 el logo Nutri-Score se compone de lo que denomina logotipos clasificadores (5 logotipos que representan la clasificación de los productos según la escala nutricional Nutri-Score en los que destaca una letra – A-B-C-D-E-)

licitante y, evidentemente, ninguno de los licenciatarios del logo Nutri-Score™ están habilitados para registrar bajo ningún título de propiedad intelectual este logo ni como nombre de dominio, y no pueden ni desarrollar, ni explotar, ni usar signos idénticos o similares a este logo[477].

4.1.3. Reconocimiento legislativo del sistema nutri-score™

Como hemos visto, Nutri-Score™ se enmarca en la categoría de las FO-PL, recogidas en el Reglamento (UE) 1169/2011. En Francia, fue regulado en 2017, por la Orden ministerial de 31 de octubre de 2017 por la que se fija la forma de presentación complementaria a la declaración nutricional recomendada por el Estado en aplicación de los artículos L. 3232-8 y R. 3232-7 del código de salud pública[478] y desde entonces, su uso ha sido recomendado en varios países (Bélgica, Suiza, Alemania, España, Países Bajos y Luxemburgo). De estos países, todos, salvo España han reconocido legislativamente Nutri-Score™ como un sistema voluntario de etiquetado[479], estableciendo, algunos de ellos ciertas condiciones especiales respecto al uso del logo Nutri-Score™.

Por otro lado, las autoridades competentes de Bélgica, Francia, Alemania, Luxemburgo, los Países Bajos, España y Suiza han creado un mecanismo de coordinación transnacional para facilitar el uso del etiquetado nutricional

---

y un logotipo genérico -neutro- que ha elaborado únicamente para fines de comunicación genérica.

[477]   Cláusula 8.2 del Reglamento de uso.

[478]   NOR: SSAP1730474A. JORF n°0257 de 3 noviembre de 2017. Texto n° 16. El proyecto de esta Orden ministerial fue notificado a la Comisión Europea, en virtud de lo establecido en la Directiva (UE) 2015/1535 del Parlamento Europeo y del Consejo, de 9 de septiembre de 2015, por la que se establece un procedimiento de información en materia de reglamentaciones técnicas y de reglas relativas a los servicios de la sociedad de la información, el 24 de abril de 2017, finalizando el periodo de status-quo el 25 de noviembre de 2017.

[479]   En el caso de Bélgica el Real decreto relativo a la utilización del logo "Nutri-Score" de 1 de marzo de 2019 [C – 2019/40711], notificado a la Comisión Europea el 28 de septiembre de 2019 y publicado en el *Moniteur Belge* el 1 de abril de 2019; en el caso de Suiza, la Oficina federal de la seguridad alimentaria y de asuntos veterinarios (OSAV) ha apoyado este etiquetado desde septiembre de 2019; en el caso de Alemania, la Primera ordenanza que modifica la ordenanza de aplicación de la información alimentaria de 21 de octubre de 2020, notificada a la Comisión Europea el 10 de marzo de 2020 y publicada en el *Bundesgesetzblatt Jahrgang* el 5 de Noviembre de 2020; respecto a Luxemburgo, por un lado el Reglamento gran ducal de 7 de mayo de 2021 relativo al uso del logo Nutri-Score, notificado a la Comisión Europea el y publicado en el diario oficial n°396 de 25 de mayo de 2021, y, por otro, más recientemente (el 25 de septiembre de 2020), comunicó a la Comisión Europea el Proyecto de ley sobre la aprobación de un régimen de calidad o certificación de productos agrícolas; por su parte, los Países Bajos, notificaron a la Comisión Europea su Reglamento del Ministro de Atención Médica por el que se designa Nutri-Score como logotipo de elección de los alimentos y sus condiciones de uso (Reglamento sobre la designación del logotipo de elección de los alimentos) el 4 de agosto de 2021 (finalizando el periodo de statu quo el 5 de noviembre de 2021).

Nutri-Score™ en la parte frontal de los envases. Esta agrupación ha recibido el nombre de COEN (acrónimo de *Countries officially engaged in Nutri-Score*), llevando a cabo esta cooperación se lleva a por medio de un comité directivo y de un comité científico.

El Comité Directivo, que celebró su primera reunión el 25 de enero de 2021, coordina la aplicación y el despliegue del Nutri-Score™. Este comité reúne a los representantes de las autoridades nacionales responsables de la aplicación del Nutri-Score™ en cada país. Su objetivo es facilitar el uso de la etiqueta Nutri-Score™ por parte de la industria alimentaria, apoyar a las pequeñas empresas y establecer un vínculo con los consumidores mediante la aplicación de procedimientos comunes y eficaces.

Por su parte, el Comité Científico, cuya primera reunión tuvo lugar el 12 de febrero de 2021, tiene como principal tarea evaluar los posibles desarrollos de Nutri-Score™ para una mayor eficacia en la salud del consumidor, en sinergia con las recomendaciones dietéticas.

Dentro de las medidas previstas por el COEN está la de la transmisión de los derechos de propiedad intelectual sobre Nutri-Score™ y de la que el Reglamento de uso sea acordado por los COEN.

5. IMPACTO DE NUTRI-SCORE™ DESDE UNA PERSPECTIVA CRÍTICA

Una vez visto contextualizado este tema, analizaremos las críticas que se han vertido sobre este sistema para poder, finalmente, evaluar la pertinencia de su introducción en el ordenamiento español.

5.1. *Aspectos cuestionables sobre la eficacia e impacto de los fopl a nivel general*

En el "Informe de la Comisión al Parlamento Europeo y al Consejo sobre la utilización de formas adicionales de expresión y presentación de la información nutricional"[480] se plantean varias cuestiones interesantes que han de tenerse en cuenta en el momento de aplicar este tipo de etiquetas. Como se menciona en dicho informe *"(p)ara que resulte eficaz, una etiqueta en la parte frontal debe atraer la atención de los consumidores, que posteriormente* deben aceptarla y entenderla, *antes de que pueda influir en sus elecciones alimenta-*

---

[480]   Vid. Comisión Europea, Informe de la Comisión al Parlamento Europeo y al Consejo sobre la utilización de formas adicionales de expresión y presentación de la información nutricional, Bruselas, 20 de mayo de 2020, COM (2020) 207 final, p.5 (https://eur-lex.europa.eu/legal-content/ES/TXT/?uri=COM:2020:207:FIN, última visita 16 de septiembre de 2021).

rias (Grunert y Wills, 2007) y más adelante en su alimentación y su salud" (subrayado propio).[481] Este informe menciona que "*los consumidores prefieren etiquetas con el mínimo contenido numérico y que empleen gráficos y símbolos (Campos et al., 2011), especialmente los consumidores con un nivel socioeconómico más bajo (Méjean et al., 2013)*". No obstante, las FOPL directas (esto es la que aparecen sin ninguna información nutricional más detallada) pueden causar reacciones negativas por parte de ciertos consumidores, por lo que la doctrina científica recomienda sistemas que combinen elementos directos con indirectos (información más detallada).[482]

Además, es muy interesante el análisis que aparece en dicho Informe sobre los efectos de las etiquetas FOPL sobre los patrones de compra. Por un lado, se menciona por un lado "*la coexistencia de diferentes formatos de etiquetado en la parte frontal de los envases en los establecimientos de compra podría generar una mayor confusión para los consumidores (Harbaugh et al., 2011; Draper et al., 2013; y Malam et al., 2009)*" y además que "*podría generarse confusión debido a que los sistemas voluntarios no exigen que se utilicen etiquetas en la parte frontal de todos los envases, lo que podría hacer que los consumidores perciban los productos con etiquetas en la parte frontal como igual de saludables, o incluso menos saludables, que los productos sin etiquetas (Talati et al., 2016)*"[483].

Vemos, por tanto, que las etiquetas FOPL, si son demasiado simples, coexisten con otros formatos de etiquetado y, además, son voluntarias, pueden generar confusión en el consumidor. Esta situación deviene problemática, en nuestra opinión, cuando aparecen etiquetas de figuras de calidad diferenciada o marcas de garantía junto con este tipo de etiquetado, indicando la etiqueta FOPL que este tipo de productos se encuentran entre los no saludables (o menos saludables) nutricionalmente. El consumidor medio puede no comprender el significado y las implicaciones de las diferentes etiquetas (especialmente en el caso de las figuras de calidad) y alterar sus patrones de compra respecto a estos productos.

Por otro lado, hemos de tener en cuenta que estas etiquetas no sólo tienen efectos en los consumidores sino también en la industria, ya que las empresas tenderán, dentro de lo posible, a reformular sus productos para conseguir una mejor "nota", especialmente en el caso de las FOPL simples vinculadas a un algoritmo (como sucede con Nutri-Score™)[484]. En este sentido, en nuestra opinión, podríamos encontrarnos con un uso malicioso del algoritmo, por el que se obtuviera una mejor clasificación alterando partes no sustanciales de la for-

---

[481] Vid. Comisión Europea, Informe (cit), p.14.
[482] Vid. Comisión Europea, Informe (cit), p.14.
[483] Vid. Comisión Europea, Informe (cit), p.16.
[484] Vid. COMISIÓN EUROPEA, *Informe* (cit), p.18-19.

mulación del producto o con la sustitución de determinados componentes por otros con mejor notación, pero con menos cualidades nutricionales o, incluso, menos saludables en sentido global. Esta situación afecta, además, a aquellos productores de productos de calidad diferenciada cuya reformulación no es posible y pueden verse perjudicados frente a este tipo de prácticas.

Junto con lo anterior, es preciso apuntar que ha sido señalado que la diversidad existente en el etiquetado FOPL (en parte derivada de su carácter voluntario), puede crear distorsiones en el mercado interior, ya que puede causar confusión en los consumidores sobre la calidad nutricional de los alimentos importados o que no presenten la etiqueta a la que están acostumbrados en el país en cuestión[485].

Hemos dejado para el final la crítica que, a nuestro parecer, es la más importante y que fue manifestada, entre otros, por el Consejo General de Colegios Oficiales de Dietistas Nutricionistas y la Asociación Española de Nutrición y Dietética, en su Posicionamiento ante el Proyecto de Real Decreto sobre el uso voluntario del logotipo nutricional Nutri-Score™, en los productos alimenticios[486]: no existe una regulación a nivel europeo de los perfiles nutricionales. Como señalan estos colectivos: "*Es importante destacar que los perfiles nutricionales podrán afectar de forma directa a los sistemas de etiquetado frontal que implícitamente se basen en declaraciones nutricionales (…) el lanzamiento de los perfiles nutricionales se espera para final del 2022, lo que puede crear una encrucijada confusa para la industria alimentaria a la hora de establecer sus estrategias de reformulación y etiquetado frontal. Es decir, los límites para nutrientes, o puntos de corte del modelo de perfil nutricional, deberían ser los mismos (…).*" Estamos plenamente de acuerdo con esta crítica, ya que se están implementando sistemas que suponen un coste importante para la industria, que tienen (o pueden tener) efectos significativos en el mercado y que pueden afectar potencialmente de manera negativa a ciertos sectores productivos, cuando todavía no se ha logrado una regulación a nivel europeo de los perfiles nutricionales la base sobre la que se fundamentan sistemas FOPL como Nutri-Score™.

5.2. Problemas y críticas surgidas en el momento de la implementación del sistema NUTRI-SCORE™

La implementación del sistema Nutri-Score™ no ha estado exenta de polémica en los diferentes países en los que se ha introducido esta FOPL.

---

[485]   Vid. COMISIÓN EUROPEA, *Informe* (cit), p.19-20.
[486]   Vid. https://www.consejodietistasnutricionistas.com/comunicado-posicionamiento-de-los-dietistas-nutricionistas-ante-el-proyecto-de-real-decreto-sobre-la-utilizacion-voluntaria-del-logotipo-nutricional-nutri-score-en-los-productos-alimenticios/

En el caso de Francia, han sido y son frecuentes las críticas y las cuestiones parlamentarias relativas a la adecuación del sistema Nutri-Score a los productos protegidos por una figura de calidad diferenciada[487].

Por otro lado, se ha visto la influencia de este sistema en las prácticas llevadas a cabo en el sector de la gran distribución alimentaria. Expresamente se comprobado la influencia de Nutri-Score™ en las prácticas colusorias llevabas a cabo por los grandes distribuidores. Concretamente, en la resolución de la Autoridad de la Competencia francesa de 22 de octubre de 2020, se mencionaba que *"los productos de marca de distribuidor deberían, al igual que los productos MDF, sufrir cambios de formulación en los próximos años para adaptarse a la demanda, por ejemplo, debido al impacto del desarrollo de aplicaciones apreciadas por los consumidores, como Yuka, o el Nutri-Score. Por lo tanto, en la perspectiva de una reformulación de una parte de la gama de productos de marca blanca, el hecho de que los distribuidores intercambien sobre las características de los productos que desean comprar en común y, en última instancia, lancen ofertas conjuntas para su suministro, es probable que reduzca la competencia que podría haber existido entre ellos."*[488]

---

[487]   Así, por ejemplo, en la cuestión escrita n° 22708 de M. Hervé Maurey publicada en el Diario Oficial del Senado de 6 de mayo de 2021, se planteaba al Ministro de Agricultura, la preocupación de los productores de quesos protegidos por DOP, ya que, según se manifestaba Nutri-Score no toma en cuenta las características de estos quesos (ni de las materias primas utilizadas ni de los métodos de fabricación) causando confusión en los consumidores. Por otro lado, los productores de quesos señalaban que la calidad nutricional de estos productos no podría ser mejorada teniendo en cuenta que son fabricados con los productos simples y esenciales y que sus composiciones y/o métodos de obtención estaban recogidos en los pliegos de condiciones que han sido determinados por textos reglamentarios y/o europeos. Se solicitaba, por consiguiente, una exención del uso de "Nutri-Score" sobre estos productos en caso de que esta FOPL fuera impuesta. A esta cuestión, en su respuesta de 15 de julio de 2021, el Ministro después de recordar que "Nutri-Score y los signos de origen y calidad (SIQO) cumplen objetivos diferentes e indicar que los quesos ya han sido objeto de una adaptación en el cálculo de la puntuación Nutri-Score, para tener en cuenta su alto contenido en calcio señala que la razón por la que la mayoría de los quesos se clasifican como D y, a veces, E es que contienen cantidades importantes de grasa saturada y sal y, además, tienen muchas calorías. No obstante, se indica desde el Ministerio que informar a los consumidores sobre la realidad de la calidad nutricional de estos alimentos no excluye su consumo. (…) Por último, señala, que en el marco de la colaboración entre los países del COEN se está evaluando la evolución de cálculo del sistema Nutri-Score y que Francia, consciente de que el sistema debe tener en cuenta las especificidades vinculadas a productos como los quesos, hará propuestas en el marco europeo para que el algoritmo de la Nutri-Score y los criterios utilizados tengan en cuenta estas especificidades. Vid. https://www.senat.fr/questions/base/2021/qSEQ210522708.html.

[488]   AUTORIDAD DE LA COMPETENCIA FRANCESA (Autorité de la Concurrence), *Decisión n° 20-D-13 de 22 de octubre 2020, relativa a las prácticas llevadas a cabo en el sector de la gran distribución con dominante alimentario por los grupos Auchan, Casino, Metro y Schiever,* p.30.

Un caso interesante de una problemática implementación del Nutri-Score™, es el de Alemania, donde el 16 de abril de 2019, el Tribunal Regional de Hamburgo (*Landgericht Hamburg*) emitió un requerimiento preliminar en el caso 411 HKO 9/19 contra la marca de alimentos congelados Iglo GmbH, ordenando a Iglo que se abstuviera de colocar la etiqueta nutricional Nutri-Score™ en sus productos. Lo interesante en este caso es la justificación de tal requerimiento: el Tribunal consideró que la etiqueta Nutri-Score™ violaba la normativa de la UE sobre etiquetado de alimentos y, por tanto, era ilegal en las transacciones comerciales. Concretamente, según este Tribunal este etiquetado suponía una declaración vinculada al perfil nutricional, en el sentido del Reglamento (CE) n° 1924/2006 relativo a las declaraciones nutricionales y de propiedades saludables en los alimentos. Recordemos que, según se establece en este texto, los perfiles nutricionales tienen por objeto, en general, determinar si los alimentos, en función de su composición nutricional, pueden llevar declaraciones. Según el Tribunal, Nutri-Score™ era, en la medida en que los grados de color resaltaban las propiedades positivas del alimento, una declaración nutricional en el sentido del Reglamento (CE) n° 1924/2006 y no cumplía con los requisitos que para tales declaraciones establece este Reglamento.

Es por esta razón por la que se modificó la ley alemana, creando un nuevo artículo 4a, en el que establecía expresamente que los operadores alimentarios pueden comercializar en el mercado alemán productos alimenticios que lleven la etiqueta Nutri-Score™. Esta norma además fue notificada ante la Comisión Europea antes de su entrada en vigor[489], para evitar conflictos como el que acabamos de comentar.

Por su parte, a raíz de la notificación por parte de Bélgica a la Comisión Europea de su Real decreto relativo a la utilización del logo "Nutri-Score"[490], tanto UNESDA (*Union of European Soft Drinks Associations*) como CEFS (*European Association of Sugar Manufacturers*) presentaron aportaciones frente a la Comisión Europea como partes interesadas. UNESDA, en su aportación de 19 de diciembre de 2018, señala dos aspectos interesantes. En primer lugar, que, pese a que el sistema Nutri-Score™ aparece como voluntario, *de facto* se transformará en obligatorio en la práctica. UNESDA señala que, si tenemos en cuenta, por un lado, el apoyo del gobierno belga y, por otro, la obligación de los operadores que se han comprometido a utilizar el logo Nutri-Score™ a aplicarlo a todos los alimentos que comercializan bajo sus propias marcas, en la práctica los minoristas podrían decidir rechazar los productos de marca que no lleven el sistema, por ejemplo, introduciendo condiciones específicas en el marco contractual y retirando los productos del fabricante de su gama. Por otro lado, esta situación podrá acarrear discriminaciones tanto de productos

---

489   Ver nota a pie 33.
490   Ver nota a pie 33.

belgas no etiquetados como de productos de operadores extranjeros, que se verían obligados a reetiquetar los productos exclusivamente para el mercado belga, lo que supondrá una carga adicional para muchas PYME y un obstáculo concreto para el comercio para todas las empresas relevantes, independientemente de su tamaño. Al mismo tiempo, los operadores belgas podrían sufrir una discriminación inversa y tener dificultades cuando intenten exportar productos con la etiqueta Nutri-Score™ a otros Estados miembros de la UE, especialmente si estos tienen otros sistemas de primera línea de envasado. A la luz de lo anterior, se indica que el sistema Nutri-Score™ podría considerarse una medida de efecto equivalente a una restricción cuantitativa de las importaciones en Bélgica/de las exportaciones hacia otros Estados miembros de la UE, en contra de lo dispuesto en los artículos 34 y 35 del TFUE, siendo dudosa su justificación de forma suficiente y convincente por el motivo de la protección de la salud pública según el artículo 36 del TFUE.

En el caso de España, aunque todavía no tenemos un texto definitivo sobre Nutri-Score™, han sido frecuentes y recurrentes las preguntas parlamentarias sobre la protección de las DOPs e IGPs frente al impacto de esta etiqueta nutricional, así como a la falta de consideración por este sistema de la denominada "dieta mediterránea"[491].

5.3. Potencial consideración del sistema como una restricción inadmisible de la competencia en el ordenamiento español

No es novedoso afirmar que los poderes públicos pueden establecer, en determinadas ocasiones, restricciones públicas de la competencia. Estas restricciones se suelen dividir entre cabe restricciones públicas directas e indirectas. Las primeras se producen como resultado inmediato de la norma o actuación pública, en cambio, las segundas exigirán un comportamiento de los destinatarios de la norma. Estas restricciones serán inadmisibles cuando, sin estar justificadas, introduzcan o promuevan los poderes públicos perjudican el bienestar del consumidor, de manera similar a las prácticas anticompetitivas de las empresas[492]. Ciertamente, son perfectamente admisibles las leyes que incorporan restricciones en las que el legislador respete la libertad de empresa y la libre competencia estableciendo condiciones que la restrinjan de manera adecuada, necesaria y proporcional para satisfacer o promover otros bienes o valores constitucionalmente legítimos[493]. No obstante, cualquier restricción a la com-

[491]   Estas críticas también han sido señaladas por la Cámara de Comercio de España en su Informe con motivo a la consulta pública previa al Proyecto de Real Decreto relativo a la utilización del logotipo "Nutri-Score" de Julio de 2020.

[492]   MARCOS, F., "Derecho español de la competencia e intervenciones públicas restrictivas de la competencia", *Tratado de Derecho de la Competencia*, Wolters Kluwer, 2017, p.366.

[493]   MARCOS, F., "Derecho español ...", cit. p. 374.

petencia o a la libertad de circulación (y comercialización en este caso) debe venir justificada por la existencia de una razón imperiosa de interés general.

Cabría preguntarse, por tanto, si el sistema Nutri-Score™, tal y como está siendo planteado en la actualidad podría ser considerado como una restricción de la competencia, para posteriormente determinar si la misma se encuentra justificada.

Se ha de apuntar, en primer lugar, que las exigencias nacionales de etiquetado han sido consideradas tradicionalmente como obstáculos normativos para el mercado único[494]. Recordemos, además, que las FOPL, como formas adicionales de expresión y presentación de información nutricional han de cumplir una serie de requisitos entre los que, además de la necesidad del aval científico y de la necesaria consulta a los grupos interesados, quedan comprendidas la facilitación al consumidor de la compresión de las características nutricionales de un alimento (aporte energético y nutrientes), la necesidad de que sean objetivas y no discriminatorias, y que su aplicación no suponga obstáculos a la libre circulación de mercancías.

Teniendo en cuenta estas características y enfrentándolas a lo que hemos estado analizando en este trabajo sobre Nutri-Score™, no parece descabellado considerar que desde el punto de vista de la competencia y de la regulación económica, este etiquetado (al menos en la configuración que presenta en el momento de escribir este texto) podría suponer una restricción adicional a la circulación de mercancías y, por tanto, suponer una alteración a la competencia.

En primer lugar, se trata de un sistema de etiquetado que no tiene, por el momento, carácter obligatorio y que se ha implementado o se tiene la intención de implementar en siete países (seis de ellos europeos). Se trata de un sistema de etiquetado de carácter sintético e interpretativo, cuya notación depende de una serie de elementos (valor enérgico, materias grasas, ácidos grasos saturados, azúcares, proteínas, sal, fibra, frutas y verduras, legumbres, frutos secos de los alimentos, aceite de colza, de nuez o de oliva, la fibra y las proteínas) y es calculada en función de un algoritmo. No obstante, ni los elementos que contempla este algoritmo ni el propio cálculo de la calificación nutricional final son estáticos. Dicho de otra manera, tanto los elementos que se tienen en cuenta para el cálculo como propia la fórmula de cálculo pueden ser modificados (de hecho, cómo hemos visto, lo ha sido ya[495]).

---

[494]   COMISIÓN DE LA COMUNIDADES EUROPEAS, *Libro Verde sobre las restricciones verticales en la política de la competencia comunitaria*. COM (96) 721 final. Bruselas, 22 de enero de 1997, p.80. https://eur-lex.europa.eu/legal-content/ES/TXT/PDF/?uri=CELEX:51 996DC0721&from=FR

[495]   Recordemos que la fórmula general de Nutri-Score™ no se aplica a los quesos, a las materias grasas y a las bebidas y que en 2019 se alteraron ciertos elementos a tener en cuenta en

Por otro lado, es cuestionable, y así ha sido planteado, el potencial efecto disuasorio en la compra de determinados alimentos por su baja calificación en Nutri-Score™, siendo, sin embargo, productos protegidos por una figura de calidad diferenciada. Para este tipo de productores, como se ha manifestado en múltiples ocasiones por los mismos y se ha recogido en este trabajo, no es posible a priori realizar una reformulación de sus productos, cosa que si es posible en otro tipo de productos. Por consiguiente, podría generarse una situación de desigualdad evidente en estos casos y con el consiguiente impacto en la comercialización de estos productos. Además, aunque ha sido argumentado que *"informar a los consumidores sobre la realidad de la calidad nutricional de estos alimentos no excluye consumirlos (…)"*[496], en nuestra opinión, la combinación de etiquetas de DOP o IGP junto con una calificación negativa de Nutri-Score™ genera un impacto negativo en el consumidor que puede asociar este tipo de productos (que no olvidemos que son productos de una calidad diferenciada, con unos procesos de control exhaustivos y con otras cualidades nutricionales no expresamente contempladas por Nutri-Score™) con alimentos ultra-procesados que posean la misma calificación.

Asimismo, y volviendo, a la cuestión de la reformulación de los alimentos, se ha planteado también como crítica la relativa facilidad con la cual se puede reformular ciertos elementos de los alimentos para conseguir una mejor calificación Nutri-Score™, sin pretender, necesariamente, que el alimento sea más saludable[497].

Por último, al no ser un sistema obligatorio y uniforme en la Unión Europea, sino que está siendo implementado por algunos países, que además tiene una fuerte oposición en algunos Estados (habiendo, además, desarrollado algunos de ellos su propio sistema FOPL, i.e. Italia con NutrInform Battery), se genera una situación que puede generar obstáculos a la libre circulación de mercancías, debido a una compartimentalización del mercado en función de las etiquetas nutricionales.

Por consiguiente, podemos determinar que estamos ante una restricción de la competencia. Ahora, bien, como recuerda, la Comisión Nacional de los

---

el cálculo de Nutri-Score (en dentro de la categoría frutas, legumbres, leguminosas y frutos secos se incluyeron las menciones a los aceites de colza, oliva y nuez).

[496]   *"(…) pero en cantidades y/o frecuencias que se ajusten a las recomendaciones nutricionales del Programa Nacional de Nutrición y Salud (dos productos lácteos al día para los adultos, tres productos lácteos para los niños), lo que es totalmente coherente con el sentido de su clasificación en la escala Nutri-score."* Respuesta del Ministro de agricultura francés a la cuestión escrita nº 22708 de M. Hervé Maurey, publicada en el Diario Oficial del Senado el 15 de julio de 2021.

[497]   Lo que, como hemos visto, puede dar lugar también a estrategias llevadas a cabo por parte de los grandes grupos comerciales para lograr un mejor posicionamiento de sus marcas blancas (vid. nota 39).

Mercados y la Competencia en su Informe sobre el etiquetado del origen de la leche, cuando la medida que pretende implantarse no deviene de una imposición del Derecho europeo sino de una mera posibilidad, la restricción ha se ser necesaria para proteger dicho interés general y ser proporcional a dicho objetivo, por lo que ha de existir una relación de causalidad entre el interés general y el objetivo pretendido con la restricción y no deben existir alternativas que consigan la misma finalidad dañando en menor medida a la competencia[498].

En este caso, el objetivo pretendido con este tipo de medidas es ayudar al consumidor a evaluar el valor nutricional de un producto[499] dentro de un marco más ambicioso que es el de proteger la salud de los consumidores y garantizar su derecho a la información[500]. Procede, entonces, valorar esta medida conforme a los principios de buena regulación, esto es, la necesidad y la proporcionalidad. Descartando la necesidad imperiosa de esta medida, ya que no está justificada por el objetivo pretendido[501], respecto a la proporcionalidad de implantar este sistema sería conveniente evaluar la existencia de alternativas menos gravosas, en las que pudieran lograrse los objetivos planteados evitando situaciones discriminatorias y con el nivel mínimo de restricción de la circulación de productos.

En nuestra opinión, si el objetivo es mejorar las decisiones nutricionales por parte del consumidor, en primer lugar, existen otros sistemas que ofrecen una información más amplia (como es el caso de NutrInform) y algoritmos nutricionales mucho más complejos y completos (ya que tienen en cuenta más factores que Nutri-Score™). En segundo, lugar esta etiqueta está siendo implementada con anterioridad a la regulación de los perfiles nutricionales, que puede venir a alterar el propio sistema Nutri-Score™. En tercer lugar, se trata de un sistema que no contempla, por el momento, determinadas especialidades (como es el caso de las DOPs e IGPs) y cuya implementación puede acarrear un perjuicio potencial que puede ser evitado.

Por consiguiente, en nuestra opinión, la implementación en el España de Nutri-Score™ podría considerarse, al menos tal y como se presenta en el mo-

---

[498]   CNMC, *IPN/CNMC/009/18 Acuerdo por el que se emite informe relativo al proyecto de real decreto relativo al etiquetado del origen de la leche como ingrediente en el etiquetado de la leche y los productos lácteos* de 3 de mayo de 2018, pp.9-10.

[499]   Párrafo segundo del Mandato del Comité Científico Internacional para coordinar el desarrollo científico de desarrollo científico de Nutri-Score™ en el contexto de su Expansión europea de enero de 2021.

[500]   Consideración 2 del Acuerdo internacional de los países que participan en el sistema Nutri-Score™ (Acuerdo general y estructura de gobierno) de enero de 2021.

[501]   Recordemos que estamos hablando de ayudar al consumidor a mejorar sus decisiones nutricionales, lo que implicará una modificación de sus hábitos alimentarios, aspecto que en nuestra opinión se puede lograr por otras vías más eficaces (como es, por ejemplo, la educación y sensibilización sobre este tema).

mento de la realización del presente estudio, como una restricción injustificada de la competencia.

6. CONCLUSIONES

En el presente estudio se ha pretendido ofrecer una visión completa de la situación actual respecto a la implementación del FOPL Nutri-Score™ y los principales aspectos que se deben tener en cuenta.

Pese a que el sistema Nutri-Score™ se encuentra ya implementado en varios países, en nuestra opinión, no es deseable que se adopte por el legislador español, al menos tal y como está configurado en la actualidad debido a que podría suponer una restricción no justificada de la competencia.

Es un sistema que ocasiona importantes efectos en el mercado y puede generar distorsiones en ciertos sectores que tengan una menor capacidad de adaptación (esto es, de reformulación de los productos) y que, sin embargo, se trate productos de una calidad diferenciada o garantizada. Por otra parte, estamos un sistema voluntario que puede generar una segmentación del mercado interior no deseable y que, además y como consecuencia de lo anterior, puede llegar a confundir al consumidor en su elección de productos.

Estos aspectos unidos al hecho de que sería conveniente alinear este tipo de etiquetado con la regulación sobre perfiles nutricionales, hace recomendable una actitud prudente respecto a su integración en el ordenamiento español.

Por último, estamos ante un FOPL que está adoptando un camino peculiar, ya que está creando un bloque de Estados Miembros dentro de la Unión Europea (COEN) que pretenden crear una agrupación que sea la titular de los derechos de propiedad intelectual sobre el logo Nutri-Score™ y que determine el reglamento de uso del dicho logo. Será muy interesante observar la evolución tanto a nivel regulatorio como técnico de esta etiqueta y los efectos que tiene esta situación en el mercado interior y a la consecución real del objetivo teóricamente perseguido que no es otro que la mejora en la toma de decisiones nutricionales por parte del consumidor.

La edición genética CRISPR/CAS9 aplicada a las variedades vegetales, revolución en marcha

PROF. DRA. PAOLA RODAS PAREDES

Prof. Agregada (acreditada a Titular de Universidad)
de Derecho Mercantil en Universidad Nebrija

1. INTRODUCCIÓN

Abordar un trabajo de investigación con la sensación de ser parte de un ámbito novedoso, a la vez que ancestral, es poco habitual en otras ciencias. Sin embargo, esta es la percepción que, a mi entender, genera el tema aquí tratado, en todos los estudiosos de la biotecnología – en este caso aplicada a las variedades vegetales – y su regulación legal. Espero, por tanto, poder reflejar, en este brevísimo texto, los retos de política legislativa a los que los avances tecnológicos nos enfrentan pues, como tantas veces ha ocurrido ya a lo largo de la historia de la humanidad, de la respuesta del regulador dependerá el mejor aprovechamiento y control de un elemento primordial para la sociedad, como es la alimentación a través de la producción agrícola.

Con esta finalidad, este estudio abordará en primer término, la situación normativa actual, en el ámbito estatal y comunitario, de la incursión de productos vegetales que hubieran sido obtenidos a través de técnicas de edición genética de última generación. En concreto, nuestro estudio, en este punto se adscribe, exclusivamente a reflejar la situación de aplicación regulatoria de los materiales vegetales que hubieran sido editados con la técnica CRISPR/CAS9.

En segundo lugar, focalizamos nuestro análisis en los elementos, estudios e informes que, en los últimos tiempos, se han venido realizando, sobre todo en el ámbito de la Unión Europea, en cuanto a la situación regulatoria aquí tratada. En particular, haremos un análisis de los principales argumentos que exponen la posibilidad de permitir el uso, en el sistema agrícola de la Unión, de variedades vegetales editadas genéticamente a través de estas nuevas técnicas.

2. REGULACIÓN DE LA BIOTECNOLOGÍA APLICADA A LA OBTENCIÓN DE VARIEDADES VEGETALES

Tal como has sido reflejado ya[502], la creación de nuevas variedades y plantas a través de biotecnología tiene amplios efectos sociales, económicos y jurídicos, siendo innegable que muchos de los alimentos que consumimos han sido mejorados – mediante procesos naturales o artificiales – a través de biotecnología. Así pues, corresponde hacer, en este punto, siquiera una breve referencia a los conceptos técnicos que informan la regulación – o propuesta – aquí preconizada.

2.1. Conceptos técnicos

Partiendo ya de un tipo muy concreto de biotecnología[503], en cuanto a su aplicación a la producción de variedades vegetales de uso comercial en agricultura de consumo directa o indirectamente humano, debemos tener en cuenta que, a efectos regulatorios, es necesario distinguirlos partiendo de la forma en que dichas mejoras biológicas han sido obtenidas.

2.1.1. Alteraciones del contenido genético de un organismo vivo:

De acuerdo con conceptos generalmente aceptados la "modificación genética" no se consigue, necesariamente, a través de la "edición del genoma" de la materia viva en cuestión. En efecto, la "edición genética" artificial, como tal, de cualquier organismo vivo[504] se ha desarrollado a través de técnicas que permiten la recombinación de ADN[505] y por tanto alteran la materia viva a un nivel básico esencial. Desde que estas técnicas han sido desarrolladas, gracias a los avances en la investigación genética, se ha planteado la cuestión de su regulación, control, acceso y comercialización[506]. A pesar de ello, también se

---

[502]   GARCÍA VIDAL, A., "El sistema de protección de las variedades vegetales" en GARCÍA VIDAL, A., *Derecho de las obtenciones vegetales*, Tirant lo Blanch, 2017, p. 46.; RAMÓN FERNÁNDEZ, F., *La variedad vegetal ante el avance biotecnológico y los objetivos de desarrollo sostenible*, Reus Editorail, Madrid, 2020, p. 104.

[503]   Área de la biología que incorpora avances técnicos tal cual los define el Art. 3, i) del Protocolo de Cartagena sobre seguridad de la Biotecnología,

[504]   Los estudiosos en la materia, en el ámbito de la biología, al tratar este tema, engloban – no podría ser de otra manera – todos los organismos que pueden ser sujetos de estas técnicas, animal (incluyendo seres humanos) y vegetal, véase EISSENBERG, J., "In our image: The ethics of CRISPR Genome Editing" *Biomolecular Concepts*, vol. 12, no. 1, 2021, p. 1.

[505]   Una descripción histórica del desarrollo de la técnica puede encontrarse en National Academies of Sciences, Engineering, and Medicine, *Human Genome Editing: Science, Ethics, and Governance*. The National Academies Press, Washington, DC., p. 62.

[506]   Un claro precedente es, sin duda el *Coordinated framework for regulation of biotechnology*, Office of Science and Technology Policy, 1986.

ha expuesto que, en el caso de la materia viva vegetal – e incluso animal, si excluimos seres humanos – ha sido usada por la humanidad desde tiempos inmemoriales[507].

2.1.2. El método CRISPR/CAS9

Desde el punto de vista de la investigación técnica, el método CRISPR/CAS9 utilizado para alterar las células de ADN de un organismo vivo, es ampliamente ventajoso porque permite una alteración con un grado de detalle que otras técnicas de edición genética previas, no habían sido capaces de conseguir[508].

2.2. Conceptos legales relevantes

Como no podía ser de otra manera, esta capacidad disruptora del medio natural, ha sido amplio objeto de regulación[509]. En nuestro ámbito geográfico[510], el desarrollo normativo de las técnicas de organismos modificados genéticamente (OMG)[511] se han concentrado, hasta el momento, en dos conjuntos legislativos: la Directiva 2001/18/CE del Parlamento Europeo y del Consejo, de 12 de marzo de 2013, sobre la liberación intencional en el medio ambiente de organismos modificados genéticamente y por la que se deroga la Directiva 90/220/CEE del Consejo[512], y la Directiva 2009/41/CE del Parlamento Europeo y del Consejo, de 6 de mayo de 2009, relativa a la utilización confinada de microorganismos modificados genéticamente (versión refundida)[513].

Estos textos, a su vez, se han visto afectados por posteriores modificaciones realizadas con el fin de adaptar la regulación al progreso de la técnica, en concreto, la Directiva 2001/18/CE se vio afectada por la entra en vigor de la Directiva 2008/27/CE del Parlamento Europeo y del Consejo, de 11 de marzo, sobre liberación intencional en el medio ambiente de organismos modificados

---

[507]   EISSENBERG, J., "In our image…", cit., p. 4

[508]   Véase las definiciones y aclaraciones terminológicas de los métodos de edición genética tomados en cuenta por el Grupo Europeo de Ética en la Ciencia y en las nuevas Tecnologías (EGEST – siglas en inglés), en EGEST, *Opinion on Ethics of Genome Editing*, European Commission, Bruselas, Op. Nº 32, p. 12.

[509]   También en este sentido, CURTO POLO, M., *La mejora vegetal como actividad competitiva en un mercado globalizado*, Tirant Lo Blanch, Valencia, 2020, p. 60.

[510]   Una breve referencia a los problemas regulatorios en Estados Unidos puede encontrarse en HARO, R.; GREELY, H., "CRISPR Critters and CRISPR Cracks", The American Journal of Bioethics, Vol. 15 (12), 2015, p. 14, y SHERKOW, J., GREELY, H., "The history of patenting genetic material", *The Annual Review of Genetics*, Vol. 49, 2015, p. 164.

[511]   Nuevamente, me siento compelida a establecer que, las referencias regulatorias aquí reflejadas, abarcan, exclusivamente, la esfera que afecta a la edición genética de materia vegetal.

[512]   DOUE L 106, de 17 de abril de 2001.

[513]   DOUE L 125, de 21 de mayo de 2009.

genéticamente por lo que se refiere a las competencias de ejecución atribuidas a la Comisión, y más recientemente por la Directiva (UE) 2018/350 de la Comisión de 8 de marzo de 2018 en lo que respecta a la evaluación del riesgo para el medio ambiente de los OMGs.

Por su parte, tanto la anteriormente citada como la Directiva 2009/41/CE, fueron modificadas por la adopción del Reglamento CE 1830/2003[514], del Parlamento Europeo y del Consejo, relativo a la trazabilidad y al etiquetado de organismos modificados genéticamente y a la trazabilidad de los alimentos y piensos producidos a partir de estos, y de la Directiva (UE) 2015/412[515], en lo que respecta a la posibilidad de que los Estados miembros restrinjan o prohíban el cultivo de organismos modificados genéticamente en su territorio.

A pesar de que estas modificaciones legales demuestran, a nuestro entender, el esfuerzo e interés del legislador comunitario, en mantener una normativa clara y adaptada al desarrollo de los procedimientos de edición genética, como veremos, el mantenimiento de ciertas opciones legislativas como elementos centrales de la regulación, ocasiona importantes obstáculos al desarrollo, crecimiento – e incluso supervivencia – de la industria agroalimentaria, tal cual ha quedado plasmado en el resultado de la interpretación judicial (Asunto C 598/16).

2.2.1 Directiva 2001/18/CE

Conocida en el medio como la Directiva OMG, en conjunto con la normativa comunitaria ya citada, establece un procedimiento de autorización para la utilización confinada de mocroorganismos modificados genéticamente. Estos "organismos modificados genéticamente" son organismos, con excepción de los seres humanos, cuyo material genético ha sido **modificado** de una manera que no se produce naturalmente en el apareamiento ni en la recombinación natural. A mayor abundancia, el Artículo 2.2 de la Directiva señala que «el organismo, con excepción de los seres humanos, cuyo material genético haya sido modificado de una manera que no se produce naturalmente en el apareamiento ni en la recombinación natural». Enlazando con lo expuesto, dicha disposición también establece que: «Según esta definición: a) se produce una modificación genética siempre que se utilicen, al menos, las técnicas que se enumeran en la parte 1 del anexo I A; b) se considera que las técnicas enumeradas en la parte 2 del Anexo IA no dan lugar a una modificación genética»

---

[514] DOUE L 268, de 18 de octubre de 2003.
[515] DOUE L 68, de 13 de marzo de 2015.

En este punto, es necesario hacer referencia al texto del Protocolo de Cartagena sobre Seguridad de la Biotecnología[516], en el cual, la definición de organismos vivos modificados (OVM) señala como "técnicas de modificación genética" a las:

- Técnicas de recombinación del ácido nucleico
- Técnicas que suponen la incorporación directa en un org. de material hereditario preparado fuera del mismo
- Técnicas de fusión de células
- Cualquier técnica o método de modificación genética que conduzcan a la formación de organismo si no implica la utilización de moléculas de ARN ni de OMGs distintos de los obtenidos con una o varias de las técnicas o métodos relacionados a continuación
- Mutagénesis
- Fusión (incluida la fusión de protoplasto) de células vegetales de organismos que puedan intercambiar material genético mediante métodos tradicionales de multiplicación

Tal como ha quedado reflejado, este cuerpo normativo de ámbito internacional pretende abarcar bajo su ámbito regulatorio, el mayor número de técnicas de edición genética, aunque el énfasis normativo se ha centrado en la regulación de los movimientos transfronterizos de estos organismos vivos modificados.

Este enfoque ha ejercido enorme influencia en la regulación comunitaria, pues ha sido en estos puntos en los que se ha centrado el control del regulador. Así, la Directiva (UE) 2018/350 de la Comisión, de 8 de marzo, de 2018, ha venido a regular la evaluación del riesgo para el medio ambiente de los organismos modificados genéticamente.

En este sentido, el enfoque regulatorio tiene como elemento central el control de la inserción del material biológico fuera de sistemas confinados.

2.2.2. Regulación de los OMG en relación con la materia vegetal

En el ámbito comunitario, la normativa que regula la comercialización de las innovaciones vegetales ha estado primordialmente encaminada a buscar la protección de la salud y del medio ambiente. Por este motivo se ha centrado en la regulación del procedimiento de liberación de los OMG, en concreto, la

---

[516] Protocolo de Cartagena sobre la seguridad de la biotecnología, adoptado Enel 29 de enero de 2000, en el marco del Convenio sobre la diversidad biológica, hecho en Río de Janeiro el 5 de junio de 1992.

regulación intenta evitar el cultivo, almacenaje, utilización, transporte y destrucción de estos organismos, con el fin de limitar y confinar cualquier tipo de contacto con la población y el medio ambiente, además de procurar el mantenimiento de un nivel aceptable de seguridad.

En relación con la comercialización de los OMGs, la regulación otorga un amplio poder de decisión a los Estados miembros, pues establece que éstos, en su conjunto y por unanimidad, son quienes deben autorizar la comercialización de cualquier organismo[517] – además de el de la Comisión – esta medida ha tenido como consecuencia que, en muchos EM, no se haya permitido esta comercialización

2.2.3. La STJUE C 528/16

El objeto de la decisión tenía por objeto la confirmación de la validez y la interpretación y de los artículos 2 y 3 y de los anexos IA y IB de la Directiva 2001/18/CE así como y la interpretación del artículo 4 de la Directiva 2002/53/CE del Consejo, de 13 de junio, referente al catálogo común de las variedades de las especies de plantas agrícolas su versión modificada por el Reglamento (CE) núm. 1829/2003 del Parlamento Europeo y del Consejo, de 22 de septiembre, la cual se refería «... a la negativa a derogar una disposición nacional según la cual, en principio, no se consideraba que los organismos obtenidos mediante mutagénesis dieran lugar a una modificación genética y a prohibir el cultivo y la comercialización de las variedades de colza tolerantes a los herbicidas, obtenidas mediante mutagénesis»

Solo están excluidos del ámbito de aplicación de la Directiva, los organismos obtenidos mediante técnicas o métodos de mutagénesis *que hayan venido siendo utilizados convencionalmente en varios usos y para los que se dispone de una amplia experiencia de utilización segura*[518]

De acuerdo con esta interpretación, las plantas y cualesquiera otros organismos cuyo genoma es modificado con la técnica de edición genética CRISPR-Cas u otras similares, serán reguladas a la luz de la Directiva 2001/18/CE del Parlamento Europeo y del Consejo, de 12 de marzo, sobre la liberación inten-

---

[517]   A falta de unanimidad, la Directiva prevé un sistema de conciliación que pone la decisión final en manos de la Comisión.

[518]   «el artículo 2.2 de la Directiva sobre OMGs debe interpretarse en el sentido de que los organismos obtenidos mediante técnicas o métodos de mutagénesis constituyen OMGs» y que «el artículo 3, apartado 1, de la Directiva sobre OMG, en relación con el anexo IB, punto 1 de la misma y a la luz su Considerando 17, debe interpretarse en el sentido de que únicamente están excluidos del ámbito de aplicación de dicha Directiva, los organismos obtenidos mediante técnicas o métodos de mutagénesis que han venido siendo utilizados convencionalmente en varios usos y para los que se dispone de una amplia experiencia de utilización segura»

cional en el medio ambiente de los organismos modificados genéticamente, estando sujetos a las obligaciones inherentes en la misma y sometiéndose a medidas especiales de trazabilidad y etiquetado.

De este resultado tenemos que, la regulación actual, no sólo limita el acceso a comercialización del producto en sí – la materia vegetal mejorada genéticamente – sino que tiene el efecto de limitar el tipo de *proceso* por el que se consigue esa mejora genética.

Sin embargo, un análisis de la normativa en su conjunto, permite señalar que es posible entrever como finalidad última del legislador, la división en la categoría de la mutagénesis en función de las técnicas utilizadas y el nivel de seguridad que ofrecen[519]. De hecho, ya en su artículo 27 es prevista su propia adaptación al exigirse un necesario ajuste normativo en relación con todos los avances técnicos que se vayan produciendo de diversos de sus anexos (pero no, de los anexos IA o IB).

En efecto, el art. artículo 27 de forma textual indica: «Las secciones C y D del anexo II, los anexos III a VI y la sección C del anexo VII, se adaptarán a los avances técnicos con arreglo al procedimiento establecido en el apartado 2 del artículo 30», con lo cual, podemos concluir que existe, sin duda, una urgente necesidad de ajuste normativo en la materia[520]

3. PERSPECTIVAS FUTURAS DE REGULACIÓN

3.1. Edición genética de variedades vegetales

3.1.1. La Opinión del Grupo Europeo de Ética en la Ciencia y las Nuevas Tecnologías

De acuerdo con este organismo, para determinar el futuro de la regulación comunitaria en la materia, debe tenerse en cuenta la seguridad de los productos agrícolas modificados genéticamente; en este ámbito el EGEST destaca la amplitud de productos de consumo humano que han sido ya comercializados – por tanto, consumidos – por el ser humano y que tienen un probado registro de seguridad[521].

---

[519]   Véase las Conclusiones del Abogado General Sr. Bobek, presentadas el 18 de enero de 2018, caso C-528/16.

[520]   También en este sentido, IÑIGUEZ ORTEGA, P., "La especial problemática de la edición genómica en plantas" *ADI 39*, 2018-2019, p. 361

[521]   EGEST, *Opinion on Ethics of Genome Editing*, cit., p. 60.

Ha continuación el texto analiza la capacidad de trazabilidad del material biológico al alcance de los EM y señala que, la falta de medios para efectuarla de manera correcta, no puede ser una excusa para limitar el desarrollo y comercialización e la misma, particularmente si todos los otros criterios para llegar a comercializar el organismo, han sido alcanzados.

Con relación a la protección de la biodiversidad, el grupo expone las posturas encontradas que actualmente circulan en el medio, poniendo en evidencia, que estas posturas antagónicas, parten de la misma base argumental, y que, deducimos, por tanto, es necesario una visión de conjunto que no limite las posibilidades de mejora, pero que tenga en cuenta las consideraciones necesarias para mantener el medio ecológico[522].

El Grupo también destaca la necesidad de permitir la industrialización del sector agrícola y el aprovechamiento de tecnologías seguras[523] que permiten no solamente un control específico de las modificaciones a la variedad vegetal[524]. En este sentido, es innegable que el mayor grado de precisión en la técnica empleada demuestra que es necesario reconfigurar el modelo de control diseñado por la Directiva OMG.

Por último, aunque no menos importante, el EGEST señala la relevancia que se ha de dar a la realización, por parte de las autoridades, y empresas del sector, a un correcto e informado debate público, que permita dar a conocer la realidad práctica y consecuencias del uso de estos organismos.

3.1.2. Perspectivas de modificación regulatoria a nivel europeo

Tal como ha quedado patente, por la exposición aquí detallada, el EGEST no es el único grupo que ha manifestado la necesidad de una actualización normativa de fondo. De hecho, el mismo Parlamento Europeo y la Dirección de Salud de la Comisión Europea, han manifestado ya – y puesto en conocimiento del público – la puesta en marcha de estudios y análisis con el fin de abordar la reforma legislativa de esta regulación.

---

[522]   Cit., p. 65.
[523]   Uno de los argumentos de las asociaciones de obtentores, véase *Regulating genoma edited organisms as GMOs has negative consequences for agricultura, society and economy* MPG, disponible en wwww.mpg.de/13748566/position-paper-crispr.pdf. También en el mismo sentido, CURTO POLO, M., *La mejora vegetal como actividad competitiva…*, etc., cit., p. 66.
[524]   Uno de los argumentos científicos a favor de esta técnica es que permite un altísimo grado de precisión en la edición genética, mucho mayor que las técnicas empleadas de manera tradicional, las cuales, a pesar de considerarse seguras, dan lugar a variaciones indeseables, cuestión que no ocurre cuando se emplea la técnica CRISPR/CAS9.

En este sentido, se ha hecho referencia al *European Green deal*525 como uno de los delimitadores que el legislados europeo debe tener en cuenta a la hora de marcar los nuevos límites y contenido de la regulación de los OMGs.

A nuestro entender, la nueva normativa *además* de cumplir con esos objetivos regionales tiene la obligación de hacer expresa referencia al cumplimiento de los Objetivos de Desarrollo Sostenible[526] y por tanto, buscar el equilibrio adecuado entre, la necesidad de controlar y garantizar un alto nivel de trazabilidad de materia vegetal modificada genéticamente, y por otro el acceso de productores, distribuidores y ciudadanía, a recursos de calidad que, en su obtención utilicen recursos naturales y artificiales respetando los limitados recursos existentes, pero sin desincentivar el progreso técnico y su recompensa económica a quienes lo procuran a través de los derechos de propiedad industrial pertinentes[527].

3.2. Material biológico patentable

3.2.1 Ámbito estatal

Como sabemos, el registro de las variedades vegetales, en nuestro medio, es objeto de exclusión de patentabilidad[528], por encontrarse protegidas ya por un derecho de exclusiva, expresamente configurado para la materia vegetal.

En este sentido la Ley 3/2000, de 7 de enero, de régimen jurídico de la protección de las obtenciones vegetales, vino a establecer la normativa interna del sistema de protección de los obtentores que se encontraba recogido en el Convenio Internacional para la protección de las obtenciones vegetales de 2 de diciembre de 1961, aprobado en el seno de la Unión Internacional para la Protección de las Obtenciones Vegetales (UPOV), suscrito y ratificado por el Reino de España, y en la Ley 12/1975, de 12 de marzo, de protección de obtenciones vegetales inspirada en gran medida en aquél[529].

---

[525]   Communication from the Commission to the European Parliament, the European Council, the Council, the European Economica and Social Committee and the Committee of the Regions, *The European Green Deal*, COM (2019) 640 final.

[526]   Véase la Resolución aprobada por la Asamblea General de Naciones Unidas el 25 de septiembre de 2015, "Transformar nuestro mundo: la Agenda 2030 para el Desarrollo Sostenible", A/Res/70/1, disponible en https://www.un.org/ga/search/view_doc.asp?symbol=A/RES/70/1&Lang=S

[527]   Contraria a esta postura se ha mostrado, RAMÓN FERNÁNDEZ, F., *La variedad vegetal ante el avance biotecnológico…cit.*, p.148.

[528]   Art. 5.3 de la Ley 24/2015, de 24 de julio, de patentes

[529]   En su día, la Ley 3/2000 también tuvo en cuenta tanto las obligaciones de España ante la UPOV, como el marco regulatorio comunitario surgido del Reglamento (CE) 2100/94, del Consejo, de 27 de julio, relativo a la protección comunitaria de las obtenciones vegetales.

Nuestro sistema de protección define con mayor precisión las facultades de los obtentores relativas a la explotación de sus variedades protegidas, determinando con claridad las actuaciones de terceros relacionadas con su variedad que requieren su autorización y reforzando las acciones para perseguir a aquellos que prescindan de ella. También se define con claridad la denominada "excepción del agricultor", que se refiere a aquellos supuestos en los que los agricultores podrán utilizar el material vegetal producido en sus propias fincas para su uso en las mismas, sin necesidad de autorización del obtentor de la variedad utilizada o de realizar contribución económica al mismo[530]. Se prevé la posibilidad de poder comercializar en España las variedades vegetales antes de solicitar la protección, circunstancia que permite a los obtentores conocer, por un lado, los resultados prácticos y el valor productivo de dicha variedad antes de acometer unos gastos que, en el caso de variedades de resultados mediocres, no resultarían compensados, y por otro, la respuesta de los agricultores ante la oferta de las nuevas variedades antes de someterse al sistema de protección[531].

Por último, nuestro sistema debe tener en cuenta la regulación contenida en la Ley 15/1994, de 3 de junio, por la que se establece el régimen jurídico de la utilización confinada, liberación voluntaria y comercialización de organismos modificados a fin de prevenir los riesgos para la salud humana y para el medio ambiente, en lo que se refiere a la realización del examen técnico.

3.2.2. Ámbito comunitario

De acuerdo con los estudios aquí citados, la regulación comunitaria en la materia, en relación con la regulación de liberación de estos organismos genéticamente modificados, debería plantearse una exención cuando la técnica utilizada para realizar la variación/edición genética, obtenga un estándar de seguridad adecuado. En este punto, a nuestro entender, debería poder realizarse una calificación *ex ante* y que no tenga que depender de una administración – comunitaria o estatal – pues ello significaría una innecesaria ralentización del proceso de comercialización de la variedad.

---

[530]   Al respecto se han clarificado lagunas excepciones al derecho del obtentor que antes estaban poco definidas. La más importante quizás es la del posible uso de las variedades protegidas como material para la creación de nuevas variedades, evitando así cualquier tipo de limitación a la investigación en este campo. El concepto de variedad esencialmente derivada juega sin duda un papel importante en lo que se refiere a la delimitación del derecho de los obtentores y resolverá situaciones que en el pasado presentaron problemas de atribución de la propiedad de variedades.

[531]   Otros mecanismos ajenos a la discusión aquí tratada, pero que deben ser mencionados al esbozar el contenido regulatorio de ámbito estatal de las obtenciones vegetales en España, son los de la inclusión de un mecanismo de concesión de licencias obligatorias por dependencia, incluido en la Directiva 98/44/CE, del Parlamento Europeo y del Consejo, relativa a la protección jurídica de las invenciones biotecnológicas.

En cuando a la trazabilidad del producto derivado, creemos que, existen ya, métodos de marcado y etiquetado que hacen perfectamente alcanzable – no es necesario pensar en la inserción de un biomarcador en todas las especies – la identificación del producto, para que, en todo momento, sea el consumidor final el que pueda decidir si quiere o no incluir estos productos en su consumo diario y habitual.

4. CONCLUSIONES

El desarrollo tecnológico debe poder ser aprovechado respetando el principio de precaución, pero sin mayores restricciones que las barreras que la técnica alcance. La regulación del acceso del sector agroalimentario a estos nuevos recursos, debe pautar dicho acceso tomando en cuenta la imposibilidad práctica de impedir su uso, siendo por tanto más relevante aún una reglamentación unitaria y que favorezca el uso responsable de las herramientas técnicas y su resultado.

El régimen jurídico de las variedades esencialmente derivadas

ISABEL PÉREZ-CABRERO FERRÁNDEZ
Abogado

1. DEFINICIÓN DE "VARIEDAD ESENCIALMENTE DERIVADA" SEGÚN DERECHO EUROPEO Y NACIONAL

Desde 1980 asociaciones como ASSINSEL (Asociación Internacional de Fitomejoradores)[532] o CIOPORA (Comunidad Internacional de Fitomejoradores de Plantas ornamentales y frutales de reproducción asexuada)[533] venían solicitando extender la protección de las obtenciones vegetales y en concreto los actos para los que se requiere consentimiento del titular de la variedad. No fue hasta la revisión del Convenio UPOV a través del Acta de 19 de marzo de 1991 cuando se introdujo por primera vez la definición de "variedad esencialmente derivada" con la finalidad de evitar la apropiación indebida de variedades mediante modificaciones leves.

Esta revisión supuso una alteración sustancial del Convenio UPOV respecto al texto original y en lo que interesa a los efectos del presente capítulo, destaca el avance que supuso la tipificación de la figura de las variedades esencialmente derivadas en el artículo 14.5.b) del Convenio UPOV al establecer lo siguiente:

> *"b) A los fines de lo dispuesto en el apartado a)i), se considerará que una variedad es esencialmente derivada de otra variedad ("la variedad inicial") si*
>
> *i) se deriva principalmente de la variedad inicial, o de una variedad que a su vez se deriva principalmente de la variedad inicial, conservando al mismo tiempo las expresiones de los caracteres esenciales que resulten del genotipo o de la combinación de genotipos de la variedad inicial,*
>
> *ii) se distingue claramente de la variedad inicial, y*
>
> *iii) salvo por lo que respecta a las diferencias resultantes de la derivación, es conforme a la variedad inicial en la expresión de los caracteres esenciales que resulten del genotipo o de la combinación de genotipos de la variedad inicial."*

---

[532]   Asociación Internacional fundada en 1938 que en el año 2002 se fusionó con la Federación Internacional del Comercio de Semillas (FIS) dando lugar a lo que ahora se conoce como la Federación Internacional de Semillas (ISF). Sitio web en http://www.worldseed.org

[533]   Asociación internacional con sede en Hamburgo (Alemania) que agrupa a más de 125 obtentores, asociaciones de obtentores nacionales y abogados de 27 países y cuya labor consiste en el desarrollo y mejora de los sistemas de protección de la innovación vegetal a través de la propiedad industrial.

Tras la incorporación de la definición legal de "variedad esencialmente derivada" en el Convenio UPOV, la misma ha sido tipificada de manera idéntica a nivel nacional en el artículo 13.4 de la Ley 3/2000.

Asimismo, si acudimos al artículo 13.6 del Reglamento Europeo 2100/1994 que regula la definición de "variedad esencialmente derivada" podemos comprobar que su definición, aunque no es idéntica a la del Convenio UPOV y la Ley nacional, las similitudes entre ellas son muy elevadas. En concreto el Reglamento Europeo 2100/1994 la define del siguiente modo:

> *"6. A los efectos de la letra a) del apartado 5, se considerará que una variedad es esencialmente derivada de otra, denominada en lo sucesivo «variedad inicial», cuando:*
>
> *a) deriva predominantemente de la variedad inicial o de otra que a su vez deriva de ésta predominantemente;*
>
> *b) presenta carácter distintivo con arreglo al artículo 7, respecto de la variedad inicial; y*
>
> *c) abstracción hecha de las diferencias resultantes de la operación de derivación, coincide esencialmente con la variedad inicial en la expresión de las características resultante del genotipo o combinación de genotipos de la variedad inicial."*

Como podemos observar, las definiciones del concepto de "variedad esencialmente derivada" proporcionadas por el Convenio UPOV y el Reglamento Europeo 2100/94 coinciden en lo esencial, siendo las diferencias existentes entre una y otra definición meramente estilísticas o aclaratorias. De hecho, las definiciones proporcionadas por ambos textos legales en las versiones inglesas[534] de los mismos coinciden prácticamente en todo salvo por lo que respecta a los siguientes extremos:

— El artículo 14.5.b) del Convenio UPOV incluye en el primer requisito la necesidad de que la variedad esencialmente derivada "*derive princi-*

---

[534] Convenio UPOV: "*For the purposes of subparagraph (a)(i), a variety shall be deemed to be essentially derived from another variety ("the initial variety") when (i) it is predominantly derived from the initial variety, or from a variety that is itself predominantly derived from the initial variety,* while retaining the expression of the essential characteristics that result from the genotype or combination of genotypes of the initial variety, *(ii) it is clearly distinguishable from the initial variety and (iii) except for the differences which result from the act of derivation, it* conforms to the initial variety in the expression of the essential characteristics *that result from the genotype or combination of genotypes of the initial variety.*". Reglamento Europeo 2100/94: "*For the purposes of paragraph 5 (a), a variety shall be deemed to be essentially derived from another variety, referred to hereinafter as 'the initial variety' when: a) it is predominantly derived from the initial variety, or from a variety that is itself predominantly derived from the initial variety; b) it is distinct in accordance with the provisions of Article 7 from the initial variety; and c) except for the differences which result from the act of derivation, it* conforms essentially *to the initial variety in the expression of the* characteristics *that results from the genotype or combination of genotypes of the initial variety.*"

palmente" de la variedad inicial–o de otra que a su vez deriva de ésta predominantemente- y que conserve *"las expresiones de los caracteres esenciales que resulten del genotipo o de la combinación de genotipos de la variedad inicial"* mientras que el artículo 13.6 del Reglamento Europeo 2100/94 omite esta puntualización en el primer requisito. No obstante, la existencia de esta diferencia no parece tener relevancia jurídica ya que esta condición viene, en ambos casos, referida al origen genético de la variedad posterior y exige, por tanto, que en su creación se hayan utilizado los materiales genéticos de la variedad inicial. Además, la expresión coincide con la prevista en el tercer requisito relativo al grado de similitud entre ambas variedades que, aunque pudiera parecer contradictoria con la exigencia de una coincidencia total de la expresión de los caracteres esenciales resultantes del genotipo de la variedad inicial, realmente se complementan al tener fundamentos distintos.

Por lo tanto, para poder considerar a una variedad como esencialmente derivada de otra es necesario que la misma haya sido el resultado de la derivación de una variedad inicial protegida. La UPOV, considera que *"solamente si una variedad conserva la mayor parte de la variedad inicial puede conservar la expresión de los caracteres esenciales de dicha variedad inicial. Una variedad que sea similar a otra, pero que no provenga de un trabajo de derivación no podrá ser considerada una variedad esencialmente derivada"535.*

No obstante, el principal problema que nos encontramos al interpretar el primer requisito para considerar a una variedad como esencialmente derivada es la interpretación del concepto que *"derive principalmente"* de la variedad inicial, ya que no existe a día de hoy una definición del mismo. No obstante, hemos de destacar por su importancia y contribución a regular el concepto de "variedad esencialmente derivada", el documento elaborado por CIOPORA que contiene su posición sobre las variedades esencialmente derivadas. En el referido documento CIOPORA establece que no existe una definición general de *"deriva principalmente"*, sin embargo se pueden dar algunas normas generales al respecto[536]:

- Una variedad puede únicamente ser considerada derivada principalmente de la variedad inicial si el material de la variedad inicial o de una variedad que en sí sea derivada principalmente de la va-

---

[535]   UPOV. *"La Noción de variedad esencialmente derivada y la excepción del obtentor"*. III Curso de formación para países iberoamericanos sobre la protección de las obtenciones vegetales. Madrid: UPOV, 2003, p. 110.

[536]   *"Variedades Esencialmente Derivadas (VED)"*, 2008, https://studylib.es/doc/8209535/ciopora

riedad inicial, se ha usado en el proceso de desarrollar la variedad esencialmente derivada;

- Además, una variedad puede únicamente derivarse principalmente de una *sola* variedad, tal como estipula el artículo 14 (5) (b) (i) del Convenio UPOV, la variedad esencialmente derivada debe derivarse principalmente de *la* variedad inicial[537].

- Los mutantes, GMO[538] y apomictos no solo derivan *principalmente* sino derivan *totalmente* de la variedad inicial. Dichas variedades se basan únicamente en el genoma de la variedad inicial y la estructura está grandemente conservada.

- Finalmente, la variedad esencialmente derivada debe, salvo por lo que respecta a las diferencias resultantes de la derivación, coincidir con la variedad inicial en la expresión de sus caracteres esenciales.

Asimismo, en las "Notas explicativas de la UPOV sobre las variedades esencialmente derivadas con arreglo al Acta de 1991 del Convenio de la UPOV", Documento UPOV/EXN/EDV/2, adoptado por el Consejo en su cuadragésima cuarta sesión extraordinaria celebrada en Ginebra, el 6 de abril de 2017, se afirma que *"La intención es que una variedad solo sea esencialmente derivada de otra variedad cuando conserve prácticamente todo el genotipo de la otra variedad. En la práctica, una variedad derivada no puede conservar la expresión de los caracteres esenciales de la variedad de la que deriva excepto si deriva casi exclusivamente de esa variedad inicial."*[539]

Por lo tanto, un primer requisito para que se presuponga el carácter esencialmente derivado de una variedad es la práctica conformidad genética entre la variedad inicial y la esencialmente derivada.

Ejemplos de métodos o procesos que pueden llevar a una variedad esencialmente derivada son: mutaciones inducidas o naturales, variantes somaclonales, retrocruzamiento múltiple, transformación genética o selección de individuos dentro de una variedad inicial.

CIOPORA es especialmente crítica con las nuevas variedades obtenidas a través de la mutación inducida o la modificación genética de varie-

---

[537] Lo dicho no es óbice para que una variedad derive de una o varias variedades iniciales ya que, tal y como indica expresamente el artículo 14.5 c) del Convenio UPOV *"las variedades esencialmente derivadas podrán obtenerse, por ejemplo, por [...] retrocruzamientos [...]"* pero en ningún caso podrá derivar principalmente de más de una variedad, pudiendo ser variedad esencialmente derivada únicamente respecto de una variedad inicial.
[538] Organismo Modificado Genéticamente
[539] Apartado 4 del Documento UPOV/EXN/EDV/2 https://www.upov.int/edocs/expndocs/es/upov_exn_edv.pdf

dades ya existentes, llegando a concluir que las características de estas técnicas de fitomejoramiento resultaran, forzosamente, en la obtención de variedades esencialmente derivadas[540].

Asimismo CIOPORA establece que la expresión "caracteres esenciales" que aparece en el Convenio UPOV hace referencia a todo carácter que sea típico de la variedad inicial, y con ello no se pretende diferenciar entre esenciales y no esenciales.

Por otro lado la UPOV, consciente de la ausencia de una definición en el Convenio del concepto de "caracteres esenciales" quiso, en su sesión extraordinaria celebrada el 6 de abril de 2017, arrojar un poco de luz sobre la delimitación de los caracteres esenciales en el concepto de variedad esencialmente derivada, haciendo las siguientes consideraciones:

"En relación con el concepto de "caracteres esenciales", cabe considerar: i) en relación con una variedad vegetal, se entiende por caracteres esenciales aquellos rasgos heredables, determinados por la expresión de uno o más genes u otros factores heredables, que contribuyen a las características principales, al rendimiento o al valor de la variedad; ii) caracteres que son importantes desde la perspectiva del productor, vendedor, suministrador, comprador, receptor o usuario; iii) caracteres que son esenciales para la variedad en su conjunto, como son, por ejemplo, los caracteres morfológicos, fisiológicos, agronómicos, industriales y bioquímicos; iv) los caracteres esenciales no coinciden necesariamente con los caracteres fenotípicos utilizados para el examen dela distinción, la homogeneidad y la estabilidad (DHE); v) los caracteres esenciales no se limitan a los caracteres que guardan relación únicamente con un alto

---

[540] CIOPORA en el *Seminario sobre Variedades Esencialmente Derivadas* celebrado en Ginebra el 22 de octubre de 2013 estableció que *"No obstante, algunos pretenden restringir el concepto de variedad esencialmente derivada a aquellas que puedan distinguirse de la variedad inicial por un número muy limitado de caracteres fenotípicos ("por lo general, uno").1 Tal interpretación limita al máximo este concepto. Teniendo en cuenta que una variedad esencialmente derivada debe, por definición, distinguirse claramente de la variedad inicial, para lo cual debe existir al menos una diferencia en un carácter (incluso con arreglo a las reducidas distancias mínimas que aplican actualmente la UPOV y las oficinas de examen de los países miembros), en virtud de dicha interpretación solo podrían considerarse variedades esencialmente derivadas las que presentan exactamente una diferencia respecto de su variedad inicial, lo que constituye un enfoque contradictorio e inútil. [...]En lo que respecta a las variedades ornamentales y frutales de multiplicación vegetativa, cuando se trata de mutantes o de organismos genéticamente modificados, es necesario que el concepto de variedad esencialmente derivada establezca la dependencia de toda variedad que se derive de una única variedad inicial, sea cual sea el grado de similitud fenotípica entre la variedad dependiente y la inicial. De este modo, la cuestión podría limitarse a determinar si se ha producido derivación, es decir, si se ha utilizado la variedad inicial o no. Este enfoque aportaría de inmediato claridad al concepto de variedad esencialmente derivada y permitiría a los obtentores hacer valer de manera eficaz los derechos de sus variedades iniciales.*

rendimiento o valor (por ejemplo, la resistencia a enfermedades puede considerarse un carácter esencial cuando la variedad es susceptible a las enfermedades); vi) diferentes cultivos o especies pueden tener diferentes caracteres esenciales".

— El segundo requisito de distinción es idéntico en cuanto al fondo tanto en el Convenio UPOV como en el Reglamento Europeo 2100/94 ya que en ambos textos se establece que *"una variedad presenta un carácter distintivo [respecto a una variedad inicial] si es posible* diferenciarla claramente, *por la expresión de las características resultantes de un genotipo en particular o de una combinación de genotipos".* Por tanto, ambas definiciones coinciden en exigir que la variedad esencialmente derivada y la variedad inicial se distingan claramente.

— Por último, sí puede apreciarse una diferencia en la forma de articular el tercero de los requisitos para calificar a una variedad como esencialmente derivada de una variedad inicial, ya que mientras el Convenio UPOV exige que esta sea "conforme *a la variedad inicial en la expresión de los* caracteres esenciales / it conforms *to the initial variety in the expression of the* essential characteristics" el Reglamento Europeo 2100/94 atiende a si "coincide esencialmente *con la variedad inicial en la expresión de las* características / it conforms essentially *to the initial variety in the expression of the* characteristics". Como puede observarse, la única diferencia de fondo existente entre ambas normas radica en el elemento al cual se atribuye el calificativo "esencial": el Convenio UPOV exige una coincidencia en cuanto a los caracteres esenciales de la variedad inicial y el Reglamento Europeo 2100/94 una coincidencia esencial respecto a las características de la variedad inicial. En opinión del expresidente de la Oficina Comunitaria de Variedades Vegetales ("OCVV"), esta divergencia – al igual que la existente en relación con el primer requisito – no es transcendente y resulta de una mera intervención editorial del legislador europeo en aras de dotar de una mayor claridad esta definición; descartando el Sr. Kiewet que el Reglamento Europeo 2100/94 se haya desviado intencionadamente de la definición del concepto de "variedad esencialmente derivada" establecido en el Convenio UPOV[541].

La cuestión interpretativa que nos surge aquí es saber si la conformidad esencial que establece este tercer requisito debe ser respecto al genotipo o al fenotipo – dado que emplea la palabra "expresión"-. En nuestra opinión, y también en opinión de CIOPORA[542], la definición de varie-

---

[541]   B. Kiewet, *"Essentially derived varieties"*, 2006, pág. 2, http://www.cpvo.europa.eu/documents/articles/EDV_presentation_PlantumNL_March_2006_BK.pdf.

[542]   CIOPORA. *Seminario sobre Variedades Esencialmente Derivadas:* Ginebra 2013, pág. 31

dad esencialmente derivada debería referirse a variedades que presenten un alto grado de conformidad genética con la variedad inicial.

En el mismo sentido se pronuncia la UPOV[543] al considerar que *"el grado de conformidad se debe determinar teniendo en cuenta los caracteres esenciales que resulten del genotipo de la variedad inicial"*.

Por tanto, podemos concluir que la definición del concepto de "variedad esencialmente derivada" de acuerdo con el Derecho europeo y nacional es una variedad que:

a) Deriva principalmente de la variedad inicial (derivación directa) o de una variedad híbrida o que derive principalmente de la variedad inicial (derivación indirecta), siendo necesario que en el método de obtención utilizado se haya empleado material genético de la variedad inicial (o de una variedad esencialmente derivada de esta) conservando así parte de sus caracteres;

b) se distingue de la variedad inicial[544], constituyéndose por tanto en una variedad distinta y siendo susceptible de protección como obtención vegetal siempre que cumpla, además, el resto de requisitos exigidos para ello (novedad, homogeneidad y estabilidad)[545]; y

c) salvo por lo que respecta a las diferencias resultantes de la operación de derivación, coincide esencialmente con la variedad inicial en el fenotipo (o lo que es lo mismo, *"en la expresión de las características resultantes del genotipo o combinación de genotipos de la variedad inicial"*),

---

[543] Párrafo 8 de las "Notas explicativas de la UPOV sobre las variedades esencialmente derivadas con arreglo al Acta de 1991 del Convenio de la UPOV", Documento UPOV/EXN/EDV/2, adoptado por el Consejo en su cuadragésima cuarta sesión extraordinaria celebrada en Ginebra, el 6 de abril de 2017

[544] Nótese que si no fuere distinta, se trataría exactamente de la misma variedad que la originalmente protegida y, por consiguiente, el obtentor podría ejercitar en su defensa los mecanismos ordinarios de protección de sus derechos de exclusiva frente a cualesquiera infractores de los mismos.

[545] En este sentido nos remitimos a la Sentencia nº 6/2011 de 14 de diciembre de 2011, del Tribunal de Conflictos de Jurisdicción que en su Fundamento de Derecho 5º señala que *"Las condiciones legalmente establecidas para la protección de una variedad vegetal son las mismas, con independencia de que se trate de una variedad inicial o de una variedad esencialmente derivada de una variedad inicial, a saber, que sea una variedad nueva, distinta, homogénea y estable (artículo 5.1 de la Ley 3/2000, en relación con los artículos 6, 7, 8 y 9 de la misma Ley, dedicados respectivamente a regular las condiciones de novedad, distinción y homogeneidad)."* Asimismo, la sentencia establece *"el carácter esencialmente derivado de una variedad no excluye las condiciones de novedad y distinción exigidas por el artículo 5.1 de la Ley 3/2000 para la concesión de un título de obtención vegetal"*. Por lo tanto, el requisito de novedad de la variedad esencialmente derivada no se vería afectado en ningún caso por el hecho de que la variedad inicial se encuentre debidamente protegida.

siendo, por tanto, similar a la variedad inicial a pesar de su distinción respecto a esta.

En vista de lo anterior, dentro de la definición de "variedad esencialmente derivada" pueden distinguirse tres componentes: (i) el origen de la variedad esencialmente derivada; (ii) la distinción de la variedad esencialmente derivada respecto de la variedad inicial; y (iii) la conformidad o similitud de la variedad esencialmente derivada en relación con la variedad inicial.

Además, esta definición se complementa con el apartado c) del artículo 14.5 del Convenio UPOV donde se establece un listado de métodos que pueden ser considerados susceptibles de generar variedades esencialmente derivadas:

> *"c) Las variedades esencialmente derivadas podrán obtenerse, por ejemplo, por selección de un mutante natural o inducido o de una variante somaclonal, selección de un individuo variante entre las plantas de la variedad inicial, retrocuzamientos o transformaciones por ingeniería genética".*

El Reglamento Europeo 2100/94 prevé en su artículo 13.7 la adopción de una disposición similar a la del artículo 14.5.c) del Convenio UPOV en la que se especificarían algunas de las posibles operaciones de derivación a las que se aplicaría la noción de variedad esencialmente derivada:

> *"7. Las normas de desarrollo que se adopten en virtud del artículo 114 podrán especificar las posibles operaciones de derivación a las que se aplicará, como mínimo, lo dispuesto en el apartado 6.".*

No obstante, a día de hoy no existe norma alguna en el Derecho de la Unión que contenga la referida especificación.

En cualquier caso, la existencia de estas previsiones no implica necesariamente que la mera utilización de una de las técnicas de derivación incluidas en el artículo 14.5.c) del Convenio UPOV implique que la variedad resultante sea una variedad esencialmente derivada; tal y como se desprende del hecho de que el propio artículo establezca expresamente que *"podrán obtenerse"* en lugar de expresiones como "son aquellas que se obtienen" o "son obtenidas". De hecho, durante la Conferencia Diplomática para la Revisión del Convenio UPOV de 1991 se modificó el primer apartado del artículo 14.5.b) del Convenio UPOV, que en la versión primigenia cuya inclusión se propuso era la siguiente[546]:

> *"it is predominantly derived from the initial variety, or from a variety that is itself predominantly derived from the initial variety, particularly through methods*

---

[546] *"Records of the diplomatic conference for the revision of the international convention for the protection of new varieties of plants"*, UPOV Publication No. 346 (E), Ginebra, 1992, pág. 30.

which have the effect of conserving the essential characteristics that are the expression of the genotype or of the combination of genotypes of the initial variety, such as the selection of a natural or induced mutant or of a somaclonal variant, the selection of a variant, backcrossings or transformation by genetic engineering."[547]

Tras el debate surgido en torno a la versión propuesta del artículo entre los representantes de los estados miembros participantes en la conferencia, se decidió suprimir de la versión final de la definición de "variedad esencialmente derivada" la alusión a los métodos de derivación e incluirlos en un apartado diferente- el apartado 14.5.c) – como una lista a título meramente ejemplificativo[548]. Con ello, los estados miembros participantes en la aprobación del Acta de 1991 quisieron dejar claro que: (i) el método de derivación utilizado no basta, sin más, para declarar que una variedad es esencialmente derivada, aunque existan alguno métodos que permitan obtener una variedad esencialmente derivada más fácilmente que otros[549]; y (ii) que todo método de derivación, desde los más convencionales hasta las técnicas más tecnológicamente punteras, pueden dar lugar a una variedad esencialmente derivada[550].

En la actualidad no hay debate al respecto y está totalmente aceptado que los métodos regulados en el artículo 14.5 c) del Convenio UPOV son meros ejemplos de posibles derivaciones. Lo anterior viene refrendado en el Documento UPOV/EXN/EDV/2[551] al decir expresamente en su párrafo 13 que *"el uso del verbo "podrán" en el artículo 14.5 c) indica que el recurso a dichos métodos no tiene por qué originar necesariamente una variedad esencialmente derivada. Además, el Convenio precisa que los métodos se mencionan a título de ejemplo, lo que no excluye la posibilidad de que una variedad esencialmente derivada se obtenga por otro medios."*

Con la finalidad de aclarar el concepto D. Jesús Oviedo Aranda–Jefe de Sección de Registro de Variedades y Denominaciones en la Oficina Española

---

[547] Traducción: *""(i) se deriva principalmente de una variedad inicial, o de una variedad que a su vez se deriva principalmente de la variedad inicial, en particular mediante métodos que tienen el efecto de conservar las expresiones de los caracteres esenciales que resulten del genotipo o de la combinación de genotipos de la variedad inicial, como la selección de un mutante natural o inducido o de un variante somaclonal, la selección de un individuo variante entre las plantas de la variedad inicial, retrocruzamientos o transformaciones por ingeniería genética,"*

[548] *"Records of the diplomatic conference for the revision of the international convention for the protection of new varieties of plants"*, cit., pág. 456.

[549] M. Llewelyn y M. Adcok, *"European Plant Intellectual Property"*, Hart Publishing, Oxford and Portland, Oregon, 2006, pág. 184.

[550] B. Dhar, *"Sistemas sui generis para la protección de variedades vegetales. Opciones bajo el Acuerdo sobre los ADPIC"*, Ginebra, 2002, pág. 13.

[551] Documento adoptado por la UPOV en su cuadragésima cuarta sesión extraordinaria celebrada en Ginebra, el 6 de abril de 2017.

de Variedades Vegetales- define a las variedades esencialmente derivadas en los siguientes términos:

> "*Cuando dos genotipos se distinguen por su carácter esencial, nos encontramos ante dos variedades distintas, sin embargo, cuando la segunda variedad incluye completo el genotipo de la primera, añadiéndosele algo, que resulta ser la derivación que la distingue de la inicial, nos encontramos ante una variedad esencialmente derivada*"[552].

1.1. Finalidad jurídico-económica de la figura de "variedad esencialmente derivada"

Para comprender la finalidad jurídico-económica de la figura de "variedad esencialmente derivada" resulta pertinente analizar separadamente: (i) el proceso que originó la necesidad de introducir esta categoría en el sistema de protección de las variedades vegetales; y (ii) la función económica que cumple la misma dentro del sistema de protección de las variedades vegetales.

1.2. Origen de la categoría "variedad esencialmente derivada"

Esta figura legal surge como respuesta al vertiginoso desarrollo que desde principios de la década de 1980 experimentaron las nuevas tecnologías en el campo de la ingeniería genética; desarrollo tecnológico que facilitó la modificación de variedades existentes mediante la introducción de un único gen permitiendo generar nuevas variedades en muy poco tiempo que, aun conteniendo la totalidad del genoma de la variedad inicial y, por tanto, siendo muy similares a esta, resultan susceptibles de protección independiente[553]. Esta evolución en las técnicas de fitomejoramiento generó una importante inquietud entre los sectores implicados acerca de la proliferación de "plagios" varietales (fenómeno definido por la International Seed Federation como cualquier actuación o utilización de material o tecnología en un proceso de obtención con la intención de imitar una variedad vegetal existente[554]) y el consiguiente aprovechamiento desleal de la inversión efectuada por el obtentor de la variedad inicial.

Como consecuencia de esta inquietud, surgió la necesidad de fortalecer el derecho del obtentor y protegerlo más eficazmente; necesidad que se con-

---

[552]   Pablo Amat. *La Propiedad Industrial sobre Obtenciones Vegetales y Organismos Transgénicos.* Tirant lo Blanch, Valencia, 2007, pág. 38.

[553]   "*Introduction to Plant Variety Protection under the UPOV Convention*", WIPO/IP/BIS/GE/03/11, 2003, pág. 12, http://www.wipo.int/edocs/mdocs/sme/en/wipo_ip_bis_ge_03/wipo_ip_bis_ge_03_11-main1.pdf.

[554]   "*ISF View on Intellectual Property*", 2012, pág. 19, http://www.worldseed.org/cms/medias/file/PositionPapers/OnIntellectualProperty/View_on_Intellectual_Property_2012.pdf.

virtió en uno de los objetivos de la Revisión del Convenio UPOV operada a través del Acta de 1991[555]. Para ello, se propuso introducir el concepto de "dependencia"[556] en la regulación de la protección de las variedades vegetales de forma que *the exploitation—but not the breeding—of a variety that is essentially derived from a protected variety would be subject to the right granted to the breeder of the latter variety*"[557] [la explotación – pero no la obtención – de una variedad esencialmente derivada de una variedad protegida estará sujeta al derecho concedido al obtentor de esta última variedad].

Por lo tanto el Acta de 1991 permite obtener la protección de una variedad que derive principalmente de una variedad inicial, siempre y cuando sea nueva, distinta, homogénea y estable, pero no podrá explotarse sin la autorización del titular de la variedad inicial mientras la variedad inicial esté protegida.

Como vemos, la solución al problema del "plagio" varietal se articuló en base a una ampliación del derecho del obtentor de la variedad inicial[558] en detrimento de la exención del obtentor[559] de la variedad esencialmente derivada – exención que, con anterioridad a la introducción de la figura de "variedad esencialmente derivada", permitía a cualquiera no solo utilizar una variedad protegida para la obtención de una nueva variedad, sino también la comercialización de forma libre e independiente de la variedad resultante de dicha derivación[560] –, permitiendo que la inversión del obtentor de la variedad inicial fuera retribuida mediante el cobro de regalías adicionales a las percibidas por la explotación directa de su variedad al permitirle compartir con el obtentor de la variedad esencialmente derivada las regalías generadas por esta[561].

---

[555] "*Fourth Meeting with International Organizations: Revision of the Convention*", IOM/IV/2, 1989, pág. 2, http://www.upov.int/edocs/mdocs/upov/en/caj/59/iom_iv_2.pdf.

[556] Concepto de "dependencia" que ya se incluía en otras normas reguladoras de la protección de derechos de propiedad industrial, como el artículo 56 de la Ley 11/1986, de 20 de marzo, de Patentes: "*El hecho de que el invento objeto de una patente no pueda ser explotado sin utilizar la invención protegida por una patente anterior perteneciente a distinto titular no será obstáculo para la validez de aquélla. En este caso ni el titular de la patente anterior podrá explotar la patente posterior durante la vigencia de ésta sin consentimiento de su titular, ni el titular de la patente posterior podrá explotar ninguna de las dos patentes durante la vigencia de la patente anterior, a no ser que cuente con el consentimiento del titular de la misma o haya tenido una licencia obligatoria.*"

[557] "*Fourth Meeting with International Organizations: Revision of the Convention*", cit., págs. 10-12.

[558] Artículo 14.5 del Convenio UPOV.

[559] Artículo 15.1 (iii) del Convenio UPOV.

[560] Artículo 5.3 de la versión anterior (1978) del Convenio UPOV: "[n]*o será necesaria la autorización del obtentor para emplear la variedad como origen inicial de variación con vistas a la creación de otras variedades, ni para la comercialización de éstas. En cambio, se requerirá dicha autorización cuando se haga necesario el empleo repetido de la variedad para la producción comercial de otra variedad*".

[561] "*Fourth Meeting with International Organizations: Revision of the Convention*", cit., pág. 12 y B. KIEWET, "*Essentially derived varieties*", cit., pág. 1.

1.3. Función económica de la figura de "variedad esencialmente derivada"

Las variedades esencialmente derivadas constituyen una excepción al llamado "privilegio del obtentor" o "exención del obtentor"[562] que le otorga la libertad a otros obtentores de utilizar el material vegetal de la variedad protegida para desarrollar nuevas variedades. Y es que cuando nos encontramos ante una variedad esencialmente derivada no se aplicará el "privilegio del obtentor" y, por tanto, el titular de la variedad inicial puede ejercer su derecho de exclusiva frente a los actos de comercialización y explotación de la variedad esencialmente derivada.[563]

El objetivo de retribuir al obtentor de la variedad inicial por la entrada en el mercado de las nuevas variedades que "plagiaban" su obtención se articuló a través de la creación de la figura legal de la "variedad esencialmente derivada". Este mecanismo basado en la dependencia de una variedad respecto de otra, lejos de ser novedoso, se inspira en el sistema de patentes con la creación de la figura de las patentes dependientes.

La dependencia de una variedad esencialmente derivada de la variedad inicial conlleva que a pesar de que cumpla con los requisitos de ser novedad, distinción, homogeneidad y estabilidad y por lo tanto cumpla perfectamente la normativa de la protección necesitará la autorización del titular de los derechos de obtentor de la variedad inicial a efectos de comercialización.

Es más, desde el punto de vista penal el obtentor de una variedad esencialmente derivada podría cometer delito cuando, sin el permiso del obtentor de la variedad inicial, lleva a cabo alguno de los actos descritos en el artículo 13.2 del Reglamento Europeo 2100/94[564].

No obstante, hemos de tener en cuenta que para que exista una "dependencia" en sentido legal y, por tanto, el titular de la variedad inicial pueda beneficiarse de los derechos que el ordenamiento jurídico le otorga frente a las variedades esencialmente derivadas deben concurrir las siguientes condiciones; condiciones que son adicionales e independientes a la declaración de la existencia de una variedad esencialmente derivada:

---

[562] Vid. artículo 15 de la Ley 3/2000 y artículo 14 Reglamento Europeo 2100/1994

[563] GARCIA VIDAL A., "El contenido del derecho del obtentor de una variedad vegetal (luces y sombras del Convenio de la UPOV)". Revista de derecho mercantil, 2011, ISSN: 0210-0797, págs.129-130

[564] Artículo 13.2 Reglamento Europeo 2100/94: "2. *Sin perjuicio de lo dispuesto en los artículos 15 y 16, se requerirá la autorización del titular para la ejecución de las operaciones siguientes con componentes de una variedad o material cosechado de la variedad en cuestión, todo ello, denominado en lo sucesivo material: a) producción o reproducción (multiplicación); b) acondicionamiento con vistas a la propagación; c) puesta en venta; d) venta u otro tipo de comercialización; e) exportación de la Comunidad; f) importación a la Comunidad; g) almacenamiento con vista a cualquiera de los objetivos anteriores [letras a) a f)]. El titular podrá condicionar o restringir su autorización.*"

1. La variedad inicial debe encontrarse protegida[565]. El derecho del obtentor sobre la variedad esencialmente derivada es una extensión de su derecho de exclusiva sobre una determinada manifestación de su propia variedad, por lo que si la variedad inicial no se encuentra protegida por no haberse solicitado nunca dicha protección o haber expirado por cualquiera de las causas legalmente previstas (nulidad o caducidad) la variedad esencialmente derivada podrá ser explotada libremente por su titular.

2. La variedad inicial no debe ser, a su vez, una variedad esencialmente derivada de otra variedad[566]. Con esta previsión pretende evitarse la proliferación del fenómeno conocido como "protección en cascada" que dificultaría sobremanera la explotación de las variedades derivadas indirectamente de la variedad inicial.

   Solo puede existir dependencia respecto de una variedad inicial protegida[567], no siendo posible establecer la existencia de dependencia respecto de varias variedades; aunque una variedad sí podrá ser la variedad inicial de varias variedades esencialmente derivadas.

   Debemos, por tanto, diferenciar los criterios técnicos que determinan que una variedad sea esencialmente derivada de otra – criterios que vienen impuestos por la propia definición del concepto de "variedad esencialmente derivada"– de los criterios legales que establecen la existencia de una dependencia de la variedad inicial.

2. SITUACIÓN JURÍDICA DE UNA "VARIEDAD ESENCIALMENTE DERIVADA" QUE SE ENCUENTRE PROTEGIDA

Cuando una variedad esencialmente derivada se encuentre protegida, se requerirá la autorización del obtentor de la variedad esencialmente derivada para realizar actos de producción o reproducción (multiplicación), acondicionamiento con fines de reproducción o multiplicación, oferta en venta, venta o cualquier otra forma de comercialización, exportación, importación o posesión para cualquiera de estos fines[568]. No obstante, si la variedad inicial se encuentra también protegida entonces, debido a esta relación de dependencia que se genera entre una variedad esencialmente derivada y la variedad inicial,

---

[565] Artículo 14.5.a)i) del Convenio UPOV.
[566] Artículo 14.5.a)i) del Convenio UPOV.
[567] Artículo 14.5.b) del Convenio UPOV.
[568] Actos cuya ejecución requieren la autorización del obtentor de una variedad protegida de acuerdo con el artículo 13.2 del Reglamento Europeo 2100/94 y 12.2 de la Ley 3/2000.

el obtentor de la variedad esencialmente derivada y sus causahabientes necesitarán la autorización del titular de la variedad inicial (o sus causahabientes) para realizar los actos mencionados con anterioridad, protegiéndose con ello el interés del titular de la variedad inicial[569].

Por otro lado, si la variedad inicial nunca ha estado protegida (o su protección ha prescrito) únicamente será necesaria la autorización del obtentor de la variedad esencialmente derivada para poder llevar a cabo alguno de los actos que menciona el Reglamento Europeo 2100/94.

Por lo tanto, el alcance del derecho del obtentor únicamente se amplía a las variedades esencialmente derivadas con respecto a una variedad inicial que se encuentre protegida pero no a aquellas que no se encuentren protegidas o cuyo derecho ha expirado o se ha anulado.

A continuación reproducimos los gráficos que aparecen en las Notas explicativas de la UPOV[570] donde se puede apreciar de manera muy clara la extensión de los derechos del obtentor respecto a una variedad esencialmente derivada cuando la variedad inicial se encuentra protegida y cuando no:

---

[569]   En este sentido nos referimos a la Sentencia n° 6/2011 del Tribunal de Conflictos de Jurisdicción que en su Fundamento de Derecho 6° señala que "[l]os derechos del obtentor de una variedad inicial se extienden a la variedad esencialmente derivada, de forma que la realización de determinadas actuaciones respecto de la variedad esencialmente derivada requerirán la autorización del obtentor de la variedad inicial protegida; en concreto, la producción, reproducción –multiplicación-, el acondicionamiento a los fines de la reproducción o la multiplicación, la oferta en venta, la venta o cualquier otra forma de comercialización, la exportación, la importación, o la posesión para cualquiera de los fines mencionados, realizados respecto del material de reproducción o multiplicación de la variedad esencialmente derivada, respecto del producto de la cosecha obtenido con la utilización no autorizada del material de reproducción o multiplicación de la variedad esencialmente derivada y, en su caso, respecto de productos fabricados directamente a partir de un producto de la cosecha obtenido con la utilización no autorizada de material de reproducción o multiplicación de la variedad esencialmente derivada, requerirán la autorización del obtentor de la variedad inicial protegida (artículo 13.3 letra a), en relación con los artículos 12.2, 13.1 y 13.2 de la Ley 3/2000).
       La vulneración de los derechos del obtentor de la variedad inicial protegida sobre la variedad esencialmente derivada podrá dar lugar al ejercicio de las correspondientes acciones en defensa de los derechos de aquel que deben residenciarse ante «los órganos de la jurisdicción ordinaria» (artículo 21 de la Ley 3/2000)."

[570]   "Notas explicativas sobre las variedades esencialmente derivadas con arreglo al acta de 1991 del convenio de la UPOV", UPOV/EXN/EDV/1, 2009, pág. 10.

2.1. *Variedad inicial protegida y variedades esencialmente derivadas protegidas*

Gráfico 3: **Variedad inicial protegida y variedades esencialmente derivadas protegidas**

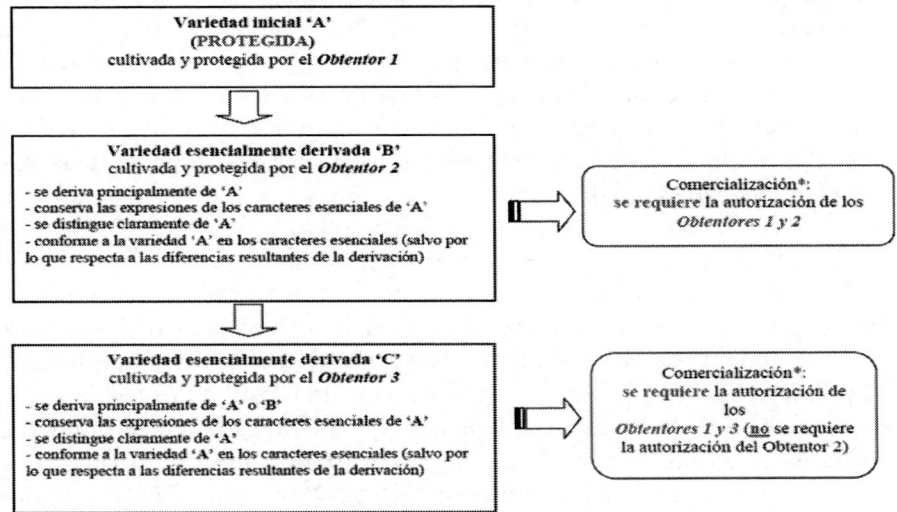

Como podemos observar en el gráfico anterior el alcance de los derechos del obtentor se extienden a la variedad inicial (variedad "A") y a la variedad esencialmente derivada.

Lo anterior se desprende del hecho de que el artículo 13.5.a) del Reglamento Europeo 2100/94 (y el artículo 13.3 a) de la Ley 3/2000) extienda la necesidad de la autorización del titular de la variedad inicial a las operaciones descritas en el artículo 13.2 del Reglamento Europeo 2100/94 (y artículo 12.2 de la Ley 3/2000) que se realicen en relación con variedades esencialmente derivadas:

> "*5. Lo dispuesto en los apartados 1 a 4 se aplicará asimismo a:*
>
> *a) las variedades que sean esencialmente derivadas de la variedad objeto de la protección comunitaria de obtenciones vegetales, siempre que ésta no sea a su vez una variedad esencialmente derivada*"

Esta doble autorización será necesaria durante la vigencia de la protección de ambas variedades – la variedad esencialmente derivada y la variedad inicial-, pudiendo diferenciarse dos posibles escenarios:

a) Expiración de la protección de la variedad esencialmente derivada con anterioridad a la expiración de la protección de variedad inicial[571]; en

---

571   Situación que podría darse en caso de que el título de protección de la variedad esencialmente derivada fuera declarado nulo o anulado con base en alguno de los motivos recogi-

cuyo caso la variedad esencialmente derivada devendría libre con las consecuencias que se describen en el siguiente apartado respecto de las variedades esencialmente derivadas que no se encuentren protegidas.

b)   Expiración de la protección de variedad inicial con anterioridad a la expiración de la protección de la variedad esencialmente derivada[572]; en cuyo caso se extinguiría la relación de dependencia y tan solo se requeriría la autorización del titular de la variedad esencialmente derivada (o sus causahabientes) para la realización de aquellas operaciones descritas en el artículo 13.2 del Reglamento Europeo 2100/94 respecto de la variedad esencialmente derivada.

No obstante, lo que no aclara el Acta de la UPOV de 1991 es la longitud de esta cadena de derivación ya que, aunque en las Notas explicativas se puede observar claramente la relación entre una variedad que deriva de otra variedad que es esencialmente derivada de la variedad inicial, lo que desconocemos es qué ocurriría si añadimos al gráfico empleado por la UPOV una variedad "D" que es esencialmente derivada de la variedad "C". Debido a esta incertidumbre legislativa, la doctrina europea hace interpretaciones totalmente dispares al respecto: mientras que G. Würtenberger o EKVAD [573] consideran que esta dependencia en cascada no se puede extender de manera indefinida, otros autores como SÁNCHEZ GIL O.[574] consideran que la normativa actual en ningún caso excluye la posibilidad de extender el requisito de dependencia a más de dos variedades y que, por tanto, es posible que la variedad inicial se encuentre separada por varias fases de la variedad esencialmente derivada.

Otro aspecto importante a destacar y que también aparece en el mencionado gráfico y que hemos señalado con anterioridad es que una variedad que es esencialmente derivada de otra en ningún caso se puede considerar una variedad inicial[575] y es por ese motivo por el que nunca se podrán extender los derechos de obtentor de una variedad esencialmente derivada a la variedad esencialmente derivada que derive principalmente de esta.

2.2. Variedad inicial no protegida y variedades esencialmente derivadas protegidas

          dos en los artículos 20 y 21 del Reglamento Europeo 2100/94.

[572]   Situación que podría darse en caso de que el título de protección de la variedad inicial expirara por el trascurso del periodo de duración de la protección comunitaria; o fuera declarado nulo o anulado con base en alguno de los motivos recogidos en los artículos 20 y 21 del Reglamento Europeo 2100/94.

[573]   WÜRTENBERGER, G.-VAN DER KOOIJ, P.-KIEWIET, B.-EKVAD, M. "*European Community Plant Variety Protection*", Oxford University Press, 2015, pág. 135

[574]   SÁNCHEZ GIL, O., "*La protección de las obtenciones vegetales. El privilegio del agricultor.*" Mº Medio Ambiente y Desarrollo Rural, 2008, pág. 67

[575]   Artículo 14.5.a)i) del Convenio UPOV.

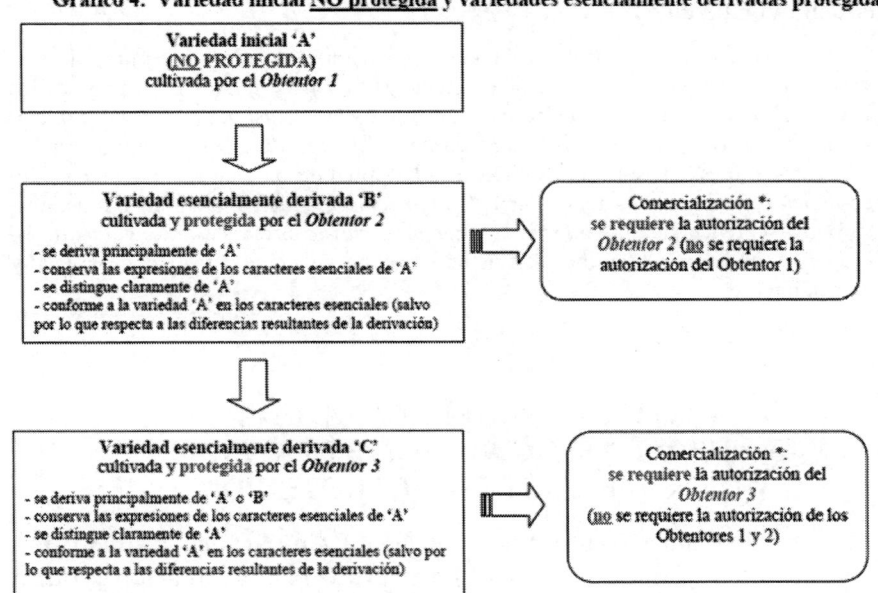

Gráfico 4: Variedad inicial <u>NO protegida</u> y variedades esencialmente derivadas protegidas

En esta situación, tal y como podemos observar en el gráfico, al no estar la variedad inicial protegida (variedad "A"), la única autorización que se requiere es la del obtentor de la variedad esencialmente derivada.

Asimismo, al igual que en el supuesto anterior, como una variedad esencialmente derivada de otra nunca puede ser una variedad inicial, los derechos del obtentor nunca se pueden extender al obtentor de la referida variedad (variedad "B").

En este caso es importante tener en cuenta que aquellos obtentores que desarrollan ellos mismos nuevas variedades esencialmente derivadas de su variedad inicial y que optan por proteger únicamente la variedad esencialmente derivada al tener esta unas características mejoradas respecto a la variedad inicial, están cometiendo un gran error y limitando sus derechos respecto a la variedad esencialmente derivada ya que, tal y como hemos podido observar en el gráfico anterior, al no estar protegida la variedad inicial (variedad "A") y no pudiendo ser una variedad esencialmente derivada una variedad inicial (variedad "B"), el titular de la variedad inicial y de la variedad esencialmente derivada no podría ejercer su derecho de exclusiva frente a un tercero que obtuviese una variedad esencialmente derivada de la variedad "B".

Finalmente, en cuanto a las formalidades exigidas por el Reglamento Europeo 2100/94 para el reconocimiento de una variedad como variedad esencialmente derivada de una variedad inicial, el artículo 87.2 del referido Reglamento exige en su apartado h) bien que exista conformidad entre los titulares de ambas variedades, o bien que exista una resolución o sentencia firme que declare dicha vinculación:

> "*h) cuando* tanto el titular de una variedad inicial como el obtentor de una variedad esencialmente derivada de la inicial así lo soliciten, *la* identificación de las variedades como inicial y esencialmente derivada, *con inclusión de las denominaciones de las variedades y los nombres de las partes interesadas.* La solicitud de una de las partes interesadas sólo será suficiente si ha obtenido bien un reconocimiento no contencioso de la otra parte, *con arreglo al artículo 99,* bien una resolución definitiva o una sentencia definitiva, *con arreglo a las disposiciones de este Reglamento,* en la que se contenga la identificación de las variedades de que se trate como inicial y esencialmente derivada."

4. SITUACIÓN JURÍDICA DE UNA "VARIEDAD ESENCIALMENTE DERIVADA" QUE NO SE ENCUENTRE PROTEGIDA.

Partiendo de lo expuesto en relación con la situación jurídica de una variedad esencialmente derivada que se encuentre protegida, la situación jurídica de una variedad esencialmente derivada que no se encuentre protegida sería radicalmente distinta.

A continuación, detallamos las características más importantes que nos podemos encontrar cuando una variedad que sea declarada esencialmente derivada no se encuentre protegida:

a) Al tratarse de una variedad "libre" (sin beneficiario de un título de protección vegetal), cualquier tercero podría, en principio, realizar cualquiera de las operaciones descritas en el artículo 13.2 del Reglamento Europeo 2100/94 y el artículo 12.2 de la Ley 3/2000 respecto a la variedad esencialmente derivada No protegida sin que su obtentor necesite autorizarlo. No obstante, si el obtentor de la variedad esencialmente derivada no protegida reconociera expresamente el carácter esencialmente derivado de su variedad, será necesaria la autorización del titular de la variedad inicial (o sus causahabientes), siempre y cuando esta se encuentre registrada.

b) Por lo tanto, se requerirá el reconocimiento expreso del obtentor de la variedad esencialmente derivada para su consideración como tal a efectos legales. En el caso de no obtener tal autorización, tendrá que ser el Juez competente el que, en el marco de un procedimiento judicial, dicte una sentencia determinando el carácter esencialmente derivado o no de la variedad.

c) Únicamente se requerirá la autorización del titular de la variedad inicial protegida (o sus causahabientes) durante la vigencia de la protección europea/nacional de dicha variedad, deviniendo libre la realización de cualquiera de las operaciones descritas en el artículo 13.2 del Reglamento Europeo 2100/94 (o el artículo 12.2 de la Ley 3/2000) respecto a la variedad esencialmente derivada no protegida una vez expire la protección comunitaria de la variedad inicial.

Aunque el Derecho de la Unión y la legislación española reconocen expresamente que una variedad esencialmente derivada no protegida está cubierta por el alcance del derecho de obtentor de la variedad inicial que se encuentre protegida, lo cierto es que en la práctica esta situación puede generar mucha incertidumbre en la medida en que no hay ningún registro público que reconozca la titularidad de la variedad esencialmente derivada a favor de su obtentor, ni que la misma cumple con los requisitos necesarios (homogeneidad, estabilidad y distinción) para ser reconocida como obtención vegetal.

Se puede dar el caso de que, a pesar de existir un acuerdo entre el obtentor de la variedad inicial protegida y la variedad esencialmente derivada en el que se reconozca el carácter esencialmente derivado de esta última, un tercero solicite el registro de la variedad esencialmente derivada y se le conceda, quedando sin efecto dicho acuerdo y siendo necesario el reconocimiento expreso del "nuevo" titular del carácter derivado de la variedad de tal modo que si no existiera dicho reconocimiento, será necesario acudir a los tribunales para obtener dicha declaración.

Por lo tanto, será altamente recomendable proteger las variedades esencialmente derivadas con el fin de no generar ninguna situación de incertidumbre en el mercado.

La indicación del país de origen en el etiquetado de la leche y los productos lácteos y su regulación en el ordenamiento español

ALEJANDRO LLOPIS BLANQUE
Profesor Ayudante de Derecho Mercantil. Universidad de Alicante

1. INTRODUCCIÓN

Los productos alimenticios tienen una relevancia de primer orden en nuestra sociedad. Para los consumidores, los mismos son un elemento esencial en sus intereses relativos a la salud y en los de carácter económico y jurídico, estrechamente ligados entre sí; ya que, a la hora de realizar la compra de estos productos, se ponderan, principalmente, tanto cuestiones relativas a su composición (valores nutricionales, o indicadores objetivos de calidad), como económicos (el precio). La protección de estos intereses tiene un rango constitucional, por lo que garantizarla es un deber para los poderes públicos[576].Por ello, se hace necesario para las autoridades asegurar que la elección realizada por los consumidores se ajusta lo mejor posible a los intereses que desean satisfacer. En dicha elección juega un papel esencial la información que se facilite sobre los productos, por lo que será imperativo para los poderes públicos cerciorarse que dicha información sea lo más completa, transparente y eficaz posible.

Como bien se ha señalado por la doctrina[577], esta información se transmite por dos medios: a través de las marcas; y a través del etiquetado. No obstante, cada uno de ellos cumple una función distinta: por un lado, las marcas[578] desempeñan una función de carácter económico, al indicar el origen empresarial del bien, las características homogéneas de todos aquellos productos que estén amparados por la misma marca (indicación de la calidad), así como su presti-

---

[576]   Cfr. MASSAGUER FUENTES, J.: *Comentario a la Ley de Competencia Desleal.* Civitas. 1999. Páginas 109 y 110.

[577]   Véase MONTERO GARCÍA-NOBLEJAS, P: "Justificación y alcance de la identificación del fabricante en el etiquetado de los productos (alimenticios)", en *Marcas negras en la era de la transparencia*, Dir: OLIVARES DELGADO, F. Gedisa, 2018. Pág. 305.

[578]   Entendiendo por tales todos aquellos signos que sirvan para distinguir e individualizar en el mercado productos o servicios de una empresa con respecto a productos o servicios idénticos o similares de otra, conforme a lo dispuesto en el artículo 4 de la Ley 17/2001, de 7 de diciembre, de Marcas (en adelante, LM), y en el artículo 4 del Reglamento 2017/1001 del Parlamento Europeo y del Consejo, de 14 de junio de 2017, sobre la marca de la Unión Europea (en adelante, RMUE)

gio o su buena reputación, e incluso cumplen una función publicitaria[579]. Por su parte, el etiquetado[580] busca garantizar un alto nivel de protección de los consumidores, ofreciéndoles una base para elegir con conocimiento de causa los alimentos que consumen, así como lograr la libre circulación de alimentos en la Unión, proteger los legítimos intereses de los productores, y promover la producción de productos de calidad[581]. Si bien es cierto que, conforme a la definición de etiquetado, también se incluyen dentro del mismo las marcas, aquel es una categoría más amplia, cuyos fines se buscan alcanzar principalmente a través de la indicación de valores objetivos del propio producto, relacionados principalmente con su composición[582], su caducidad o su modo de empleo. Valores sobre los que el origen geográfico del producto puede influir, por lo que tanto en nuestro ordenamiento como en el de la Unión se ha optado por configurar una serie de signos distintivos específicos que vinculan una mayor calidad o reputación de estos productos a dicho origen geográfico. Dichos signos son conocidos como denominaciones de origen e indicaciones geográficas.

La mentada protección de los consumidores se halla, además, en consonancia con sus intereses reales, pues la opinión pública ha demostrado inclinación a relacionar la alimentación con la salud, por lo que acude al etiquetado de forma habitual para obtener la información que considera relevante[583].

---

[579] Véase GALLEGO SÁNCHEZ, E.: *Derecho Mercantil. Parte Primera*. Tirant lo Blanch. 2019. Página 212.

[580] Considerando como tal las menciones, indicaciones, marcas de fábrica o comerciales, dibujos o signos relacionados con un alimento y que figuren en cualquier envase, documento, rótulo, etiqueta, faja o collarín, que acompañen o se refieran a dicho alimento, conforme a lo dispuesto en el artículo 2.2 j) del Reglamento 1169/2011, del Parlamento Europeo y del Consejo, de 25 de octubre de 2011, sobre la información alimentaria facilitada al consumidor (en adelante, Reglamento 1169/2011).

[581] Cfr. Artículo 169 TFUE, Considerandos 1 y 4 del Reglamento 1169/2011. y su artículo 3, así como el artículo 8 del Reglamento 178/2002, del Parlamento Europeo y del Consejo, de 28 de enero de 2002, por el que se establecen los requisitos generales de legislación alimentaria, se crea la Autoridad Europea de Seguridad Alimentaria y se fijan procedimientos relativos a la seguridad alimentaria (en adelante, Reglamento 178/2002).

[582] Como, por ejemplo, sus ingredientes, la cantidad de los mismos, sus condiciones de conservación o la información nutricional.

[583] Cfr. Considerando 10 Reglamento 1169/2011. Asimismo, el Ministerio de Agricultura, Pesca y Alimentación solicitó al Instituto Cerdá la elaboración de una serie de encuestas a los consumidores con el ánimo de medir la confianza en el sector agroalimentario. En el trabajo monográfico realizado a partir de dicho estudio, se concluyó que 7 de cada 10 entrevistados leyeron siempre o casi siempre el etiquetado de los productos que consumían; e igualmente, 7 de cada 10 se fijaban en el origen de los alimentos. Dicho trabajo monográfico se encuentra disponible en: https://www.mapa.gob.es/es/alimentacion/temas/consumo-y-comercializacion-y-distribucion-alimentaria/e-3312informebarometro3t2019-monograficoetiquetadoconsumidores_tcm30-523632.pdf [fecha de última consulta: 24 de marzo de 2021].

De toda esa información ofrecida a los consumidores, la que es objeto de especial tratamiento en este trabajo es la que se incluye en el etiquetado, y, más concretamente, la referida al país de origen; siendo en este último caso de especial interés y actualidad la relativa a la leche y los productos lácteos. El tratamiento de este tema se pretende realizar diferenciando, primero, los conceptos de origen empresarial, de país de origen, de denominación de origen y de indicación geográfica para, en segundo lugar, exponer la cuestión de la denominación obligatoria del país de origen, y, más concretamente, la denominación en la leche y los productos lácteos. Este asunto en nuestro país ha sido objeto de tratamiento por parte del legislador en los últimos años, y su política en este ámbito, basada en principio en la tutela de los intereses de los consumidores, puede suponer una afectación injustificada a la competencia dentro del mercado de la Unión Europea.

2. CONCEPTOS DE ORIGEN DEL PRODUCTO MARCADO, DE PAÍS DE ORIGEN, DE DENOMINACIÓN DE ORIGEN Y DE INDICACIÓN GEOGRÁFICA

Como ya se ha comentado, la información suministrada a los consumidores sobre los productos alimenticios se materializa tanto a través del etiquetado en general, como de las marcas en particular. Dado que el presente trabajo se centra en tratar los aspectos relativos al país de origen de este tipo de productos, se hace necesario distinguir este concepto de otros, como, por ejemplo, el concepto de origen del producto marcado u origen empresarial, el de denominación de origen o el de indicación geográfica. Esta necesidad se acentúa en la medida en que todas estas figuras aparecen en el etiquetado de los productos, por lo que tienen por objeto ofrecer información a los consumidores, si bien, como se aclarará a continuación, lo hacen con respecto a materias distintas.

2.1. *Concepto y función del origen del producto marcado u origen empresarial*

El primero de los conceptos es el de origen del producto marcado u origen empresarial del producto. De entre las funciones que cumple la marca, la primera y principal es la de indicar el origen empresarial del producto. A través de esta función distintiva, el consumidor identifica el producto o servicio y lo vincula a una fuente productiva determinada, asociando a dicha fuente la satisfacción o insatisfacción generada por el producto o servicio[584]. Por ello, este signo distintivo desempeña un papel informativo, al señalar a los consu-

---

[584]   Cfr. LOBATO, M.: *Comentario a la Ley 17/2001, de Marcas.* Civitas. 2002. Página 77.

midores que todos los productos o servicios de una misma clase portadores de una marca idéntica tienen su origen en una misma empresa: la empresa titular de la marca[585].

No obstante, la afirmación que se termina de realizar debe ser matizada, pues podría llegar a pensarse que, cuando se emplea el término "origen empresarial", se está haciendo necesariamente una referencia al fabricante del producto, o a que el titular de la marca debe ser necesariamente el fabricante. Más dichas aseveraciones no son acertadas.

En primer lugar, si bien es cierto que en sus inicios la función indicadora de la procedencia empresarial informaba a los consumidores sobre la identidad del fabricante de los productos, tras la revolución industrial y las innovaciones producidas a lo largo del último siglo, el conocimiento de dicha identidad se ha tornado cada vez más complejo[586]. Empero, este desconocimiento del fabricante o distribuidor no empece que la marca cumpla con su función de indicación del origen empresarial, pues, como ha señalado la doctrina[587], dicha función no consiste en dar a conocer la identidad de la empresa o el empresario que fabrica los productos, sino en señalar que todos los productos o servicios marcados proceden del mismo empresario.

En segundo lugar, tampoco se puede afirmar en todo caso que el término "origen empresarial" implica que sea el titular de la marca quien produzca los bienes o realice los servicios que se ofertan en el mercado, puesto que la propia LM[588] le faculta para conceder licencias sobre su signo distintivo. Por lo tanto, es completamente factible que el empresario que se dedique a fabricar y/o introducir en el mercado los productos o a prestar los servicios no sea el titular de la marca. Esta tesitura, no obstante, tampoco desvirtúa la función de indicación del origen empresarial; dado que, conforme a lo expuesto por la jurisprudencia comunitaria[589], para garantizar la función informativa del origen empresarial frente a los consumidores, a lo que se debe atender es a que exista un control efectivo por parte del titular de la marca sobre la calidad de los productos fabricados por los licenciatarios y protegidos por su signo distintivo.

---

[585] Cfr. FERNÁNDEZ-NÓVOA, C.: *Tratado sobre Derecho de Marcas*. Marcial Pons. 2004. Página 70.

[586] FERNÁNDEZ-NÓVOA, C.Op.Cit. Página 71

[587] BAYLOS CORROZA, H.: *Tratado de Derecho Industrial*. Civitas. 1993. Página 819.

[588] Cfr. Artículo 48 LM.

[589] Véanse STJUE de 25 de julio de 2018, en el asunto C-129/17, apartado 35; STJUE de 23 de marzo de 2010, en los asuntos acumulados C-236/08 a 238/08, apartado 82; STJCE de 29 de septiembre de 1998, en el asunto C-39/97, apartado 28; y la STJCE de 17 de octubre de 1990, en el asunto C-10/89, apartados 14 y 13; entre otras.

Por lo tanto, el concepto de origen empresarial debe puntualizarse, como ha indicado la doctrina[590], y entenderse en el sentido de que hace referencia no solo a la indicación de que los productos o servicios amparados por la marca proceden de la misma empresa, sino también a que existe una determinada relación entre las respectivas empresas en las que tienen su origen. Por ello, se ha afirmado que esta función de la marca "opera desde una perspectiva puramente formal", funcionando como centro de imputación empresarial del signo distintivo y de los productos y servicios que el mismo diferencia. Por lo que no se vería afectado en su función por el hecho de que fabricante y titular de la marca no coincidan; aunque todo ello implica que el titular de la marca tiene la carga de controlar la explotación que de la misma realiza el licenciatario, bajo pena de que se declare la caducidad de su derecho sobre el signo en caso de que pudiese inducir a error sobre las características del producto o servicio[591].

Esta función informativa del origen empresarial se completa con el ámbito de la responsabilidad del empresario frente a los consumidores, cuya regulación se halla en el Real Decreto Legislativo 1/2007, de 16 de noviembre, por el que se aprueba el texto refundido de la Ley General para la Defensa de los Consumidores y Usuarios y otras leyes complementarias (en adelante, TRLGDCU). Conforme a lo dispuesto en este texto, el sujeto al cual se le puede exigir responsabilidad es el denominado como productor. Debemos atender a lo dispuesto en el artículo 5 del TRLGDCU para observar que, como productor, ha considerarse, no solo al fabricante de un bien, sino también al prestador de un servicio, su intermediario, así como también al importador del bien o servicio en el territorio de la Unión Europea, y a cualquier persona que se presente como tal[592] al indicar "en el bien, ya sea en el envase, el envoltorio o cualquier otro elemento de protección o presentación, o servicio su nombre, marca u otro signo distintivo". Se ha de señalar que, por producto, se entiende, conforme al artículo 6 del mismo texto legal, todo bien mueble conforme a lo previsto en el artículo 355 del Código Civil[593]. La anterior definición de

---

[590]　Véase GALLEGO SÁNCHEZ, E.: "Fórmulas jurídicas al servicio de las marcas negras. Compatibilidad con el Derecho de marcas y el Derecho de la competencia desleal", en *Marcas negras en la era de la transparencia*, Dir: OLIVARES DELGADO, F. Gedisa, 2018. Página 296.

[591]　Cfr. LOBATO, M. Op. cit. Página 78 Y ORTUÑO BAEZA, M.T.: *La licencia de Marca*. 2000. Marcial Pons, Página 299.

[592]　Denominado productor o fabricante aparente.

[593]　Ya la doctrina ha señalado la discordancia existente entre este artículo y el anterior, al considerarse como productor también a los prestadores de servicios, sin extender el concepto de producto a estos últimos, limitándose únicamente a los bienes muebles. Véase BERCOVITZ RODRÍGUEZ-CANO, R. "Artículo 6. Concepto de producto", en *Comentario del Texto Refundido de la Ley General para la Defensa de los Consumidores y Usuarios y otras Leyes Complementarias*. Dir. BERCOVITZ RODRÍGUEZ-CANO, R. Aranzadi. 2015. Págs: 77 a 79.

productor se aleja de la empleada en el campo económico, en el cual se considera como tal a aquella persona que fabrica un producto o extrae una materia prima[594] en el marco de una organización empresarial, con una finalidad de comercialización[595].

El empleo de esta noción amplia de productor permite a los consumidores, a los que se ha considerado como sujetos cautivos en la relación con el mercado[596], accionar contra un mayor número de sujetos en el caso de falta de conformidad con el bien que hayan adquirido, en sus características o calidad, o de que se causen daños como consecuencia de la existencia de defectos en los productos[597].

2.2. Conceptos y función de las denominaciones de origen y de las indicaciones geográficas

Por denominación de origen debe entenderse todo producto originario de un lugar determinado, una región o, excepcionalmente un país; cuya calidad o características se deban fundamental o exclusivamente a un medio geográfico particular, con los factores naturales y humanos inherentes a él, y cuyas fases de producción tengan lugar en su totalidad en la zona geográfica definida. Por indicación geográfica se entiende todo producto originario de un lugar determinado, una región o un país, que posea una cualidad determinada, una reputación, u otra característica que pueda esencialmente atribuirse a su origen geográfico, y de cuyas fases de producción, al menos una tenga lugar en la zona geográfica definida[598].

---

[594]   La noción de materia prima aparece también en el artículo 138 del TRLGDCU, al considerar como productor, tanto al fabricante como al importador en la Unión Europea de una materia prima.

[595]   Véase MONTERO GARCÍA-NOBLEJAS, P: "Justificación y alcance de la identificación del fabricante en el etiquetado de los productos (alimenticios)", op.cit. Págs: 318 y 319.

[596]   Debido a que no tienen más remedio que consumir bienes y servicios, y por ello se encuentran en una situación de desventaja con respecto a los diversos actores que pueden ser considerados como productores. Véase BERCOVITZ RODRÍGUEZ-CANO, R. "Artículo 2. Ámbito de aplicación", en *Comentario del Texto Refundido de la Ley General para la Defensa de los Consumidores y Usuarios y otras Leyes Complementarias*. Dir. BERCOVITZ RODRÍGUEZ-CANO, R. Aranzadi. 2015. Págs: 49 a 55.

[597]   Supuestos contemplados en los artículos 124 y 135 respectivamente. Véase BERCOVITZ RODRÍGUEZ-CANO, R. "Artículo 5. Concepto de productor", en *Comentario del Texto Refundido de la Ley General para la Defensa de los Consumidores y Usuarios y otras Leyes Complementarias*. Dir. BERCOVITZ RODRÍGUEZ-CANO, R. Aranzadi. 2015. Págs: 74 a 77.

[598]   Definiciones contenidas en el artículo 5 del Reglamento 1151/2012, del Parlamento Europeo y del Consejo, de 21 de noviembre de 2012, sobre los regímenes de calidad de los productos agrícolas y alimenticios (en adelante, Reglamento 1151/2012); si bien debe mencionarse que, para los vinos, la definiciones de denominación de origen e indicación geo-

Aunque en un principio las denominaciones de origen estaban ligadas exclusivamente a la procedencia geográfica del producto, actualmente, cumplen una función de indicación de la (alta) calidad de un producto, garantizando la existencia de unas características comunes y constantes, que se hallan vinculadas a un origen geográfico[599]. Y, en cuanto a las indicaciones geográficas, pese a que también se les exige una vinculación del producto con el origen geográfico, la misma no es tan estrecha como con las denominaciones, pues, como se ha señalado, en la definición de denominación de origen, se establece que la calidad o características del producto se deban "fundamental o exclusivamente" al medio geográfico, mientras que en las indicaciones geográficas se utiliza la expresión "esencialmente". Del mismo modo, el origen geográfico no tiene por qué estar relacionado con una determinada cualidad del producto, sino que el vínculo puede ser meramente reputacional o de "otra característica".

2.3. Concepto y función del término país de origen y diferencias con las anteriores figuras

Por país de origen de un producto alimenticio debe entenderse aquel en el cual el mismo se hubiese obtenido enteramente. Si en la producción hubiesen intervenido dos o más países, será originario del país en el que se haya producido la última transformación o elaboración sustancial, efectuada por una empresa equipada a este efecto, y que haya conducido a la fabricación de un producto nuevo o que represente un grado de fabricación importante[600].

---

gráfica se encuentran en el artículo 93 del Reglamento 1308/2013, del Parlamento Europeo y del Consejo, de 17 de diciembre de 2013, por el que se crea la organización común de mercados de los productos agrarios (en adelante, Reglamento 1308/2013); y, para las bebidas espirituosas, se deberá atender al concepto de indicación geográfica comprendido en el artículo 3 del Reglamento 2019/787, del Parlamento Europeo y del Consejo, de 17 de abril de 2019, sobre la definición, designación, presentación y etiquetado de las bebidas espirituosas, la utilización de los nombres de las bebidas espirituosas en la presentación y etiquetado de otros productos alimenticios, la protección de las indicaciones geográficas de las bebidas espirituosas y la utilización de alcohol etílico y destilados de origen agrícola en las bebidas alcohólicas, y por el que se deroga el Reglamento (CE) no 110/2008. Empero, las definiciones de los tres reglamentos guardan grandes similitudes. En el presente trabajo se emplearán los términos del Reglamento 1151/2012, pues los mismos son los de carácter general para la mayoría de productos agrícolas y alimenticios.

[599]   Esta vinculación al origen geográfico es la principal característica diferenciadora entre las denominaciones e indicaciones con las marcas de garantía. Véase MONTERO GARCÍA-NOBLEJAS, P: *Denominaciones de origen e indicaciones geográficas*. Tirant lo Blanch.2016. Páginas 34, 53 y 54.

[600]   Cfr. Considerando 33 Reglamento 1169/2011, y su artículo 2.3, que remiten a los artículos 23 a 26 del Reglamento 2913/92 del Consejo, de 12 de octubre de 1992, por el que se aprueba el Código aduanero comunitario, para precisar la definición de país de origen. No obstante, dicho Reglamento fue derogado y sustituido por el actual Reglamento 952/2013, del Parlamento Europeo y del Consejo, de 9 de octubre de 2013, por el que se establece el

Como se acaba de exponer, el origen empresarial cumple una función de naturaleza económica e informativa acerca de los diversos actores que se hallan relacionados con la incorporación al mercado de una serie de productos o servicios amparados por una misma marca. Por su parte, la noción de país de origen, que se halla ligada a los principios y objetivos rectores del etiquetado de los productos alimenticios, busca igualmente ofrecer información a los consumidores, pero no sobre los empresarios que están vinculados a dichos productos, sino sobre el lugar geográfico en el cual se han producido u obtenido.

De igual modo, este término guarda similitudes con los conceptos de denominación de origen e indicación geográfica, si bien sus desemejanzas son relevantes.

Aunque es cierto que tanto las denominaciones, como las indicaciones y el país de origen tienen entre sus objetivos proporcionar información clara sobre los productos para que los consumidores hagan sus elecciones de compra con un mayor conocimiento de causa[601]; se pueden apreciar claras diferencias. Si bien el concepto de país de origen, al igual que el de denominación de origen y el de indicación geográfica, guarda una vinculación con el territorio en el cual se ha obtenido o producido el bien agrícola o alimenticio, a diferencia de las denominaciones de origen, el país de origen no indica que dicho producto tenga una determinada calidad superior por proceder de una zona geográfica concreta. Y, si bien el concepto de indicación geográfica permite abarcar un mayor número de supuestos, para poder incluir a un producto dentro del mismo, este debe poseer alguna característica (de calidad, reputacional, etc.) que se halle vinculada al territorio, mientras que, para indicar el país de origen, no es necesaria tal vinculación.

En resumen de todo lo anterior, la locución país de origen, a diferencia de la de origen del producto marcado, no desempeña una función empresarial, pues no relaciona el producto con una empresa en concreto, ni con una marca, sino que su función es meramente informativa, cuyo objetivo es que los consumidores escojan con conocimiento de causa. Y, aunque comparte este fin con las indicaciones geográficas y las denominaciones, las cuales tampoco desempeñan una función empresarial, diverge de ellas en que no indica ni una determinada cualidad ni cualquier otra característica del producto vinculada con el origen geográfico en el cual se ha obtenido o producido. Esta ausencia de relación entre calidad y procedencia encuentra su respaldo en el hecho, anteriormente mencionado, de que la definición de país de origen se remita a la normativa aduanera, pues, como ya señaló algún autor, la normativa de este ámbito se

---

código aduanero de la Unión. Por lo tanto, la presente definición se ha obtenido del artículo 60 de esta última norma.

[601]   Cfr. Reglamento 1151/2012, considerando 18, y considerandos 4, 10, 24, 26, 34 y 37 del Reglamento 1169/2011, así como su artículo 3.

centra en indicar el lugar de producción o última transformación, disociándose de la naturaleza, calidad o atributos del producto[602].

3. LA EXIGENCIA DE INFORMACIÓN OBLIGATORIA Y LA INDICACIÓN DEL PAÍS DE ORIGEN EN EL ETIQUETADO

3.1. La exigencia de información obligatoria en el etiquetado

A nivel europeo, el propio Reglamento 1169/2011 apunta[603] que el principal motivo de justificación para imponer a los productores[604] la inclusión de determinada información en el etiquetado de sus productos es la ya mentada protección de los intereses de los consumidores, facilitando que los mismos puedan hacer un uso adecuado de los alimentos y tomen decisiones que se adapten a sus necesidades alimentarias. Los criterios que deben regir la decisión de imponer determinada información en el etiquetado son, por un lado, el interés demostrado por la amplia mayoría de los consumidores en la divulgación de determinadas informaciones, y, por otro, que dicha imposición se estime necesaria, de conformidad con los principios de subsidiariedad, proporcionalidad y sostenibilidad.

Asimismo, también establece el deber de que la legislación sobre información alimentaria deberá prohibir el uso de información que pueda inducir a engaño[605] al consumidor, indicando que deberá aplicarse la misma, para ser efectiva, también a la publicidad y presentación de los alimentos[606]. A este respecto, en nuestro ordenamiento[607] se exige que este engaño se produzca sobre las características esenciales del producto, entendiendo por tales aquellas que

---

[602]   Cfr. GUILLEM CARRAU, J.: *Denominaciones geográficas de calidad. Estudio de su reconocimiento y protección.* Tirant lo Blanch. 2008. Página 30.

[603]   Cfr. Considerandos 17 a 19.

[604]   Tal y como señala el considerando 15, y el artículo 1.3 del Reglamento 1169/2011, el mismo solo será aplicable a las empresas, y en concreto, a los operadores de empresas alimentarias en todas las fases de la cadena, así como a los servicios de restauración que ofrecen las empresas de transporte cuando la salida se produzca desde los Estados miembros a los que se aplican los Tratados.

[605]   En nuestro ordenamiento, este tipo de prohibición se halla regulada principalmente en la Ley 3/1991, de Competencia Desleal (en adelante, LCD), en cuyo artículo 5 se establecen los actos de engaño. Con respecto a los mismos, cabe señalar que para apreciarlos no es necesario que se produzca el error, sino que será suficiente con su aptitud para inducir a error. No se trata de actos de resultado, sino de peligro. Cfr. BARONA VILAR, S.: *Competencia desleal: tutela jurisdiccional (especialmente proceso civil) y extrajurisdiccional: doctrina legislación y jurisprudencia.* Tirant lo Blanch. 2008. Pág. 386.

[606]   Cfr. Considerando 20.

[607]   Cfr. Artículo 18 TRLGDCU.

puedan distorsionar de manera significativa el comportamiento económico del consumidor medio[608], que es aquel que está normalmente informado y es razonablemente atento y perspicaz[609].

En cuanto a las indicaciones que pueden imponerse como obligatorias, las mismas se hallan recogidas en el artículo 9 del Reglamento 1169/2011, el cual menciona toda una serie de elementos, como la denominación del alimento, la lista de ingredientes, la cantidad neta del alimento, su fecha de duración mínima o de caducidad, la información nutricional... y, en lo que al presente trabajo respecta, el artículo hace referencia también, en la letra i) del punto primero, al país de origen o lugar de procedencia, "cuando así esté previsto en el artículo 26". Asimismo, se deberá tener en cuenta, como más adelante se indicará, que existen normas específicas para determinados alimentos que regulan la información obligatoria que su etiquetado debe contener.

Igualmente, si la normativa europea no dictaminase ningún deber sobre la inclusión de determinada información en el etiquetado de los productos, los Estados miembros podrían fijarlo en sus propios ordenamientos, con fundamento en lo expuesto en los artículos 38 y 39 del Reglamento 1169/2011, siempre y cuando cumpliesen con los requisitos que dichos artículos exponen, a saber: que las medidas que adopten no supongan una prohibición u obstáculo a la libre circulación de las mercancías y que dicha imposición se halle justificada por la protección de la salud pública, la de los consumidores, la prevención del fraude o la protección de la propiedad intelectual y la prevención de la competencia desleal. Y, en el supuesto concreto de la indicación obligatoria del país de origen o del lugar de procedencia, se exige, adicionalmente, que se pueda demostrar la existencia de una relación entre dicha procedencia y determinadas cualidades del alimento, así como la aportación de pruebas sobre el interés de los consumidores por conocer dicho origen

Por otro lado, en nuestra normativa interna la información obligatoria del etiquetado se contiene principalmente en el TRLGDCU, así como en el RD. 126/2015, de 27 de febrero[610].

En el TRLGDCU, su artículo 18 también tiene por finalidad evitar la inducción a error en el consumidor o usuario, en términos muy similares a los que enuncia el Reglamento 1169/2011. No obstante, existen al menos dos

---

[608] Cfr. MONTERO GARCÍA-NOBLEJAS, P: "Justificación y alcance de la identificación del fabricante en el etiquetado de los productos (alimenticios)", op.cit. Págs: 317 y 318.
[609] Cfr. FERNÁNDEZ-NÓVOA, C.: "Capítulo XXXI, El riesgo de confusión", en *Manual de la Propiedad Industrial*. Marcial Pons. 2017. Pág: 559
[610] Por el que se aprueba la norma general relativa a la información alimentaria de los alimentos que se presenten sin envasar para la venta al consumidor final y a las colectividades, de los envasados en los lugares de venta a petición del comprador, y de los envasados por los titulares del comercio al por menor (en adelante, R.D 126/2015).

diferencias entre ambas regulaciones: la primera es la referida a los puntos sobre los cuales se debe informar en el etiquetado de forma obligatoria, pues el Reglamento 1169/2011 fija una lista cerrada de los mismos, mientras que el TRLGDCU, si bien enumera una serie de componentes informativos que deben ser incluidos en el etiquetado[611], establece un sistema de *numerus apertus*, ya que, previamente a la enumeración de dichos elementos, explicita que la información que se deba incluir en el etiquetado, lo será "sin perjuicio de las exigencias concretas que se establezcan reglamentariamente y de la normativa sectorial que en cada caso resulte de aplicación". La otra diferencia estriba en la determinación del sujeto responsable de incluir dicha información. El Reglamento 1169/2011 fija como responsable de la inclusión de la información al operador de la empresa alimentaria con cuyo nombre o razón social se comercialice el alimento, o al importador del mismo al mercado de la Unión, en caso de que el primero no esté establecido en la misma. Por su parte, la responsabilidad en el TRLGDCU no se atribuye a ningún sujeto en particular; si bien, algún sector de la doctrina ha apuntado a que sería razonable que la misma recayese sobre el empresario que tuviese a su disposición la información que debiera ser incluida en el etiquetado.[612]

En cuanto al RD. 126/2015, el mismo, en su artículo 4, se remite en gran medida a lo dispuesto en el Reglamento 1169/2011. No obstante, se asemeja al contenido del TRLGDCU en cuanto al sistema de *numerus apertus*, al hacer igualmente referencia a los requisitos que se pudiesen establecer en disposiciones nacionales o de la Unión Europea.

En conclusión, aunque el Reglamento 1169/2011 establece un sistema de *numerus clausus* con respecto a las indicaciones de información obligatorias (al contrario que nuestras normas internas), en lo referido al país de origen de los productos se debe estar, por un lado, a lo dispuesto en la normativa específica de la Unión para determinados tipos de alimentos y, por otro, y como se va a tratar a continuación, a lo dispuesto en el artículo 26 del Reglamento 1169/2011, el cual fija una serie de supuestos en los cuales dicha indicación será obligatoria. En caso de que dicha información obligatoria no fuese exigida por el Reglamento 1169/2011, los Estados miembros podrán imponerla

---

[611]   Como el nombre y dirección completa del productor, la naturaleza, composición y finalidad del producto, la fecha de producción o suministro y lote, o las instrucciones o indicaciones para su correcto uso o consumo, así como la correcta gestión de sus residuos, advertencias y riesgos previsibles.

[612]   Por lo que, en algunos casos, dicho empresario podría ser el fabricante o productor, haciendo que la lista de responsables fuese más amplia que establecida en el Reglamento. Cfr. ÁLVAREZ LATA, N.: "Artículo 18. Etiquetado y presentación de los bienes y servicios", en *Comentario del Texto Refundido de la Ley General para la Defensa de los Consumidores y Usuarios y otras Leyes Complementarias*. Dir. BERCOVITZ RODRÍGUEZ-CANO, R. Aranzadi. 2015. Página 216.

siempre y cuando cumplan con los requisitos de los artículos 38 y 39 del Reglamento 1169/2011.

3.2. *La exigencia de indicar el país de origen o lugar de procedencia*

Dentro de las indicaciones obligatorias que deben incluirse en el etiquetado, la del país de origen es una de las más relevantes, principalmente por la influencia que puede llegar a tener en el ámbito del Derecho de la competencia y sobre los consumidores.

Tal y como indicó la OCDE, el fundamento para el empleo de referencias de calidad o geográficas de los productos se halla en las denominadas asimetrías de información entre los consumidores y los productores, y tiene por objetivo reducirlas en la mayor medida posible, facilitando que los primeros puedan conocer todas las características posibles de los productos que adquieren, evitando así que tomen decisiones que no se ajusten a sus intereses y que, por lo tanto, se produzcan fallos en el mercado[613].

Por su parte, y como se comentará más adelante, la normativa del etiquetado en general, así como la información referida al país de origen o procedencia del producto, puede llegar a provocar un efecto distorsionador sobre la competencia[614], y, más concretamente, puede ser empleada por los Estados miembro como un "método disimulado para dar preferencia a los productos nacionales"[615].

En punto a la regulación concreta de esta materia, en primer lugar, se debe señalar que el contenido del artículo 26 del Reglamento 1169/2011 se aplica sin perjuicio de los requisitos en materia de etiquetado previstos en disposiciones especiales de la Unión. Apunte éste referido, principalmente, a aquellos

---

[613]   Véase OCDE: "Apellations of origing and geographical indications in OECD countries: economic and legal implications". 2000. Páginas 7 y 8. Disponible en: http://www.oecd.org/officialdocuments/publicdisplaydocumentpdf/?cote=COM/AGR/APM/TD/WP%282000%2915/FINAL&doclanguage=En [fecha de la última consulta: 31 de marzo de 2021]. Igualmente, véase CNMC: "IPN/CNMC/009/18: P.R.D. Relativo a la indicación del origen de la leche utilizada como ingrediente en el etiquetado de la leche y productos lácteos". 2018. Página 10. Disponible en: https://www.cnmc.es/sites/default/files/2000981_8.pdf [fecha de la última consulta: 2 de abril de 2021]; y CNMC: "IPN/CNMCA/044/20: Proyecto de Real Decreto por el que se modifica el Real Decreto 1181/2018, de 21 de septiembre, relativo a la indicación de origen de la leche utilizada como ingrediente en el etiquetado de la leche y los productos lácteos". 2021. Página 12. Disponible en: https://www.cnmc.es/sites/default/files/3321045_11.pdf [fecha de la última consulta: 2 de abril de 2021].

[614]   Véase: CNMC: "IPN/CNMC/009/18…Op.cit. Páginas 11 y 12. Igualmente: VÁZQUEZ RUANO, T.: "Aspectos de competencia en la comercialización de productos agroalimentarios" en *ADI* nº38, 2017-2018. Páginas 423 a 440.

[615]   Véase Conclusiones del Abogado General Sr. Gerard Hogan, presentadas el 16 de julio de 2020. Asunto C-485/18. ECLI:EU:C:2020:592. Apartado 3.

alimentos en los cuales es obligatorio indicar el país de su procedencia[616], así como los que se encuentren ya protegidos por una denominación de origen, una indicación geográfica, o una especialidad tradicional garantizada[617].

Realizada la anterior aclaración, el artículo 26 indica los dos supuestos en los que los operadores de empresas alimentarias de la UE estarán obligados a indicar el país de origen o el lugar de procedencia de sus productos de forma obligatoria: uno, de carácter concreto, relativo a los productos cárnicos del Anexo XI[618], y otro, de carácter general, concerniente a aquellos supuestos en los que la omisión pudiese inducir a error al consumidor en cuanto al país de origen o el lugar de procedencia real del alimento, especialmente si la información del etiquetado pudiese sugerir que el alimento tiene un país o lugar de origen diferente al real. Igualmente, si el ingrediente primario del producto tiene su origen en un país distinto al del producto final, se deberá indicar, o bien el país de origen de dicho ingrediente primario, o que su lugar de procedencia es distinto al del producto final.

De manera análoga, el mismo artículo impone el deber a la Comisión Europea de presentar una serie de informes, a más tardar el 13 de diciembre de 2014, sobre la necesidad de indicar obligatoriamente en el etiquetado el país de origen o del lugar de procedencia de una serie de alimentos, entre los que cabe destacar, a efectos del presente trabajo, la leche y los productos lácteos. Dichos informes, que serán comentados a continuación, debían analizar la necesidad de los consumidores de estar informados al respecto, la viabilidad de facilitar dicha información y los costes y beneficios de aplicar dichas medidas.

Si no concurriesen los supuestos del artículo 26, ni fuese exigida la indicación del país de origen por una norma específica de la UE, los Estados miembros podrían imponerla, como ya se ha indicado, con base en los artículos 38 y 39 del Reglamento 1169/2011. Todo ello sin perjuicio de que los empresarios

---

[616]   Como, entre otros, la miel (Directiva 2001/110/CE), las frutas y hortalizas (Reglamento de Ejecución nº543/2011), el pescado no transformado (Reglamento nº1379/2013), la carne de vacuno (Reglamento 1760/2000), el aceite de oliva (Reglamento 29/2012), el vino (Reglamento 1308/2013), los huevos (Reglamento 589/2008), la carne de aves de corral importada (Reglamento 543/2008), o las bebidas espirituosas (Reglamento 110/2008).

[617]   Ideados para beneficiar a las zonas rurales más desfavorecidas, contribuyendo a aumentar la renta de los agricultores y a propiciar el establecimiento de la población rural en las mismas, las especialidades tradicionales garantizadas, conforme a lo dispuesto en el artículo 18 del Reglamento 1152/2011, son signos distintivos de nombres que describan un producto o alimento específico que sea el resultado de un método de producción, transformación o composición que correspondan a la práctica tradicional aplicable a ese producto o alimento; o esté producido con materias primas o ingredientes que sean los utilizados tradicionalmente. Véase MONTERO GARCÍA-NOBLEJAS, P: *Denominaciones de origen e indicaciones geográficas*. Op.cit. Páginas 93 y siguientes.

[618]   En resumidas cuentas, son las carnes de las especies porcina, ovina, caprina o aves de la partida 0150, que sean frescas, refrigeradas o congeladas

decidan incluirla de forma voluntaria, siempre y cuando cumplan con los requisitos de los artículos 36 y 37 del mismo texto legal[619].

4. EL SUPUESTO DE LA INDICACIÓN DEL PAÍS DE ORIGEN EN LA LECHE Y LOS PRODUCTOS LÁCTEOS

4.1. Concepto de leche y de producto lácteo y la necesidad de indicar el país de origen en su etiquetado

De conformidad con lo dispuesto en el Reglamento 1308/2013[620], por leche debe entenderse exclusivamente la secreción mamaria normal obtenida a partir de uno o más ordeños, sin ningún tipo de adición ni extracción; y, por productos lácteos, aquellos que deriven exclusivamente de la leche, a los cuales se les podrán añadir sustancias para su fabricación, siempre y cuando las mismas no sustituyan, en todo o en parte, algún componente de la leche. Al ser productos de la ganadería, los mismos entran dentro de la consideración de productos agrícolas, tal y como los define el TFUE[621], y al estar destinados a ser ingeridos por los seres humanos, son considerados como alimentos por la normativa europea[622].

Con respecto a la indicación obligatoria del país de origen de estos productos, el propio Reglamento 1169/2011, en su artículo 26, especifica que la Comisión debía emitir un informe sobre la viabilidad y conveniencia de incluir esta información.

El mencionado organismo emitió dicho informe el 20 de mayo de 2015[623], y, en el mismo, concluyó, primero, que ya existe un gran número de empresarios del sector lácteo que acuden a sistemas de indicación del origen voluntarios; segundo, que los consumidores no se hallan muy predispuestos a pagar

---

[619]   Los cuales se pueden resumir en que la información voluntariamente ofrecida no induzca a error en los consumidores, ni sea confusa ni ambigua para estos (teniendo siempre en cuenta que como criterio orientador se empleará la figura del "consumidor medio"), que se base, si procede, en datos científicos pertinentes, y que dicha información no disminuya el espacio disponible para la información obligatoria.

[620]   Y, más concretamente, en la Parte III de su Anexo VII.

[621]   Cfr. Artículo 38 TFUE.

[622]   Cfr. Artículo 2 Reglamento 178/2002, y artículo 2 Reglamento 1169/2011.

[623]   Véase COM(2015) 205 final "Informe de la Comisión al Parlamento y al Consejo sobre la indicación obligatoria del país de origen o del lugar de procedencia de la leche, la leche utilizada como ingrediente en productos lácteos y los tipos de carne distintos a la carne de vacuno, porcino, ovino, caprino y aves de corral". Disponible en https://eur-lex.europa.eu/legal-content/ES/TXT/PDF/?uri=CELEX:52015DC0205&from=IT [fecha de última consulta: 2 de abril de 2021].

más por esta información; y, por último, que obtenerla podría implicar un aumento de costes para los operadores, que sería además desigual, pues dependería de las circunstancias particulares de cada uno de ellos.

Por su parte, el Parlamento Europeo, teniendo en cuenta este informe, emitió una Resolución el 12 de mayo de 2016[624], en la que destacó que la indicación obligatoria del origen de la leche o de los productos lácteos es una medida útil para proteger su calidad y salvaguardar el empleo en dicho sector, así como para evitar la inducción a error a los consumidores; aunque admitió que esta medida no servía para prevenir el fraude. Consideró, asimismo, que los incrementos en los costes de producción para los empresarios habrían sido sobreestimados por estos, y las cifras aportadas no se hallaban debidamente justificadas. Por todo ello, solicitó a la Comisión que impusiese el deber de indicar el país de origen en todos estos productos.

No obstante, y en contra del criterio del Parlamento Europeo, la Comisión, a la fecha de elaboración del presente trabajo[625] no ha adoptado ningún acto de aplicación de lo dispuesto en el artículo 26 del Reglamento 1169/2011 con respecto a la indicación obligatoria del país de origen en la leche y los productos lácteos.

4.2. La indicación del país de origen de la leche y los productos lácteos en el ordenamiento español

Aunque en el ámbito europeo la Comisión no haya considerado necesario incluir el país de origen en el etiquetado de la leche y los productos lácteos, varios Estados miembros sí han decidido adoptar esta imposición. Entre ellos se encuentra España, cuyo Ministerio de Agricultura, Pesca y Alimentación (en adelante, MAPA) fue el encargado de elaborar el Proyecto de Ley que posteriormente se materializaría en el R.D 1181/2018, de 21 de septiembre, relativo a la indicación del origen de la leche utilizada como ingrediente en el etiquetado de la leche y los productos lácteos (en adelante, R.D 1191/2018).

Como ya se ha indicado, los Estados miembros, con base en lo dispuesto en los artículos 38 y 39 del Reglamento 1169/2011, pueden adoptar medidas para imponer la indicación obligatoria del país de origen de los productos alimenticios, siempre y cuando cumplan con los requisitos fijados en dichos

---

[624]   Véase P8_TA(2016)0225 "Resolución del Parlamento Europeo, de 12 de mayo de 2016, sobre la indicación obligatoria del país de origen o del lugar de procedencia de determinados alimentos (2016/2583(RSP)). Disponible en https://eur-lex.europa.eu/legal-content/ES/TXT/?uri=CELEX%3A52015IP0034 [fecha de última consulta: 6 de abril de 2021].

[625]   Abril de 2021.

artículos. En el caso español, esta decisión se adoptó[626] con el doble objetivo de proporcionar información suficiente a los consumidores para facilitar su elección de compra, y de igualar las condiciones de comercialización de los productos lácteos en España a la otros países de la UE, que ya habían impuesto este deber.

En la propia MAIN se afirmó que esta imposición no tendría un impacto significativo sobre la competencia, basándose en que en el artículo 45 del Reglamento 1169/2011 se exime de informar a los organismos europeos conforme al procedimiento fijado en la Directiva 98/34/CE[627] (derogada por la Directiva 2015/1535, reguladora de la misma materia). No se hizo mención alguna a las advertencias que realizó la Comisión en su informe del 2015 sobre las posibles consecuencias que estas medidas podían tener sobre la competencia, y que ya se han señalado.

Con respecto a los requisitos fijados por el artículo 39 del Reglamento 1169/2011, la MAIN aseveró que no era materialmente posible demostrar que las cualidades de la leche y/o los productos lácteos están relacionadas con su origen o procedencia, y que únicamente a través de encuestas realizadas a los consumidores sería posible cumplir con los requisitos del artículo 39. Por ello, basándose en las encuestas realizadas por la UE (utilizadas igualmente por el Parlamento Europeo y por la Comisión en sus informes y resoluciones), así como en encuestas que el propio MAPA solicitó, se llegó a la conclusión de que para los consumidores españoles era importante conocer el país de origen de la leche y los productos lácteos. A mayor abundamiento, en la MAIN se alegó que el concepto de calidad se refiere al "conjunto de propiedades y características de un servicio o de un producto que tienen que ver con su capacidad de satisfacer las necesidades declaradas expresa o implícitamente"[628]; intentando, con ello, reforzar la postura de la suficiencia del criterio subjetivo de los intereses de los consumidores para imponer esta medida.

Sin embargo, es de resaltar que incluso la propia MAIN aceptó que esta imposición supondría unos mayores costes de gestión para los empresarios del sector lácteo, al exigir mayores controles sobre la determinación del origen de la leche. Igualmente, afirmó que estas medidas ayudarían a proveer de valor añadido a los productos afectados, y que con esta norma se contribuiría a crear unas "condiciones de competencia equitativas para la industria lác-

---

[626]   Tal y como se recoge en la Memoria de Análisis de Impacto Normativo (en adelante, MAIN).

[627]   Del Parlamento Europeo y el Consejo, de 22 de junio de 1998, por el que se establece un procedimiento de información en materia de las normas y reglamentaciones técnicas y de las reglas relativas a los servicios de la sociedad de la información.

[628]   Definición realizada por la Organización Internacional de Normalización, y esgrimida igualmente por Francia e Italia para justificar sus respectivas normativas de indicación obligatoria del país de origen en estos productos.

tea", lo que podría considerarse una contradicción con su declaración inicial relativa a la no afectación significativa, por parte de esta norma, de la competencia. Afectación que también señaló Suecia en las observaciones realizadas a la notificación del proyecto de ley español ante la Comisión Europea. Este Estado miembro incidió en la falta de un criterio objetivo que relacionase las cualidades de los productos afectados con el país de origen (artículo 39 del Reglamento 1169/2011), así como en el peligro de que esta norma alentase a los consumidores españoles a comprar productos de su propio país, a expensas de los procedentes de otros Estados miembros.

A pesar de las observaciones comentadas, y de las conclusiones del informe realizado por la CNMC[629] que coincidían con las expuestas por Suecia, el Gobierno español publicó el R.D. 1181/2018, cuyo objeto es regular la indicación obligatoria del origen de la leche y los productos lácteos, y cuyos aspectos más relevantes de su articulado son, por un lado, que esta imposición será voluntaria para aquellos productos que ya se hallen protegidos por denominaciones de origen o indicaciones geográficas[630], que la misma solo se aplicará al etiquetado de la leche y los productos lácteos elaborados en España y que se comercialicen en el territorio español[631], y que el período de aplicación se limitaba hasta dos años después de su entrada en vigor[632], es decir, hasta el 21 de enero de 2021.

4.3. La indicación obligatoria del país de origen de la leche y los productos lácteos ante el TJUE. El caso Lactalis

La posibilidad de que los Estados miembros pudiesen imponer la indicación del origen de la leche y los productos lácteos fue aprovechada por una serie de países, de los cuales fue pionera Francia. Su regulación de la materia sirvió de base para la española, por lo que presentaba los mismos aspectos dudosos que nuestra propia normativa, es decir, la falta de un criterio objetivo que relacionase determinadas cualidades de los productos afectados con el país de origen, y la afectación que a la competencia en el mercado único de la UE podía suponer.

El grupo Lactalis, el mayor productor de lácteos del mundo, solicitó a los tribunales franceses, en 2016, la anulación del Decreto que dicho Estado miembro había publicado con respecto a esta materia, alegando que infringía lo dispuesto en los artículos 26, 38 y 39 del Reglamento 1169/2011. El órgano jurisdiccional que conoció del asunto planteó una serie de cuestiones prejudi-

---

[629]   Véase: CNMC: "IPN/CNMC/009/18"...Op.cit. Página 13.
[630]   Artículo 2.3.
[631]   Cfr. Artículo 1.
[632]   Cfr. Disposición transitoria segunda.

ciales ante el TJUE, de entre las que cabe destacar la referente a si es posible apreciar la relación entre las cualidades del alimento y el país de origen únicamente atendiendo a criterios subjetivos, como, por ejemplo, las preferencias de los consumidores.

El Abogado General, en sus conclusiones, manifestó que los requisitos fijados en el artículo 39 del Reglamento 1169/2011 son de carácter puramente objetivo. Si bien admitió que dicho artículo podía interpretarse en sentido opuesto, tal y como habían hecho algunos Estados miembros (como Francia o España), para él, de la interpretación sistemática del Reglamento solo podía deducirse que la exigencia del artículo 39 a las cualidades de los productos está referida a "atributos físicos, nutritivos, organolépticos y, en particular, del sabor". Interpretar que solamente se deben tener en cuenta consideraciones subjetivas acarrearía la reintroducción de normas nacionales cuyo fin es apelar a los instintos nacionalistas "o incluso chovinistas" de los consumidores[633].

Este mismo criterio fue el seguido por el TJUE, en cuya sentencia[634] declaró que la estructura del artículo 39 del Reglamento 1169/2011 es clara, y que el mismo diferencia, por un lado, entre la exigencia de probar la relación entre determinadas cualidades de un alimento y el país de origen, y, por otro, que se pruebe que la mayoría de los consumidores considera importante que se les facilite dicha información. Por lo tanto, ambas exigencias deben ser consideradas de forma separada.

4.4. El estado actual de la cuestión en el ordenamiento español.

Tras la sentencia del caso Lactalis, ha quedado claro que el razonamiento jurídico empleado por el Gobierno español para justificar la aplicación del R.D. 1181/2018 carece de fundamento. Por ello, lo lógico sería que, o bien el propio Gobierno derogase dicho Real Decreto, o, simplemente, no prorrogase su período de aplicación.

No obstante, el 19 de enero de 2021 se publicaba en el BOE el R.D. 24/2021[635], por el cual se prorroga la eficacia del R.D. 1181/2018 hasta el 22 de enero del 2023[636]. Ni en dicho Real Decreto, ni en el Proyecto para la

---

[633] Cfr. Conclusiones del Abogado General Sr. Gerard Hogan, presentadas el 16 de julio de 2020…Op. cit. Apartados 39 y ss. y nota 22.

[634] Sentencia del Tribunal de Justicia de la Unión Europea, Sala Tercera, de 1 de octubre de 2020. Asunto C-485/18. ECLI:EU:C:2020:763.

[635] De 19 de enero, por el que se modifican el Real Decreto 319/2015, de 24 de abril, sobre declaraciones obligatorias a efectuar por primeros compradores y productores de leche y productos lácteos de vaca, oveja y cabra, y el Real Decreto 153/2016, de 15 de abril, sobre declaraciones obligatorias a efectuar por los fabricantes de leche líquida envasada de vaca.

[636] Cfr. Disposición adicional única.

modificación del R.D. 1181/2018[637] se ha aducido la existencia de criterios de carácter objetivo que estén relacionados con el origen de la leche o los productos lácteos que se producen y comercializan en España. Solo se ha alegado en el Proyecto la constatación del interés de los consumidores y los productores por la permanencia de esta medida, por lo que se vuelve a acudir exclusivamente al criterio subjetivo de la opinión pública para introducir una medida que, por un lado, y como ya se ha señalado, puede suponer una inducción a error a los consumidores sobre las cualidades de los productos afectados[638].

Tampoco se debe olvidar que esta normativa, aunque solo se aplique a la leche y a los productos lácteos de origen español y que se comercializan dentro de nuestras fronteras, podría suponer una medida de efecto equivalente sobre la competencia[639], tal y como apreció en casos similares el TJE, en asuntos como el de la Comisión de las Comunidades Europeas contra Irlanda, en

---

[637]   Véase "Proyecto de Real Decreto por el que se modifica el Real Decreto 1181/2018, de 21 de septiembre, relativo a la indicación del origen de la leche utilizada como ingrediente en el etiquetado de la leche y los productos lácteos" (en adelante, el Proyecto). Disponible en https://www.mapa.gob.es/es/alimentacion/participacion-publica/20201105_proyectord_ extensionplazo_indicacionorigenleche_tcm30-550956.pdf [fecha de última consulta: 5 de abril de 2021].

[638]   Como bien ha señalado la doctrina al tratar los actos de engaño, ya en la primera regulación de los mismos en nuestro ordenamiento se prohibía que la publicidad indujese a error sobre la naturaleza, composición, origen, cualidades sustanciales. Por ello, para apreciarlos, no se debe tener en cuenta únicamente si el contenido de las indicaciones, alegaciones o manifestaciones realizadas coincide con la realidad, sino si la representación que en dichos destinatarios se forma por esos actos coincide asimismo con la realidad. Cfr. MASSAGUER FUENTES, J.: *Comentario a la Ley de Competencia Desleal*. Op.cit. Páginas 214 a 222.

[639]   Entendiendo por tal toda aquella reglamentación comercial de los Estados miembros relativa a la fabricación de los productos y susceptible de obstaculizar, directa o indirectamente, actual o potencialmente, el comercio intracomunitario, siempre y cuando no esté justificada por una exigencia imperativa. Cfr. CALVO CARAVACA, AL., CARRASCOSA GONZÁLEZ, J.: *Mercado único y libre competencia en la Unión Europea*. Colex. 2003. Página 55.

1981[640], o contra el Reino Unido, en 1985[641], o el denominado caso Pistre[642]. Si bien es cierto que esta doctrina del efecto equivalente, de origen jurisprudencial, se ha centrado principalmente en los supuestos en los que la medida afecte solo a los productos extranjeros, o indistintamente a los productos nacionales y a los extranjeros[643], en la última de las sentencias mencionadas, el TJCE consideró que, si bien el artículo 30 del TCE[644] no hacía referencia a aquellas medidas que afectasen únicamente a los productos nacionales, las mismas no pueden excluirse de su aplicación, pues a lo que se debe atender es a los efectos reales o probables sobre la libre circulación de mercancías entre los Estados miembros, "especialmente cuando la medida de que se trate favorezca la comercialización de mercancías de origen nacional en perjuicio de las mercancías importadas"[645]. Este criterio sigue en vigor, pues la jurisprudencia no ha modificado su interpretación del mismo, y la entrada en vigor del TFUE no ha alterado la redacción de los artículos que regulan la materia.

---

[640]   Sentencia del Tribunal de Justicia, de 7 de junio de 1981. Asunto 113/80. ECLI:EU:C:1981:139. En este asunto, se determinó que la imposición del estado irlandés a los empresarios extranjeros de indicar el origen de sus productos (en concreto, se trataba de *souvenirs* relativos a Irlanda) no podía hallar amparo ni en la protección de los consumidores, ni en el resto de prohibiciones o restricciones a la importación contempladas en el artículo 30 TCE (actual artículo 36 TFUE), salvo que se pudiesen demostrar que el origen del producto implicase determinada calidad, unas materias primas particulares, un procedimiento de fabricación determinado, etc.

[641]   Sentencia del Tribunal de Justicia de 25 de abril de 1985. Asunto 207/1983. ECLI:EU:C:1985:161. El Tribunal de Justicia entendió, en este litigio, que indicar el origen de determinados productos de forma obligatoria en los comercios al pormenor del Reino Unido suponía una medida desfavorecedora de la comercialización de dichos productos cuando los mismos eran importados, y alentadora del consumo de productos originarios de dicho país. El órgano judicial no consideró como causa de justificación suficiente la satisfacción del interés de los consumidores a través de la facilitación de este tipo de información, pues el origen del producto no fue considerado como relevante y, además, ya existían medidas de carácter voluntario que los propios empresarios podían aplicar para indicar dicho origen.

[642]   Sentencia del Tribunal de Justicia de 7 de mayo de 1997, Sala Quinta. Asuntos acumulados C-321/94, C-322/94, C-323/94 y C-324/94. ECLI:EU:C:1997:229. En esta resolución, el Tribunal de Justicia entendió que una medida referida a la indicación del origen montañés de determinados productos alimenticios que se aplicaba única y exclusivamente a aquellos que eran originarios del propio país (en este caso, Francia), sin exigir a los importados dicha indicación, podía afectar negativamente a la libre circulación de mercancías en el mercado único.

[643]   Y así lo ha expuesto la doctrina. Cfr: VALENCIA MARTÍN, G.: *La defensa frente al neoproteccionismo en la Comunidad Europea*. Alicante: Cámara Oficial de Comercio, Industria y Navegación. 1993. Páginas 54 y ss.

[644]   Actual artículo 36 del TFUE.

[645]   Véanse apartados 41 y siguientes de la Sentencia anteriormente citada, de 7 de mayo de 1997.

Cuestión distinta es que se pueda apreciar que existe alguna de las causas de justificación que el art. 36 TFUE y la jurisprudencia han contemplado a la imposición de medidas restrictivas a la libre circulación de mercancías. Dentro de las mismas se incluyen, entre otras, tanto la salud pública, como la protección de los consumidores[646]. Empero, para afirmar la existencia de una de dichas causas, es preciso que las medidas adoptadas sean necesarias, proporcionadas al objetivo perseguido, y que el mismo no pudiese alcanzarse a través de otro tipo de actuaciones que fueran menos limitativas de los intercambios comerciales[647]. Requisitos que, por lo expuesto a lo largo del presente trabajo, no se puede considerar que concurran en el supuesto de la regulación española.

En conclusión, salvo que se consiguiese encontrar un criterio objetivo que relacionase las cualidades de la leche y los productos lácteos españoles con su lugar de origen, la actual regulación de la indicación obligatoria en el etiquetado en este sector alimentario de nuestro país no cumple con los requisitos contenidos en el artículo 39 del Reglamento 1169/2011 y aclarados por la jurisprudencia del TJUE. España se ve en la tesitura de tener que afrontar una posible condena por parte del alto tribunal europeo por infracción de lo dispuesto en el mencionado artículo 39, y/o por la imposición de una medida de efecto equivalente, al haber favorecido a los empresarios del sector lácteo español con una medida que fomenta los prejuicios de los consumidores nacionales, y les anima a consumir productos españoles en detrimento de los importados. Todo ello sin justificación ni en lo dispuesto en el Reglamento 1169/2011, ni en las causas de justificación fijadas por el artículo 36 del TFUE y la jurisprudencia comunitaria.

5. CONCLUSIONES

Los productos alimenticios tienen una relevancia de primer orden en nuestra sociedad. Por ello, la información que se ofrece a los consumidores sobre este tipo de productos es esencial para que estos puedan realizar una elección de compra que se ajuste lo mejor posible a sus intereses. Dicha información se ofrece a través de dos medios: de las marcas y del etiquetado. Las primeras tienen por función principal la de indicar el origen empresarial de los productos. El etiquetado, por su parte, aunque incluye dentro de sí a las marcas, está más

---

[646]   Cfr. Sentencia del Tribunal de Justicia, de 26 de octubre de 1995. Asunto C-51/94. ECLI:EU:C:1995:352. Apartado 31.

[647]   Véanse, entre otras, la Sentencia del Tribunal de Justicia de 26 de noviembre de 1996. Asunto C-313/94. ECLI: EU:C:1996:450. Apartado 23, así como la Sentencia del Tribunal de Justicia de 13 de enero de 2000. Asunto C-220/98. ECLI EU:C:2000:8. Apartado 26; o la Sentencia del Tribunal de Justicia de 10 de febrero de 2009. Asunto C-110/05. ECLI:EU:C:2009:66. Apartado 59.

orientado en ofrecer información sobre las características o cualidades del propio producto, su caducidad o su modo de empleo. Dentro de la información suministrada en el etiquetado, la referida al país de origen debe diferenciarse de otras figuras, como el origen del producto marcado u origen empresarial, las denominaciones de origen o las indicaciones geográficas, pues su objeto es simplemente indicar el país de procedencia, de elaboración sustancial, o de última transformación, sin hacer referencia ni sobre quién es el titular de la marca, ni si el producto en sí posee determinadas características o cualidades solamente por su origen o procedencia.

El Reglamento 1169/2011, regulador de las cuestiones del etiquetado en productos alimenticios, ha establecido que la indicación del país de origen de un producto sea obligatoria en determinados productos cárnicos, y cuando, en general el resto de elementos del etiquetado puedan inducir a confusión a los consumidores sobre el verdadero país de origen del producto. Igualmente, se debe tener en cuenta que, para determinados alimentos, existen normas específicas a nivel europeo que establecen el deber de indicar el origen del producto.

En lo que respecta a la leche y los productos lácteos, si bien el Parlamento Europeo solicitó a la Comisión que impusiese la obligatoriedad de indicar el país de origen de los mismos, este último organismo, a fecha de realización del presente trabajo, todavía no ha adoptado ninguna medida a nivel comunitario. No obstante, el propio Reglamento 1169/2011 permite a los Estados miembros exigir dicha información en los productos comercializados en su territorio, siempre y cuando se cumplan una serie de requisitos.

Con base en dichas disposiciones, varios países de la Unión, encabezados por Francia, y entre los que se encuentra España, han decidido exigir tal información. En el caso español, esta imposición se aplica únicamente a los productos originarios de España, y que se comercialicen en el propio país. La justificación esgrimida por el Gobierno para tomar tal medida ha sido la protección de los intereses de los consumidores, al atender a sus preferencias sobre la información que les gustaría que apareciese en el etiquetado; así como la de igualar las condiciones de comercialización de este tipo de productos con respecto a los Estados miembros vecinos, los cuales han adoptado medidas similares con carácter previo.

No obstante, el TJUE ha declarado recientemente que el Decreto francés sobre la indicación obligatoria del país de origen en la leche y los productos lácteos, norma en la que se ha basado en gran medida nuestro Gobierno para la redacción del Real Decreto sobre esta cuestión en nuestro país, incumple los requisitos fijados por el Reglamento 1169/2011 para su adopción, al no haber constatado que el país de origen de estos productos influya en determinadas características o cualidades objetivas de los mismos.

Al adolecer nuestra norma de las mismas carencias, no existe una adecuada fundamentación jurídica para prorrogar la vigencia del Real Decreto durante dos años más, prórroga que, además, se realizó varios meses después del fallo del TJUE. Por ello, actualmente no encontramos ante una regulación contraria a lo dispuesto en el Reglamento 1169/2011, y a la jurisprudencia del TJUE que, además, puede inducir a error en los consumidores sobre las cualidades de la leche y los productos lácteos, fomenta sus prejuicios nacionalistas a la hora de escoger este tipo de productos, en detrimento de los de otros Estados miembros, y puede afectar a la competencia en el mercado único, al poder ser considerado como una medida de efecto equivalente que no se halla debidamente justificada conforme a los criterios del TFUE.

Carne vegetal sí, leche vegetal no: la diferencia del grado de protección entre las denominaciones de productos lácteos y productos cárnicos en el seno de la unión europea

IGNACIO RABASA MARTÍNEZ

Prof. Ayudante, Derecho mercantil. Universidad de Alicante

1. INTRODUCCIÓN

El pasado 23 de octubre de 2020, el Parlamento Europeo puso fin al debate que giraba en torno a la validez del uso de términos como "hamburguesas o salchichas" para referirse a productos cuyo origen no es animal, sino vegetal. La mayoría de los miembros del Parlamento se posicionó a favor de la validez del uso de esos términos, votando en contra de la enmienda nº 165 al Reglamento 1308/2013 del *Parlamento Europeo y del Consejo, de 17 de diciembre de 2013, por el que se crea la organización común de mercados de los productos agrarios y por el que se derogan los Reglamentos (CEE) n 922/72, (CEE) n 234/79, (CE) n 1037/2001 y (CE) nº 1234/2007*, que previamente había sido aprobada por la Comisión de agricultura[648].

Esta reciente decisión contrasta, a priori, con la previa resolución judicial del TJUE en el caso *Verband Sozialer Wettbewerb eV / TofuTown.com GmbH*, C-422/16 de 14 de junio de 2017, con base en la cual, "*en principio, los productos puramente vegetales no pueden comercializarse con denominaciones tales como «leche», «nata», «mantequilla», «queso» o «yogur», reservadas por el Derecho de la Unión Europea a los productos de origen animal*".

El contraste indicado es mayor, teniendo en cuenta que, en el citado debate y la posterior votación del 23 de octubre de 2020, el Parlamento votó a favor de la enmienda nº 171 al Reglamento 1308/2013, que en consonancia con la citada sentencia prohíbe el uso de denominaciones relativas a lácteos, tales como leche, yogur o queso, a productos que no procedan de origen animal.

En síntesis, de conformidad con las votaciones, los productores vegetales sí pueden utilizar nomenclaturas tradicionalmente asociadas a productos cárnicos, tales como "hamburguesa vegetal" o "salchicha de tofu", pero tienen prohibido utilizar esas nomenclaturas para productos que se asemejen a los

---

[648] El resultado fue de 284 votos a favor de la aprobación de la enmienda y 379 en contra.

lácteos, quedando restringidos los términos como "leche" de soja o "yogur" vegetal.

2. ANÁLISIS DE LAS ENMIENDAS 165 Y 171 RELATIVAS A LA RESERVA DE DENOMINACIONES DE PRODUCTOS CÁRNICOS Y LÁCTEOS

2.1. La enmienda 165 y el uso por parte de los productores vegetales de denominaciones tradicionalmente asociadas a la carne y los productos cárnicos.

La finalidad de la enmienda 165 era reservar el alcance de los nombres utilizados para productos cárnicos y preparados cárnicos exclusivamente para aquellos productos que contuviesen carne. El solicitante de la enmienda en cuestión[649] la propuso con un objetivo doble, por un lado, proteger los términos y nombres relacionados con la carne, y con ello, a la industria cárnica, y por otro, exhortar o brindar una oportunidad a las marcas vegetarianas y veganas para que estableciesen su propia terminología en el mercado[650].

En lo tocante al contenido de su redacción, la enmienda 165 modifica e introduce en el Anexo VII del Reglamento 1308/2013 los conceptos de "*carne*", "*productos cárnicos*" y "*preparaciones a base de carne*". Para definir el concepto de carne, remite al Reglamento (CE) 853/2004[651]. De conformidad con esta última norma quedan dentro de la definición de carne las partes comestibles y la sangre de los animales calificados como "ungulados domésticos[652]",

---

[649]   La enmienda fue propuesta por el eurodiputado Eric Andrieu, Miembro del Comité de Agricultura y Desarrollo Rural.

[650]   Documento de la Comisión de Agricultura (Parlamento Europeo) AGRI PV (2019)1204_1. Pg. 20. Disponible en https://images.chemycal.com/Media/Files/agri_4_dec_mins.pdf. Última consult 17 de junio de 2021.

[651]   De forma específica a los apartados 1.2. a 1.8 del anexo I del Reglamento (CE) n.º 853/2004 *por el que se establecen normas específicas de higiene de los alimentos de origen animal.*

[652]   Se incluyen aquí animales domésticos de las especies bovina, ovina, porcina y caprina.

"aves de corral[653]", "langomorfos"[654], "caza silvestre"[655], "caza de cría[656]", "caza menor"[657] y caza mayor"[658].

Del mismo modo, la definición del "productos cárnicos" recogida en la enmienda es idéntica a la que se incluye en el Reglamento (CE) 853/2004[659]. En ambos casos se definen como *"los productos transformados resultantes de la transformación de la carne o de la nueva transformación de dichos productos transformados de modo que la superficie de corte muestre que el producto ha dejado de poseer las características de la carne fresca"*

En lo relativo al concepto de *"preparaciones a base de carne"*, la enmienda lo define como *"la carne fresca, incluida la reducida a fragmentos, a la que se hayan añadido productos alimenticios, aderezos o aditivos o que ha sido sometida a transformaciones que no alteran la estructura interna de la fibra muscular lo suficiente para eliminar las características de la carne fresca"*. Esta definición cabe señalar que es cuasi idéntica al concepto *"preparados de carne"* incluido en el Reglamento (CE) 853/2004. Sin embargo, al menos la traducción al castellano de la enmienda resulta más depurada técnicamente que la del Reglamento[660].

Junto con esas definiciones la enmienda 165 hace una conexión con el artículo 17 del Reglamento (CE) 1169/2011 *sobre información alimentaria facilitada al consumidor*. En ese artículo, que lleva por rúbrica *denominación del alimento*,

---

[653]   Se incluyen principalmente las aves cría, también aquellas que sin ser domésticas se han criado como tal.

[654]   Incluye Conejos, liebres y roedores

[655]   Esta categoría incardina a las aves silvestres destinadas al consumo humano, a las especies silvestres porcinas, ovinas, bovinas y caprinas. Incluye también a los conejos y roedores silvestres y a otros *"mamíferos terrestres que se cazan para el consumo humano y son considerados caza silvestre con arreglo a la legislación aplicable en el Estado miembro de que se trate"*

[656]   Incluye las ratitas y los mamíferos de cría no se incluyen en la categoría de bovina, ovina, caprina y porcina.

[657]   Incluye las aves de caza silvestres y conejos y roedores que viven en libertad

[658]   Incluye los Mamíferos terrestres salvajes que viven en libertad y que no entran en la definición de caza menor silvestre.

[659]   La definición se recoge de forma idéntica en el apartado I Anexo VII del citado Reglamento 853/2004.

[660]   En el apartado 1.15 del Anexo 1 del Reglamento 853/2004 se definen los *"preparados de carne"* como *la carne fresca, incluida la carne que ha sido troceada, a la que se han añadido productos alimenticios, condimentos o aditivos, o que ha sido sometida a transformaciones que no bastan para alterar la estructura interna de la fibra muscular ni, por lo tanto, para eliminar las características de la carne fresca*. Esta norma presume que cualquier modificación de la estructura interna de la fibra muscular elimina las características de la carne fresca. Por el contrario, en la enmienda, al introducir la locución "suficiente", deja claro que la estructura muscular se puede modificar, al menos en un grado mínimo, siempre que no afecte a las cualidades de la carne fresca. Sobre el criterio de la sustancialidad de las modificaciones resulta relevante la STJUE C-453/13 de 16 de octubre de 2014.

se recoge *"que la denominación de un alimento es su denominación jurídica, pero a falta de la misma, la denominación del alimento será la habitual"*.

En ese contexto, la enmienda prevé, por un lado, que el término carne y los nombres relacionados y asociados a él se reservarán en exclusiva para las partes comestibles de los animales. Por otro lado, dictamina que esos nombres, incluidos los utilizados para designar preparaciones a base de carne, se han de reservar a los productos que contengan carne. La propia norma hace una enumeración no taxativa de algunas denominaciones habituales para productos cárnicos, incluyendo las denominaciones "filete, embutido, escalope, filete ruso y hamburguesa" como típicas de la industria cárnica.

Por último, la norma prevé de forma expresa la reserva de las denominaciones habituales de productos asociados a la de carne de ave de corral a las partes de comestibles de los animales y aquellos productos que contienen ave de corral.

Del desglose de la estructura de la enmienda resulta claro que su objetivo es preservar los nombres tradicionalmente utilizados para designar productos cárnicos y productos que tienen esa naturaleza. Sin embargo, la norma no señala cuál es el fundamento de esa reserva, aunque sí se conecta con el Reglamento (CE) 1169/2011 *sobre información alimentaria facilitada al consumidor*, la misma parece destinada a lograr una protección reforzada sobre las decisiones y la salud del consumidor brindándole instrumentos para obtener una información adecuada[661].

2.2. La enmienda 171 y el uso por parte de los productores de alimentos vegetales de denominaciones tradicionalmente asociadas a los productos lácteos.

A diferencia del caso anterior, la enmienda 171, relativa a la reserva de las denominaciones de leche[662], los productos lácteos[663] y los compuestos sí fue

---

[661]   Así se infiere del considerando 3 del Reglamento 1169/2011 cuyo tenor literal expresa que *"Para lograr un alto nivel de protección de la salud de los consumidores y garantizar su derecho a la información, se debe velar por que los consumidores estén debidamente informados respecto a los alimentos que consumen. Las decisiones de los consumidores pueden verse influidas, entre otras cosas, por factores sanitarios, económicos, medioambientales, sociales y éticos"*.

[662]   De conformidad con el citado Anexo VIII del Reglamento 1038/2013, *se entenderá por leche exclusivamente la secreción mamaria normal obtenida a partir de uno o más ordeños, sin ningún tipo de adición ni extracción"*.

[663]   En el Anexo VIII parte III del Reglamento 1308/2013 se definen los productos lácteos como *"productos lácteos" los productos derivados exclusivamente de la leche, pudiendo añadirse las sustancias necesarias para su fabricación, siempre que dichas sustancias no se utilicen para sustituir, enteramente o en parte, algún componente de la leche"*.

aprobada en el Parlamento Europeo. Cabe señalar que con carácter previo a la proposición de la enmienda las denominaciones de este tipo de productos ya gozaban de una protección superior, tal y como se desprende en el Reglamento1308/2013, cuyo anexo prevé la reserva de una serie de denominaciones para los productos lácteos y los productos compuestos que no pueden utilizarse "para ningún otro producto que los citados en ellos"[664].

Si bien esa parte se ha mantenido intacta, la nueva enmienda confiere una protección adicional, al establecer que dichas denominaciones quedan protegidas frente a usos comerciales directos o indirectos de la denominación para productos que, sin respetar la definición correspondiente, se presenten como comparables o sustitutivos, y también para usos que se aprovechen de la reputación de esa denominación. Además, la enmienda 171 no está limitada a un catálogo cerrado de denominaciones.

En esa misma línea, la enmienda también protege las denominaciones de los lácteos frente a *"toda usurpación, imitación o evocación, aunque se indique la composición o verdadera naturaleza del producto o servicio o vaya acompañada de los términos «estilo», «tipo», «método», «producido como», «imitación», «sabor», «sustituto», «parecido» u otros análogos"*. De forma adicional incluye una cláusula de cierre destinada a perseguir cualquier otra indicación o práctica comercial que pueda inducir a engaño al consumidor sobre la verdadera naturaleza o la composición del producto.

A pesar de lo expuesto, la enmienda 171 no ha modificado la excepción prevista en el Reglamento 1308/2013, relativa a la protección de la denominación anterior. En virtud de esa excepción se deben tolerar las denominaciones de los productos cuya naturaleza exacta se conozca claramente por ser de utilización tradicional. También deben permitirse las denominaciones utilizadas de forma clara para describir cualidades características del producto.

En todo caso, la conclusión que se puede extraer es que la protección previa de la que gozaba la denominación de los productos lácteos, se ve reforzada con la enmienda 171, aprobada por el Parlamento. Además, a diferencia de lo que ocurre con la enmienda 165, cuyo fundamento no se aclara o es implícito, en este caso resulta explícita la protección frente a la competencia desleal en una doble vertiente, la de los actos contra los competidores y la de los actos contra los consumidores.

---

[664]   Así figura en el punto 2 a) del anexo VII parte III del Reglamento 1308/2013. Esta norma incluye un catálogo *numerus clausus* de denominaciones reservadas a la leche, entre las que se encuentran: *mantequilla, suero lácteo, kéfir, yogur, queso, caseínas, nata, mazada, butteroil, materia grasa ahidra, Kéfir, Kumis, Vilii, smetana, rzjazenka, y ruguspiens*

3. ASPECTOS JURÍDICOS QUE JUSTIFIQUEN LA DIVERGENCIA EN EL RESULTADO DE LA VOTACIÓN DE AMBAS ENMIENDAS

3.1. *Aproximación desde el Derecho de la Competencia Desleal*

Como ya se ha avanzado, desde el prisma estricto del derecho de la competencia, la reserva de denominaciones para determinadas categorías de productos puede cumplir una doble finalidad: por un lado, evitar los denominados actos de engaño a los consumidores, y por otro evitar actos de explotación de la reputación ajena de los productores.

En relación con los primeros se incluyen todas aquellas conductas que contengan información que, aun siendo veraz, por su contenido o presentación, induzca o pueda inducir a error a sus destinatarios, siendo susceptible de alterar su comportamiento económico[665]. Se podría argumentar que los actos derivados de utilizar denominaciones tradicionalmente asociadas a productos cárnicos o lácteos en productos que no son de esa naturaleza pueden inducir al consumidor a errar sobre la naturaleza o las prestaciones del producto.

En el sector alimentario, los principales elementos que influyen en la selección de productos son la calidad, asociada a conceptos como natural y saludable, el precio y el valor nutricional[666]. Otros estudios señalan que el sabor es el factor principal de elección y reelección de productos alimenticios[667]. Por otro lado, cada vez existe un mayor número de personas que otorga una importancia mayor a la huella ecológica de los alimentos.

De forma concreta, utilizar denominaciones asociadas a productos cárnicos o lácteos para productos que no son de esa naturaleza, podría inducir a error sobre factores como el valor nutricional del producto, su sabor o su calidad. De hecho, después de la STJUE *Verband Sozialer Wettbewerb eV / TofuTown. com GmbH*, C-422/16 de 14 de junio de 2017, relativa a los lácteos, distintas asociaciones de la industria cárnica presionaron en la misma dirección, hasta que la Comisión de Agricultura propuso la enmienda número 165[668].

---

[665] GALLEGO SÁNCHEZ, E y FERNÁNDEZ PÉREZ, N.: *Derecho Mercantil parte I*, Valencia, 2019, pg. 200.

[666] SERRANO ZARCEÑO, C.: *Estudio de diferentes patrones de consumo de alimentos habituales y ocasionales al perfil lipídico de la dieta de los niños en edad escolar de la Comunidad de Madrid. Percepción y conocimientos de la población*, tesis Doctoral, Madrid, 2018, disponible en https://eprints.ucm.es/id/eprint/46518/1/T39606.pdf

[667] Sobre este extremo el estudio *Tendencias sobre el saber*, de julio de 2015, del centro tecnológico AINIA, integrado en el FEDIT (Federación Española de Centros Tecnológicos) y también en el EUROPEAN FOOD INSTITUTES, señala que el sabor es el atributo clave para el 97,3% de los consumidores.

[668] En 2017 realizaron emitieron esta posición de forma conjunta Avec, Clitravi, European Meat Network, IBC Copa-Cogeca. Documento disponible https://carnica.cdecomunica-

Ello no obstante, desde los sectores de la industria encaminados a producir productos veganos o vegetarianos, se ha señalado de forma reiterada que no existe riesgo de engaño en el consumidor, máxime cuando esas denominaciones se utilizan acompañadas del término "vegetal" o del producto vegetal utilizado en su elaboración, V.gr. "Hamburguesas vegetales", "Leche de soja". En España, una encuesta realizada por distintas empresas y asociaciones vegetarianas y veganas señaló que el riesgo de error por parte de los consumidores era bajo[669]. Según la encuesta, en torno al 80% de los consumidores, y en algunos casos el 89% o incluso el 97%, sabe diferenciar las nomenclaturas asociadas tradicionalmente a términos cárnicos y lácteos cuando van acompañados por el término "vegetal" u otro análogo y comprenden que no tienen un origen animal. Con base en esas cifras, justifican que no es procedente introducir ninguna restricción al uso de esas denominaciones. Sin embargo, y solo como apunte, desde un análisis inverso de las cifras no parece un perjuicio económico nada desdeñable para la industria cárnica que un 10% de los consumidores puedan ser inducidos a error por estas denominaciones, aunque sea de forma ocasional. A pesar de ello, el citado estudio parecía señalar que a los consumidores les resultaban más confusas nuevas nomenclaturas, en sustitución de las que se venían utilizando y que guardan similitud con las tradicionales asociadas a los productos cárnicos y lácteos[670].

En el marco de la competencia desleal, se debe tener en cuenta que, a pesar de la fragmentación normativa existente en el seno de la UE, hay cierta uniformidad en cuanto al criterio del "consumidor medio" que es el que se ha de utilizar a la hora de baremar si los actos de engaño tienen una entidad suficiente para ser contrarios a los consumidores[671]. Además, aunque el criterio de consumidor medio es uniforme, permite adaptarse a los distintos sectores, pues se debe interpretar en función de la clase del público al que va dirigido el producto en cuestión[672].

---

cion.es/noticias/23364/el-tofu-no-es-carne-solicitan-a-la-ue-que-actue-contra-los-productos-que-usan-nombres-carnicos-sin-contener-carne

[669]   El estudio en cuestión, titulado *Nomenclatura de los alimentos de origen vegetal*, se realizó con un muestreo de 3000 personas y fue llevado a cabo por ProVeg, Upfield, Heura y Oatly, empresas y entidades relacionados con el sector vegetal.

[670]   V.gr Según el estudio, resultaba más sencillo para los consumidores identificar términos como " "hamburguesa vegetal" o "salchicha vegetal" que otros sustitutivos como "disco vegetal" o "palitos"

[671]   En este extremo, el artículo 06 de la DIRECTIVA 2005/29/CE de 11 de mayo de 2005 *relativa a las prácticas comerciales desleales de las empresas en sus relaciones con los consumidores en el mercado interior*, establece el criterio del consumidor medio para medir las acciones y omisiones engañosas.

[672]   En la Doctrina, incide en este extremo GONZÁLEZ VAQUÉ, L.: "La noción de consumidor medio según a jurisprudencia del tribunal de justicia de las comunidades europeas" en *Revista de Derecho Comunitario Europeo*, nº17, 2004, pgs. 47-80, 77.

Pero, con independencia de si se produce un engaño al consumidor medio o no, en la medida que el consumidor medio de productos cárnicos y el consumidor medio de productos lácteos son coincidentes, desde el prisma estricto del derecho de la competencia no resulta sistemáticamente coherente aprobar una enmienda destinada a reservar las denominaciones de los productos lácteos, rechazando de forma paralela, la correlativa a los productos lácteos.

Descartada la diferencia de trato en relación con los actos de engaño, el otro elemento a valorar sería el del aprovechamiento, que en nuestro ordenamiento sería incardinable dentro de los actos de explotación de la reputación ajena[673]. En particular, la industria cárnica ha incidido en este factor al señalar que los productos de origen vegetal se aprovechan de denominaciones que ellos han acuñado a lo largo del tiempo[674].

En este extremo cabe señalar que, en un sentido estricto, las denominaciones de los alimentos, tal y como se regulan en el artículo 17 del Reglamento (CE) 1169/2011, tienen por objeto ulterior proteger al consumidor medio, pero no se conciben como un bien patrimonial de los productores que las utilizan, de modo que la industria cárnica no puede disponer de ellas libremente, V.gr no pueden ser objeto de cesión o licencia, ni transmitirse con el fondo de comercio[675]. Pese a que, en cierto modo, esas denominaciones funcionan como signos identificadores, no están protegidos por el derecho de Propiedad Intelectual que recae sobre los signos distintivos,

En cualquier caso, la enmienda 171 presume que existe ese aprovechamiento cuando se utilizan las denominaciones de los productos lácteos, pero nada dice de forma expresa la enmienda 165, y aunque pueda inferirse de su contexto, la misma no ha sido aprobada por el Parlamento Europeo. De nuevo, no existe una justificación desde la perspectiva de la libre competencia para dar un trato de favor a las denominaciones de los lácteos frente a las de los productos cárnicos, máxime cuando la explotación de la reputación ajena, se incardina

---

[673] Trasladado a nuestro ordenamiento, el aprovechamiento al que se refiere la enmienda 171 sería un acto de *"explotación de la reputación ajena"* tal y como se configura en el artículo 12 LCD, y no un acto de *"aprovechamiento de la reputación ajena"* recogido artículo 11.2 LCD. El ámbito objetivo de ambos artículos es diferente, pues el artículo 11.2 se refiere a la imitación de las prestaciones, y el del artículo 12 al de la imitación de los signos distintivos de cualquier clase. En este sentido, con referencias jurisprudenciales DOMINGUEZ PÉREZ, E.: "La imitación de prestaciones e iniciativas empresariales o profesionales" en Dir. GARCÍA CRUCES, *Tratado del Derecho de la Competencia y la publicidad*, Tomo II, Tirant lo Blanch, 2014, pg. 1278.

[674] Así lo han defendido distintos productores de carne del sector ganadero de la UE, agrupados en COPA-COGECA en la campaña *Ceci n'est past un steak* de 2020.

[675] En este sentido cabe señalar que algunos signos distintivos de calidad, como las Denominaciones de Origen y las Indicaciones Geográficas, no pueden transferirse de forma aislada, pero si con el fondo de comercio. Sobre este inciso. MONTERO GARCÍA-NOBLEJAS, P.: *Denominaciones de origen e indicaciones geográficas*, Valencia, 2017, pg. 43

como un acto contrario al interés de los competidores[676] y no al interés de los consumidores, que todo lo más quedaría protegido de forma refleja o mediata.

En definitiva, desde la perspectiva estricta del derecho de la competencia desleal no existe una justificación para una votación diferente entre los productos cárnicos y los productos lácteos. Por ello es preciso buscar otros enfoques que validen esa diferencia.

3.2. Aproximación desde la sostenibilidad y los objetivos medioambientales de la Unión Europea

Uno de los objetivos principales de la Unión Europea es reducir la huella de carbono a la mitad para 2030. En consonancia con ese y otros objetivos, la Unión Europea aprobó el 20 de mayo de 2020, dos estrategias, integradas dentro del Pacto verde Europeo, la *Estrategia sobre la biodiversidad para devolver la naturaleza a nuestras vidas* y la *Estrategia «de la granja a la mesa» en pro de un sistema alimentario equitativo, sano y respetuoso con el medio ambiente*.

El contenido de esta última estrategia expresa que la producción animal en la tierra genera una mayor huella carbónica que otros alimentos[677], y que las pautas actuales de consumo de alimentos como la carne roja, es insostenible[678].

Teniendo en cuenta esta premisa y el hecho de que los productos lácteos y buena parte de los productos cárnicos tienen un origen animal común, que es la ganadería bovina y que a esta se le imputan grandes emisiones de carbono, podría comprenderse una legislación que, tratando a ambos grupos de productos por igual, permitiese a los productos vegetales el uso común de denominaciones tradicionalmente asociadas a la carne y a los lácteos, con el objetivo de fomentar una transición al consumo de esos productos a priori más ecológicos. Pero, lo que no parece coherente, desde una perspectiva estricta de economía medioambiental, es que se confiera a las denominaciones de los productos lácteos un grado de protección mayor que a las de los productos cárnicos. Si bien es cierto que la huella carbónica de la carne bovina es la mayor fuente de emisiones de dióxido de carbono, los productos lácteos obtenidos de esas

---

[676]   En la doctrina GALLEGO SÁNCHEZ, P., y FERNÁNDEZ PÉREZ, N.: *Derecho mercantil...* ob.cit. pg.196.

[677]   Comunicación de la Comisión al Parlamento Europeo, al Consejo, al Comité Económico y Social Europeo y al Comité de las Regiones: Estrategia «de la granja a la mesa» para un sistema alimentario justo, saludable y respetuoso con el medio ambiente Bruselas, 20.5.2020 COM (2020) 381 final, pg. 11.

[678]   Comunicación de la Comisión al Parlamento Europeo, al Consejo, al Comité Económico y Social Europeo y al Comité de las Regiones: Estrategia «de la granja a la mesa» para un sistema alimentario justo, saludable y respetuoso con el medio ambiente Bruselas, 20.5.2020 COM (2020) 381 final, pg. 15

ganaderías ocupan el segundo puesto[679]. En este sentido, la huella carbónica imputable a los productos lácteos de las ganaderías bovinas, es por ejemplo mayor, que la imputable a los productos cárnicos porcinos y de aves de corral de forma conjunta[680].

En todo caso cabe recordar que fue la Dirección General de Agricultura y Desarrollo Rural (en adelante, DG AGRI) quien propuso las dos enmiendas (165 y 171) y con ello se posicionaba a favor de la prohibición de uso de las denominaciones asociados a los productos lácteos y cárnicos para comercializar productos vegetales. En virtud de ello se puede afirmar que en este aspecto específico la DG AGRI en sus posiciones iniciales hace prevalecer el derecho a una correcta información del consumidor frente a criterios de economía medioambiental.

3.3. *Aproximación desde el derecho a la salud de los consumidores*

El motivo por el que el legislador ha establecido esa diferencia de trato entre las denominaciones de ambos productos, podría justificarse en un derecho a la salud de los individuos[681], cristalizado en el derecho de los consumidores a recibir una información nutricional adecuada sobre los alimentos que consumen. Este objetivo encaja más con la política de la Unión Europea, regulada principalmente en el Reglamento (CE) 1169/2011 *sobre información alimentaria facilitada al consumidor.*

Ciertamente, en el campo de los lácteos, el uso de términos como leche vegetal o leche de soja puede inducir al consumidor a pensar, por un lado, que ese producto es más respetuoso con el medioambiente, o con la salud animal, pero, al mismo tiempo genera una asociación con la leche, e implícitamente le atribuye el mismo valor nutricional. En este caso en particular puede producir-

---

[679]   El estudio de la FA0 elaborado por GERBER, P.J., STEINFELD, H., HENDERSON, B., MOTTET, A., OPIO, C., DIJKMAN, J., FALCUCCI, A. & TEMPIO, G.: *Enfrentando el cambio climático a través de la ganadería – Una evaluación global de las emisiones y oportunidades de mitigación. Organización de las naciones unidas para la alimentación y la agricultura*, FAO, Roma, 2013, pg. 13, atribuye respectivamente el 41% de las emisiones a la carne de vacuno y el 29% a la leche de esa misma ganadería.

[680]   En este sentido GERBER, P.J., STEINFELD, H., HENDERSON, B., MOTTET, A., OPIO, C., DIJKMAN, J., FALCUCCI, A. & TEMPIO, G.: *Enfrentando el cambio climático...* ob.cit. pg. 13, atribuyen a estos productos respectivamente, el 9 % y el 8% de las emisiones de carbono.

[681]   En este sentido el artículo 35 de la CEDH y el artículo 168 del TFUE imponen al legislador comunitario el deber de garantizar *un nivel elevado de protección de la salud humana* en sus políticas legislativas.

se un perjuicio nutricional a los niños, y particularmente en los lactantes y así lo han indicado diversos estudios pediátricos[682].

A priori, esa asociación relativa al valor nutricional que puede producirse en la leche, podría argumentarse   que existe con los productos cárnicos[683]. Es más, puede ocurrir incluso que la percepción del consumidor sea que los productos con la misma denominación son más saludables si su origen es vegetal, por la tradicional equiparación entre lo vegetal y lo saludable.

Aunque no existe un consenso, no se puede afirmar en términos categóricos que los productos de origen vegetal sean más saludables, sino que tienen un valor nutricional diferente. Como regla general, los productos vegetales tendrán un valor proteico más bajo, pero a cambio aportan más hidratos de carbono y no presentan urea. Sin embargo, pese a que los nutricionistas recomiendan adquirir una tercera parte de la ingesta de proteínas de productos cárnicos, la misma puede ser sustituida totalmente por otras proteínas vegetales, si estas se combinan de forma adecuada[684].

En este punto encontramos un matiz que permite establecer una diferencia de trato entre los lácteos y los productos cárnicos. Si bien en ambos grupos de casos, productos lácteos y productos cárnicos, el producto vegetal sustitutivo que utiliza una denominación común tiene un valor nutricional diferente, en el supuesto particular de los lácteos, sus peculiaridades características en la dieta de los niños en edad de crecimiento y lactantes hacen que resulte aún más importante si cabe evitar cualquier denominación que pueda inducir a error o generar engaño al consumidor sobre su valor nutricional.

Por ello, desde el punto de vista de la salud ese trato diferenciado entre las denominaciones de los productos lácteos y las de los productos cárnicos en relación con los productos vegetales es meramente gradual, y podría justificarse en aras de proteger la dieta de un colectivo especialmente sensible como es el de los menores de edad en edad de lactancia y niños en edad de crecimiento.

Debe observarse que, de conformidad con lo expuesto, el interés tutelado no es de forma directa el derecho de la competencia, sino el derecho del consumidor a recibir una información nutricional adecuada, de relevancia para la salud. Por este motivo, no es preciso constreñirse al criterio del consumidor medio, razonablemente atento y perspicaz, utilizado en esa rama del Derecho, sino que resulta justificado establecer garantías adicionales para la protección de aquellos consumidores que están o actúan por debajo de ese perfil pro-

---

[682]   En este sentido, MIÑANA, V., MORENO-VILLARES, J., DALMAU SERRA: "Errores dietéticos en el lactante: las bebidas vegetales", en *Acta Pedriática,* vol. 73, 2015, pgs. 195-202,

[683]   La existencia de este riesgo la manifiestan los distintos productores de carne en el documento de campaña *"Ceci n´est past un steak".*

[684]   Sobre este extremo GUÍA DE NUTRICIÓN DE LA UNED, 2021, Facultad de ciencias nutrición y dietética.

Ignacio Rabasa Martínez

medio. Ya en esa línea parecía pronunciarse el legislador europeo en la elaboración del Reglamento 1169/2011 *de información alimentaria facilitada al consumidor,* que, si bien, mantiene en su articulado la locución de consumidor medio, incide en su *bajo nivel de conocimientos* en *materia de nutrición685.*

4. EEFECTOS DE LAS VOTACIONES DEL PARLAMENTO EUROPEO

El hecho de que el Parlamento Europeo haya aprobado la enmienda 171 tiene un efecto directo claro sobre el todo el territorio de la UE, que obliga a los competidores de todo el territorio de la UE a respetar las denominaciones de los productos lácteos y a no utilizarlas de forma comparativa, vinculadas a productos que no tienen su origen en la leche y sus derivados.

Por su parte, el voto en contra de la Eurocámara a la enmienda número 165 no implica que los productores vegetales tengan libertad para utilizar denominaciones tradicionales de productos cárnicos en la UE, sino que serán los Estados Miembros, quienes, a través de su propio desarrollo normativo y jurisprudencial, decidan si protegen esas denominaciones. Ese espacio en blanco, indudablemente puede fomentar una fragmentación normativa que impacte en la economía del mercado interior. En la actualidad solo algunos países han optado por la protección de las denominaciones cárnicas, entre ellos se encuentran España[686], Francia[687] y Finlandia[688]. En concreto, en nuestro país, ya existe una sentencia en cuyo fallo se sanciona a un productor por utilizar la denominación "salami vegetal"[689].

---

[685] Así lo expresa el considerando 41 del Reglamento 1169/2011.

[686] Real Decreto 474-2014 por el que se aprueba la norma de calidad de los derivados cárnicos (26/10/2020) y en: Acuerdo de la mesa de coordinación sobre las denominaciones de venta de productos sin carne

[687] LOI no 2020-699 du 10 juin 2020 relative à la transparence de l'information sur les produits agricoles et alimentaires

[688]   Elintarviketieto-opas elintarvikevalvojille ja elintarvikealan toimijoille, Ruokaviraston ohje 17068/2

[689] SAP 229/2019 de 4 de septiembre de 2019, Rec. 91/2019.

La percepción gustativa en la protección de las creaciones gastronómicas a través de los derechos de autor y alternativas legales

MARINA VÁZQUEZ ESTEBAN

Profesora ayudante de derecho mercantil. Universidad de alicante

1. INTRODUCCIÓN

En la actualidad, continúa el debate planteado alrededor de la inclusión de las obras culinarias o gastronómicas en el ámbito de protección del Derecho de la Propiedad Intelectual y, en su caso, sobre las vías de protección idóneas para ello.

Es un hecho reconocido el auge exponencial que experimenta el mundo de la cocina que, ayudado en los últimos tiempos por programas televisivos basados en concursos y talleres culinarios, se extiende desde los particulares más noveles, hasta merecedores de Estrellas Michelín, pasando por la restauración, pero también por el comercio y la industria de venta de productos en establecimientos como supermercados. Se trata de un fenómeno del que nadie queda libre[576] y en el cual está socialmente reconocida la obra culinaria o gastronómica como una creación intelectual atribuible a su autor.

Sin embargo, dichos creadores lidian en un ambiente sumamente competitivo por un reconocimiento legal de la autoría de su obra de manera que le permita destacar y diferenciarse de sus competidores directos en el mercado, especializándole de igual manera que ocurre entre autores de obras literarias, cinematográficas o musicales. A pesar de ello, no encuentran una protección blindada de su trabajo por la Propiedad Intelectual, quedando protegido únicamente por normas sociales y códigos de conducta como son los establecidos por la *International Association of*

---

[576] Sobre la realidad social de la gastronomía española, ver ROBERT GUILLÉN, S., *Alta cocina y Derecho de Autor*, Editorial Reus, Madrid, 2017, pp. 20 a 23.

Culinary Professionals y de la *United States Personal Chef Association*, cuya eficacia para su cumplimiento está más que cuestionada[577].

Cabe matizar que en este ámbito se puede hablar de cobertura por la Propiedad Intelectual desde distintas perspectivas. En primer lugar, hay que diferenciar entre la industria alimentaria y la gastronomía, a la que habrá que añadir el novedoso concepto de experiencia gastronómica[578]. Todas convergen sin que exista una definición clara para ninguna de ellas. El estudio enmarcado en un ámbito u otro principalmente dependerá de si se hace referencia a la calidad y tradición de una creación (gastronomía), a un ámbito de producción más industrial (industria alimentaria) o si incluye la intermediación de otros sentidos además del gusto, como los emplatados o el entorno en el que los consumidores se encuentran. El presente trabajo es de aplicación cualquiera que sea el concepto amplio o estricto que se quiera hacer de una creación culinaria, si bien los derechos de autor tendrán más cabida en el ámbito de la experiencia gastronómica o la gastronomía.

Se han planteado diversos caminos para la protección de estas creaciones y de sus tres posibles manifestaciones, a saber, la percepción gustativa, el aspecto visual y la receta. Una segregación que se desprende de la distancia entre la técnica de elaboración (receta) y el plato (el sabor obtenido junto con otros sentidos como el tacto o la impresión visual de su presentación). La elección de una vía concreta de tutela, dentro de las numerosas ofrecidas por el Derecho de Propiedad Intelectual, dependerá de los requisitos exigidos para la inclusión en su ámbito de aplicación, así como de la delimitación del objeto de protección o el ámbito temporal de cobertura. No será lo mismo lograr la protección de una percepción gustativa a través del derecho marcario, adaptándose a sus requisitos, al principio de especialidad y logrando una protección por un periodo de diez años con posibilidad de renovación, que a través del derecho de autor que abarca toda su vida y setenta años después.

---

[577]   ROBERT GILLÉN, S., "La protección de las creaciones culinarias por el Derecho de Autor", Actas de Derecho Industrial y Derecho de Autor. Vol. 33, 2012-2013, pp.402 a 403.

[578]   Sobre esta clasificación ver GIMENO BEVIÁ, V., *Propiedad Industrial y Gastronomía: De la gastronomía a la gastronosuya. Cómo proteger mis platos*, mesa redonda organizada por la OEPM el 2 de julio de 2020. Disponible en https://www.youtube.com/watch?v=OZt89MRuRYA&t=3398s

A pesar de la variedad de posibilidades, la práctica demuestra muchas veces la insuficiencia de las distintas vías de protección en lo que se refiere a creaciones gastronómicas por cuanto, aisladamente, no abarcan las tres manifestaciones de un producto culinario considerado en su conjunto. Esto desemboca en inseguridad jurídica para los autores o creadores en el sector gastronómico. Ven cómo, a pesar de sus esfuerzos por proteger un plato o producto gastronómico a través de la Propiedad Intelectual, el mismo puede ser reproducido de distintas maneras por sus competidores. Esto es, a través de la manifestación excluida del paraguas protector de la Propiedad Intelectual. La consecuencia se manifiesta en pérdidas económicas o reputacionales nada desdeñables[579].

En especial se ha tratado dar cobertura a cada una de las tres manifestaciones a través de los derechos de autor, sin lograr una respuesta clara para el sector. En el presente trabajo se analiza, en particular, la protección del sabor o de la percepción gustativa de una creación gastronómica. Se trata de un tema de especial relevancia y actualidad jurídica dadas las últimas novedades tanto jurisprudenciales como normativas acaecidas en el ámbito europeo. No se aborda, sin embargo, por motivos de extensión y debido a la especificidad de la finalidad protectora, el estudio de otras vías legales como son los derechos derivados de las denominaciones de origen protegidas, indicaciones geográficas, especialidades tradicionales garantizadas, los secretos empresariales o *know how*, y la cobertura a través del Derecho de la competencia[580].

---

[579] En relación con esta cuestión, ver la STJUE sobre el caso de *Levola Hengelo BV vs. Smilde Food BV*, de 13 de noviembre de 2018, asunto C-310/17, ECLI:EU:C:2018:899. El asunto versa sobre la protección del sabor de un queso (denominado <<Heksenkaas>>) través del Derecho de Autor de la Unión Europea, como creación intelectual, habida cuenta de la insuficiencia en términos de cobertura que representaba la patente concedida por el método de producción de dicho producto, que no impidió la producción por un competidor de un queso con similar o idéntico sabor (denominado <<Witte Wievenkaas>>).

[580] Sobre la relación entre Propiedad Intelectual y Competencia desleal como mecanismos para incentivar la innovación, consultar URIBE PIEDRAHITA, C. A., y CARBAJO CASCÓN, F., "La regulación <<ex ante>> y control <<ex post>>: la difícil relación entre Propiedad Intelectual y Derecho de la Competencia", *Actas de Derecho Industrial y Derecho de Autor*, Vol. 33, pp. 307 a 330.

2. LOS DERECHOS DE AUTOR COMO VÍA DE PROTECCIÓN PARA LA PERCEPCIÓN GUSTATIVA

2.1. Régimen aplicable

Los derechos de autor como vía idónea para la protección de los productos, alimentos o creaciones gastronómicas, han sido objeto de estudio doctrinal y jurisprudencial por su amplitud y flexibilidad para adaptarse a las distintas manifestaciones que de una misma creación culinaria se desprenden y, en particular, al sabor de un producto o su percepción gustativa como creación del intelecto humano. Resulta ilustrativo el supuesto alemán en el que el *BGH* en el año 2013 prohíbe la reproducción de fotografías hechas sobre platos de alto nivel sin consentimiento de su autor por considerar el resultado visual del emplatado como una creación intelectual digna de protección por el Derecho[581]; los supuestos en los que se pretende la protección de una receta; o, en el caso que nos ocupa, el sabor de una creación o producto.

Por medio del Derecho de Autor, se conceden al autor de una creación intelectual diversos derechos morales y de explotación, deslindables en otros más concretos durante toda la vida de este y setenta años después de su muerte o declaración de su fallecimiento, a salvo de las situaciones particulares como es el caso de creaciones bajo seudónimo o anónimas, además de aquellos que correspondan a los derechohabientes del autor o autores. Ahora bien, para que una creación quede bajo la cobertura de este sector del Derecho de Propiedad Intelectual y se beneficie igualmente de las acciones y procedimientos derivados del *ius prohibendi*, es necesario determinar los requisitos que establece el legislador para dotarle de cobertura, junto con el objeto de protección[582]. Primeramente, es necesario acotar el régimen legal en el que se encuadra.

A este respecto, en el ámbito Comunitario se atiende a la Directiva 2001/29

---

[581]   Para más información sobre el caso, ver https://www.welt.de/finanzen/verbraucher/article145156808/Das-Fotografieren-von-Essen-koennte-teuer-werden.html

[582]   Sobre esta cuestión vid. DE LARRAMENDI, L.H., "De la intertextualidad al plagio, pasando por la traducción; los préstamos en la literatura y los derechos de autor" en BERCOVITZ ÁLVAREZ, R., BAZ DE SAN CEFERINO, M.A., DURÁN MOYA, L.A., DE LARRAMENDI MARTÍNEZ, L.H. y RUÍZ LÓPEZ, A., Estudios sobre Propiedad Industrial e Intelectual, homenaje a A. de Elzaburu. Barcelona, 2009, p. 419.

/CE relativa a la armonización de determinados aspectos de los derechos de autor (en adelante, la Directiva)[583].

Procede puntualizar, que la Unión Europea es miembro del Tratado de la OMPI sobre Derecho de Autor[584], el cual establece en su artículo 1 que las partes contratantes darán cumplimiento a los artículos 1 a 21 del Convenio de Berna para la Protección de las Obras Literarias y Artísticas[585], así como a su Anexo. Igualmente, es de aplicación el Acuerdo sobre los Aspectos de los Derechos de Propiedad Intelectual relacionados con el Comercio[586].

Por lo tanto, quedan incluidos en el ordenamiento español las disposiciones mencionadas, que habrá de tener en cuenta junto con la Ley de Propiedad Intelectual[587], aprobada por Real Decreto Legislativo 1/1996, de 12 de abril.

2.2. Requisitos de protección

2.2.1. El concepto de obra como delimitación del objeto de protección

Sobre el tema que se plantea lo más destacable es la falta de mención expresa sobre la percepción gustativa como objeto de protección por el Derecho de Autor en ninguno de los instrumentos normativos expuestos anteriormente. Por ello, para resolver esta cuestión, procede un análisis interpretativo sobre los requisitos legalmente exigidos para su encuadre

---

[583]   Directiva 2001/29 /CE del Parlamento Europeo y del Consejo, de 22 de mayo de 2001, relativa a la armonización de determinados aspectos de los derechos de autor y derechos afines a los derechos de autor en la sociedad de la información, DO L 167/10, de 22 de junio de 2001.

[584]   Tratado de la Organización Mundial de la Propiedad Intelectual (OMPI) sobre Derecho de Autor, adoptado en Ginebra mediante Decisión 2000/278/CE del Consejo, de 16 de marzo de 2000, (DO L 89, de 16 de marzo del 2000).

[585]   Convenio firmado en el Acta de París del 24 de julio de 1971 y enmendado el 28 de septiembre de 1979.

[586]   Acuerdo sobre los aspectos de los Derechos de Propiedad Intelectual relacionado con el Comercio del Anexo 1C del Acuerdo por el que se establece la Organización Mundial del Comercio, aprobado mediante la Decisión 94/800/CE del Consejo, de 22 de diciembre de 1994, (DO L 336, de 22 de diciembre de 1994).

[587]   Real Decreto Legislativo 1/1996, de 12 de abril, por el que se aprueba el texto refundido de la Ley de Propiedad Intelectual, regularizando, aclarando y armonizando las disposiciones legales vigentes sobre la materia, <<BOE>> núm. 97, de 22 de abril de 1996, ref. BOE-A-1996-8930.

en este sector de la Propiedad Intelectual.

En este sentido, el art. 2 de la Directiva únicamente hace referencia en su ámbito de aplicación a los autores y sus *obras*, sin recoger una definición clara de este concepto. En consecuencia, se entiende por obra el objeto sobre el cual se concede en favor de su autor o, en su caso, de su titular, un derecho de exclusiva por parte de la Propiedad Intelectual. En otras palabras, el núcleo de protección. El centro de la cuestión se enfoca en determinar si el sabor o percepción gustativa de un producto puede ser considerado una obra a los efectos del Derecho de la Unión y, por lo tanto, objeto de protección.

En el ordenamiento español, el art. 10 de la Ley de Propiedad Intelectual establece como objeto de protección aquellas "creaciones originales literarias, artísticas o científicas", incluyendo una enumeración ejemplificativa de las principales. En el mismo sentido se pronuncia el art. 2 del Convenio de Berna. Como puede verse, la generalidad de la terminología empleada junto con la previsión de una lista abierta de supuestos, permite que puedan entenderse comprendidas otras creaciones del intelecto que excedan del libro, folleto o la obra cinematográfica, por citar algunas. En consecuencia, no cabe descartar a primera vista la consideración como tal de una obra por no encontrarse expresamente recogida en dicho listado, lo que afecta directamente a la percepción gustativa de un alimento o un producto. De conformidad con lo expuesto, una obra culinaria tendría cabida en la consideración de obra a los efectos antedichos e igualmente lo tendría el sabor, entendido como una creación intelectual de su autor.

No obstante, es cierto que tradicionalmente las obras que se han beneficiado del Derecho de Autor, son aquellas perceptibles de manera visual o auditiva. Además, no pasa desapercibido el hecho de que las enumeraciones contenidas en ambos instrumentos legales, aun constituyendo una lista abierta de ejemplos, únicamente relaciona creaciones visuales o auditivas. Surge en este punto la pregunta de si se pueden entender englobadas igualmente aquellas creaciones perceptibles por otros sentidos como son el del gusto o el olfato.

Para dar respuesta a la cuestión anterior cabe atenerse a la redacción literal del art. 10 de la Ley de Propiedad Intelectual y al art. 2 del Convenio de Berna, según los cuales se incluyen aquellas producciones artísticas –en contraposición a las meramente literarias o cinematográficas- expresadas por cualquier método, bien sea tangible o intangible, presente o futuro. De esta redacción se infieren dos conclusiones. En primer lugar, es evidente la ausencia de mención expresa sobre la necesidad de que una creación del intelecto sea necesariamente visual o auditiva. En segundo lugar, no contiene una exclusión manifiesta de otro tipo de creaciones intelectuales, como aquellas perceptibles por el sentido del gusto o del olfato[588].

En resumidas cuentas, parece que no hay obstáculo formal alguno contenido en la ley para considerar que el sabor de una creación gastronómica o culinaria, pueda ser objeto de protección por los derechos de autor. En el mismo sentido se posiciona la doctrina jurídica, contraria a la restricción del concepto de obra únicamente a creaciones visuales o auditivas[589]. Para ello, se apoya en el hecho de que obras pertenecientes al campo de la costura, guías técnicas o incluso dibujos de ingeniería que, claramente, distan mucho de integrarse en la literatura, la ciencia o el arte o que, sencillamente, no se encuentran enumeradas en la detallada lista ofrecida por la norma, han venido siendo protegidas por la jurisprudencia[590]. Otros, destacan aquellas creaciones intelectuales que no fueron recogidas por el legislador en su momento pero que más tarde obtuvieron su reconocimiento quedando amparadas por los derechos de autor, como la arquitectura o las coreografías y, ni tan siquiera el actual debate sobre las creaciones fruto de sistemas de inteligencia artificial[591].

---

[588]   El apartado segundo del art. 2 del Convenio de Berna se pronuncia en los siguientes términos: "*Sin embargo, queda reservada a las legislaciones de los países de la Unión la facultad de establecer que las obras literarias y artísticas o algunos de sus géneros no estarán protegidos mientras no hayan sido fijados en un soporte material*".

[589]   ROBERT GILLÉN, S., "La protección de las creaciones culinarias..." cit., p. 403 y 413 y ROBERT GUILLÉN, S., *Alta cocina... cit.* p. 117.

[590]   En este sentido son conocidas la STS de 13 de mayo de 2002 (RJ 2002/6744) o la STS de 30 de enero de 1996 (RJ 1996/540), que permitió la protección por el Derecho de Autor de la publicación de ofertas de trabajo en un periódico o el manual de instalación de unas mamparas de baño; igual que obras florales, sillas o fuegos de artificio

[591]   DOMÍNGUEZ PÉREZ, E. M., "Tutela jurídica del sabor de un producto: ¿es el derecho de autor l avía adecuada? Nuevas posibilidades a través de marcas no convencionales", Actas de Derecho Industrial y Derechos de Autor, Vol. 39, 2018-2019, p. 376. Sobre las vías de protección de la inteligencia artificial, ver GALLEGO SÁNCHEZ, E., "La patentabilidad de la inteligencia artificial. La compatibilidad con otros sistemas de protección", *La Ley Mercantil*, Nº 59. Consultado en Smarteca, donde la autora hace mención a la flexibilidad de la protección de los derechos de autor para estas creaciones al no requerir de un registro y donde también trata sus inconvenientes, en particular por ser un sistema incompleto, obsoleto e imperfecto. En particular, se refiere al método del *blind room*.

A pesar de lo expuesto hasta ahora y como ya lo hicieran otros[592], el Tribunal de Justicia de la Unión Europea es contrario a esta posibilidad. Es particularmente relevante la STJUE sobre el caso de *Levola Hengelo BV vs. Smilde Food BV593*, en el que se trata la falta de un concepto unificado para los Estados miembros del término *obra*. La sentencia responde a la cuestión prejudicial planteada sobre si el Derecho de la Unión Europea es contrario a que el sabor de un producto culinario (en el caso concreto, el sabor de un queso para untar con finas hierbas) quede protegido por el Derecho de Autor como creación intelectual. Por un lado, el Tribunal se pronuncia en contra de considerar la percepción gustativa como obra, lo que le excluye del ámbito de protección de los derechos de autor. Por otro lado, prohíbe expresamente que cualquier ordenamiento nacional de la Unión interprete la Directiva de manera alguna que se permita dar cobertura al sabor por esta vía legal[594].

Ahora bien, no es una prohibición en términos categóricos, sino condicionada al estado de la ciencia. La sentencia tiene en cuenta los aspectos relativos a la disyuntiva planteada en este sector del Derecho entre la protección de la idea y la de su expresión. Esta cuestión, se trata debidamente en el siguiente apartado.

Recapitulando, a priori nada impediría la consideración de un sabor como obra siendo éste una creación del intelecto humano perceptible por el sentido del gusto. Especialmente, por cuanto la concepción de obra como lenguaje metajurídico no puede quedar ajeno al contexto histórico, las

---

[592] El Tribunal de Casación de Francia ya negó la posibilidad de que los derechos de autor velen por creaciones que disten de las meramente visuales o auditivas en Sentencia de 10 de diciembre de 2013, FR:CCASS:2013:CO01205.

[593] Como se menciona anteriormente, STJUE de 13 de noviembre de 2018, asunto C-310/17, ECLI:EU:C:2018:899. En el asunto se pone de relieve que el Derecho de la Unión no aporta un concepto claro de *obra*, a pesar de la relevancia de esto por constituir el objeto de protección. Tampoco se remite a la creación de una definición autónoma que se haga depender de los Estados miembros. La inseguridad jurídica que distintos conceptos generarían se opone directamente a una aplicación uniforme del Derecho de la Unión en detrimento del principio de igualdad. Por este motivo, el Tribunal resuelve la cuestión pronunciándose acerca de si el sabor de un producto puede quedar bajo la tutela de los derechos de autor y los requisitos exigidos para ello en caso afirmativo. Sobre la aplicación uniforme del Derecho ver las SSTJUE, asunto *Infopaq International*, C-5/08, EU:C:2009:465 y asunto *Deckmyn y Vrijheidsfonds*, C-201/13, EU:C2014:2132.

[594] Apartados 44 y 45 de la Sentencia. Además, el Abogado General en sus conclusiones se manifiesta a favor de excluir aquellas creaciones que no sean perceptibles de manera visual o auditiva.

modas, o la sensibilidad del espectador, que evolucionará dependiendo del momento y de los avances sociales[595].

2.2.2. La disociación entre idea y expresión de la percepción gustativa. Problemática derivada

La inclusión de la percepción gustativa dentro del objeto de tutela del Derecho de Autor, esto es, su reconocimiento como *obra* a dichos efectos, trae consigo una problemática especial derivada de la dualidad generada en este ámbito entre la tutela de la idea y la de su expresión.

La cuestión tiene origen en el art. 2 del Tratado de la OMPI sobre Derecho de Autor en lectura conjunta con el art. 9 del Acuerdo sobre los Aspectos de los Derechos de Propiedad Intelectual relacionados con el Comercio. Ambos aclaran que el ámbito de protección abarca las expresiones, pero no las ideas, procedimientos, métodos de operación o conceptos matemáticos en sí. Es necesario contar con una expresión clara del sabor o creación (de la obra) que permita acotar cual será el objeto de protección con claridad y objetividad, a través de un medio o soporte[596].

Desde una perspectiva práctica, la razón se encuentra en la necesidad de velar certera y suficientemente por los derechos morales y de explotación conferidos. La distinción de un sabor como creación por un autor de otro creado por un competidor que pueda suponer una vulneración de los derechos conferidos, es esencial para generar seguridad jurídica en el tráfico. De otro lado, la doctrina recuerda que el motivo tras la disociación radica en la primacía del progreso cultural y científico, así como la libertad de expresión. De otra forma, se estaría dando una protección al autor que excedería de la obra en sí, impidiendo creaciones posteriores inspiradas en una idea similar[597]. Esto último tendría el efecto de desincentivar las creaciones, desde que todas tienen base en la inspiración de creaciones

---

[595]   ROBERT GILLÉN, S., "La protección de las creaciones culinarias..." cit., p.404.

[596]   El Tribunal Supremo se pronuncia en su STS de 6 de noviembre de 2006 (RJ 2006/8134) sobre el soporte, en relación con una obra pictórica "(...) dadas las características de la obra, inseparable de su soporte, aunque reproducible con base en los bocetos, su duración queda sujeta al del elemento en que se plasma, por lo que no nace con vocación de perennidad, sino con una vida efímera"

[597]   Esta circunstancia, sin embargo, podría evitarse si se diera cobertura a la percepción gustativa del producto a través de la marca, en virtud del principio de especialidad y de caducidad.

anteriores, afectando en última instancia al ámbito económico al resultar más costoso la creación de nuevas obras y por ello, se produciría su reducción exponencial[598]. En congruencia con la protección del desarrollo del conocimiento social, científico, cultural (literario o artístico) o económico, no se permite la apropiación con carácter exclusivo de ideas o informaciones, por ser de dominio público[599].

De acuerdo con lo expuesto, la percepción gustativa ocupa el *corpus mysticum*, que para ser protegido requiere su delimitación objetiva en un soporte o *corpus mechanicum*600. El medio a través del que se representa el sabor, de acuerdo con el art. 10 de la Ley de Propiedad Intelectual, podrá ser tangible o intangible. Este último, encuentra ejemplos en una *performance*, coreografía o en una actuación oral. En cuanto a la expresión en soporte tangible, el sabor puede expresarse a través de la receta o, de otro lado, por medio del producto o creación gastronómica en sí mismo[601].

Al hilo de la representación por medio de la receta, es posible encontrar ejemplos en la práctica. A modo ilustrativo, el Convenio de Berna excluye expresamente en su art. 2.8. la protección de las noticias. Por el contrario, se protege la expresión de dicha idea en términos de método, estilo o técnica de creación, consistiendo esta expresión en la exteriorización

---

[598]   PALAZZI, P., "La exclusión del régimen de Derecho de Autor de las ideas, sistemas, métodos, aplicaciones prácticas y planes de comercialización" Actas de Derecho Industrial y Derecho de Autor. Vol. 29, 2008-2009, pp. 392 a 395. Sobre los conflictos de competencia vid. POMBO, F., "Libre competencia y derechos de Propiedad Intelectual e Industrial", en BERCOVITZ ÁLVAREZ, R., BAZ DE SAN CEFERINO, M.A., DURÁN MOYA, L.A., DE LARRAMENDI MARTÍNEZ, L.H. y RUÍZ LÓPEZ, A., Estudios sobre Propiedad Industrial e Intelectual, homenaje a A. de Elzaburu. Barcelona, 2009, p. 558 y ss. Este autor destaca que no existe un verdadero conflicto entre la libre competencia estos derechos.

[599]   PALAZZI, P., "La exclusión del régimen de Derecho..." *cit.*, p. 374 a 378.

[600]   Sobre la doble composición de los objetos protegidos por derechos de propiedad intelectual en conexión con su naturaleza ver OTERO LASTRES, J. M., "Capítulo I. Introducción", en Fernández Novoa, C. F., Otero Lastres, J. M., y Botana Agra, M., *Manual de la Propiedad Industrial*, Marcial Pons, Madrid, 2017, p. 58.

[601]   El soporte puede ser cualquier material, incluyendo alimentos. En este sentido, ROBERT GUILLÉN, S., "La protección de las creaciones culinarias..." *cit.*, p. 412 y VALBUENA GUTIÉRREZ, J. A., *Las obras o creaciones intelectuales como objeto del derecho de autor*, Comares, Granada, 200, p. 155. lo que vendría Si la expresión se realiza a través del producto en sí, con ello se vendría a proteger el emplatado como obra visual, de forma similar a la protección de una escultura como obra de arte. Sin embargo, quizá haya otras vías más adecuadas como el diseño, la marca tradicional o la competencia desleal. No queda tan claro la posibilidad de que el producto en sí sea el soporte de la percepción gustativa debido a la inestabilidad y subjetividad propias del sabor. Sobre esto último, ver el apartado relativo a la percepción gustativa como marca no convencional.

de una idea. Es decir, vela por la expresión literaria de la idea o noticia. Esto, extrapolado al caso de la percepción gustativa y de las creaciones gastronómicas ha provocado una discusión alrededor de la protección de la receta como expresión de la idea o creación culinaria y sus consecuencias.

Existe división en este punto entre considerar que los derechos de autor únicamente protegen la expresión literaria de la receta o, por el contrario, la ejecución de la misma o el producto resultante. El Derecho de Autor otorga derechos de exclusiva en relación con la reproducción del soporte físico en el que se expresa la idea. Esto deja vía libre a un competidor para obtener el mismo sabor de un producto al ejecutar la receta e incluso, lograr el sabor u otro muy similar a través de otra receta. Por consiguiente, la percepción gustativa como creación intelectual quedaría en sí misma desprotegida a través de esta vía. La cobertura se otorga entonces como obra literaria en dos casos: cuando se incorpore a un libro (o a una obra objeto de protección), o cuando revista por sí misma, originalidad suficiente[602].

El debate doctrinal encuentra en este punto defensores y detractores de la idea que defiende la cobertura de la receta únicamente como obra literaria y su idoneidad para proteger una creación culinaria[603]. Como argumento en contra, se ha traído a colación que si en el art. 12.1 de la Ley de Propiedad Intelectual se dota de protección por el Derecho de autor a los programas informáticos, igualmente se ha de entender extensible a las recetas en tanto en cuanto son series de instrucciones. En el mismo sentido, si la jurisprudencia ha dado cobertura a guiones televisivos, obras coreográficas o incluso musicales, nada impediría entender en la misma

---

[602]   ROBERT GILLÉN, S., "La protección de las creaciones culinarias..." *cit.*, p. 403; SOLER MASOTA, P. "La protección de las ideas por el Derecho de Autor", *Actas de Derecho Industrial y Derecho de Autor*, Vol. 22, 2001, p. 501. Esta última autora hace mención a la obra de FABIANI, quien se encarga de recoger la doctrina partidaria de la protección de la receta únicamente como obra literaria, para decantarse por la misma conclusión.

[603]   SOLER MASOTA, P. "La protección de las ideas..." *cit.*, p. 502, rechaza las recetas de platos tradicionales por pertenecer al acervo común, o las que consistan en la mera presentación estética de los platos, el cambio de la técnica en la preparación del plato o incluso de alguno de sus ingredientes. En el mismo sentido vid. PALAZZI, P., "La exclusión del régimen de Derecho..." *cit.*, p. 376, cuando recuerda que la Directiva 91/250/EEC se pronunciaba en su art. 1.2 expresamente en contra de dar protección a las ideas en el contexto de los programas de ordenador. A pesar de ello, ROBERT GUILLÉN, S. "La protección de las creaciones culinarias..." cit., p. 407, se manifiesta entendiendo que si en el art. 12.1 LPI se dota de cobertura por el Derecho de Autor a los programas informáticos, igualmente se ha de entender extensible a las recetas en tanto en cuanto son series de instrucciones.

situación a las recetas y su ejecución en el mundo gastronómico. Desde que la partitura se entiende como la expresión de la idea, dotando de protección, no a la redacción de la partitura o guión como obra literaria, sino su manifestación o ejecución, lo mismo cabría entender de las recetas. En otras palabras, la receta consistiría en la expresión de la idea, debiendo dar cobertura, a su entender, a la ejecución de la misma, esto es, al plato o creación culinaria[604].

En caso de considerarla únicamente bajo el manto de la creación literaria, la protección se limitaría a evitar su reproducción escrita, olvidando entonces el resto de manifestaciones de la misma, es decir, el plato[605].

Es cierto que los cocineros, chefs o autores, obtienen sus rendimientos de diversas fuentes, siendo una de ellas la explotación de los derechos de autor de sus recetarios como obras literarias, de obras colectivas, a través de la concesión de licencias para incorporarlas a programas de televisión u otras obras literarias de distintos autores, etc.[606]. Dicho lo cual, no se puede olvidar que en muchas ocasiones la cobertura que se busca es la del producto derivado de dicha receta, esto es, el resultado de su ejecución. De esta manera, la protección de la mera reproducción escrita no satisfaría las necesidades de sus creadores, como en el caso de una percepción gustativa[607].

Cuestión diferente sería considerar el producto físico o resultante de la elaboración como la expresión de la idea y el sabor obtenido como la idea que se pretende proteger. Sin embargo, es una posibilidad que se enfrenta a la problemática derivada de la subjetividad intrínseca a la percepción gustativa. Esta característica dificulta seriamente la posibilidad de delimitar el objeto de protección por el Derecho de autor sin faltar al principio de

---

[604]   ROBERT GUILLÉN, S. "La protección de las creaciones culinarias..." cit., p. 407. Se apoya el autor en varias sentencias, a saber, la SSAP de Madrid núm. 182/2009, de 2 de julio (AC 2009/1914); núm. 96/2005, de 17 de febrero (AC 2005/426); núm. 182/2009, de 2 de julio (AC 2009/1914); o la SAP de A Coruña núm. 375/2010, de 31 de julio (JUR 2010/335504). Por su parte, PALAZZI, P., "La exclusión del régimen de Derecho..." cit., p. 383, recuerda a algún autor que llegó a decantarse por la irrelevancia en la distinción de las ideas y su expresión (BORDA).

[605]   Así lo recuerda CERVIÑO CASADO, A., "La nueva Ley española de Marcas: Análisis desde la perspectiva del Derecho Comunitario", Actas de Derecho Industrial y Derecho de Autor, Vol. 22, 2001, p.p. 35 y 36.

[606]   SOLER MASOTA, P. "La protección de las ideas..." cit., p. 504.

[607]   Ver la STJUE de 13 de noviembre de 2018, *Levola Hengelo BV vs. Smilde Foods BV*, asunto C-310/17.

seguridad jurídica y que se hace depender del estado de la ciencia. Así lo establece el TJUE en el caso *Levola Hengelo BV vs. Smilde Food BV*. En la resolución el Tribunal, si bien prohíbe considerar la percepción gustativa como obra en el sentido de la Directiva, abre la puerta a que en un futuro el sabor de un producto o creación culinaria quede protegido por derechos de autor, siempre y cuando el estado de la ciencia permita acotar el objeto de protección. Sobre esta materia se han de tener en cuenta las manifestaciones realizadas en el presente trabajo al tratar el estado de la técnica científica para la protección de una percepción gustativa como marca no convencional.

2.2.3. El requisito de la originalidad

El segundo criterio para la protección de una creación o de una obra, según el art. 10 de la Ley de Propiedad Intelectual es que sean creaciones originales.

Originalidad entendida en términos de autoría. Para que una obra sea calificada como tal ha de ser una creación intelectual, esto es, creada por un ser humano como expresión de la personalidad del autor[608]. Por su parte, el TJUE ha incluido como criterio de originalidad el requisito de que la obra ha de ser una expresión o reflejo de la personalidad del autor, requiriendo que exista una libertad creativa que se haga efectiva y encuentre su manifestación en la producción del autor[609].

La originalidad es alcanzable por su concepción o por su ejecución, que puede entenderse subjetiva u objetiva[610]. La primera exigiría que la obra no haya sido una copia de otra preexistente y de titularidad ajena, debiendo probarse por quien solicita tutela que no se ha copiado. Por otro lado, originalidad objetiva implica que se trata de una creación novedosa en sí misma, por lo que las alegaciones del supuesto autor que solicita protección irán dirigidas a probar que su creación es distinta a toda aquella preexistente. Ambas posturas han venido siendo discutidas por la

---

[608] DE LARRAMENDI, L.H., "De la intertextualidad al plagio..." *cit.*, p. 419. Esta cuestión es igualmente tratada en la STJUE de 13 de noviembre de 2018, *Levola Hengelo BV vs. Smilde Foods BV*, asunto C-310/17, considerando cuadragésimo primero y conclusiones del Abogado General.
[609] STJUE de 16 de julio de 2009, *Infopaq Internacional*, Asunto C-5/08, EU:C:2009:465.
[610] ROBERT GILLÉN, S., "La protección de las creaciones culinarias..." cit., p.405.

jurisprudencia, hasta desplazarse hacia una más objetivista, en línea con la cual, se considera obra aquella creación humana que resulte novedosa, exigiendo una relevancia creativa mínima que no se limite simplemente a copiar una obra preexistente[611]. Ahora bien, se ha sostenido que la originalidad, si bien es requisito necesario, no es suficiente para que una creación pueda beneficiarse de protección[612].

En cualquier caso, para determinar la originalidad de una obra, siempre será necesario conocer en qué grado el público es capaz de diferenciar una obra de otra de similares características.

3. ALTERNATIVAS A LA PROTECCIÓN DE LA PERCEPCIÓN GUSTATIVA

3.1. Cuestiones previas

A la hora de buscar alternativas a la protección de la percepción gustativa por la Propiedad Intelectual resulta inevitable hablar del Derecho de marcas por los paralelismos que surgen en relación con los requisitos de protección con el Derecho de autor. En Derecho vela, sin embargo, por los signos distintivos como creaciones intelectuales que individualizan y diferencian los productos de una empresa, su titular y su sede. La marca, en concreto, es aquél signo distintivo que permite la diferenciación de unos productos o servicios titularidad de una persona, de otros idénticos o similares pertenecientes a otra persona[613]. En el ordenamiento español queda regulada en la Ley de Marcas[614].

---

[611]   A favor de la tesis que opta por una originalidad subjetiva se pueden encontrar resoluciones como la STJUE de 16 de julio de 2009, *Infopaq Internacional*, Asunto C-5/08, EU:C:2009:465. Por otro lado, a favor de la originalidad objetiva, se pueden consultar resoluciones como la STS 24.06.04 (RTIB ref. 483313; CCJC 2005, marg. 1805; pe.i.nº 17, 2004, p. 113) o la STS 27.09.2012 (TOL 2.660.739).

[612]   STJUE de 13 de noviembre de 2018, *Levola Hengelo BV vs. Smilde Foods BV*, asunto C-310/17, el Abogado General en el considerando cuadragésimo tercero, quien añade que la pericia del autor en la creación no es suficiente para considerarla original.

[613]   Sobre la definición de marca y su evolución vid. OTERO LASTRES, J.M., "La definición legal de marca en la Nueva Ley española de Marcas", Actas de Derecho Industrial y Derecho de Autor. Vol. 22, 2001, pp.196 y ss.

[614]   Ley 17/2001, de 7 de diciembre de Marcas, <<BOE>> núm. 294, de 8 de diciembre de 2001, ref. BOE-A-2001-23093.

Se pueden distinguir las marcas tradicionales, aquellas representadas a través de letras, palabras, números, o símbolos, exclusivamente percibidas de manera visual, de aquellas atípicas o no convencionales. Estas últimas son aquellas percibidas por cualquiera de los cinco sentidos, pudiendo distinguir las visuales como hologramas, colores, marcas de movimiento, etc.; o las no visuales olores, sabores, sonidos y texturas (art. 4 de la Ley de Marcas)[615]. En consecuencia, la tutela de una percepción gustativa por el derecho marcario irá referido a las marcas no convencionales.

3.2. *La percepción gustativa como marca no convencional.*

3.2.1. Requisitos de protección y problemática surgida

En el art. 4 de la Ley de Marcas establece los requisitos necesarios para constituir una marca: el carácter distintivo y el requisito de la representación. En relación con dichos requisitos las marcas no convencionales y, particularmente, las referidas a una percepción gustativa se enfrentan a una serie de dificultades concretadas en la subjetividad de su apreciación, el elemento funcional, el carácter distintivo y su representación[616]. De no ser salvados, no podrán constituir una marca. Se analizan a continuación.

En primer lugar, respecto de la subjetividad de las marcas no convencionales, como las percepciones gustativas -u olfativas-, es pacífica la idea de que los sabores tienen un objeto de protección difícil de identificar. El motivo radica en que responden a percepciones subjetivas que dependen de las propias circunstancias de quien lo percibe y, por tanto, en un supuesto análisis podrían existir para un mismo producto tantos sabores como sujetos que lo analizan, similarmente a lo que sucede con las olfativas y táctiles[617]. Ello, por razones ya expuestas, dificultaría enormemente la delimitación del objeto de protección. De igual manera ocurre con los derechos de autor a la hora de perfilar el objeto de protección y su consideración como obra.

---

[615] CASTRO GARCÍA, J. D., "Las marcas no tradicionales", Revista de la propiedad inmaterial, Nº16, 2012 p. 297.

[616] CASTRO GARCÍA, J. D., "Las marcas no tradicionales..." *cit.* p. 299.

[617] ROBERT GILLÉN, S., "La protección de las creaciones culinarias..." cit., p. 413 y CASTRO GARCÍA, J. D., "Las marcas no tradicionales..." *cit.* p. 300. Así lo concluyen tanto el TJUE en la sentencia objeto de estudio, como el Abogado General en sus conclusiones.

En segundo lugar, en relación con el elemento funcional, se hace referencia a aquellos factores que tienen una connotación funcional, describiendo alguna característica del producto. En el caso de las marcas gustativas, al igual que como ocurre con las olfativas, se trata de aquellas percepciones de los productos o alimentos que correspondientes al sabor o al olor natural del producto en sí[618]. Por poner un ejemplo, el olor o sabor a vainilla para proteger los helados de vainilla o, "el sabor a queso" para describir un queso determinado[619]. Conviene recordar que no existen sabores únicos, primarios o unívocos, sino meras aproximaciones a tonos amargos, ácidos, etc.

Sobre esta cuestión la doctrina ha desarrollado una clasificación que distingue los *primary scents* y los *secondary scents* o *product scents*, en relación con las percepciones olfativas[620]. Los primeros hacen referencia a aquellos productos donde el olor es el propósito principal del producto, como los perfumes. Para los segundos, a pesar de no ser su función principal, suelen incorporarlo. Es el caso de jabones o detergentes. A estos hay que sumar aquellos que incorporan dichas percepciones para dar cierta funcionalidad técnica o estética, por ejemplo, el olor añadido a bolsas de basura para enmascarar el original. Sobre todos ellos la doctrina se encuentra dividida entre quienes defienden la susceptibilidad de protección y quienes la niegan por carecer de distintividad. Los últimos alegan que las percepciones olfativas son inherentes al propio producto como en el caso de los perfumes o el sabor "a queso" para proteger un queso y, por ende, requieren de otro signo distintivo añadido por ser el producto el signo distintivo a su vez. También hay quienes sostienen que la funcionalidad no es suficiente para negar la protección[621].

---

[618]   Art. 5.1.e de la Ley de Marcas, constituyendo una de las prohibiciones absolutas que la ley prevé.

[619]   CASTRO GARCÍA, J. D., "Las marcas no tradicionales..." *cit.* p. 300 y HERNÁNDEZ ALFARO, M., "Los nuevos productos y las marcas olfativas", Anuario de la Facultad de Derecho (Universidad de Alcalá), Nº1, 2008, p. 147. Destaca este principio en su similitud con la *merger doctrine* y la *expresión funcional* descrita en vid. PALAZZI, P., "La exclusión del régimen de Derecho..." *cit.*, pp. 387 a 391.

[620]   BALDO KRESALJA, R., "La registrabilidad de las marcas auditivas, olfativas y las constituidas por color único en la Decisión 486 de la Comunidad Andina de las Naciones", Themis: Revista de Derecho, Nº 42, 2001, p. 171 y HERNÁNDEZ ALFARO, M., "Los nuevos productos y las marcas olfativas..." *cit.* p. 148.

[621]   Vid. HERNÁNDEZ ALFARO, M., "Los nuevos productos y las marcas olfativas..." *cit.* p. 148, quien hace referencia a la sentencia del TJCE en su sentencia de 18 de junio de 2002, asunto C-299/1999, caso "Philips c. Remington", en el cual se pronuncia en contra de dotar

En relación con lo anterior y habiendo entrado ya en el requisito de la capacidad distintiva de las percepciones olfativas o, en el caso objeto de estudio las gustativas, no cabe duda sobre la capacidad de éstos para evocar en los consumidores sensaciones incluso más potentes que a través de estímulos visuales o auditivos. Sin embargo, como se decía, para que el signo sea distintivo, ha de poder escindirse del producto, lo que no se cumple en el caso de los *primary scents*[622].

Lo verdaderamente relevante en el campo de las marcas es que sea idóneo para que el consumidor relacione un producto con un origen empresarial, tarea algo más difícil por cuanto ello solo es posible a través de un uso efectivo en el mercado y por el debate surgido en relación con la posibilidad del consumidor medio de identificar y diferenciar dichas percepciones. Ello se debe, a que a la hora de determinar el objeto de protección de una percepción olfativa o gustativa ésta abarcará distintas tonalidades o matices que presentarán dificultades a la hora de analizar si un olor o sabor protegido es similar a otro, esto es, en lo referente al riesgo de confusión.

A modo de conclusión y a pesar de lo expuesto, la mayoría coincide en entender que estas percepciones son más idóneas para conectar con el subconsciente del sujeto y lograr la asociación producto-origen empresarial que se pretende, siempre y cuando estén muy disociadas respecto del producto. Esto favorecerá el carácter distintivo de una percepción gustativa.

---

de protección a los elementos funcionales de los productos. Sobre esta cuestión vid. BALDO KRESALJA, R., "La registrabilidad de las marcas auditivas..." *cit.* p. 171, destacando las distintas posiciones de la doctrina al respecto y especialmente en relación a lo estipulado por HELEN BURTON, cuando afirma que las percepciones de esta especie habrán de ganar un *secondary meaning* en el mercado, debido a la naturaleza funcional u ornamental de los olores, extrapolable al caso de los sabores. Afirma, por último, que sería necesario educar a los usuarios del mercado con el tiempo.

[622]   CASTRO GARCÍA, J. D., "Las marcas no tradicionales..." *cit.* p. 313 y OTERO LASTRES, J.M., "La definición legal de marca..." *cit.*, p. 206. Por su parte, TORRUBIA CHALMETA, B., "El requisito de la representación gráfica..." *cit.*, pp. 407 y 408, hace mención al tratamiento de la jurisprudencia norteamericana, en la que se niega el sabor por ser una característica inherente del producto, además de tratar la cuestión de la funcionalidad.

3.2.2. En especial, el requisito de la representación de las percepciones gustativas

El segundo requisito para considerar un signo distintivo como marca es el de la representación, a raíz de la cual se han de hacer nuevas apreciaciones. Procede resaltar la diferenciación entre la susceptibilidad de representación gráfica (esto es, por medio de signos, líneas, dibujos, palabras, etc.; en otras palabras, perceptibles a través del sentido de la vista o materializada por medios sensibles) de un signo distintivo como requisito para poder ser constitutivo de marca, de la representación como medio de acceso al Registro. La primera tenía como fin permitir al usuario aprehender y asociar[623].

El proceso de armonización europea ha traído consigo la Nueva Ley de Marcas, con el Real Decreto-ley de 23/2018[624], por medio del cual se elimina el requisito de la representación gráfica definitivamente del art. 4 de la Ley de Marcas. Consecuentemente, se estaría abriendo la puerta a la consideración de las marcas no convencionales como hologramas, sonidos o percepciones gustativas u olfativas, siendo que con la situación anterior parecía totalmente vedada dicha posibilidad[625].

No obstante lo anterior, para que la protección despliegue efectos jurídicos plenos, la marca debe de acceder al Registro de Marcas[626]. El mismo, se rige por el principio de publicidad formal, cuyos motivos responden a permitir a los examinadores -autoridades registrales- y terceros conocer el contenido de la marca, la conservación de la misma y la consulta posterior, para lo cual, imperativamente se exige que sea igualmente representable. En el mismo sentido se ha venido pronunciando

---

[623] Sobre la representación gráfica, vid. OTERO LASTRES, J.M., "La definición legal de marca..." *cit.*, pp. 200 y ss.

[624] Real Decreto-ley 23/2018, de 21 de diciembre, de transposición de directivas en materia de marcas, transporte ferroviario y viajes combinados y servicios de viaje vinculados, «BOE»núm.312, de 27 de diciembre de 2018, ref. BOE-A-2018-17769.

[625] CASADO CERVIÑO, A., "La nueva Ley española de Marcas..." *cit.*, p.27. En estas páginas el autor ya consideraba como la antigua redacción del art. 1 de la LM permitía pensar que se daba cabida a marcas no convencionales. Vid. OTERO LASTRES, J.M., "La representación de la marca en las Propuestas Comunitarias", *Actas de Derecho Industrial y Derechos de Autor*, Vol. 33, 2012-2013, pp. 419 y 420.

[626] Como regla general, únicamente podrán oponerse a terceros tras su acceso al registro. Sin embargo, se ha de tener presente las marcas notorias, art. 6 bis del Convenio de París para la Protección de la Propiedad Industrial y art. 8 LM.

la EUIPO[627]. Consiste en garantizar el correcto funcionamiento del sistema de registro, protegiendo no sólo a quien registra la marca, sino al resto de intervinientes en el mercado. Es a estos efectos ineludible la obligación de representar una percepción gustativa, de manera similar a como ocurría con la expresión del objeto en el Derecho de autor, lo que implica numerosos problemas prácticos.

Doctrina y ciencia han tratado de solucionar esta cuestión de carácter material mayoritariamente en relación con las marcas olfativas, siendo un estudio extrapolable a la representación de los sabores. Destaca la STJUE, caso *Sieckman vs. Deutsches Patent-Und Markenamt*[628], sobre el registro de una marca olfativa. El Tribunal analiza tanto los motivos que justifican la importancia de la representación a efectos de publicidad, como las distintas técnicas propuestas por la parte.

La primera de las técnicas alternativas que darían acceso al registro de una percepción gustativa es el de la fórmula química, descartada por no ser adecuada para determinar la percepción con exactitud, ya que entran en juego factores como la concentración o la cantidad de la sustancia. Siendo además que, muy pocos – ni tan siquiera los más formados- podrían a través de una fórmula química identificar el olor o el sabor que representa, llegando a suponer una carga excesiva para quienes pretenden consultar el registro[629].

Otra posibilidad consiste en una descripción verbal de la percepción[630], pudiendo ser esta tan abstracta que dificulte la asociación buscada en el consumidor. Además, tampoco existe un registro adecuado, como ocurre con los colores[631]. Tanto el TJUE como la actual EUIPO han venido entendiendo que la descripción verbal no responde a las exigencias de suficiencia, claridad,

---

[627]　Como en el caso Orange, de 12 de febrero de 1998, asunto R 7/1997-3. En este sentido también se pronuncia OTERO LASTRES, J.M., "La definición legal de marca..." cit., p. 203; y TORRUBIA CHALMETA, B., "El requisito de la representación gráfica: un límite de acceso al registro para las marcas no visuales", Actas de Propiedad Industrial y Derecho de Autor. Vol. 32, 2011-2012, pp. 390 a 416.

[628]　STJUE de 12 de diciembre de 2002, *Ralf Sieckmann v. Deutsches Patent- und Markenamt*, asunto C-273/00, EU:C:2002:748.

[629]　CASTRO GARCÍA, J. D., "Las marcas no tradicionales"... *cit.* p. 303; ROBERT GILLÉN, S., "La protección de las creaciones culinarias..." cit., p. 414; BALDO KRESALJA, R., "La registrabilidad de las marcas auditivas..."... *cit.* p. 172.

[630]　CASTRO GARCÍA, J. D., "Las marcas no tradicionales"... *cit.* p. 303; ROBERT GILLÉN, S., "La protección de las creaciones culinarias..." cit., p. 414; BALDO KRESALJA, R., "La registrabilidad de las marcas auditivas..." *cit.* p. 172.

[631]　ROBERT GILLÉN, S., "La protección de las creaciones culinarias..." cit., p. 414.

precisión y objetividad, siendo, por ello, un método inidóneo. Por ejemplo, la anteriormente denominada OAMI (EUIPO) descartó un registro del olor a fresa cuya imposibilidad radicaba en la amplia variedad de fresas[632].

Contrariamente a lo expuesto, sí que existen algunos casos en el Derecho comparado, como los registros de marcas olfativas para hilos de coser, siendo la descripción: "un alto impacto a fragancia fresca, floral, con reminiscencia a plumería florecida", el olor a cereza para lubricantes sintéticos o el olor a chicle para aceites industriales; o el caso del olor a hierba recién cortada permitida por la antigua OAMI, entre otros[633].

Otra posibilidad es la de depositar una muestra[634]. Sin embargo, la volatilidad y el carácter efímero de estos productos, tanto a nivel olfativo como gustativo, concluyen necesariamente la inviabilidad de éste método. En el asunto *Levola vs. Smilde*, planteaba el tribunal si influía en el concepto de obra la inestabilidad del producto. No parece que haya motivo para entenderlo incompatible, sobre todo por cuanto se entienden obras aquellas como las representaciones teatrales, que pueden entenderse igualmente efímeras[635]. Sin embargo, en el campo de las marcas sí que es un obstáculo esencial a la hora de acceder al registro, porque imposibilita su consulta posterior, siendo que además este tipo de percepciones se van modificando con el paso del tiempo.

En cuarto lugar, destacan, dentro de los métodos científicos, la cromatografía de gases, la cromatografía líquida, la metrología sensorial, la evaluación sensorial por listas, o la tecnología "iSmell" [636].

---

[632]   Resolución de la Sala Primera de Recursos de la OAMI, de 24 de mayo de 2004, asunto 591/2003-1, <<*Olor a fresa madura*.

[633]   Son las resoluciones del TTAB de 19 de septiembre de 1990, asunto *in re Clarke* (UPSQ, 2ª, 1238); del USPTO, seriales número 2463044, núm. 2560618 o la núm. 2596156. Sobre esta cuestión vid. HERNÁNDEZ ALFARO, M., "Los nuevos productos y las marcas olfativas"... *cit.* p. 153 y 158. Por su parte, OTERO LASTRES, J.M., "La definición legal de marca..." *cit.*, p. 201, menciona la Resolución de la Segunda Sala de Recursos de 11 de febrero de 1999, asunto R 156/1998-2.

[634]   CASTRO GARCÍA, J. D., "Las marcas no tradicionales"... *cit.* p. 303.

[635]   El Tribunal entendía necesaria la representación del objeto a través de la expresión, aunque no con carácter permanente. Sobre este asunto, ver ROBERT GUILLÉN, S., *Alta cocina...* *cit.* pp. 103 a 107, el autor aporta numerosos ejemplos prácticos relevantes del campo de la jardinería, peluquería o pastelería y RODRÍGUEZ TAPIA, J. M., "Artículo 10. Obras y títulos originales" en Rodríguez Tapia, J. M. (dir.), *Comentarios a la Ley de Propiedad Intelectual*, Aranzadi, Pamplona 2009, p. 127, el autor se hace eco del cambio de criterio jurisprudencial a favor de admitir la protección de marcas no convencionales.

[636]   Los primeros consisten en un análisis de los elementos volátiles que desprende el producto, mientras que el segundo de ellos permite su representación mediante una gráfica la cantidad de un compuesto en función del tiempo requerido para su separación. La evaluación

Todas estas técnicas si bien requieren de un periodo de adaptación y perfeccionamiento, junto con la preparación de las administraciones para la creación de un registro adecuado de percepciones sensoriales como son los olores y los sabores, que, no cabe duda, implica una gran inversión económica y un obstáculo más.

Cabe plantearse en relación con el requisito de la representación, cómo es posible la oposición a la protección, distinguiendo unas percepciones de otras o si el examen por un juez o un experto es en su caso suficiente para ello. La doctrina concluye que el examen por un juez o experto inevitablemente resultará en un análisis subjetivo que ha de evitarse a toda costa. Igual ocurriría con la alternativa propuesta, la realización de encuestas a consumidores especializados[637].

En relación con la cuestión anterior, es de especial relevancia la Propuesta de Ley francesa[638] sobre un derecho *sui generis* para la protección de recetas y creaciones culinarias y la instauración de una "Fundación para la Gastronomía Francesa". Si bien a través de un sistema más cercano a nuestro Derecho de patentes[639], procura la protección de las creaciones gastronómicas abarcando sus tres posibles manifestaciones. Otorga un certificado de creación culinaria francesa, con el consecuente registro y publicación oficial. La Propuesta de Ley recoge en su *Arte L. 145-10* que la creación revestirá carácter propio gustativo, para lo cual es necesario que las cualidades gustativas den una impresión de conjunto. Ya se ha mencionado aquí la dificultad de evaluar la novedad de una percepción

---

sensorial, por su parte, supone la estandarización de las listas de términos que caracterizan cada una de las percepciones. Sobre esta cuestión vid. BALDO KRESALJA, R., "La registrabilidad de las marcas auditivas, olfativas y..." *cit.* p. 173; CASTRO GARCÍA, J. D., "Las marcas no tradicionales"... *cit.* p. 311; HERNÁNDEZ ALFARO, M., "Los nuevos productos y las marcas olfativas"... *cit.* p. 158 y ROBERT GILLÉN, S., "La protección de las creaciones culinarias..." cit., p. 414. Por último, la tecnología "iSmell", se basa en la transmisión de percepciones olfativas a través de Internet, entre otras redes telemáticas, creando un lenguaje informático que las defina de manera única y permita su transmisión, permitiendo la creación de una paleta de percepciones olfativas. A esto último hace referencia HERNÁNDEZ ALFARO, M., "Los nuevos productos y las marcas olfativas"... *cit.* p. 159.

637   CASTRO GARCÍA, J. D., "Las marcas no tradicionales"... *cit.* p. 3011.

638   *Proposition de Loi relative à la protection des recettes et créations culinaires*, N° 1890, inscrita en la *Présidence de l'Assemblée nationale*, de 30 de abril de 2019.

639   El motivo de la similitud se encuentra en los requisitos de novedad y el estado de la ciencia. La propuesta de ley se refiere al estado del arte culinario: "*Arte. L. 145-10. – Une création culinaire est considérée comme nouvelle si elle n'est pas comprise dans l'état de l'art culinaire*".

gustativa debido a su inherente carácter subjetivo, además del problema de definir qué se entiende por *"impresión de conjunto no probado"*. En relación con esto, si bien la Propuesta de Ley es laxa en detalles, hace mención a que los títulos emitidos delimitarán el objeto de protección mediante la inclusión de una combinación de técnicas que permitan acotar su alcance[640]. Destaca la incorporación de un informe de investigación y degustación. No se detallan los métodos o técnicas elegidas, pero se hace manifiesta la relevancia que reviste la protección de una percepción gustativa para dotar de cobertura satisfactoria a las creaciones y productos gastronómicos, así como los esfuerzos de los distintos operadores en esta dirección. Sí que se menciona, no obstante, el recurso a una degustación que lleva implícito el examen por jueces y expertos en la materia.

No faltan, sin embargo, posturas partidarias de la indeterminación intrínseca de estas percepciones, a consecuencia de la cual entienden que habrían de ser protegibles cuando vengan representadas por una descripción suficiente, aunque general[641].

Por último, es indispensable traer a colación el aspecto más novedoso en Propiedad Intelectual, esto es, el nuevo Reglamento de Ejecución de Marcas[642]. Con éste, el legislador vuelve a pronunciarse sobre la disociación existente entre la representación gráfica y la representación a efectos registrales. Establece en su art. 2 que la marca estará representada de cualquier manera que se considere adecuada, utilizando la tecnología disponible, *"siempre que pueda reproducirse en el registro de manera clara, precisa y completa en sí misma, (...) accesible, inteligible, duradera*

---

[640]   En los *Arte. L 145-16 y 145-18*, se refiere a la inclusión de los datos del autor, descripción, fotografía e información culinaria, texto literario, dibujos o esquemas de la receta, argumento de certificación de creación culinaria y, más importante aún, informe de investigación y degustación.

[641]   En un sentido parecido vid. TORRUBIA CHALMETA, B., "El requisito de la representación gráfica..." cit., p. 394 y 413 a 415, donde denuncia la obsolescencia del requisito de la representación gráfica y su carácter meramente burocrático. Hace mención igualmente a los estudios realizados por el Max Planck Institute for Intellectual Property and Competition Law, que concluyen que la única relevancia que tiene la representación hoy en día es permitir el acceso al Registro, considerando que no se puede negar la clasificación de marca a un signo que tiene capacidad distintiva por no poder representarse gráficamente, sobre la base de que una marca no visual nunca podrá ser objeto de representación.

[642]   Reglamento de Ejecución de Marcas aprobado por el Real Decreto 306/2019, de 26 de abril por el que se modifica el Reglamento para la ejecución de la Ley 17/2001, de 7 de diciembre, de Marcas, aprobado por Real Decreto 687/2002, de 12 de julio, «BOE» núm. 103, de 30 de abril de 2019, BOE-A-2019-6345.

y objetiva, de manera que permita a las autoridades y al público en general determinar con claridad y exactitud el objeto preciso de la protección".

En definitiva, se consolida el requisito de la representación a efectos de registro, por cualquier medio que permita la tecnología, no sólo el gráfico, siempre que sea duradera, lo que vuelve a dificultar enormemente la tarea. En consecuencia, el carácter efímero de esta percepción vuelve a interponerse a efectos de amparo por el Derecho. Sin embargo y, en conclusión, la cuestión sobre los medios de representación vuelve a abrir las puertas a su regulación, quedando lejos de estar zanjada la cuestión.

4. CONCLUSIONES

Es un hecho reconocido que el sector gastronómico reclama una protección más efectiva de sus creaciones culinarias sin encontrar en la Propiedad Intelectual una solución definitiva. A pesar de los distintos instrumentos jurídicos de tutela que convergen en una misma creación, las tres posibles manifestaciones de una obra gastronómica impiden dar cobertura en su conjunto a través de un único mecanismo.

En particular, se ha tratado de recurrir al Derecho de autor para velar por la percepción gustativa de un producto o creación gastronómica. Para ello se requiere que el sabor sea considerado una obra original; es decir, entendiéndolo como una creación intelectual de su autor. A este respecto, la más reciente jurisprudencia europea ha establecido el criterio uniforme que prohíbe la consideración de un sabor como obra a los efectos de quedar amparado por los derechos de autor (a los efectos de la Directiva 2011/29/CE). Ello se debe a la dificultad de acotar el objeto de protección, dada la subjetividad inherente a las percepciones gustativas. La protección del Derecho de autor exige que sea posible la expresión del objeto del derecho en términos de precisión y objetividad en aras del principio de seguridad jurídica. Al respecto se ha de traer a colación la inidoneidad de la receta para proteger el sabor como creación, dado que su alcance se limita a la obra literaria. Ello no obstante, no faltan en la doctrina quienes argumentan lo contrario, con base en los paralelismos existentes en relación con otros supuestos prácticos en los que se protege la ejecución de una cadena de instrucciones.

Como alternativa se erige el Derecho de marcas cuyos requisitos para beneficiarse de su cobertura son la capacidad distintiva y la representación.

Respecto del primero será necesario que tenga capacidad distintiva, ante lo cual gran parte de la doctrina coincide en la idoneidad de estas percepciones para dar carácter distintivo, aunque no sin ciertas reticencias. En cuanto a la representación, habida cuenta de las últimas modificaciones realizadas en la Ley de Marcas, esta consiste en un medio de acceso al registro, en aplicación del principio de publicidad formal. Ello permite a las autoridades conocer el objeto de protección y oponer posteriormente los derechos adquiridos. Un requisito actualmente insalvable que despeja cualquier duda al respecto y deja clara la intención del legislador. Además, en este ámbito se exigen ciertos criterios de permanencia en la representación del objeto de protección.

Analizada la tendencia en la práctica, así como la respuesta legal, doctrinal y jurisprudencial ofrecida, cabe concluir que en la actualidad no es posible la protección de la percepción gustativa en el Derecho de autor o el Derecho de marcas. Sin embargo, no es una imposibilidad rotunda, dado que se condiciona al estado de la ciencia o de la técnica. Es evidente, el reclamo social para la tutela legal de las distintas manifestaciones de una creación gastronómica y, particularmente, para el sabor de una creación. En este sentido, no han cesado las solicitudes ni tampoco los intentos por los distintos ordenamientos de dar una respuesta satisfactoria a los operadores de este sector. Destaca en esta línea la Propuesta de Ley francesa, que pretende la combinación de técnicas (incluyendo una degustación) y perspectivas (la receta, el emplatado, el sabor, etc.) que den una cobertura suficiente. Toma conciencia del valor económico y reputacional que una adecuada tutela reporta a todo su territorio.

En definitiva, el debate acerca de la posibilidad de velar legalmente por las percepciones gustativas no está cerca de cerrarse. Existentes los distintos instrumentos normativos (los medios legales), la cuestión queda en manos de los futuros avances científicos (los medios técnicos) que encuentren la forma de acotar objetivamente el objeto de protección y logren lo que parece imposible: sortear el carácter subjetivo de una percepción gustativa. Todo ello, a salvo del tipo de protección adecuado en términos temporales que dista mucho entre el Derecho marcario, de patentes o de los derechos de autor.

Principales aspectos formales del contrato de licencia de obtención vegetal: oponibilidad a terceros y legitimación del licenciatario para el ejercicio de acciones por infracción[643]

EDUARDO MIRANDA RIBERA

Personal Investigador en Formación (FPI644). Universitat Politècnica de València

1. INTRODUCCIÓN: ELEMENTOS FORMALES DEL CONTRATO

Conforme al principio de libertad de forma, los contratos se perfeccionan con el simple consentimiento de las partes sin que su validez esté sometida a ningún requisito formal (art. 1258 CC y art. 51 Ccom[645]). El requisito de forma se establece como mecanismo para dotar de seguridad jurídica la circulación de bienes y derechos y actúa como prueba documental del negocio jurídico, siendo, asimismo, esencial para invocar el "*acceso a la publicidad legal*" y que el contrato sea oponible frente a terceros[646]. La forma del contrato hace referencia al medio de expresión utilizado por las partes para exteriorizar su

---

[643] El presente trabajo se encuadra dentro del Proyecto RTI2018-093666-B-100: «Sistemas de protección y explotación comercial de las innovaciones en el ámbito de las variaciones vegetales», Ministerio de Ciencia, Innovación y Universidades/FEDER (PROINNOVEG), dirigido por los profesores Felipe Palau Ramírez, Catedrático de Derecho mercantil de la Universidad Politècnica de València y Fernando de la Vega García, Profesor Titular de Derecho mercantil acreditado a Catedrático de la Universidad de Murcia.

[644] Ayudas para contratos predoctorales para la formación de doctores 2019 del Ministerio de Ciencia e Innovación, esta ayuda está contemplada en el Subprograma Estatal de Formación del Programa Estatal de Promoción del Talento y su Empleabilidad en I+D+i, en el marco de la convocatoria de ayudas del Plan Estatal de Investigación Científica y Técnica y de Innovación 2017-2020, publicada en BOE el día 8 de octubre de 2019 perteneciente al Programa Estatal de Promoción del Talento y su Empleabilidad en I+D+i, resuelta el 31 de julio 2020.

[645] Real Decreto de 24 de julio de 1889 por el que se publica el Código Civil. Publicado en "Gaceta de Madrid" núm. 206, de 25/07/1889, referencia BOE-A-1889-4763 (en adelante CC). Real Decreto de 22 de agosto de 1885 por el que se publica el Código de Comercio. Publicado en "GAZ" núm. 289, de 16/10/1885, referencia: BOE-A-1885-6627 (en adelante Ccom).

[646] En este párrafo sigo a MARTÍN ARESTI, P., *La Licencia Contractual de Patente*, Aranzadi, Pamplona, 1997, p. 82.

voluntad[647], que, normalmente, se realiza a través del documento[648]. La mejor doctrina diferencia entre la documentación *ad solemnitatem* o *ad substantiam*, cuando la validez del contrato está sujeta a una forma concreta y la documentación *ad probationem* cuando el contrato se perfecciona con el consentimiento de las partes y es válido sin necesidad de ningún tipo de forma concreta, por lo que, el requisito de forma escrita se requiere como prueba documental para poder acceder a la publicidad registral y ser oponible frente a terceros[649].

Por lo tanto, los contratos serán válidos desde que las partes presten su consentimiento, salvo que la Ley exija la documentación escrita o notarial -escritura pública- del contrato como requisito necesario para que sea válido y eficaz (imperio de la Ley); o cuando las partes decidan trasladar el perfeccionamiento del contrato al momento de su redacción (voluntad de las partes)[650]. Ello nos permite diferenciar entre contratos formales y contratos no formales[651]. Dadas estas premisas, la presente aportación tratará de vislumbrar los principales aspectos formales de los contratos de licencia de obtención vegetal, así como las implicaciones de la inscripción de la licencia, analizándola conforme a la regulación vigente en materia de obtenciones vegetales[652].

---

[647]   DÍEZ-PICAZO, L., *Fundamentos del Derecho Civil Patrimonial I. Introducción teoría del contrato*, Sexta edición, Civitas, Aranzadi, Cizur Menor, 2007, p. 287. Por tanto, la forma es *"todo aquello que el Derecho exige por encima y además de la simple voluntad del promitente para que una promesa sea vinculante. En este sentido, el concepto de forma hace referencia a un medio concreto y determinado, que la ley o la voluntad de los particulares imponen para exteriorizar la voluntad contractual"*.

[648]   Ibid., p. 303. La exigencia de la documentación -redactar en un documento la voluntad de las partes- del contrato podrá establecerse por imperio de la ley o por la voluntad de las partes.

[649]   DÍEZ-PICAZO, L., *Fundamentos...*, *op. cit.*, pp. 295-298 y 302.

[650]   Ibid., pp. 305-306.

[651]   Ibid., p. 167 y p. 290. Los contratos formales son aquellos que para su *"validez o para su plena eficacia precisan una forma especial -escritura pública, documento privado- (...) (también) (son) aquellos en los cuales bien por disposición de la ley o bien por voluntad de las partes, el contrato no alcanza plena validez y eficacia jurídica más que cuando la voluntad contractual ha sido expresada o manifestada a través de unas especiales solemnidades, modernamente sobre todo a través de la suscripción de un documento "*. Los contratos no formales son aquellos que *"al amparo del principio de libertad de forma son válidos y eficaces cualquiera que sea la forma como se celebren; (...) cuya validez, perfección y eficacia dependen únicamente de la existencia del consentimiento de los contratantes, cualquiera que sea la manera a través de la cual dicho consentimiento haya sido declarado y dado a conocer"*.

[652]   Como se observa, en materia de obtenciones vegetales resulta de aplicación, en la Unión Europea, el Convenio Internacional para la protección de las obtenciones vegetales, de 2 de diciembre de 1961, revisado en Ginebra el 10 de noviembre de 1972, el 23 de octubre de 1978 y el 19 de marzo de 1991 (en adelante CUPOV) y el Reglamento (CE) N.º 2100/94 del Consejo de 27 de julio de 1994, relativo a la protección comunitaria de las obtenciones vegetales (DO n º L 227 de 1.9.1994, en adelante Reglamento base o ROV). Asimismo, en el ámbito nacional, en materia de obtenciones vegetales se deberá atender a lo dispuesto en la

2. EXIGENCIAS DE CARÁCTER FORMAL DEL CONTRATO DE LICENCIA DE OBTENCIÓN VEGETAL

El contrato de licencia de obtención vegetal es un contrato consensual en el que, en el caso de obtenciones de ámbito nacional, nuestro legislador exige que esté por escrito (art. 23.3 LOV). La exigencia de hacer constar por escrito el contrato de licencia permite identificar, entre otros, el contenido, las partes y,

---

Ley 3/2000, de 7 de enero, de régimen jurídico de la protección de las obtenciones vegetales (Publicada en BOE núm. 8 de 10/01/2000. Referencia: BOE-A-2000-414, en adelante LOV) y en el Real Decreto 1261/2005, de 21 de octubre, por el que se aprueba el Reglamento de protección de obtenciones vegetales (Publicado en BOE núm. 265 de 05/11/2005. Referencia: BOE-A-2005-18264). Igualmente, sobre el alcance de los derechos de obtenciones vegetales, véase PALAU RAMÍREZ, F., "Alcance de los derechos de obtención vegetal y protección provisional de la solicitud. Comentario a la Sentencia de la Audiencia Provincial de Zaragoza (Sección 5ª) de 2 de julio de 2007, caso MOMÉE", *Revista de derecho mercantil*, N.º 266, 2007, pp. 1103-1122; PALAU RAMÍREZ, F., "Una vez más sobre el alcance de los derechos de obtención vegetal: la protección provisional como ampliación de la protección. Comentario a la sentencia de la Audiencia Provincial de Murcia (Sección n.º 4) de 3 de marzo de 2011", *Revista de derecho mercantil*, N.º 280, 2011, pp. 256-269; PALAU RAMÍREZ, F., "Contrato de licencia de obtención vegetal: Aspectos concurrenciales", en OLAVARRÍA IGLESIA, J., (Dir.), MARTÍ MIRAVALLS, J., (Coord.), *Derecho Mercantil. Estudios in memoriam del profesor Manuel Broseta Pont*, Tirant lo Blanch, Valencia, 2019, pp. 87-124; PALAU RAMÍREZ, F., "Derecho de la competencia y contrato de licencia de obtención vegetal", en GARCÍA VIDAL, A., *Derecho de las obtenciones vegetales*, Tirant lo Blanch, Valencia, 2017, pp. 911-950; PETIT LAVALL, M.ª V., "Ámbito de protección de las obtenciones vegetales en derecho europeo y español", *Gaceta jurídica de la Unión Europea y de la competencia*, N.º 23, 2011, pp. 9-29; PETIT LAVALL, M.ª V, "Derechos del titular de una obtención vegetal", en GARCÍA VIDAL, Ángel (Dir.), *Derecho de las obtenciones vegetales*, Tirant lo Blanch, Valencia, 2017, pp. 533-574; METZGER, A., ZECH, H., *Sortenschutzrecht*, C. H. Beck, 2016; WÜRTENBERGER, G., VAN DER KOOIJ, P., KIEWIET, B., EKVAD, M., *European Union Plant Variety Protection*, Second edition, Oxford University Press, Oxford, 2015; LEßMANN, H., WÜRTENBERGER, G., *Deutsches und europäisches Sortenschutzrecht*, 2. Auflage, Nomos Verlagsges, 2009; KEUKENSCHRIJVER, A., *Sortenschutzgesetz unter Berücksigtigung der Verordnung Nr. 2100/94 (EG) des Rates über den gemeinschaftlichen Sortenschutz*, Carl Heymanns, Köln-Berlin-Bonn-München, 2001; VAN DER KOOIJ, P.A.C.E., *Introduction to the EC regulation on plant variety protection*, Kluwer Law International, London-The Hague-Boston, 1997; GUILLEM CARRAU, J., "La protección de las variedades vegetales y su problema actual", en PLAZA PENADÉS, Javier, *Cuestiones Actuales sobre la Protección de las Obtenciones Vegetales*, Monografía núm. 31, Thomson Reuters, Aranzadi, Cizur Menor, 2014, pp. 49-62; BYRNE, N., *Commentary on the substantive Law of the 1991 UPOV Convention for the protection of plant varieties*, Centre for Commercial Law Studies, University of London, 1992; GARCÍA VIDAL, A., "El sistema de protección de las variedades vegetales", en GARCÍA VIDAL, A., *Derecho de las Obtenciones Vegetales,* Tirant lo Blanch, Valencia, 2017, pp. 46-110; GARCÍA VIDAL, A., "La variedad vegetal como objeto de protección" en GARCÍA VIDAL, A., *Derecho de las obtenciones vegetales*, Tirant lo Blanch, Valencia, 2017, pp. 263-289; GÓMEZ SEGADE, J. A., "Diferencias entre el sistema de patentes y el sistema de protección de las obtenciones vegetales" en GARCÍA VIDAL, A., Derecho de las obtenciones vegetales, Tirant lo Blanch, Valencia, 2017, pp. 111-131.

416 Eduardo Miranda Ribera

especialmente, la existencia del contrato[653]. Sin embargo, para cualquier otro negocio jurídico de transmisión del título de obtención vegetal, será necesaria la forma escrita para que el acto sea válido y eficaz (art. 20.3 LOV)[654]. Esta diferenciación nos permite afirmar que la forma escrita del contrato de licencia de obtención vegetal será de carácter *ad probationem,* por lo que, el contrato quedará perfeccionado y será válido con el simple consentimiento de las partes[655].

Si, por el contrario, se estuviese ante un título de obtención vegetal de la Unión Europea, el Reglamento N.º 2100/94 no exige ningún requisito formal para que la licencia sea válida y eficaz, por lo que serán de aplicación las normas de Derecho nacional asimilables al contrato de licencia (art. 22 ROV). Ello nos permite afirmar que el contrato de licencia de obtención vegetal, en lo que a requisitos formales se refiere, se asimila al contrato de licencia de marca -en el que impera el principio de libertad de forma del artículo 1278 CC y la forma escrita se establece como simple medio de prueba[656]-, pero se diferencia del

---

[653] Así se ha considerado en el contrato de licencia de marca por ORTUÑO BAEZA, M.ª. T., *La licencia de Marca,* Marcial Pons, Madrid, 2000, p. 253.

[654] GARCÍA VIDAL, A., "La licencia contractual de explotación de una variedad protegida con un título de obtención vegetal", en GARCÍA VIDAL, A., *Derecho de las obtenciones vegetales,* Tirant lo Blanch, Valencia, 2017, p. 838; CURTO POLO, M.ª M., "Cotitularidad y transmisión del derecho del obtentor", en GARCÍA VIDAL, A., *Derecho de las obtenciones vegetales,* Tirant lo Blanch, Valencia, 2017, pp. 801-802. "*Conforme al artículo 20.3 de la Ley 3/2000, los actos por los que se transmitan o modifiquen los derechos derivados de una solicitud debidamente presentada o el derecho del obtentor deberán constar por escrito para que tengan validez. Nos encontramos, por tanto, ante una excepción al principio de libertad de forma consagrado en nuestro ordenamiento en el artículo 1278 CC. (…) Se trata de una forma ad solemnitatem y no ad probationem. (…) La exigencia de la forma escrita para la validez del acto no requiere, sin embargo, escritura pública bastando la constancia en escrito privado, salvo cuando se pretenda constituir un derecho de garantía*". En este sentido, sobre la cesión de derechos de propiedad intelectual véase FERRANDO NICOLAU, E., "Artículo 45. Formalización escrita", en PALAU RAMÍREZ, F., PALAO MORENO, G., (Dirs.), *Comentarios a la Ley de Propiedad Intelectual,* Tirant lo Blanch, Valencia, 2017, pp. 789-792.

[655] GARCÍA VIDAL, A., "La licencia contractual…", *op. cit.,* pp. 838-839. En el mismo sentido, véase, AMAT LLOMBART, P., "Concepto, contenido y límites del derecho de obtentor de variedades vegetales según la Ley 3/2000 de 7 de enero y el Real Decreto 1261/2005 de 21 de octubre", en AMAT LLOMBART, P. (Coord.), *La propiedad industrial sobre obtenciones vegetales y organismos transgénicos,* Tirant lo Blanch, Valencia, 2007, p. 209. Véase, igualmente, sobre el contrato de licencia de marca RONCERO SÁNCHEZ, A., *El contrato de licencia de marca,* Civitas, Madrid, 1999, pp. 177-178.

[656] MARTÍN ARESTI, P., "Transferencias, licencias y gravámenes", en BERCOVITZ RODRÍGUEZ-CANO, A., BERCOVITZ ÁLVAREZ, R., *La nueva Ley de Patentes. Ley 24/2015, de 24 de julio,* Aranzadi, Cizur Menor, 2015, p. 355. En este sentido, la reputada profesora menciona la "*SAP de Alicante de 8 de septiembre de 2010*". Igualmente, sobre el contrato de licencia de marca, véase, CORBERA MARTÍNEZ, J. M., "Legitimación del licenciatario no inscrito para el ejercicio de acciones en defensa de la marca", *Revista de derecho de la competencia y la distribución,* núm. 24, 2019, p. 5; LOBATO, M., *Comentario a la Ley 17/2001, de Marcas,* Civitas, Madrid, 2002, pp. 788-790; MARTÍN ARESTI, P., "Licen-

contrato de licencia de patente, en el que la forma del contrato es un requisito *ad solemnitatem* necesario para que el contrato sea válido[657].

3. IMPLICACIONES DE LA INSCRIPCIÓN DE LA LICENCIA DE OBTENCIÓN VEGETAL

La inscripción de una licencia sobre un derecho de propiedad industrial permite a su titular poder oponerla frente a terceros[658]. En materia de obtenciones vegetales, al igual que en otras modalidades de propiedad industrial, el legislador nacional establece que la licencia será oponible frente a terceros siempre y cuando esté inscrita en el libro registro de licencias (art. 23.3 LOV;

---

cia", en BERCOVITZ RODRÍGUEZ-CANO, A., GARCÍA-CRUCES GONZÁLEZ, J. A., *Comentarios a la Ley de Marcas*, Aranzadi, Cizur Menor, 2003, p. 765.

[657]	GARCÍA VIDAL, A., "La licencia contractual...", *op. cit.*, p. 839. Asimismo, sobre el contrato de licencia de *know-how* véase MASSAGUER, J., *El contrato de licencia de know-how*, Librería Bosch, 1989, pp. 80 y 157-158. El contrato de licencia de know-how es un contrato consensual que se perfecciona con el consentimiento de las partes. Igualmente, sobre el contrato de licencia de marca, véase RONCERO SÁNCHEZ, A., *El contrato...*, *op. cit.*, pp. 99-100 y 179-182. El contrato de licencia de marca es un contrato consensual y no formal. De manera que, conforme al principio de libertad de forma (art. 1278 CC) el contrato de licencia de marca será válido y eficaz entre las partes con independencia de la forma utilizada. Ahora bien, para que el contrato se oponible frente a terceros deberá estar inscrito en un registro público; ORTUÑO BAEZA, M.ª. T., *La licencia...*, *op. cit.*, pp. 251-252; ORTUÑO BAEZA, M.ª. T., *Nuevas aportaciones sobre Derecho de marcas y Derecho concursal. El contrato de licencia como referente*, Marcial Pons, Madrid, 2010, pp. 130 y ss; LOBATO, M., *Comentario...*, *op. cit.*, pp. 788-790; MARTÍN ARESTI, P., "Licencia", *op. cit.*, p. 765. En otro orden, véase igualmente, sobre el contrato de licencia de patente MARTÍN ARESTI, P., *La Licencia...*, *op. cit.*, pp. 83-87. Dentro de la excepcional clasificación de contratos formales se encontraría el contrato de licencia de patente, debido a que así lo establece el legislador en el artículo 82.2 LP. El requisito de forma en el contrato de licencia de patente tiene una doble vertiente: por un lado, al ser un contrato formal, deberá constar por escrito para que el contrato sea válido (forma escrita como requisito *ad solemnitatem);* y para que el contrato sea oponible frente a terceros, deberá formalizarse en escritura pública para poder inscribirlo en el Registro de Patentes (escritura pública como requisito *ad probationem*). Más recientemente en MARTÍN ARESTI, P., "Transferencias...", *op. cit.*, pp. 355-357. Esta circunstancia de los contratos de licencia de patente supone que, ante el incumplimiento del requisito formal, la licencia de patente será nula. Ahora bien, el legislador no especifica la forma en la que deberá redactarse el contrato, por lo que podrá ser mediante escritura pública o un contrato privado (*"SAP de Madrid de 18 de julio de 2014"*). Igualmente, sobre los requisitos de forma en la contratación de derechos de propiedad industrial, véase, por todos, MASSAGUER, J., "Los requisitos de forma en la contratación de derechos de propiedad industrial e intelectual", *La Ley,* 1995, p. 1174.

[658]	Véase, en este sentido, en materia de marcas ORTUÑO BAEZA, M.ª. T., *La licencia...*, *op. cit.*, pp. 253-255; LOBATO, M., *Comentario...*, *op. cit.*, pp. 788-790; MARTÍN ARESTI, P., "Licencia", *op. cit.*, pp. 766-767. Sobre el contrato de licencia de patente, véase, MARTÍN ARESTI, P., "Transferencias...", *op. cit.*, p. 356.

el libro registro de licencias se encuentra regulado en la RLOV)[659]. Por tanto, un contrato de licencia no inscrito será válido y eficaz entre las partes, pero no será oponible frente a terceros de buena fe (principio de oponibilidad de los actos inscritos e inoponibilidad de los actos no inscritos cuando dicha inscripción es obligatoria, salvo concurrencia de buena fe)[660].

En el caso de un título de obtención vegetal de la Unión Europea, el legislador europeo exige la inscripción en la Oficina Comunitaria de Variedades Vegetales (en adelante OCVV) de las licencias de explotación exclusivas y las licencias de explotación obligatorias, dejando de lado las licencias de explotación no exclusivas [art. 87.2. f) ROV]. A pesar de no especificarse el fin de la inscripción de la licencia en el registro de la OCVV, su objetivo radica en proteger y dar publicidad al licenciatario para que su licencia sea oponible frente a terceros. Ello no obstante, como se verá *infra*, la inscripción de la licencia se ha relacionado con la legitimación para el ejercicio de acciones.

Las principales implicaciones de la inscripción de una licencia de obtención vegetal consisten, por un lado, en solventar la concesión de licencias incompatibles y, por otro lado, en legitimar al licenciatario para el ejercicio de acciones en defensa del derecho de obtención vegetal[661]. Respecto de la concesión de licencias incompatibles -dos licencias idénticas concedidas por el titular del derecho a personas diferentes-, la importancia de la inscripción radica en que aquella licencia que haya sido inscrita con anterioridad tendrá preferencia frente al resto de licencias[662], además de su función informativa (publicidad formal). Por su parte, la legitimación para el ejercicio de acciones en defensa del derecho de obtención vegetal requiere de un análisis más exhaustivo, diferenciando entre lo regulado en el Reglamento N.º 2100/94 y la Ley 3/2000.

El legislador europeo reconoce -con matices- la legitimación del licenciatario para el ejercicio de acciones en defensa del derecho de obtención vegetal

---

[659]   Véase, en este sentido, sobre el contrato de licencia de patente MARTÍN ARESTI, P., "Transferencias...", *op. cit.*, p. 356. *"(...) (tanto en el caso de los contratos sobre la patente como sobre la marca) la observancia de la forma escrita es un requisito de oponibilidad del contrato frente a terceros de buena fe, puesto que para lograr este efecto es necesaria su inscripción en el Registro de Patentes o, en su caso, en el Registro de Marcas [Vid., para la licencia de marca, la SAP Alicante, Sección TMC, 30 de enero 2014].* Igualmente, sobre el contrato de licencia de marca, véase, CORBERA MARTINEZ, J. M., *Revista de derecho de la competencia y la distribución*, núm. 24, 2019, p. 3; MARTÍN ARESTI, P., "Licencia", *op. cit.*, pp. 766-767.

[660]   Así lo expresa, en materia del contrato de licencia de marca, RONCERO SÁNCHEZ, A., *El contrato...*, *op. cit.*, p. 177 y 183; CORBERA MARTINEZ, J. M., *Revista de derecho de la competencia y la distribución*, núm. 24, 2019, p. 5. *"(...) lo inscribible no inscrito no perjudica a tercero de buena fe".*

[661]   CORBERA MARTINEZ, J. M., *Revista de derecho de la competencia y la distribución*, núm. 24, 2019, p. 2.

[662]   GARCÍA VIDAL, A., "La licencia contractual...", *op. cit.*, p. 841.

(art. 104 ROV). Concretamente, legitima a los licenciatarios exclusivos -en el caso de licencias de explotación contractuales- y a la OCVV -en el caso de licencias obligatorias (art. 29 ROV) o licencias conforme a lo establecido en el artículo 100.2 ROV- (art. 104.1 ROV). Cuando la licencia sea contractual, para poder ejercer las acciones de infracción, será necesario que la licencia sea exclusiva y que no se haya excluido la facultad para ejercitar las acciones en defensa del derecho (art. 104.1 ROV). Si la licencia es obligatoria, bastará con que no se haya excluido la facultad para el ejercicio de acciones (art. 104.1 *in fine* ROV)[663].

Del articulado del Reglamento N.º 2100/94 se infiere la exclusión del licenciatario no exclusivo para el ejercicio de acciones en defensa del derecho. Esta exclusión ha sido considera como entendible dada la imposibilidad de inscribir las licencias de explotación no exclusivas en la OCVV (art. 87.2.f) ROV)[664]. Sin embargo, es contradictoria ya que legitima a los licenciatarios no exclusivos de una licencia obligatoria para el ejercicio de acciones en defensa de su derecho (arts. 29 y 100.2 ROV); debido a la posibilidad de poder inscribir las licencias obligatorias -exclusivas y no exclusivas- en la OCVV (art. 87.2.f) ROV)[665]. A pesar de todo, el titular de una licencia de explotación -exclusiva o no exclusiva- estará legitimado para intervenir en la acción por infracción ejercitada por el titular del derecho, con el fin de solicitar una indemnización por el perjuicio sufrido (art. 104.2 ROV). Es más, la mejor doctrina considera que, al hilo de lo establecido en la Directiva 2004/48/CE del Parlamento Europeo y del Consejo de 29 de abril de 2004, relativa al respeto de los derechos de propiedad intelectual (en adelante Directiva 2004/48/CE), deberá abogarse por habilitar al licenciatario no exclusivo para el ejercicio de acciones conforme a los términos establecidos en la licencia[666].

Dilucidadas las cuestiones relativas al título europeo de obtención de vegetal, nos centramos ahora en la cuestión de la legitimación del licenciatario para el ejercicio de acciones en los títulos nacionales de obtención vegetal. Nuestro legislador no contempla la legitimación del licenciatario para el ejercicio de acciones en defensa del derecho de obtención vegetal, simplemente alude a la legitimación para el ejercicio de acciones del titular de la obtención (art. 21 LOV). Dada la parquedad de la Ley 3/2000, debemos remitirnos a la Ley de Patentes, cuyas normas procesales son aplicables sobre los derechos de obtención vegetal -conforme a la remisión de la Disposición final segunda de la LOV-, en la que se establece que la legitimación para el ejercicio de acciones

---

663   Ibid., p. 842.
664   Vid. ult. loc.
665   Ibid., pp. 842-843.
666   MASSAGUER, J., *Acciones y procesos de infracción de derechos de propiedad industrial*, 2ª Edición, Aranzadi, Cizur Menor, 2020, pp. 266-273.

corresponde a los licenciatarios exclusivos y, en su caso, no exclusivos, conforme a lo pactado entre las partes y respetando, en todo caso, las disposiciones legales aplicables (art. 117.2 y 3 LP[667])[668]. La Ley de Patentes otorga al licenciatario exclusivo, salvo que las partes pacten lo contrario, legitimación para el ejercicio de acciones en defensa del derecho, en su propio nombre (art. 117.2 LP). Los actos sobre los que el licenciatario exclusivo estará legitimado para el ejercicio de acciones son aquellos que vulneren alguno de los ámbitos –"*objetivo, sustantivo y territorial*"- de su licencia. Sin embargo, la legitimación del licenciatario no exclusivo para el ejercicio de las acciones de infracción no se presume; se deberá contemplar expresamente en el contrato (art. 117.2 LP)[669].

En los casos de falta de legitimación del licenciatario exclusivo y no exclusivo para el ejercicio de acciones en defensa del derecho, podrán igualmente ejercitarse las acciones de infracción cuando no las ejercite el titular-licenciante (art. 117.3 LP). Para ello, en primer lugar, los licenciatarios deberán solicitar fehacientemente al titular-licenciante que ejercite las acciones judiciales correspondientes. En caso de que el titular-licenciante se negara a su ejercicio o no las ejercitara en el plazo de 3 meses desde que hubiera recibido la notificación, el licenciatario -exclusivo y no exclusivo- estará legitimado para el ejercicio de las acciones de infracción en su propio nombre, debiendo acompañar, en todo caso, a su escrito de demanda el requerimiento realizado al titular y su pasividad al no atenderla o, en su caso, argumentar su inacción al dejar transcurrir el plazo de 3 meses; toda vez que la no presentación del requerimiento será motivo de inadmisión de la misma (art. 403.3 LEC)[670].

Asimismo, cuando los licenciatarios -exclusivos y no exclusivos- hayan notificado fehacientemente su voluntad de ejercitar las acciones de infracción al titular-licenciante, podrán solicitar al Juez -sin tener que esperar la contestación del licenciante o el transcurso del plazo de 3 meses- la adopción de medidas cautelares debiendo, en su caso, presentar el requerimiento realizado al

---

[667]   Ley 24/2015, de 24 de julio, de Patentes. Publicada en "BOE" núm. 177, de 25/07/2015, referencia BOE-A-2015-8328 (en adelante LP).

[668]   GARCÍA VIDAL, A., "La licencia contractual...", *op. cit.*, pp. 841-842.

[669]   En este párrafo sigo a MASSAGUER, J., *Acciones...*, *op. cit.*, pp. 266-273. Igualmente, sobre esta cuestión y centrado exclusivamente en el contrato de licencia de patente véase BERCOVITZ ÁLVAREZ, R., "Acciones por violación del derecho de patente", en BERCOVITZ RODRÍGUEZ-CANO, A., BERCOVITZ ÁLVAREZ, R., *La nueva Ley de Patentes. Ley 24/2015, de 24 de julio*, Aranzadi, Cizur Menor, 2015, p. 302. En el mismo sentido, en materia de marcas, véase LOBATO, M., *Comentario...*, *op. cit.*, pp. 783-788; MARTÍN ARESTI, P., "Licencia", *op. cit.*, pp. 776-777.

[670]   En este párrafo sigo a MASSAGUER, J., *Acciones...*, *op. cit.*, pp. 273-274. Igualmente, sobre esta cuestión y centrado exclusivamente en el contrato de licencia de patente véase BERCOVITZ ÁLVAREZ, R., "Acciones...", *op. cit.*, p. 302. En el mismo sentido, en materia de marcas, véase LOBATO, M., *Comentario...*, *op. cit.*, pp. 783-788; MARTÍN ARESTI, P., "Licencia", *op. cit.*, pp. 766-767.

titular-licenciante y justificar la necesidad de las medidas cautelares para evitar un daño importante (art. 117.3 LP). En todo caso, cuando el licenciatario ejercite alguna acción en defensa del derecho licenciado, deberá notificárselo de forma fehaciente al titular-licenciante para que pueda personarse e intervenir en el procedimiento como parte o como coadyuvante–"*no existe litisconsorcio activo necesario*"- (art. 117.4 LP)[671].

Ahora bien, la legitimación del licenciatario para el ejercicio de acciones en defensa del derecho, dependiendo del tipo de derecho de propiedad industrial, viene condicionada por la inscripción de la licencia[672]. En el caso del derecho de patentes, la legitimación se reconoce al licenciatario inscrito (art. 117.1 LP), sin embargo, en materia de marcas y diseños industriales las leyes guardan silencio sobre la exigencia de la inscripción del contrato de licencia en la OEPM (art. 48 LM[673] y 61 LDI[674])[675]. Como ya se ha comentado, las leyes especiales de derechos de propiedad industrial se remiten a las normas procesales de la Ley de Patentes. Pese a esta remisión, la falta de exigencia de inscripción no debe interpretarse como una laguna legal ya que estas leyes sí reproducen algunos aspectos de la Ley de Patentes relativos a la legitimación, soslayando la exigencia de inscripción de la licencia (art. 48.7 LM y 61 LDI). Es más, el legislador regula, de forma independiente, la legitimación del licenciatario de marca y diseños industriales para el ejercicio de acciones, lo que "*subraya la independencia sustantiva y funcional de la inscripción*", sin que pueda mantenerse que existe una laguna legal que exija acudir con carácter supletorio a la Ley de Patentes[676]. Lo que deriva en la no exigencia de la inscripción del licenciatario para el ejercicio de acciones en defensa del derecho.

Estas consideraciones en materia de marcas y diseños industriales han motivado que el profesor MASSAGUER, de forma magistral, se replantee la exigen-

---

[671] En este párrafo sigo a MASSAGUER, J., *Acciones...*, *op. cit.*, pp. 273-274. Igualmente, sobre esta cuestión y centrado exclusivamente en el contrato de licencia de patente véase BERCOVITZ ÁLVAREZ, R., "Acciones...", *op. cit.*, p. 302. En el mismo sentido, en materia de marcas, véase LOBATO, M., *Comentario...*, *op. cit.*, pp. 783-788; MARTÍN ARESTI, P., "Licencia", *op. cit.*, pp. 766-767.

[672] En este sentido, me remito al trabajo del profesor CORBERA MARTINEZ, J. M., *Revista de derecho de la competencia y la distribución*, núm. 24, 2019, pp. 8-10, en el que se analiza el tratamiento jurisprudencial de la legitimación activa del licenciatario no inscrito en materia de marcas, hasta la STJUE de 4 de febrero de 2016.

[673] Ley 17/2001, de 7 de diciembre, de Marcas. Publicada en "BOE" núm. 294, de 08/12/2001, referencia BOE-A-2001-23093 (en adelante LM).

[674] Ley 20/2003, de 7 de julio, de Protección Jurídica del Diseño Industrial. Publicada en "BOE" núm. 162, de 08/07/2003, referencia BOE-A-2003-13615 (en adelante LDI).

[675] MASSAGUER, J., *Acciones...*, *op. cit.*, pp. 268-269. Véase, igualmente, en materia de marcas CORBERA MARTINEZ, J. M., *Revista de derecho de la competencia y la distribución*, núm. 24, 2019, p. 1 y ss. Sobre esta cuestión, véase, igualmente, GARCÍA VIDAL, A., "La licencia contractual...", *op. cit.*, pp. 843-844.

[676] MASSAGUER, J., *Acciones...*, *op. cit.*, pp. 268-269.

cia de la inscripción de la licencia para el ejercicio de acciones, y reinterprete el artículo 117.1 de la Ley de Patentes, tomando como base lo establecido en el artículo 4 apartado a) de la Directiva 2004/48/CE, que aboga por el reconocimiento de la legitimación para el ejercicio de acciones en defensa de su derecho a los licenciatarios, impidiendo que la legislación nacional condicione el reconocimiento de la legitimación al cumplimiento de un determinado requisito[677].

En este sentido, son de ver, las sentencias del Tribunal de Justicia de la Unión Europea de 22 de junio de 2016, asunto C-419/15 Thomas Philipps GmbH & Co. KG c. Grüne Welle Vertriebs GmbH y de 4 de febrero de 2016, asunto C-163/15 Youssef Hassan c. Breiding Vertriebsgesellschaft GmbH, en las que se reconoció la legitimación de los licenciatarios de marcas de la UE y dibujos y modelos comunitarios para el ejercicio de acciones sin necesidad de haber inscrito previamente su licencia[678]. El principal motivo del Tribunal para no exigir la inscripción del licenciatario para el ejercicio de acciones radica en la falta de una norma específica que exija tal inscripción[679]. La exigencia de la inscripción del licenciatario para el ejercicio de acciones en materia de patentes y, por remisión, en obtenciones vegetales, supone la incorporación de un elevado coste, difícilmente admisible conforme al Derecho de la Unión, que dificulta de manera innecesaria el ejercicio de acciones en defensa del derecho por parte del licenciatario[680].

En este sentido, el reputado profesor, en un tremendo ejercicio de análisis de esta cuestión, alude a que la necesidad de registrar la licencia surge del principio de publicidad registral en relación con la oponibilidad de la licencia a los terceros; cuestión alejada de la legitimación para el ejercicio de acciones en defensa del derecho. En contra de esta aproximación, los tribunales exigieron la inscripción de la licencia como requisito necesario para que el licenciatario

---

[677]   Ibid., p. 269.
[678]   Ibid., p. 270. En este sentido, el profesor MASSAGUER cita igualmente la *"SAP Alicante (Secc. 8ª) 5-V-2017 (AC 2017, 1009)"*. Véase, igualmente, en el mismo sentido GARCÍA VIDAL, A., "La licencia contractual…", *op. cit.*, pp. 844-845; CORBERA MARTINEZ, J. M., *Revista de derecho de la competencia y la distribución*, núm. 24, 2019, p. 16.
[679]   CORBERA MARTINEZ, J. M., *Revista de derecho de la competencia y la distribución*, núm. 24, 2019, p. 16. *"Sin embargo, de esta regulación se podría deducir la innecesaridad de inscripción de la licencia de una marca en el Registro para reconocer legitimación activa al licenciatario no inscrito, para el ejercicio de acciones por violación del derecho de marca, en atención a que la nueva regulación contenida en el artículo 48.7 de la Ley de Marcas gravita sobre lo pactado entre licenciante y licenciatario de la marca y en la autorización del primero. Nótese además que la remisión expresa que efectúa dicho precepto a la norma sobre legitimación de la Ley de Patentes podría interpretarse únicamente referida para el caso del licenciatario exclusivo de marca y no para los otros supuestos. En cualquier caso, también se debe hacer notar que el contenido de estos nuevos preceptos es equivalente al contenido en el Reglamento de la Marca de la Unión Europea, sobre el que se pronunció con claridad la citada STJUE de 4 de febrero de 2016 en el asunto «ARKTIS»".*
[680]   MASSAGUER, J., *Acciones…, op. cit.*, p. 270.

pudiera ejercitar las acciones de infracción; algo que supone una ampliación del sentido del principio de publicidad registral que contradice el propósito inicial por el que fue configurado[681]. El hecho de exigir la inscripción de la licencia no genera ninguna ventaja a aquellos que deseen ejercitar las acciones en defensa del derecho licenciado, sino que más bien parece una *"formalidad hurera"*, que favorece a las personas que vulneren el derecho de patente u obtención vegetal, por cuanto le confiere una efectiva defensa a la hora de proteger sus intereses[682].

Por todo ello, se aboga por una reinterpretación del artículo 117.1 de la Ley de Patentes, eludiendo la exigencia de la inscripción del licenciatario para el ejercicio de acciones en defensa del derecho; siendo únicamente exigible la inscripción del titular para el registro del derecho (art. 117.1 LP)[683]. De manera que, conforme a esta reinterpretación y dada la remisión de la normativa de obtenciones vegetales a la de patentes, considero que se deberá abogar por su aplicación también en las licencias de obtención vegetal; no exigiéndose, en consecuencia, la inscripción del licenciatario para el ejercicio de acciones en defensa del derecho licenciado.

Sumado a las acciones de infracción del derecho, el licenciatario podrá ejercitar las acciones por competencia desleal. La compatibilidad de las acciones en defensa del derecho licenciado y las acciones por competencia desleal es unánimemente aceptada por la doctrina jurídica mercantil y por la jurisprudencia[684], sobre el principio de complementariedad relativa, acogido, entre

---

[681]   Vid. ult. loc. El principio de publicidad registral, en origen, se limitaba a proteger al licenciatario frente a terceros de buena fe y no le legitimaba para el ejercicio de acciones.

[682]   Ibid., p. 271. *"Más bien parece una formalidad hurera, que solo propicia el ingreso de tasas y beneficia innecesariamente a los infractores, a quienes, como salta a la vista, brinda una eficaz defensa formal en un ámbito en el que sus intereses legítimos no se ven comprometidos en forma alguna, puesto que siempre competerá al demandante la carga de probar solventemente la realidad de la licencia no inscrita en la que funda su legitimación activa".*

[683]   MASSAGUER, J., *Acciones...*, op. cit., p. 271.

[684]   MASSAGUER, J., *Comentario a la Ley de Competencia Desleal*, Civitas, Madrid, 1999, p. 81 y ss. *"En nuestra literatura se acepta generalizadamente la unidad de un Derecho de la competencia en sentido amplio, en cuyo marco encuentran acomodo tanto la legislación contra la competencia desleal como la legislación en materia de propiedad industrial e intelectual. Y lo cierto es que los puentes existentes entre la represión de la competencia desleal y la protección jurídica de la propiedad industrial e intelectual, más allá de la adscripción a una misma categoría sistemática, son múltiples. De una parte, los actos de explotación de las diversas modalidades de propiedad industrial e intelectual son, en principio, actos realizados en el mercado con finalidad concurrencial y, de otra parte, la legislación contra la competencia desleal y la protección jurídica de la propiedad industrial e intelectual obedecen a objetivos de política legislativa que, al menos en parte, se encuentran estrechamente relacionados. En el mismo orden de cosas, además, el reproche de deslealtad, en algunas de sus modalidades, y la infracción de derechos de propiedad industrial o intelectual están construidos sobre criterios ciertamente próximos, como son, en esencia y para los signos distintivos, la confusión, la explotación de reputación ajena -cuya protección tiende a in-*

otras, por la STS de 2 de septiembre de 2015[685]. Sin embargo, cuando se ejerciten en el mismo procedimiento ambas acciones, la acción por competencia desleal deberá plantearse subsidiariamente a la acción por infracción del derecho de propiedad industrial[686].

Finalmente, ante el supuesto de falta de legitimación para el ejercicio de acciones en defensa del derecho licenciado, el perjudicado e interesado -en este supuesto el licenciatario- podrá ejercitar las acciones por competencia desleal -acción declarativa de deslealtad, acción de cesación de la conducta desleal o de prohibición de su reiteración futura, acción de remoción de los efectos producidos por la conducta desleal, acción de rectificación de las informaciones engañosas, incorrectas o falsas, acción de resarcimiento de los daños y perjuicios causados por la conducta desleal y acción de enriquecimiento injusto- (art. 32 LCD[687]). Esta ha sido la tesis seguida en nuestra jurisprudencia ante la falta de legitimación del licenciatario para el ejercicio de acciones en defensa de su

---

cluir la jurisprudencia española entre las funciones de la marca de forma cada vez más evidente (cfr. SSTS 29-X-1994 «Bailey's», 19-XI-1994 «Loewe/Enrique Loewe Knappe») y ha sido plenamente asumida tanto en el Reglamento sobre la Marca Comunitaria como en el Acuerdo sobre los Aspectos de Propiedad Intelectual relacionados con el comercio, y para las creaciones industriales e intelectuales, el aprovechamiento de esfuerzo y de las inversiones ajenas.(…) Incluso parece posible recurrir conjuntamente a una y otra parcela del ordenamiento para enjuiciar y, si fuere procedente, sancionar un mismo supuesto de hecho, concentrándose cada una de las acciones de defensa ejercitadas en el caso en los aspectos que son propios y no comunes de los correspondientes ilícitos. Para todo ello será preciso que, atendidas las particulares circunstancias del caso, dicha utilización de creaciones protegidas o susceptibles de ser protegidas mediante modalidades de propiedad industrial o propiedad intelectual sea objetivamente contraria a las exigencias de la buena fe o, en su caso, conduzca o pueda conducir o encarne o pueda encarnar alguno de los resultados desleales tipificados".

[685]   Dada su importancia, interesa reproducir un extracto de la mencionada sentencia del Tribunal Supremo de 2 de septiembre de 2015: "(…) partiendo de la distinta función que cumplen las normas de competencia desleal y las de marcas, el criterio de la complementariedad relativa sitúa la solución entre dos puntos: de una parte, la mera infracción de estos derechos marcarios no puede constituir un acto de competencia desleal; y de otra, tampoco cabe guiarse por un principio simplista de especialidad legislativa, que niega la aplicación de la Ley de Competencia Desleal cuando existe un derecho exclusivo reconocido en virtud de los registros marcarios a favor de sus titulares y estos pueden activar los mecanismos de defensa de su exclusiva". De esta forma, "en última instancia, la aplicación complementaria depende de la comprobación de que el juicio de desvalor y la consecuente adopción de los remedios que en el caso se solicitan no entraña una contradicción sistemática con las soluciones adoptadas en materia marcaria. Lo que no cabe por esta vía es generar nuevos derechos de exclusiva ni tampoco sancionar lo que expresamente está admitido".

[686]   MASSAGUER, J., *Acciones…, op. cit.,* p. 271.

[687]   Ley 3/1991, de 10 de enero, de Competencia Desleal (en adelante LCD), publicada en BOE núm. 10 de 11/01/1991, referencia BOE-A-1991-628.

derecho, permitiéndole, en su caso, el ejercicio de acciones por competencia desleal[688].

3.1. Algunas consideraciones sobre los supuestos de cotitularidad del derecho de obtenciones

Los derechos individuales de cada cotitular de una obtención vegetal no sólo abarcan la posibilidad de utilizar el bien común, sino que, además, facultan a cada comunero para realizar las actuaciones necesarias de conservación de la variedad vegetal (art. 80.2 LP y art. 395 CC). Por ello, cada comunero, de manera individual o conjuntamente con el resto de los partícipes, deberá contribuir a los gastos de conservación de la variedad vegetal común[689]. Las actuaciones destinadas a la conservación del bien común se limitarán a mantener su *"substancia, pero no a mejorarla"*[690]. En sede de bienes inmateriales, los actos de conservación más habituales son el pago de las tasas de renovación y el ejercicio de acciones en defensa del derecho[691].

Respecto del pago de las tasas de renovación de la obtención vegetal común, deberá realizarse por los comuneros en el porcentaje correspondiente a

---

[688]   Me remito nuevamente a la obra de referencia MASSAGUER, J., *Acciones...*, *op. cit.*, pp. 204-205, en la que, entre otras, se extractan diferentes sentencias en las que se permite el ejercicio de las acciones de competencia desleal ante la falta de legitimación para el ejercicio de acciones en defensa de derechos de propiedad industrial. Igualmente, en el mismo sentido, véase PALAU RAMÍREZ, F., "Actos concretos de competencia desleal (I): por contrariar las exigencias de la buena fe; por explotación de la reputación ajena; por inducción a la infracción contractual; por violación de normas (arts. 4, 12, 14 y 15 LCD)", en BENEYTO, K., (Dir.), ARMENGOT VILAPLANA, A., (Coord.), *Actos de competencia desleal y su tratamiento procesal. Un estudio práctico de la Ley de Competencia Desleal (LCD)*, Tirant lo Blanch, Valencia, 2020, pp. 21-40; CORBERA MARTÍNEZ, J. M., *Revista de derecho de la competencia y la distribución*, núm. 24, 2019, p. 11. *"La doctrina especializada en la materia, ha identificado en el reconocimiento de legitimación activa del licenciatario no inscrito para ejercitar las acciones fundadas en la Ley de Competencia Desleal, uno de los supuestos de aplicación del principio de complementariedad relativa entre los sistemas de protección jurídica de la propiedad intelectual e industrial y de la represión de la competencia desleal".*

[689]   DÍEZ-PICAZO, L., *Fundamentos...*, *op. cit.*, pp. 1031-1032. *"Para acordar la realización de los gastos es menester distinguir entre los gastos necesarios y útiles, por una parte, que caen en la órbita de los actos de administración, y los gastos superfluos, suntuarios o de lujo, que deben considerarse como actos de administración extraordinaria";* VÁZQUEZ LÉPINETTE, T., *La cotitularidad de los bienes inmateriales*, Tirant lo Blanch, Valencia, 1996, pp. 325-326.

[690]   DÍEZ-PICAZO, L., *Fundamentos...*, *op. cit.*, pp. 1031-1032; VÁZQUEZ LÉPINETTE, T., *La cotitularidad...*, *op. cit.*, p. 327.

[691]   DÍEZ-PICAZO, L., *Fundamentos...*, *op. cit.*, pp. 1031-1032; VÁZQUEZ LÉPINETTE, T., *La cotitularidad...*, *op. cit.*, p. 327. Sin embargo, no tendrán la consideración de actos de conservación aquellas actividades destinadas a promocionar la variedad vegetal objeto de comunidad, por lo que los gastos sufragados en este sentido por alguno de los comuneros no podrán ser exigidos al resto de copropietarios.

su cuota. Ahora bien, cada comunero estará facultado individualmente para abonar la totalidad de las tasas de renovación, pudiendo exigir posteriormente a cada partícipe el abono de su porcentaje correspondiente[692]. Las tasas de renovación deberán abonarse íntegramente, por tanto, la repetición del pago correspondiente al resto de comuneros deberá realizarse con anterioridad al momento de la renovación o, por el contrario, deberá uno de los partícipes anticipar la totalidad de las tasas y exigir posteriormente su parte correspondiente al resto de cotitulares[693]. En caso de que un comunero no estuviera dispuesto al abono de su porcentaje correspondiente de las tasas de renovación, se le podrá eximir de tal obligación si renuncia a su cuota (art. 395 CC)[694]. La renuncia liberatoria dispensa al cotitular disidente del pago de los gastos de conservación (en este caso las tasas de renovación), provocando, en consecuencia, la renuncia a su cuota que se redistribuirá proporcionalmente entre el resto de los comuneros[695]. La renuncia podrá materializarse en documento público, para posteriormente incluirse en el Registro Oficial de Variedades Vegetales (art. 33.1 LOV y arts. 1279, 1280 CC)[696]. El hecho de que un comunero renuncie a su cuota no afectará a los acuerdos anteriores adoptados con su consentimiento[697].

Por su parte, en relación con el ejercicio de acciones, cualquier copropietario individualmente estará legitimado para ejercitar las acciones de infracción necesarias para defender los intereses de la comunidad, en su condición de titular/cotitular del derecho [art. 80.2 c) LP y art. 395 CC][698]. Ahora bien, esta facultad de cada comunero para el ejercicio de acciones, siguiendo con la reinterpretación propuesta por el profesor MASSAGUER del artículo 117.1 de la Ley de Patentes, viene condicionada por la exigencia de que cada copropietario deberá estar inscrito como tal en el Registro Oficial de Variedades Vegetales Protegidas (art. 33.1 LOV). Esto es debido a que la dispensa de la inscripción, conforme a la comentada reinterpretación del artículo 117 LP, será, en todo caso, para los licenciatarios[699]. El comunero que ejercite la acción, si desea que el

---

[692]   DÍEZ-PICAZO, L., *Fundamentos...*, *op. cit.*, pp. 1031-1032; VÁZQUEZ LÉPINETTE, T., *La cotitularidad...*, *op. cit.*, pp. 327-328.
[693]   VÁZQUEZ LÉPINETTE, T., *La cotitularidad...*, *op. cit.*, p. 328.
[694]   DÍEZ-PICAZO, L., *Fundamentos...*, *op. cit.*, pp. 1031-1032.
[695]   Vid. ult. loc.; VÁZQUEZ LÉPINETTE, T., *La cotitularidad...*, *op. cit.*, p. 329.
[696]   VÁZQUEZ LÉPINETTE, T., *La cotitularidad...*, *op. cit.*, p. 330.
[697]   DÍEZ-PICAZO, L., *Fundamentos...*, *op. cit.*, p. 1043; VÁZQUEZ LÉPINETTE, T., *La cotitularidad...*, *op. cit.*, p. 330.
[698]   MASSAGUER, J., *Acciones...*, *op. cit.*, p. 265. "*(...) de modo que las demandas de infracción pueden ser interpuestas por uno solo de los comuneros, varios o todos ellos (no es un caso de litisconsorcio activo necesario)*".
[699]   Vid. ult. loc. Para el ejercicio de acciones también podrá acreditarse el "*haber presentado la solicitud de inscripción y ulteriormente la concesión de la inscripción a lo largo del proceso*".

resto de los partícipes se adhieran a su acción, deberá notificarles su voluntad para que éstos puedan incorporarse a la demanda y contribuir a los gastos generados[700]. El resto de los copropietarios podrán adherirse a la demanda como *"intervinientes"*, no importando el momento de su incorporación, pudiendo incluso realizarse una vez interpuesta la demanda toda vez que la inclusión del resto de partícipes no es un requisito de *"procedibilidad, ni sustantivo para el buen fin de la acción"*[701].

La importancia de la notificación radica en su afectación, ya que determinará qué comuneros participarán de los gastos devengados de la interposición de la demanda[702]. La afectación respecto del sentido de la sentencia dependerá de la concurrencia o no de la notificación, de manera que, en principio, los comuneros implicados estarán afectados por el sentido de la sentencia, tanto estimatoria como desestimatoria, siempre que no se hayan opuesto expresamente[703]. Asimismo, aquellos cotitulares que no participaron de la demanda quedarán afectados exclusivamente de la estimación de la acción ejercitada[704]. Las acciones que podrán ejercitarse podrán ser tanto civiles como penales (art. 80.2 d) LP)[705]. Las acciones de carácter civil serán las contempladas en la legislación en materia de obtenciones vegetales, además de las previstas en la Ley de Competencia Desleal mencionadas *supra* (art. 21 LOV y 32 LCD respectivamente).

5. CONCLUSIONES

La presente aportación trata de analizar, brevemente, los elementos formales de los contratos de licencia de obtención vegetal, incidiendo en el estudio de la oponibilidad del título y, en particular, las implicaciones de la inscripción

---

[700]   Vid. ult. loc.

[701]   Vid. ult. loc. *"En todo caso y sin perjuicio de lo dicho, la notificación debe ser realizada por el Juez en cuanto advierta la situación"*. Véase, igualmente, sobre esta cuestión en materia del contrato de licencia de patente ARPIO SANTACRUZ, J., "Cotitularidad y expropiación", en BERCOVITZ RODRÍGUEZ-CANO, A., BERCOVITZ ÁLVAREZ, R., *La nueva Ley de Patentes. Ley 24/2015, de 24 de julio*, Aranzadi, Cizur Menor, 2015, p. 343. *"La STS núm. 360/1996, de 13 de mayo ha precisado, con relación al momento y la forma de la notificación, que en ningún caso dispone la Ley que la notificación sea previa, ni que se acredite de modo fehaciente antes de demandar: muy al contrario, el precepto habla de notificar la acción emprendida y el comunero tiene la facultad de sumarse o no a dicha acción sin que pueda obligársele a hacerlo"*.

[702]   MASSAGUER, J., *Acciones...*, *op. cit.*, p. 265.

[703]   Ibid., pp. 265-266; VÁZQUEZ LÉPINETTE, T., *La cotitularidad...*, *op. cit.*, pp. 336-338.

[704]   MASSAGUER, J., *Acciones...*, *op. cit.*, p. 266. *"De este modo, para que una sentencia desestimatoria de la demanda de infracción les pueda ser opuesta, el demandado habrá de reconvenir mediante el ejercicio de una acción de declaración de no infracción contra los copropietarios que no hayan demandado"*.

[705]   VÁZQUEZ LÉPINETTE, T., *La cotitularidad...*, *op. cit.*, pp. 338-339.

de la licencia. La inscripción de la licencia faculta a su titular para poder oponerla frente a terceros, con las siguientes implicaciones: por un lado, permite solventar la concesión de licencias incompatibles; y, por otro lado, se ha considerado erróneamente que legitima al licenciatario para el ejercicio de acciones en defensa del derecho licenciado. Respecto de la legitimación del licenciatario para el ejercicio de acciones se deberá diferenciar entre los títulos europeos y los títulos nacionales de obtención vegetal.

El legislador europeo, reconoce la legitimación para el ejercicio de acciones en defensa del derecho a los licenciatarios exclusivos de una licencia contractual y los licenciatarios de una licencia obligatoria, dejando de lado a los licenciatarios no exclusivos. Ahora bien, conforme al Derecho de la Unión deberá abogarse por reconocer la legitimación de este tipo de licenciatarios conforme a los términos pactados en la licencia, así como la posibilidad de que puedan participar en el proceso de infracción iniciado por el titular del derecho, sin necesidad de que la licencia se halle inscrita.

Por su parte, en nuestro ordenamiento jurídico, el análisis de la cuestión relativa a la legitimación del licenciatario se antoja más complicado dada la parquedad de la Ley 3/2000 y la divergencia de criterios configurados en cada legislación especial dependiendo de la modalidad de derecho de propiedad industrial. A modo de ejemplo, el licenciatario de una marca o un diseño industrial estará legitimado para el ejercicio de acciones en defensa del derecho sin necesidad de estar inscrito; sin embargo, el licenciatario de una patente no podrá ejercitar, en una primera aproximación que ha sido seguida por nuestros tribunales, las acciones en defensa del derecho licenciado salvo que su licencia esté inscrita.

Esta circunstancia, contraria al Derecho de la Unión -que aboga por el reconocimiento de la legitimación del licenciatario para el ejercicio de acciones en defensa de su derecho sin estar condicionada al cumplimiento de ningún requisito-, ha provocado que la mejor doctrina clame por una reinterpretación del artículo 117.1 de la Ley de Patentes al hilo de la Directiva 2004/48/CE y las sentencias del Tribunal de Justicia de la Unión Europea de 22 de junio de 2016, asunto C-419/15 y de 4 de febrero de 2016, asunto C-163/15. Esta reinterpretación propone eliminar el requisito de la inscripción de la licencia para legitimar a los licenciatarios para el ejercicio de acciones en defensa del derecho licenciado. La inscripción únicamente sería exigible para legitimar al titular del derecho para el ejercicio de acciones. A mi modo de ver, esta reinterpretación es necesaria y adecuada para habilitar a los licenciatarios al ejercicio de acciones en defensa del derecho y evitar que la exigencia de la inscripción de la licencia sirva como un método de defensa para los infractores de los derechos de propiedad industrial, en general, y obtenciones vegetales, en particular.

La licencia contractual de explotación de la obtención vegetal

JAUME LLORCA GALIANA

Profesor Ayudante de Derecho Mercantil. Universidad de Alicante

1. INTRODUCCIÓN

La obtención vegetal supone otorgar protección en el ámbito de la propiedad intelectual a la variedad vegetal. La innovación en el ámbito del sector agrícola ha sido una constante a lo largo de la historia. Ahora bien, al avance de las tecnologías en los últimos años ha permitido desarrollar con notable intensidad el campo del fitomejoramiento. La obtención de una variedad vegetal representa un esfuerzo notable para el obtentor[706] que, de media, debe invertir más de un millón de euros durante 12 años para obtener la variedad vegetal. En este sector el 25% de la facturación se destina a I+D dada su notable importancia, teniendo en cuenta que unas 12.000 personas trabajan en la UE en ese campo de investigación y cuyo resultado reporta unos royalties considerables[707]. El volumen de negocio asciende a unos 6.800 millones de euros[708]. Ello hace que las obtenciones vegetales tengan una especial relevancia en el mercado.

La cesión del derecho del titular de la obtención por medio de la licencia contractual de explotación de la variedad vegetal protegida mediante obtención vegetal resulta cada vez más frecuente en la práctica y su aplicación conlleva, en algunos aspectos, unos problemas cuya solución no es unánime. La regulación del contrato de licencia plantea una serie de particularidades derivadas de la propia naturaleza del derecho[709] que la normativa no ha sabido regular con la debida amplitud, otorgando un amplio margen de discrecionalidad a las partes, y que se ha visto afectada por la declaración de nulidad

---

[706] GALLEGO SÁNCHEZ, E./FERNÁNDEZ PÉREZ, N., *Derecho Mercantil. Parte Primera*, 5ª edición. Tirant lo Blanc, 2019, p. 290.

[707] En los últimos 10 años, la media anual ha sido de 50 millones de euros en Francia, 35 en Alemania, 26 en Reino Unido y 4 en España.

[708] ANOVE, Datos del sector, datos de interés. Disponible en https://www.anove.es/datos-del-sector/datos-de-interes/.

[709] BROSETA PONT, M/MARTÍNEZ SANZ, F., *Manual de Derecho Mercantil. Volumen I*, 25ª edición, Tecnos, 2018, p. 244 "La razón principal del tratamiento diverso (de las patentes y las obtenciones vegetales) reside en la dificultad de garantizar, respecto de las variedades vegetales, la "repetibilidad" que es esencial a las invenciones patentables".

de algunos preceptos de su regulación que no se han suplido, implicando ello una carencia normativa relevante que se ha tenido que ir modulando por vía jurisprudencial y doctrinal.

2. OBJETO

El objeto del contrato de licencia es la autorización del titular del derecho de obtención vegetal a un tercero para explotar la variedad vegetal de dicha obtención bajo una serie de condiciones. Lo cierto es que la regulación que se ofrece de este contrato es, por diversas razones que posteriormente se detallarán, parca e insuficiente, siendo necesaria, en gran medida, la aplicación subsidiaria de la Ley de Patentes[710]. La legislación española no ofrece una definición de este contrato, limitándose a señalar el art. 23.1 de la Ley 3/2000, de 7 de enero, de régimen jurídico de la protección de las obtenciones vegetales (en adelante, LOV) que "el titular de un título de obtención vegetal podrá conceder licencias de explotación de la variedad objeto del mismo, siempre que se cumplan las condiciones que por dicho titular se establezcan, y cuanto sobre esta materia se regule en la presente Ley y sus disposiciones complementarias"[711][712]. Lo mismo sucede con la legislación europea, recogiéndose en el Reglamento (CE) nº 2100/94 del Consejo, de 27 de julio de 1994 relativo a la protección comunitaria de las obtenciones vegetales (en adelante, ROV) que "la protección comunitaria de una obtención vegetal podrá ser objeto total o parcialmente de licencias contractuales de explotación. Las licencias podrán ser exclusivas o no exclusivas"[713]. Debe tenerse en cuenta que la protección comunitaria de la obtención como objeto de propiedad será considerada en su totalidad y en todo el territorio de la Unión como un derecho de propiedad equivalente al del estado miembro determinado conforme a los criterios previstos en el artículo 22 ROV[714], analizándose en este caso las particularidades que plantea el ROV. Por tanto, el objeto del contrato no parece

---

[710]   Conforme a lo previsto en la disposición adicional segunda de la LOV que prevé que "En defecto de norma expresamente aplicable a los derechos del obtentor regulados en la presente Ley se aplicarán supletoriamente las normas que regulan la protección legal de las invenciones".

[711]   Dicho artículo se basa en el concepto dispuesto en el artículo 6.3 de la derogada Ley 12/1975 que establecía que "El titular de un «Título de Obtención Vegetal», previa comunicación al Registro de Variedades Protegidas, podrá conceder licencias de explotación de la variedad objeto del título a toda persona que lo solicite, siempre que se cumplan las condiciones que por dicho titular se establezcan, y cuanto sobre esta materia se regule en la presente Ley y sus disposiciones complementarias. A tal efecto, se tomará razón de dichos contratos en el Instituto Nacional de Semillas y Plantas de Vivero."

[712]   Tampoco se describe el contenido del contrato en el RLOV.

[713]   Art. 27 ROV.

[714]   Salvo disposición en contrario de los artículos 23 a 29 del ROV.

claramente definido por la legislación[715]. Siendo así, conviene realizar una serie de puntualizaciones a la definición ofrecida.

En primer lugar, debe remarcarse que el titular de la obtención continúa siendo propietario de su título de obtención vegetal. Si bien es cierto que el título puede ser objeto de diferentes contratos[716], en este caso, el objeto del contrato de licencia es la autorización para explotar la variedad, pudiendo asimilarse en cierto modo al contrato de arrendamiento[717]. En cambio, no formarían parte del concepto de licencia que ahora se expone los "contratos de experimentación", entendidos como aquellos mediante los cuales el titular del derecho de obtención vegetal cede a un tercero el material de la variedad para que este realice ensayos, pero sin permitirle producción o comercialización, con independencia de que el objetivo último sea la concesión posterior de una licencia de explotación[718]. En esta línea, no requeriría licencia la actuación que suponga la utilización de una variedad para lograr una nueva variedad[719] ni, en general, aquellas que se encuentren fuera del ámbito de facultades del titular de la obtención. Por tanto, en el contrato de licencia únicamente existe una autorización para explotar los derechos que le corresponden al titular de la obtención.

Por lo que se refiere a los derechos del titular, la normativa europea no es plenamente coincidente sobre la delimitación de estos derechos e, incluso, la normativa española incurre en contradicción entre la LOV y el RLOV. El ROV

---

[715]   La doctrina se encuentra dividida sobre si la regulación es suficiente. Así, VILLAROEL LÓPEZ DE LA GARMA, A., "El contrato de licencia de explotación sobre variedades vegetales" en Amat Llombart, P. (Coord.), *La propiedad industrial sobre obtenciones vegetales y organismos transgénicos*, Tirant lo Blanc, 2007, p. 237, considera que "la regulación en el Derecho español y en la mayoría de ordenamientos de otros países" no se puede entender como coherente y completa. En el mismo sentido opina SALDAÑA VILLOLDO, B., "Los contratos de licencia de explotación sobre obtenciones vegetales: algunas consecuencias de la precariedad normativa", Revista de Derecho Mercantil, nº 307, (2018), p. 256. En cambio, MUÑOZ CADENAS, M.A., *El contrato de licencia de explotación de las obtenciones vegetales en el derecho español y comunitario*, Universidad de Sevilla, 2015, disponible en https://idus.us.es, p. 185, entiende que las disposiciones existentes tanto en la "normativa nacional como en la comunitaria nos permiten acercarnos a la noción de este contrato".

[716]   A este respecto GALLEGO SÁNCHEZ, E./FERNÁNDEZ PÉREZ, N., *Derecho Mercantil. Parte Primera*, cit., p. 290 indica que, como sucede en otros ámbitos de la propiedad intelectual, el bien inmaterial "puede ser objeto de propiedad y tráfico jurídico por todos los medios que el Derecho reconoce".

[717]   MARTÍN ARESTI, P. *La licencia contractual de patente*. Aranzadi Editorial, 1997, p.79, hace referencia a la "identidad de estructura negocial".

[718]   En este tipo de contratos, conocidos como *testing agreements*, generalmente el obtentor se reserva el derecho futuro sobre la variedad resultante de la experimentación y el tercero obtiene una licencia de explotación exclusiva en un determinado territorio, según SÁNCHEZ GIL, O., *La protección de las obtenciones vegetales. El privilegio del agricultor*. Ministerio de Medio Ambiente y Medio Rural y Marino, 2008, p. 118.

[719]   Por estar amparada por el privilegio del titular de la obtención.

determina en su artículo 13.2 que "se requerirá la autorización del titular para la ejecución de las operaciones siguientes con componentes de una variedad o material cosechado de la variedad en cuestión". En cambio, la LOV en su artículo 12.2, aunque se expresa en términos parecidos, limita la autorización para la ejecución de actuaciones "al material de reproducción o de multiplicación de la variedad". El matiz resulta relevante porque se limita el derecho del obtentor al material de reproducción o multiplicación, cuando no siempre el producto de la cosecha tiene capacidad para reproducirse[720]. Ahora bien, el RLOV en su artículo 16.4 determina que "las licencias de explotación de variedades protegidas se referirán únicamente al material de reproducción y serán concedidas por el obtentor al productor de dicho material". Con este precepto queda restringido el derecho del obtentor únicamente al material de reproducción de la variedad vegetal y adicionalmente se prevé que el obtentor conceda la licencia a quien tenga la condición de productor. Pese a que bien se podría entender que este precepto reglamentario contraviene lo dispuesto en la Ley por restringir con mayor intensidad que la prevista por la norma superior los derechos del titular de la obtención, el Tribunal Supremo ha entendido que el artículo 16.4 del RLOV es ajustado a Derecho[721].

En cuanto al canon o royalty en contraprestación por la licencia, es uno de los principales fines de la obtención de la variedad vegetal, máxime teniendo en cuenta la inversión realizada por el obtentor y que supone un estímulo para poder encontrar una variedad adecuada que pudiera tener éxito en el mercado. En todo caso, se debe puntualizar que ello no resulta un requisito imprescindible para la validez del contrato. La licencia no siempre debe ser retribuida, pese a que sea ello lo más frecuente[722]. En el caso de que se acuerde una contraprestación podrá fijarse de manera libre por las partes teniendo en cuenta la extensión de la autorización que se fije contractualmente. En todo caso, la retribución puede ser fija en único o sucesivos pagos, variable o incluso mixta[723].

3. FORMA

La forma de los contratos de licencia viene determinada por lo previsto en la LOV. La LOV prevé que los actos de transmisión del derecho del obtentor

---

[720] VILLAROEL LÓPEZ DE LA GARMA, A., "El contrato de licencia de explotación sobre variedades vegetales", cit, p. 244.

[721] Sentencia del Tribunal Supremo de 5 de junio de 2007, nº 4622/2007.

[722] El artículo 85.1 de la Ley de Patentes, aplicable por remisión de la LOV, dispone que "Quien transmita a título oneroso una solicitud de patente (…)", desprendiéndose de ello que cabe, a sensu contrario, la licencia a título gratuito.

[723] GARCÍA VIDAL, A., "La licencia contractual de explotación de una variedad protegida con un título de obtención vegetal" en García Vidal, A. (Dir.), *Derecho de las obtenciones vegetales*, Tirant lo Blanc, 2017, pgs. 853-854.

"deberán constar por escrito"[724]. Igualmente, en lo que se refiere específicamente a las licencias contractuales se determina que "se realizarán por escrito y no surtirán efectos frente a terceros mientras no estén debidamente inscritos en el libro registro de licencias"[725]. Ahora bien, la doctrina entiende que no resulta imprescindible la forma escrita para su validez[726]. Así, un contrato de licencia verbal es perfectamente válido[727], sin perjuicio de la problemática respecto de la prueba de las condiciones y los términos pactados por las partes. En todo caso, parece que el legislador no condicionó la validez del contrato a la necesidad de que este fuera escrito. Cuestión distinta es que un contrato que no sea escrito no podrá tener acceso al registro, como indica expresamente la LOV, siendo necesaria la forma escrita para poder beneficiarse de los efectos del registro. Ello plantea una discordancia no resuelta entre la obligación de inscripción de todas las licencias contractuales de obtenciones vegetales y la posibilidad de que esta licencia se acuerde de manera verbal y, por ello, no tenga acceso al registro.

4. CLASES

La licencia se divide en diferentes clases conforme a la extensión de la autorización pactada en el contrato.

4.1. Licencia de producción, reproducción y cultivo

La licencia de explotación de la obtención vegetal puede abarcar la producción y reproducción de la variedad. Dentro de este ámbito se encuentra la reproducción sexual y la multiplicación asexual[728]. A este respecto, el Convenio internacional para la Protección de las Obtenciones Vegetales (en adelante, CUPOV) habla de "la producción o la reproducción (multiplicación)"[729], sin hacer mayor aclaración sobre su alcance y sin hacer mención en ningún momento al término "uso" o similar. Igualmente, el RLOV delimita la licencia al

---

[724]   Art. 20.3 LOV.
[725]   Art. 23.3 LOV.
[726]   GARCÍA VIDAL, A., "La licencia contractual de explotación de una variedad protegida con un título de obtención vegetal" cit, p. 838.
[727]   MUÑOZ CADENAS, M.A., *El contrato de licencia de explotación de las obtenciones vegetales en el derecho español y comunitario*, cit., p. 346.
[728]   Respecto de la multiplicación asexual; SEGUÍ SIMARRO, J.M. *Biología y biotecnología reproductiva de las plantas*. Editorial UPV, 2011, pg 20. Tiene lugar cuando interviene un único progenitor, implicando ello que "las nuevas plantas resultarán idénticas genéticamente a este progenitor. Desde una sola célula, un tejido o una parte de una planta se pueden originan plantas nuevas".
[729]   Art. 14.1.i) CUPOV.

"material de reproducción"[730]. Así mismo, resulta relevante el artículo 13.3 ROV, que hace referencia al material cosechado[731].

La doctrina se encuentra dividida respecto a si el derecho del obtentor abarca el cultivo o producción agraria de la variedad, entendida como la plantación o siembra de una variedad para la obtención del producto o fruto cosechado. La importancia de esta delimitación es innegable dado que permite determinar con precisión el alcance del derecho del obtentor para licenciar la obtención para la producción y reproducción o, en su caso, para el cultivo y cosecha.

De un lado, un sector de la doctrina entiende que cuando se cultiva o siembra una variedad para obtener sus productos y comercializarlos se estaría vulnerando el derecho del obtentor si no se ha requerido previamente el consentimiento del titular y podría ser objeto de prohibición (primer escalón de protección)[732].

De otro lado, se ha entendido que la producción o reproducción no incluye la plantación y comercialización de los frutos, no vulnerando con ello el derecho del titular de la obtención. Únicamente quedaría vulnerado este derecho si el titular no ha podido ejercer sus derechos previamente sobre el material de multiplicación y reproducción, pudiendo, en ese caso, ejercer sus derechos en relación al producto cosechado[733] (segundo escalón de protección). Así, con la

---

[730]   Art. 16 RLOV.

[731]   Lo dispuesto en el apartado 2 se aplicará al material cosechado sólo si éste se ha obtenido mediante el empleo no autorizado de componentes de la variedad protegida, y siempre y cuando el titular no haya tenido una oportunidad razonable para ejercer sus derechos sobre dichos componentes de la variedad.

[732]   THEVENON, D., "Experiencia de obtentores: la función de los contratos en el ejercicio de los derechos del obtentor" en *Simposio sobre contratos relativos al derecho de obtentor*, octubre de 2008, disponible en https://www.upov.int/, p. 4, Se defiende que los derechos que pueden ser objeto de licencia pueden variar en función de la naturaleza del titular de licencia, distinguiendo entre viveristas, arboricultores, comercializadores e importadores o exportadores. En el caso de los arboricultores destaca que puede concederse al fruticultor, abarcando la autorización al cultivo de las plantas para la producción y venta del fruto cosechado. En este mismo sentido se expresa, MUÑOZ CADENAS, M.A., *El contrato de licencia de explotación de las obtenciones vegetales en el derecho español y comunitario*, cit., p. 213.

[733]   SALDAÑA VILLOLDO, B., "Cuestiones en torno a la extensión de la protección provisional del obtentor de una variedad vegetal en el Reglamento CE nº 2100/94". *Cuadernos de Derecho y Comercio*, nº 59 (2013), p. 177. "El obtentor no elige cuándo y frente a qué tipo de material (material de multiplicación o reproducción o sobre la cosecha) ejerce su derecho, sino que debe ejercer su derecho necesariamente sobre el material de reproducción/ multiplicación y, si no puede razonablemente hacerlo, cabe a tenor de este precepto que lo ejerza sobre el fruto. De los preceptos analizados se infiere que, para extender la protección al producto de la cosecha, el obtentor debe desplegar una cierta diligencia en su actuación, esto es, estimamos que el legislador de forma indirecta está imponiendo al obtentor una cierta vigilancia sobre el material de reproducción o multiplicación sobre el que prima facie se extiende su derecho. Esto debiera suponer que, si el obtentor conoció o debió conocer la

compra del material de reproducción se agotaría el derecho del obtentor, salvo que no hubiera podido ejercitar los derechos sobre la obtención.

Por lo que se refiere a la jurisprudencia, son diversos los supuestos resueltos por los tribunales. En primer lugar, puede suceder que la variedad se plantara durante el periodo de protección provisional[734]. Ante ello se ha considerado por los Tribunales que el derecho del obtentor se vulnera cuando se produzca la reproducción o la multiplicación con anterioridad a la fecha de concesión de la protección si se comercializa posteriormente el fruto sin solicitar la debida licencia al titular[735].

---

distribución sin su autorización del material de reproducción, y no actuó, ello le impediría extender sus derechos al fruto en tal caso. El alcance a estos efectos del término "oportunidad razonable" deberá fijarse por los Tribunales y dependerá, como resulta lógico, de las circunstancias concurrentes. Esta previsión legal entendemos que debiera proyectarse sobre actos posteriores a la concesión del título". Esta interpretación va en línea de lo previsto en el art. 13.3 del ROV.

[734]   Art. 95 ROV.

[735]   La sentencia de la Audiencia Provincial de Zaragoza de 2 de julio de 2007 nº 406/2007 indica que "Se plantea así la cuestión de si el ámbito de la protección incluye o no la producción y comercialización de los productos obtenidos con los individuos obtenidos mediante actos de multiplicación anteriores a la fecha de la concesión. El recurrente afirma que alcanza a los actos incluidos en el art. 13 del Reglamento, y si la Sala tiene dudas al respecto, insta al planteamiento de la cuestión comunitaria. Pues bien, coincidimos con el recurrente. En contra de lo mantenido por el juzgador de primer grado, no cabe entender legalizada una plantación de una especie protegida por una concesión de comunitaria de variedad vegetal en el sentido de entender que cualquier clase de acto realizado en relación a ella queda fuera del control del titular de la concesión, pues la protección no tiene otras excepciones que las señaladas en el propio reglamento. No cabe entender legalizada una plantación de una especie protegida por una concesión de comunitaria de variedad vegetal en el sentido de entender que cualquier clase de acto realizado en relación a ella queda fuera del control del titular de la concesión, pues la protección no tiene otras excepciones que las señaladas en el propio reglamento".

Igualmente, la Sentencia de la Audiencia Provincial de Valencia de 24 de enero de 2012 nº 23/2012 indica que "Ha sido acreditado que con posterioridad al momento en que se consolida la titularidad de la variedad vegetal, ha tenido lugar la producción de fruta y su consecuente comercialización por el demandado, sin consentimiento de quien ostenta el derecho de exclusiva sobre la variedad controvertida. (...) Discrepamos, por ello, de la afirmación que se contiene en la sentencia apelada (FJ1º) en orden a que el demandado no ha realizado después del 16 de febrero de 2006 ninguno de los actos mencionados en el artículo 13.2 del Reglamento e igualmente discrepamos en orden a que la protección respecto del material cosechado sea una excepción al régimen general de protección, pues entendemos que la protección al titular del derecho de explotación se extiende también al producto de la cosecha de forma subsidiaria–en los términos prevenidos legalmente–que no es lo mismo que como excepción al ámbito de protección general. Tampoco compartimos la afirmación de que el demandado no necesitase la oportuna autorización para la explotación de los árboles injertados (pues considera el Juzgador a quo que al momento de producirse los componentes pertenecían al dominio público) dado que el injerto se produce en el momento amparado por la protección provisional derivado de la solicitud anterior".

Ahora bien, la Sentencia del TJUE de 16 de diciembre de 2019[736] resuelve de manera definitiva esta controversia al interpretar el artículo 13 del ROV. Dicha resolución tiene origen en una consulta prejudicial que formula el Tribunal Supremo en el seno de un procedimiento judicial respecto de la posible vulneración del derecho del obtentor por la plantación y comercialización de mandarinas Nadorcott sin autorización del obtentor[737]. Así, resulta de la interpretación de la normativa comunitaria que "en lo que respecta al período de protección mencionado en el artículo 95 del Reglamento n.º 2100/94, el titular de esa protección comunitaria de obtenciones vegetales no puede prohibir la ejecución de las operaciones mencionadas en el artículo 13, apartado 2, de este Reglamento invocando la falta de consentimiento por su parte, de modo que la ejecución de tales operaciones no constituye un «empleo no autorizado», en el sentido del artículo 13, apartado 3, de dicho Reglamento. En el presente asunto, se desprende de lo antes expuesto que, en la medida en que la multiplicación y la venta al Sr. Martínez Sanchís de los plantones de la variedad vegetal protegida de que se trata en el asunto principal se realizaron durante el período mencionado en el artículo 95 del Reglamento n.º 2100/94, tales operaciones no pueden considerarse un «empleo no autorizado» en el sentido antes indicado. Así pues, los frutos obtenidos a partir de estos plantones no deben considerarse frutos obtenidos mediante un empleo no autorizado, en el sentido del artículo 13, apartado 3, de dicho Reglamento, ni siquiera en el caso de que hayan sido cosechados después de la concesión de la protección comunitaria de obtenciones vegetales. En efecto, como se desprende de la respuesta dada a las cuestiones prejudiciales primera y segunda, la plantación de los componentes de una variedad vegetal y la cosecha de sus frutos, que no son utilizables como material de propagación, no constituye una operación de producción o de reproducción de componentes de una variedad, en el sentido del artículo

---

[736]   Sentencia del Tribunal de Justicia de la Unión Europea, Sala Séptima, de 16 de diciembre de 2019, asunto C-176/18, Club de Variedades Vegetales Protegidas vs Martínez Sanchís.

[737]   Este procedimiento tiene origen en la reclamación que formula el Club de Variedades Vegetales Protegidas en nombre de CARPA DORADA S.L., licenciataria exclusiva de la obtención vegetal conocida como Nadorcott frente a un agricultor valenciano. En primera instancia, el Juzgado de lo Mercantil nº 3 de Valencia, estima la excepción de prescripción y absuelve al demandado. La Audiencia Provincial de Valencia resuelve desestimar la excepción de prescripción por no concurrir los presupuestos necesarios. En cambio, estima la alegación de falta de legitimación pasiva por entender aplicable el art. 85 Ccom dado que los árboles fueron adquiridos en un establecimiento abierto al público. El TS considera que no puede resultar de aplicación dicho precepto dado que "en el ámbito de los derechos de propiedad intelectual en sentido estricto, se distingue entre el corpus mechanicum (cuerpo material) y el corpus mysticum (creación intelectual) para el cual el primero sirve de soporte material, en el caso de un plantón de una variedad vegetal registrada en la oficina comunitaria, puede distinguirse entre la materialidad del plantón y la creación que supone la obtención de esa variedad vegetal". Tras ello, se formula cuestión prejudicial al TJUE, con el resultado que se expone en el texto.

13, apartado 2, letra a), del Reglamento n.º 2100/94"[738]. Tras ello, el Tribunal Supremo dicta sentencia el 11 de junio de 2020 resolviendo que no se vulneró el derecho del obtentor[739].

Con esa interpretación se rompe una amplia jurisprudencia de numerosas Audiencias Provinciales[740], clarificando el alcance de los derechos del obtentor en el periodo que transcurre entre la solicitud de la protección y la concesión del título de obtención.

Cuestión diferente es la relativa a la controversia respecto de la vulneración del derecho del obtentor cuando el titular de la explotación agraria adquiere los productos en un vivero abierto al público y, tras la concesión de la protección, planta o siembra la variedad y recolecta sus frutos. Diversos efectos se han atribuido a esta situación[741], que quedó zanjada con las antedichas senten-

---

[738]   Concluye el TJUE declarando, en la sentencia antedicha, que "El artículo 13, apartado 3, del Reglamento n.º 2100/94 debe interpretarse en el sentido de que los frutos de una variedad vegetal no utilizables como material de propagación no pueden considerarse obtenidos «mediante el empleo no autorizado de componentes» de dicha variedad vegetal, según los términos de esa disposición, cuando un vivero haya multiplicado y vendido dichos componentes de la variedad a un agricultor en el período comprendido entre la publicación de la solicitud de protección comunitaria de obtenciones vegetales relativa a esa variedad vegetal y la concesión de dicha protección.

[739]   La Sentencia del Tribunal Supremo de 11 de junio de 2020, nº 282/2020, determina que "De este modo, en atención a los hechos probados en la instancia, el demandado no habría realizado ninguna de las conductas reseñadas en el apartado 2 del art. 13 RCE 2100/94, pues la producción o reproducción se referiría a los plantones que habrían sido realizados por el vivero y adquiridos antes de que generara efectos la obtención de la variedad vegetal; y no alcanzaría ni a su plantación ni a la recolección de la cosecha de mandarinas, que en ambos casos resulta indiferente que pudieran haberse realizado después de la publicación de la concesión de la variedad vegetal".

[740]   Debe mencionarse que la jurisprudencia no era unánime, aunque sí mayoritaria. A estos efectos, la sentencia Audiencia Provincial de Badajoz de 12/11/2007, nº 396/2007, considera "que los árboles fueron plantados con una anterioridad notable a la fecha de concesión de los derechos de propiedad industrial". "No estaba obligada la demandada a conservar la documentación relativa a tal lejana fecha que acreditase la denominación y características de la variedad de nectarina cuya explotación entonces comenzaba (…) La demandada no tenía porqué ser conocedora en la fecha de publicación de la solicitud de la protección de la variedad que defiende la actora (…) porque cuando tal variedad es plantada aún no se había inscrito en el registro correspondiente la variedad Valentina a la que se refiere la demanda (…) quien explota lícitamente una variedad vegetal en un momento determinado también la explota en el futuro porque la producción posterior viene dada, en cada momento, por el árbol mismo, sin necesidad de aplicación, por lo general, de nuevos injertos ya que las características de la variedad producida están ya en el propio árbol".

[741]   La Sentencia de la Audiencia Provincial de Madrid de 3 de marzo de 2011, nº 109/2011, resuelve que el titular de la obtención vegetal se puede dirigir directamente contra el titular de la plantación dado que "no cabe duda que, cuando la actora descubre la plantación en 2004, ya hacía tiempo que se había producido la infracción de los derechos del titular de la protección comunitaria, por lo que, no constando quién había sido su autor, resulta razonable que se dirija la demanda contra el que explota y obtiene sus productos de esa variedad

cias del TJUE y el TS. Así, el TJUE ha entendido que, en esos casos, "en efecto, el artículo 13, apartado 3, de este Reglamento precisa que, en lo que respecta a las operaciones mencionadas en el apartado 2 de dicho artículo que se realicen con material cosechado, solo se requiere tal autorización si ese material se ha obtenido mediante el empleo no autorizado de componentes de la variedad protegida y a condición de que el titular de dicha variedad no haya tenido una oportunidad razonable de ejercer sus derechos sobre dichos componentes de la variedad protegida. Por lo tanto, la autorización del titular de una protección comunitaria de obtenciones vegetales exigida por el artículo 13, apartado 2, letra a), de dicho Reglamento solo es necesaria, tratándose de operaciones que se realicen con material cosechado, en la medida en que concurran los requisitos fijados en el apartado 3 del mismo artículo".

Por ello, para que sea imperativo solicitar autorización se han de cumplir cumulativamente dos requisitos; el empleo no autorizado de componentes de la variedad y que el titular no hubiera podido ejercitar de manera razonable los derechos sobre los componentes de la obtención. En el caso de que no se cumplan ambos requisitos, el titular no podrá exigir que se le solicite autorización para plantar y cosechar el producto.

Con ello, el TJUE y el TS clarifican esta cuestión y rompen nuevamente con la jurisprudencia que se había formado al respecto por la Audiencias Provinciales. El TJUE diferencia así el material entendido como "componente de una variedad" y material de cosecha dado que, pese a que el concepto "material" abarca a ambos, la protección ofrecida es diferente. En el sentido de "componente de una variedad" tiene una protección primaria y en el sentido de material de cosecha tiene una protección secundaria[742].

Por tanto, se limita de manera considerable el derecho del titular de la obtención, con especial intensidad en lo que se refiere a sus derechos en el periodo de protección provisional y, en todo caso, dada la protección secundaria que se otorga tras la concesión de la licencia definitiva. Ello conlleva que el ámbito de aplicación de las licencias contractuales quede acotado a los requisitos establecidos en la normativa comunitaria conforme a la interpretación del TJUE y el TS.

4.2. *Licencia en parte o todo el territorio*

La licencia contractual tiene eficacia en un determinado territorio, quedando anudada la validez de esa licencia al lugar específico que se acuerde. La li-

---

protegida, máxime cuando se desconocía quien era el posible suministrador, dato del que no fue notificada la actora hasta la contestación a la demanda".

[742] Reforzando con ello la interpretación realizada en la Sentencia del TJUE de 20 de octubre de 2011, asunto C-140/10 (Greenstar-Kanzi Europe NV y Jean Hustin).

cencia puede abarcar el territorio de la Unión Europea o el territorio nacional. En el primer caso, la obtención vegetal será europea por estar registrada en la Oficina Comunitaria de Variedades Vegetales; mientras que en el segundo caso la obtención será nacional por registrarse en la Oficina Española de Variedades Vegetales. La regulación normativa sobre este aspecto es escasa, debiendo estar a lo que libremente pacten las partes, cuyo acuerdo vendrá determinado por los intereses de estas[743]. Ello es una muestra más del amplio margen de libertad de pactos que ofrece la normativa que regula la licencia contractual de obtenciones vegetales. La única previsión legal sobre este aspecto la contempla el RLOV[744] al presumir que, si no se acuerda nada al respecto, la licencia se entiende concedida para todo el territorio nacional. Por ende, a sensu contrario, el ámbito territorial de validez de la licencia puede restringirse a una zona concreta de la UE o a una parte del territorio nacional[745].

4.3. Licencia exclusiva y no exclusiva

La licencia puede tener el carácter de exclusiva o no exclusiva. En el caso de que sea exclusiva, se permitirá al licenciatario explotar la licencia sin que ningún tercero pueda hacerlo en relación con dicha obtención vegetal. Ahora bien, dentro de las licencias exclusivas cabe diferenciar entre aquellas que otorgan al licenciante la posibilidad de explotar la variedad vegetal y aquellas que no

---

[743]   Sin perjuicio de la posible aplicación de la normativa sobre condiciones generales de contratación si los contratos de licencia cumplen las características establecidas en la legislación para que resulte de aplicación. Respecto a ello se pronuncia la Sentencia de la Audiencia Provincial de Valencia de 7 de noviembre de 2011, n° 412/2011, cuando, mediante reconvención, se interesa la nulidad de una serie de cláusulas del contrato de licencia por entender que eran abusivas conforme a la LCGC indicando que "el contrato de concesión de licencia de explotación, si bien contiene unas condiciones generales que le configuran como un contrato de adhesión -lo que de por sí no implica un contrato inválido-, también contiene condiciones particulares ("especificaciones"), en especial las referidas al importe de los royalties, que son individualmente negociadas por las partes, no resultando de ellas ni del artículo 9 del contrato contradicción alguna con lo dispuesto en la Ley 7/1998, de 13 de abril, sobre Condiciones Generales de la Contratación o cualquier otra norma imperativa o prohibitiva -por otra parte no alegada por la demandada recurrente-, y sin que al caso dichas condiciones puedan ser calificadas de abusivas, tal y como regula el artículo 8 de la citada Ley, habida cuenta que la entidad demandada no tiene la condición de consumidor a los efectos de poder estar a lo dispuesto en materia de consumidores y usuarios y que, además, las obligaciones que para cada parte se establecen en el contrato no resultan gravosas para ninguna de los contratantes, no pudiendo considerarse como tal la previsión indemnizatoria para el supuesto de incumplimiento contractual".

[744]   Art. 16.1.b) RLOV.

[745]   En ese caso, si el obtentor concediera licencias adicionales en el restante territorio de la UE o nacional, se entiende que existe una "red de licencias" según MARTÍN ARESTI, P., "Cesión y licencia de patente y marca" en Bercovitz Rodríguez-Cano, A. (dir.) y Calzada Conde, M.A. (dir), Contratos Mercantiles. Volumen II, 3° edición, Aranzadi Thomson, 2007, p. 2139.

lo hacen. Por un lado, las licencias exclusivas simples prohíben al licenciante otorgar más licencias para una variedad en un ámbito temporal y territorial concreto, pero no le impiden explotar en su propio nombre dicha variedad. En cambio, las licencias exclusivas completas o reforzadas suponen que, además de la prohibición referida para el licenciante, tampoco podrá explotar la variedad vegetal, quedando únicamente el licenciatario como autorizado para dicha explotación. En el caso de que las partes no determinaran si la licencia exclusiva tiene el carácter de simple o completa, el RLOV determina que se presumirá que tiene el carácter de completa[746].

Por lo que se refiere a la licencia no exclusiva, el licenciante podrá otorgar licencias adicionales de la misma variedad en el mismo ámbito temporal y territorial. Este tipo de licencia resultará de aplicación si no se pactara por las partes el carácter de exclusiva o temporal conforme a la presunción prevista en el RLOV[747].

Por lo que se refiere a su inscripción en el Registro, son diferentes los efectos que se atribuyen a la licencia según su carácter. Así, el ROV[748] determina que serán objeto de inscripción en el Registro de Protección Comunitaria de Obtenciones Vegetales las licencias de explotación exclusivas y las obligatorias, pareciendo vetar el acceso a dicho registro a las restantes licencias que no se encuadren en estos supuestos. En cambio, la legislación española sí que parece permitir el acceso de las licencias al Registro Oficial de Variedades Protegidas al determinar el RLOV que, en los asientos de dicho registro, deberán hacerse constar, entre otras cuestiones, las condiciones de las licencias[749], ampliando así los tipos de licencia que pueden tener acceso al registro. Por tanto, es clara la dispar protección que se ofrece según el registro, vetando el acceso al registro a aquellas licencias que no se enmarquen dentro de los supuestos previstos en la normativa europea y, en cambio, permitiendo que todas las licencias se puedan inscribir en el registro nacional, como posteriormente se detallará. Se considera que la protección otorgada a los licenciatarios no exclusivos es más

---

[746] Art. 16.2 RLOV "Salvo que el titular del título de obtención vegetal se reserve expresamente el derecho a explotar la variedad, cuando se otorgue una licencia exclusiva, se entenderá que sólo el titular de la licencia puede explotarla".

[747] Art. 16.1.c) RLOV.

[748] Art. 87.2.f) RUE "La Oficina llevará un registro de la protección comunitaria de obtenciones vegetales, en el que, tras la concesión de cualquier protección comunitaria de obtención vegetal, deberán inscribirse los siguientes datos: previa solicitud, las licencias de explotación exclusivas, o licencias de explotación obligatorias, indicando nombre y dirección de la persona que goce del derecho de explotación".

[749] Art. 19.2.c) RLOV "En cada asiento se hará constar: El ámbito, duración y condiciones de las licencias".

intensa en el caso de la protección nacional que la comunitaria dados los efectos de protección que el registro otorga[750].

4.4. Licencia con autorización para conceder sublicencias

Las licencias pueden permitir conceder sublicencias. Las partes, en el marco de la libertad de pactos, podrán acordar si la licencia permite la concesión de sublicencias teniendo en cuenta una serie de cuestiones. En primer lugar, cabe destacar que cuando se permite la sublicencia y esta se lleva a cabo, se interconectan los contratos. Es decir, el contrato celebrado entre el sublicenciante y el sublicenciatario estará vinculado por el que hubieran pactado el licenciante y el licenciatario. Así, la duración que se hubiera convenido, el ámbito temporal que pudiera abarcar o cualquier incidente que pudiera surgir[751] con el primer contrato tendrá reflejo directo en el contrato por el que se acuerda la sublicencia. En segundo lugar, debe advertirse que, si las partes nada pactaran sobre la posibilidad de conceder sublicencias en el contrato, se presumirá que no está permitida dicha facultad por mor de la presunción iuris tantum prevista en el RLOV[752].

En todo caso, debe distinguirse la figura de la sublicencia de la cesión del derecho del licenciatario a un tercero. Dicha cesión implicaría que el tercero asumiría todos los derechos y obligaciones del licenciatario y se colocaría en su posición contractual. Esta transmisión del derecho, por más que sea perfectamente válida, debe quedar recogida y autorizada en el contrato para que se pueda llevar a cabo teniendo en cuenta el carácter personal[753] del contrato[754].

---

[750]   MUÑOZ CADENAS, M.A., *El contrato de licencia de explotación de las obtenciones vegetales en el derecho español y comunitario*, cit., p. 348.

[751]   ORTEGA PIANA, M.A., "Los contratos conexos", CMS Grau Suplemento de análisis legal, (2018), p. 3.

[752]   Art. 16.1.e) "Conforme a lo dispuesto en el último inciso del artículo 23.1 de la Ley 3/2000, de 7 de enero, y en relación con el contrato de licencia, se presumirá, salvo pacto en contrario, lo siguiente: que los titulares de las licencias no están autorizados a conceder sublicencias".

[753]   VILLAROEL LÓPEZ DE LA GARMA, A., "El contrato de licencia de explotación sobre variedades vegetales", cit., p. 243.

[754]   SALDAÑA VILLOLDO, B., "Los contratos de licencia de explotación sobre obtenciones vegetales: algunas consecuencias de la precariedad normativa", cit., p. 273, plantea la posibilidad de que se venda o transmita *mortis causa* la finca en la que se encuentre plantado el cultivo y el agricultor licenciatario sea sustituido por el adquirente en la explotación de las plantas que fueron objeto de licencia, entendiendo que ello no quedaría prohibido como transmisión del derecho.

5. REGISTRO DE LA LICENCIA

Las licencias contractuales de las obtenciones vegetales son objeto de inscripción en registros a fin de gozar de una serie de derechos para proteger dicha licencia y dotarla de publicidad frente a terceros. Según sea la obtención, comunitaria o nacional, deberá inscribirse la licencia en uno u otro registro. En el caso de la obtención con protección comunitaria, como ya se mencionó anteriormente, la inscripción solamente es posible para las licencias exclusivas y obligatorias[755]. Las restantes licencias se verán privadas del acceso al registro con la desprotección que ello implica. Las licencias exclusivas y obligatorias serán objeto de inscripción en el Registro de Protección Comunitaria de Obtenciones Vegetales[756]. Este registro tiene, entre sus múltiples funciones, registrar las licencias de explotación, debiendo hacer constar el nombre y la dirección de la persona que goce del derecho de explotación. Por tanto, con la identificación de la persona física o jurídica que sea licenciataria de la obtención así como su dirección quedaría completo el imperativo registro de la licencia comunitaria exclusiva y obligatoria. Ahora bien, con el objetivo de evitar la vulneración de los derechos de propiedad intelectual y garantizar el conocimiento por terceros del contrato de licencia, el legislador español estableció[757] que, se inscribieran en el libro registro de licencias de explotación dependiente del Ministerio de Agricultura todas aquellas licencias con protección comunitaria en las mismas condiciones que las que gozan de protección nacional[758].

Por lo que se refiere al ámbito de las licencias de obtenciones vegetales con protección nacional, debe mencionarse que se deberán inscribir en uno de los libros[759] del Registro Oficial de Variedades Protegidas conforme a lo previsto en la LOV y el RLOV[760].

Este registro ofrece una protección muy superior al registro comunitario. En primer lugar, admite la inscripción de todo tipo de licencias contractuales, sin hacer exclusión de algún tipo de licencia, así como las licencias obligatorias y las obligatorias por dependencia. En segundo lugar, la información que se

---

[755]   Art. 87.2.f) ROV.
[756]   Se trata del registro de protección de variedades vegetales más extenso del mundo, con más de 53.000 solicitudes y más de 41.000 variedades registradas desde 1995. Disponible en: https://europa.eu/european-union/about-eu/
[757]   En aplicación de lo dispuesto en el art. 107 ROV.
[758]   Art. 19.3 RLOV "Para garantizar que las disposiciones destinadas a sancionar las infracciones de los derechos nacionales de propiedad correspondientes sean aplicables igualmente y en las mismas condiciones a las infracciones de la protección comunitaria de obtención vegetal, a las licencias de explotación de estas variedades se les aplicará lo dispuesto en este artículo, así como lo dispuesto en el artículo 56 de la Ley 3/2000, de 7 de enero, sobre el pago de las tasas correspondientes".
[759]   Denominado "Libro Registro de licencias de explotación".
[760]   Art. 33 LOV y art. 19 RLOV.

debe proporcionar al registro es amplia y detallada, en contraste con la escasa información requerida por el registro europeo. Se debe indicar la identidad del titular de la obtención, del cedente y del licenciatario, la especie, variedad y categoría de la variedad, así como el ámbito, duración y condiciones de la licencia[761]. Con esta información queda delimitada con mayor precisión la licencia y se protege de manera más eficaz a las partes.

La inscripción de las licencias tiene carácter obligatorio en el caso de las licencias exclusivas con protección comunitaria y la totalidad de las licencias con protección nacional[762][763][764]. En todo caso, para su plena eficacia frente a terceros será imprescindible su inscripción[765]. La publicidad no queda limitada a la consulta en el registro, sino que las licencias registradas serán objeto de comunicación por parte del Ministerio de Agricultura a los órganos competentes del estado y las comunidades autónomas, indicándose los detalles relativos al licenciante y licenciatario, variedad, ámbito y duración, así como si el licenciatario es el conservador de la variedad y cuando se produce la cancelación de la licencia, salvo que sea por el mero transcurso del tiempo[766].

6. EXTINCIÓN

6.1. Renuncia y consentimiento del licenciatario

Los artículos 19.3 ROV y el 28.b) LOV prevén como causa de extinción del derecho del obtentor la renuncia del titular a su derecho. Dicha renuncia tendrá un efecto directo en la licencia de explotación y en los derechos y obligaciones del licenciante. En este punto cabe distinguir si el registro de la licencia de la obtención vegetal se ha producido en el Registro comunitario o nacional. En el caso de que la obtención tuviera protección comunitaria y estuviera inscrita la licencia contractual en el Registro de Protección Comunitaria de Obtenciones Vegetales será necesario que el titular formule la solicitud necesariamente por escrito dirigido al registro, surtiendo efecto desde el día siguiente a la presenta-

---

[761]   Art. 19.2 RLOV.

[762]   Aplicando los art. 87.2.f) ROV y 33.1 LOV.

[763]   MUÑOZ CADENAS, M.A., *El contrato de licencia de explotación de las obtenciones vegetales en el derecho español y comunitario*, cit., p. 348.

[764]   En cambio, VILLAROEL LÓPEZ DE LA GARMA, A., "El contrato de licencia de explotación sobre variedades vegetales", cit, p. 238, entiende que la inscripción tiene carácter declarativo, siendo válida la licencia sin necesidad de inscripción.

[765]   VILLAROEL LÓPEZ DE LA GARMA, A., "El contrato de licencia de explotación sobre variedades vegetales", cit, p. 239 y MUÑOZ CADENAS, M.A., *El contrato de licencia de explotación de las obtenciones vegetales en el derecho español y comunitario*, cit., p. 350.

[766]   Art. 20.1 RLOV.

ción de la declaración[767]. La normativa europea no prevé en ningún momento que el licenciatario deba otorgar consentimiento para que surta efectos dicha renuncia ni contempla la posibilidad de proteger sus derechos derivados de la licencia de algún modo. En cambio, si la licencia de la obtención vegetal está inscrita en el Registro de Variedades Protegidas, el titular podrá renunciar a su derecho de obtención vegetal pero, en todo caso, será necesario el consentimiento del licenciatario. El RLOV[768] prevé que no será admisible la renuncia a una patente si existe una licencia inscrita y no consta el consentimiento del licenciatario[769] o un aviso con un año de antelación por parte del titular del derecho al licenciatario[770]. En ese caso, el licenciatario podrá exigir, a cambio de prestar su consentimiento, la indemnización correspondiente a los daños que le pueda causar dicha renuncia[771]. Por tanto, dependiendo de la oficina en la que se encuentre inscrita la licencia de obtención vegetal será necesario contar con el consentimiento del licenciatario para renunciar al derecho de obtención vegetal o se podrá hacer sin que tome parte en ello. Ahora bien, si el contrato de licencia no se encuentra inscrito en el registro nacional, el licenciatario nada podrá manifestar al respecto y el titular podrá renunciar a su derecho con una mera solicitud por escrito y sin tener que recabar el consentimiento del licenciatario, quien solamente podrá reclamar por los daños y perjuicios que le provoque que, desde ese momento, la obtención vegetal pase a ser de dominio público. En todo caso, nada impide que las partes libremente pacten un régimen indemnizatorio en favor del licenciatario para el caso de que se produzca una renuncia por parte del titular con independencia de la inscripción de la licencia y de la oficina en la que conste inscrita.

6.2. Transcurso del plazo

El transcurso del tiempo puede ser causa de extinción del contrato. Ello sucede cuando transcurre el plazo por el cual se concedió la licencia cuando sea inferior al de la obtención vegetal o bien cuando caduca el derecho de

---

[767] Art. 19.3 ROV.

[768] Art. 11 RLOV.

[769] Art. 110.4 LP "No se admitirá la renuncia de una patente sobre la que existan derechos reales, opciones de compra, embargos o licencias inscritos en el Registro de Patentes sin que conste el consentimiento de los titulares de esos derechos".

[770] GALLEGO SÁNCHEZ, E. "La caducidad del derecho del obtentor" en García Vidal, A. (Dir.), *Derecho de las obtenciones vegetales*, Tirant lo Blanc, 2017, p. 1024, "el titular deberá presentar escrito de los titulares de las licencias en los que se haga constar la renuncia a los derechos derivados de éstas o una comunicación enviada a los titulares de las licencias por el titular del derecho, con un año de antelación, en la que se les indicará la intención de presentar la renuncia al derecho del obtentor".

[771] MUÑOZ CADENAS, M.A., *El contrato de licencia de explotación de las obtenciones vegetales en el derecho español y comunitario*, cit., p. 422.

obtención. En el primer caso, la extinción tendrá lugar conforme al pacto que hubieran alcanzado las partes. En ese supuesto, la licencia se extinguirá en el momento que ambas partes hubieran acordado y el titular podrá volver a licenciar el derecho de obtención si lo considera oportuno. En el caso de que el licenciatario continuara haciendo uso de la obtención vegetal una vez transcurrido el plazo contractual pactado, incurrirá en infracción de este derecho y el licenciante podrá ejercitar las acciones previstas para la protección del derecho de patente[772], por aplicación subsidiaria de dicha regulación. En el segundo supuesto, una vez caduque el derecho de obtención por el transcurso del plazo de 25 años desde la concesión de la protección[773], se extinguirá el derecho del obtentor[774] y, con ello, el contrato de licencia, pasando a ser de dominio público dicha variedad y pudiendo seguir siendo explotada por el licenciatario aunque, desde ese momento, cualquier otro interesado también podrá hacer uso de dicha variedad.

6.3. Nulidad y derogación del artículo 18 RLOV

El artículo 18 RLOV contemplaba, en su origen, las causas de nulidad de los contratos de la licencia de obtención vegetal. Se preveía expresamente que "serán consideradas nulas las cláusulas de los contratos de licencia que impongan al concesionario limitaciones que no se deriven de los derechos conferidos por el título de obtención vegetal" y detallaba un listado de cláusulas que, en todo caso y sin ser *numerus clausus*, se entendían nulas. Ello permitía disponer de una regulación adecuada y suficiente de este ámbito de la licencia contractual. Ahora bien, por sentencia del TS de 5 de junio de 2007[775] se declaró la

---

[772] GALLEGO SÁNCHEZ, E./FERNÁNDEZ PÉREZ, N., *Derecho Mercantil. Parte Primera*, cit., p. 272.

[773] En el caso de la vid y especies arbóreas serán 30 años conforme a lo previsto en los artículos 19.1 ROV y 18.1 LOV.

[774] Conforme prevé el artículo 28.1.a) LOV.

[775] Sentencia del Tribunal Supremo de 5 de junio de 2007, nº 4622/2007. Entiende el TS que "El precepto se refiere a lo que denomina nulidad de cláusulas, y, en concreto, a las limitaciones que en los contratos de licencia se impongan al concesionario que no derivan de los derechos que al concederte le confiera el título de obtención vegetal. Seguidamente el artículo 18 enumera aquellos supuestos que, entre otros, considera que exceden de los derechos inherentes al título. Es claro que la habilitación que tanto el art. 23.1 del texto legal otorga para conceder licencias de explotación de la variedad al titular de la misma y que puede regular el reglamento, como la más general que contiene la Disposición Transitoria Tercera de la Ley que autoriza al Gobierno al desarrollo de la misma, no alcanzan a establecer una enumeración de cláusulas que incurran en nulidad como las expresamente recogidas en el precepto. No corresponde al Real Decreto penetrar en ese ámbito de relación entre el titular de la variedad y aquél que obtenga la licencia de explotación de la variedad protegida y relativa únicamente al material de reproducción de la misma. En consecuencia, el precepto carece de cobertura legal y debe ser anulado".

nulidad del artículo 18 RLOV, entre otros. Ello ha comportado que se tenga que acudir a la aplicación supletoria de la Ley de Patentes haciendo un uso de la disposición final segunda que no estaba previsto en su origen, resultando obligado aplicar una normativa que no prevé las particularidades propias de este tipo de contratos. En todo caso, la aplicación subsidiaria de esta normativa no debe aplicarse de manera extensiva[776].

6.4. Nulidad, caducidad y regalías

La caducidad o nulidad del derecho de obtención vegetal provoca un efecto directo sobre las regalías que no siempre ofrece una solución sencilla. Así, en el caso de que se declare la caducidad del derecho de obtención vegetal se extinguiría el contrato de licencia de dicha obtención. Los efectos de la caducidad serán *ex nunc* y, por tanto, el licenciatario deberá abonar las regalías que tuviera pendientes de retribución por el uso de la licencia con anterioridad a la declaración de caducidad, pero quedará eximido de abonar las que restaran pendientes por el plazo acordado en la licencia. En el caso de que las regalías se hubieran abonado en un único pago, tendrá derecho el licenciatario a solicitar la devolución proporcional al periodo que no podrá hacer uso de la licencia, ello sin perjuicio de poder solicitar indemnización por los daños y perjuicios que le provocara la caducidad.

Cuestión distinta se plantea en el caso de la nulidad de la obtención vegetal. En este caso, los efectos de la nulidad son *ex tunc* y, por ende, la afectación sobre la licencia es mucho mayor. En este supuesto el licenciatario, naturalmente, no deberá abonar regalías por el plazo que reste de licencia tras la declaración de nulidad y tendrá derecho a exigir la devolución de lo abonado por dicho plazo si la regalía se hubiera satisfecho en un único plazo. Ahora bien, teniendo en cuenta los efectos *ex tunc,* conviene analizar si el licenciante tendrá obligación de devolver las regalías abonadas con anterioridad a la nulidad de la obtención vegetal. Sobre ello se ha pronunciado el Tribunal Supremo entendiendo que "la patente indebidamente otorgada surte los mismos efectos y puede servir de título para el ejercicio de las mismas acciones que la patente concedida con la concurrencia de todos los requisitos legales (entre ellos su originalidad o invención) mientras no se declare su nulidad"[777]. De ello se extrae que el licenciatario no tendrá derecho a reclamar las regalías abonadas por la

---

[776]   SALDAÑA VILLOLDO, B., "Los contratos de licencia de explotación sobre obtenciones vegetales: algunas consecuencias de la precariedad normativa", cit., p. 271 entiende que el impacto de esta STS es mayor y que la declaración de nulidad del artículo 18 RLOV ha supuesto "una desregulación del contrato de licencia sobre obtenciones vegetales".

[777]   Sentencia del Tribunal Supremo de 24 de mayo de 1994, nº 456/1994, citada en la nota al pie 88 de GARCÍA VIDAL, A., "La licencia contractual de explotación de una variedad protegida con un título de obtención vegetal", cit.

licencia con anterioridad a la declaración de nulidad dado que el "objeto del contrato de licencia es la posición jurídico-formal que se deriva del acto del registro" [778], es decir, que el licenciatario en tanto no se declare la nulidad ha podido aprovecharse de la licencia y obtener unos beneficios por ello, enriqueciéndose injustamente en el caso de que se le reintegraran las regalías y, a su vez, conservara los beneficios obtenidos por el uso de la licencia.

6.5. Incumplimiento del contrato

El incumplimiento grave de las obligaciones contractuales por una de las partes podrá dar lugar a la extinción del contrato por aplicación del artículo 1124 CC[779]. En este caso, si una de las partes incumple de manera reiterada sus obligaciones, podrá la otra optar por exigir el cumplimiento o instar la resolución, teniendo derecho a la correspondiente indemnización de daños y perjuicios, así como al abono de los intereses procedentes. En todo caso, para que se pueda interesar la resolución del contrato debe concurrir un incumplimiento grave y esencial[780], aunque es suficiente con que se incumpla por una causa ajena a la parte que interesa la resolución, sin ser relevante la voluntad de incumplir[781]. Debe tenerse en cuenta que la resolución contractual por incumplimiento produce sus efectos retroactivamente, es decir, tiene efectos *ex tunc*. Por tanto, la carga para las partes en caso de resolver el contrato por esta vía es sustancial. En todo caso, bien se puede entender que resulta de aplicación en cuanto a las regalías lo anteriormente expuesto para el supuesto de nulidad de la obtención vegetal[782].

---

[778]   GARCÍA VIDAL, A., "La licencia contractual de explotación de una variedad protegida con un título de obtención vegetal", cit, p. 860.

[779]   MUÑOZ CADENAS, M.A., *El contrato de licencia de explotación de las obtenciones vegetales en el derecho español y comunitario*, cit., p. 417, por aplicación analógica de la licencia de marca conforme a lo indicado por RONCERO SÁNCHEZ, A. *El contrato de licencia de marca*, Civitas, 1999, p. 288.

[780]   Sentencia del Tribunal Supremo de 30 de octubre de 2008, nº 1000/2008, que establece que "la jurisprudencia más reciente tiene declarado que el incumplimiento contractual que da lugar al ejercicio de la facultad resolutoria contemplada en el artículo 1124 CC debe ser esencial, intencional y que haga pensar a la otra parte que no puede esperar razonablemente un cumplimiento futuro de quien se comporta de ese modo, privando sustancialmente al contratante perjudicado de lo que tenía derecho a esperar de acuerdo con el contrato".

[781]   Sentencia del Tribunal Supremo de 31 de mayo de 2007, nº 631/2007 "Como señala la sentencia de esta Sala de 5 de febrero de 2007, no se exige «para la apreciación de una situación de incumplimiento resolutorio una patente voluntad rebelde, y tampoco una voluntad de incumplir, sino sólo el hecho objetivo del incumplimiento, injustificado o producido por causa no imputable al que pide la resolución (Sentencias, entre otras, de 7 de mayo y 15 de julio de 2003)".

[782]   Sentencia del Tribunal Supremo de 10 de diciembre de 2015, nº 698/2015, establece que "esta Sala, en sentencia número 812/2005, de 27 octubre, que cita en igual sentido las de 17 junio 1986 y 5 febrero 2002, afirma que «es opinión comúnmente aceptada, tanto por

7. CONCLUSIONES

La licencia contractual de la obtención vegetal es un contrato de indudable transcendencia práctica, con un crecimiento sostenido a lo largo de los últimos años. Ahora bien, la regulación actual carece de una solidez adecuada que provoca que existan lagunas interpretativas, cuando no directamente incoherencias. La legislación sobre este contrato se regula de manera escueta y, en gran parte, se remite a la aplicación subsidiaria de la Ley de Patentes, permitiendo una amplia libertad de pactos a las partes. Por si ello no fuera suficiente, a la incompleta regulación, se une la sentencia del TS que anuló dos preceptos del RLOV y que supuso un inicial varapalo al sistema de regulación del que el legislador no ha sabido (o no ha querido) reponerse. Así mismo, la regulación existente plantea lagunas que han llevado a dispares soluciones jurisprudenciales. Recientemente se ha quebrado en el TJUE una doctrina jurisprudencial mayoritaria, que no unánime, sobre el alcance de los derechos del titular de la obtención. A mayor abundamiento, la protección europea y española de la obtención vegetal y la inscripción de la licencia en un registro u otro, con unos requisitos que difieren sustancialmente, no contribuyen a mejorar la regulación de este contrato sino, más bien, a crear problemas de difícil solución.

Este contrato, por las características únicas que plantean las obtenciones vegetales, reviste unas particularidades que deben ser objeto de estudio. En cambio, la doctrina no ha mostrado un gran interés en analizar la figura contractual de la licencia de obtención vegetal pese a su creciente importancia. En este trabajo se ha pretendido analizar los puntos más conflictivos de este contrato, en los que la regulación manifiesta carencias, exponiendo la contrapuesta visión de la doctrina y la jurisprudencia e incidiendo en aquellos puntos que, en la práctica, pueden resultar más problemáticos, poniendo de relieve las inconsistencias e, incluso, incoherencias de la norma, ofreciendo salidas interpretativas a situaciones conflictivas.

---

la doctrina científica como por la jurisprudencia, que la resolución contractual produce sus efectos, no desde el momento de la extinción de la relación obligatoria, sino retroactivamente desde su celebración, es decir, no con efectos «ex nunc» sino «ex tunc», lo que supone volver al estado jurídico preexistente como si el negocio no se hubiera concluido, con la secuela de que las partes contratantes deben entregarse las cosas o las prestaciones que hubieran recibido en cuanto la consecuencia principal de la resolución es destruir los efectos ya producidos, tal como se ha establecido para los casos de rescisión en el art. 1295 del Código Civil, al que expresamente se remite el art. 1124 del mismo Cuerpo legal, efectos que sustancialmente coinciden con los previstos para el caso de nulidad en el art. 1303 y para los supuestos de condición resolutoria expresa en el art. 1123".

Parte tercera
Miscelánea

Economía circular en el sector agroalimentario: el papel de las cooperativas como agentes de innovación y desarrollo de modelos productivos sostenibles

NATALIA LAJARA-CAMILLERI
ALICIA MATEOS-RONCO
CEGEA – Universitat Politècnica de València

1. INTRODUCCIÓN

La sociedad actual se enfrenta a un desafío de dimensiones difíciles de cuantificar. Al tiempo que debe dotar los medios para que la población mundial, cuya cifra no hace más que aumentar, pueda vivir en condiciones dignas, ha de establecer las estrategias para no seguir poniendo en riesgo los recursos naturales con los que cuenta para sobrevivir.

En 2015, la Asamblea General de Naciones Unidas (ONU), integrada por 193 países aprobaba la resolución conocida como Agenda 2030. Se trata de un paso adelante en el compromiso con la trasformación hacia un modelo sostenible, un *«plan de acción en favor de las personas, el planeta y la prosperidad»*[783].

El compromiso con las medidas no atañe únicamente a los gobiernos firmantes, sino que permea a todos los niveles de sus sociedades, tanto a nivel público como privado. El reto es colosal y no ha hecho sino verse acrecentado con la situación pandémica causada por el COVID-19.

En este caldo de cultivo han surgido iniciativas encaminadas a ayudar en el cumplimiento de los compromisos asumidos. La Comisión Europea presentó en marzo de 2020 un nuevo Plan de acción para la Economía Circular[784]. El sector agroalimentario, sin ser destinatario específico de este plan, sí que se ve

---

[783]   *Vid.* ONU, 2015. La Agenda 2030 desarrolla 169 metas establecidas en relación al desarrollo sostenible en el ámbito económico, social y ambiental. Las metas se articulan en torno a 17 objetivos seleccionados como ejes de acción (Objetivos de Desarrollo Sostenible, ODS). Entre ellos se encuentra acabar con la pobreza y el hambre, combatir las desigualdades, proteger los derechos humanos, promover la igualdad de género, construir sociedades pacíficas, justas e inclusivas y asegurar la protección del planeta y sus recursos naturales.

[784]   *Vid.* Comisión Europea, 2020. El objetivo principal del Plan es atajar el problema desde la raíz, regulando el diseño de productos sostenibles, la reducción de residuos o el empoderamiento del ciudadano vía información y derechos (a reparar).

afectado en la necesidad de reducir residuos y avanzar en la transición desde la economía lineal hacia un modelo circular.

El Pacto Verde Europeo, presentado por la Comisión Europea en diciembre de 2019, contempla en su estrategia «De la granja a la mesa» la necesidad de contar con sistemas de producción más eficientes, un mejor almacenamiento y envasado, llevar a cabo una transformación y transporte agrícola más sostenibles, posibilitar un consumo saludable al tiempo que se reduzca la pérdida y desperdicio de alimentos y formar ciudadanos mejor informados.

En este contexto, tal como reconoce la propia Agenda 2030, el sector privado es clave para conseguir las metas fijadas y reconoce explícitamente el rol de las cooperativas en esta tarea[785]. No obstante, hasta el momento son escasos los trabajos científicos que han analizado el grado de integración de los ODS en la gestión empresarial[786]. Una posible razón para esta escasez de publicaciones es que la medición de la interacción de las empresas con los ODS es una cuestión complicada debido a las múltiples interrelaciones que existen entre los propios ODS[787]. Esto ha llevado a abordar el estudio desde una perspectiva basada en evidencias para detectar las fortalezas y debilidades que influyen en el comportamiento de las empresas[788].

Dentro del sector agroalimentario, específicamente en el contexto de la producción y comercialización en España, las cooperativas desempeñan un papel indiscutible como vehículos de transmisión de las demandas del mercado hacia los productores que, con frecuencia son pequeños y con escasa capacidad de negociación. Además, los productores suelen depositar las decisiones empresariales en cuanto a estrategia e innovación en manos de la cooperativa con la

---

[785] *Vid.* ONU, 2015. El texto aprobado señala *"reconocemos el papel que desempeñarán en la implementación de la nueva Agenda los diversos integrantes del sector privado, desde las microempresas y cooperativas hasta las multinacionales"*. Al mismo tiempo, incide también en la diversidad existente en cuanto a tipologías de organizaciones dentro del mencionado sector privado.

[786] *Vid.* Van der Waal *et al* (2021) que achacan esta escasez de trabajos empíricos a la novedad en la presentación de los ODS, a pesar de que han transcurrido más de seis años desde su formulación. Van der Waal ayuda a paliar esta situación examinando la contribución que realizan las empresas multinacionales en materia de creatividad e innovación, a raíz de los ODS, medida a través de las patentes solicitadas. Concluyen que un 12,2% de las patentes solicitadas por multinacionales están relacionadas con ODS, siendo el ODS3 – Salud y bienestar, el más frecuente.

[787] *Vid.* Schaltegger *et al.* (2018) que señalan que las interconexiones que existen entre los propios ODS tienen un impacto negativo a la hora de desarrollar un marco teórico que permita evaluar el grado de aproximación de las empresas en relación con los ODS.

[788] *Vid.* Pizzi *et al.* (2020). Tal como afirman los autores, sí que es posible encontrar numerosas publicaciones de casos y experiencias documentadas. En consecuencia, se empiezan a realizar meta-análisis y revisiones conjuntas de estas publicaciones que permiten extraer conclusiones parciales.

que comercializan su producción. Ello convierte a este tipo de organización en un agente imprescindible en la transición hacia modelos más sostenibles.

Tal como se ha señalado, no existe un modelo ni una métrica única a la hora de abordar el reto de la sostenibilidad por parte de las empresas[789]. Cada organización establece su propia Evaluación del Ciclo de Vida (Life Cycle Assessment, LCA) y raramente se comparte esa información. En este trabajo se revisan las publicaciones realizadas hasta el momento en relación a las estrategias y experiencias documentadas por cooperativas agroalimentarias con el fin de mejorar su sostenibilidad, especialmente en aquellas que persiguen un modelo de economía circular.

2. OBJETIVOS Y METODOLOGÍA

El objetivo del trabajo es llevar a cabo una revisión sistemática de los trabajos académicos existentes en la literatura científica, para identificar prácticas de sostenibilidad en cooperativas agroalimentarias y caracterizar así los procesos e iniciativas que se están llevando a cabo.

Como objetivos específicos se pretende:

- identificar las áreas temáticas en torno a las cuales se están realizando las aportaciones científicas centradas en cooperativas agroalimentarias y sostenibilidad
- caracterizar las estrategias de transición hacia un modelo de economía circular por parte de las cooperativas agroalimentarias
- señalar los factores de motivación que contribuyen a que las cooperativas inicien este tipo de procesos.

Con este fin se ha realizado una revisión sistemática[790]. Esta metodología se caracteriza por una definición precisa del propósito del trabajo, una búsqueda integral con selección relevante de información mediante criterios explícitos y una valoración crítica de los resultados obtenidos y decisiones reproducibles respecto a relevancia, selección y rigor metodológico. Cabe señalar, no obstante, que este método concebido para el campo de las ciencias naturales es des-

---

[789]   *Vid.* Filippi y Chapdaniel (2021). Los autores sostienen que, de la misma forma que las empresas suelen abordar de forma individual sus intentos de maximizar beneficios u optimizar sus resultados a nivel social o medioambiental, también aplican sus propias evaluaciones de ciclo de vida (Life Cycle Assessment, LCA) a los productos. Esto conduce a que resulte complicado definir una estrategia común con criterios compartidos sobre aspectos medioambientales.

[790]   *Vid.* Cook *et al.* (1997).

aconsejado por algunos autores[791] para su uso en ciencias sociales, basándose en su naturaleza epistemológica positiva.

El enfoque adoptado para la revisión es el de síntesis narrativa, según metodología propuesta por Denyer y Tranfield[792]. La ventaja es que da cabida a trabajos y estudios diversos, el proceso de revisión es flexible y permite explorar temas novedosos, así como identificar buenas prácticas.

La búsqueda se ha llevado a cabo en mayo de 2021 utilizando las bases de datos de trabajos científicos Scopus y Web of Science, identificando trabajos que combinaran, bien en el título o como palabras clave, los términos «Agrofood cooperative», «Agri-food cooperative» con «sustainability», «circular economy», «agro-sustainability», «life cycle assessment» o «food waste». Los únicos resultados considerados fueron los artículos científicos en inglés o español. No se introdujeron límites temporales.

Los resultados obtenidos en Web of Science fueron 18 trabajos y en Scopus se localizaron 37 artículos.

3. RESULTADOS

El creciente grado de interés que despierta la sostenibilidad y el modelo de economía circular en el mundo cooperativo agroalimentario queda reflejado en la evolución en el número de artículos científicos publicados en los últimos años (Figura 1). En la misma línea, Lampridi et al.[793] evidencian, en una revisión bibliográfica de los estudios sobre sostenibilidad agrícola publicados en la última década, el interés creciente de la comunidad científica por este tópico, especialmente desde el año 2017.

---

[791]   *Vid*. Hammersley (2001).

[792]   *Vid*. Denyer y Tranfield (2008). La síntesis narrativa es el proceso de recopilar datos descriptivos y ejemplos diferentes sobre un mismo fenómeno que permitan construir una aproximación más completa al mosaico. Como señalan Cook et al. (1997) o Griffiths (2002), tiene el riesgo del sesgo introducido por el investigador en la selección de trabajos, que refuercen una visión particular.

[793]   *Vid*. Lampridi et al. (2019)

Figura 1: Evolución en el número de artículos científicos publicados en Web of Science y Scopus en relación a cooperativas agroalimentarias y sostenibilidad. Fuente: Elaboración propia

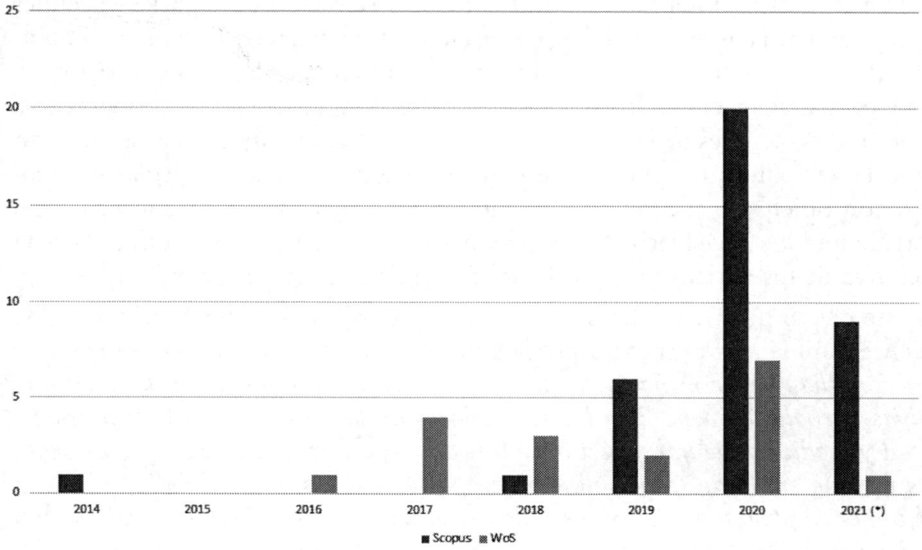

Nota: Los resultados de 2021 son parciales y se exponen únicamente a título informativo.

Los trabajos se clasifican según el ámbito desde el que abordan el análisis. Siguiendo a Hamam *et al.794* las categorías que es posible establecer son: modelo de negocio y gestión de la organización; desperdicio alimentario y pérdidas en la cadena de suministro; herramientas de análisis para la economía circular; posición de los *stakeholders* respecto a la economía circular y estrategias de mitigación y enfoque político.

Los métodos más utilizados en los distintos estudios para evaluar la sostenibilidad incluyen herramientas, marcos e índices basados en indicadores, seguidos de las metodologías multicriterio[795], si bien hay que destacar que es frecuente la utilización simultánea de varias metodologías combinadas.

El papel de las cooperativas en la transición hacia una agricultura sostenible presenta múltiples facetas. En primer lugar, como entidades impulsoras de estrategias agro-sostenibles que incentiven la adopción de las mismas por parte de los productores agrarios.

---

[794]   *Vid*. Hamam *et al.* (2021) realizan una revisión bibliográfica de los trabajos publicados en relación a la economía circular desde el punto de vista de los sistemas agroalimentarios. Los autores establecen esas áreas de investigación o topics para clasificar los 27 trabajos analizados, encontrando que fundamentalmente las contribuciones se realizaron, en el periodo 2013-2020, en desperdicio alimentario y pérdidas en la cadena de suministro.

[795]   *Vid*. Lampridi *et al.* (2019)

En relación con la adopción de estrategias sostenibles de cultivo de hortalizas en invernadero, existen autores[796] que señalan la necesidad de adoptar un sistema de gestión integrada de nutrientes y la selección de especies vegetales de baja acumulación de metales, con objeto de reducir los riesgos medioambientales. Para ello es necesaria una gestión unificada de inputs agrícolas y una elevada eficiencia de los servicios de extensión agrícola. Las cooperativas, como organizaciones de pequeños productores, se constituyen en este contexto como el vehículo que debe impulsar la adopción de estas estrategias sostenibles, con objeto de estabilizar los rendimientos agrícolas y, en consecuencia, incrementar los beneficios de los productores, lo que a su vez estimulará la iniciativa de los agricultores por la adopción de este tipo de prácticas.

Este efecto positivo entre sostenibilidad y el rol de las cooperativas queda patente también en el trabajo publicado por Candemir *et al.*797. *Se trata de una completa revisión de los artículos publicados que vinculan a las cooperativas agroalimentarias con los tres pilares de la sostenibilidad: económica, social y medioambiental. En él hace hincapié en el valor añadido que aportan este tipo de entidades especialmente en países en vías de desarrollo, donde la mejora en la productividad y renta de los socios es más notable. El trabajo cita las investigaciones de González798 a la hora de afirmar que, en conjunto, las cooperativas agroalimentarias influyen positivamente en los agricultores a la hora de adoptar prácticas medioambientales e innovación, incrementando, por tanto, la sostenibilidad medioambiental de las explotaciones.*

*En esta misma línea Bro et a*l.[799] identifican los factores determinantes de la adopción de prácticas de producción sostenible en productores de café y determinan hasta qué punto la pertenencia a la cooperativa impacta en la adopción de dichas prácticas. Sus resultados revelan una relación positiva entre ambos aspectos, así como un incremento en la probabilidad de adopción mayor en los productores cooperativistas que en el resto. Sin embargo, sí evidencian diferencias significativas en relación al tipo de prácticas sostenibles adoptadas. La pertenencia a la cooperativa estimula la adopción de estrategias que promueven la conservación de los recursos hídricos, pero, a diferencia de otras investigaciones[800], no es relevante para las prácticas que promueven la salud del suelo y los cultivos, ni para las relativas al manejo de la tierra.

También se ha estudiado la aversión al riesgo[801], otra interesante variable que afecta a las decisiones de los productores agrarios en relación a la adop-

---

[796]   *Vid.* Yang *et al.* (2016)
[797]   *Vid.* Candemir *et al.* (2021)
[798]   *Vid.* González (2018)
[799]   *Vid.* Bro *et al.* (2019)
[800]   *Vid.* Yang *et al.* (2016)
[801]   *Vid.* Yu *et al.* (2021)

ción de prácticas sostenibles. Se analiza el impacto combinado de la aversión al riesgo de los productores de hortalizas y su pertenencia a una cooperativa en la adopción de técnicas "verdes" de producción, así como en qué medida la pertenencia a la cooperativa inhibe esta aversión natural. Los resultados evidencian que la aversión al riesgo tiene un impacto significativo y positivo sobre su pertenencia a la cooperativa, pero significativo negativo en la adopción de prácticas "verdes" de gestión agrícola. En este contexto, el papel de la cooperativa se configura no sólo como facilitador de la utilización de prácticas agro-sostenibles sino como mitigador del efecto inhibidor de la aversión al riesgo sobre dicha adopción.

En cualquier caso, la mayoría de trabajos coinciden en señalar la importancia de la participación de los *stakeholders* en el proceso de innovación que implica la reorientación hacia modelos de negocio sostenibles[802].

Un aspecto esencial que, en ocasiones, pasa desapercibido en las primeras etapas de la transición de modelos -donde la atención suele centrarse en el seno de las organizaciones- son las relaciones inter-organizacionales. Silva *et al.*[803] analizan cómo la sostenibilidad puede transmitirse a lo largo de la cadena de valor. Para ello analizan las cadenas de suministro de la miel y el anacardo en Brasil utilizando un enfoque cualitativo a través de entrevistas y comparando la actividad de empresas mercantiles con el funcionamiento de las cooperativas de agricultores. Los resultados obtenidos ponen de manifiesto que las señas identitarias del cooperativismo, especialmente la toma de decisiones democrática y la difusión de la información, ayudan a generar mecanismos directos de gobernanza que redundan en una mayor diseminación de los requerimientos de sostenibilidad.

En esta misma línea, el estudio empírico desarrollado por Pérez-Mesa *et al.*[804] sobre una muestra de cooperativas de la región de Almería concluye –entre otras consideraciones sobre la cadena de suministro en el sector agroalimentario- que las relaciones entre la distribución y las cooperativas de comercialización, que antes se concretaban en términos de calidad, han sido superadas y reemplazadas por el concepto de sostenibilidad, tanto en el ámbito económico, social como medioambiental. Los resultados señalan también la necesidad por una parte de llevar a cabo integraciones horizontales o verticales (preferentemente en el sentido de sus proveedores) y, por otra, de adoptar herramientas y tecnologías que permitan transformar la cadena de suministro agroalimentaria.

---

[802]   *Vid.* Fiore *et al.* (2020).
[803]   *Vid.* Silva *et al.* (2021)
[804]   *Vid.* Pérez-Mesa *et al.* (2021)

Estas conclusiones coinciden también con otros estudios[805] que apuntan a que la modificación de ciertos procesos de reciclado de residuos hacia prácticas propias de la economía circular debe realizarse en consonancia con los procesos de transformación de la industria primaria. Para ello es preciso potenciar la comunicación eficaz y el entendimiento mutuo a lo largo de la cadena de los sistemas de reciclaje socio-integrados, minimizando la visión cortoplacista y única del ahorro de costes a favor de tendencias que incidan en un desarrollo de la economía circular sostenible y local.

En relación a estudios sectoriales, las cooperativas españolas dedicadas al aceite de oliva han sido analizadas utilizando análisis cualitativo comparativo[806]. El objetivo era evaluar a los impulsores de la eco-innovación. Los resultados señalan que las grandes cooperativas de este sector tienen un elevado compromiso con la sostenibilidad y que la colaboración, especialmente con un número considerable de agentes, estimula la eco-innovación, de forma particularmente notable en empresas pequeñas. Dentro del sector del vino, existen diversos trabajos publicados[807] en los que se presenta una herramienta que apoya la gestión integrada de la sostenibilidad en bodegas (de tipo cooperativo o no).

4. CONCLUSIONES

La investigación de las distintas metodologías utilizadas en los estudios publicados sobre la evaluación de la sostenibilidad agraria en las explotaciones es especialmente relevante ya que no existen, actualmente, estándares o normas para dicha evaluación[808].

La participación de los distintos *stakeholders* en los estudios para la evaluación de la sostenibilidad resulta crucial. En este punto la involucración de las cooperativas como entidades aglutinadoras de productores puede ser un punto de inflexión a la hora de avanzar en la sostenibilidad del sector. Es preciso ahondar en el estudio de criterios eficientes de asignación de recursos, legitimación y valores culturales esenciales para dotar de operatividad a las prácticas de economía circular. También se enfatiza el papel de las alianzas[809] como facilitador de las diferentes estrategias.

---

[805]   *Vid.* Fuss *et al.* (2021)
[806]   *Vid.* Rabadán *et al.* (2021)
[807]   *Vid.* Luzzani *et al.* (2021). Este recurso aporta información sobre debilidades y fortalezas de las estrategias de gestión relacionadas con la sostenibilidad con el propósito de ayudar en la toma de decisiones en la empresa. El artículo recoge resultados correspondientes a 47 empresas del sector vinícola italiano, siendo 13 de ellas, cooperativas.
[808]   *Vid.* Lampridi *et al.* (2019)
[809]   *Vid.* Geissdoerfer *et al.* (2020)

Con los trabajos publicados hasta la fecha se ponen de manifiesto diferencias en el tipo de prácticas sostenibles que son potenciadas por las cooperativas, estando vinculadas a las características propias de cada cooperativa: la actividad o sector de la entidad, zonas de producción y problemas inherentes a la localización geográfica.

Así pues, se hace necesario el apoyo por parte de instituciones y administraciones públicas a las cooperativas como medio para promover la adopción de prácticas sostenibles, de forma que reduzcan del riesgo asumido por los productores y permitan una mejora de las condiciones internas y externas que faciliten la transición hacia una verdadera economía circular.

Retos en la gestión de riesgos en la agricultura: el diseño de un seguro de ingresos en cítricos

ALICIA MATEOS-RONCO
Profesora Titular de Universidad
RICARDO J. SERVER IZQUIERDO
Catedrático Emérito de Universidad
Centro de Investigación en Gestión de Empresas (CEGEA).
Universitat Politècnica de València

1. INTRODUCCIÓN

La agricultura es un sector de la economía de carácter estratégico fruto de su relación directa con dos elementos esenciales para la calidad de vida de la población: la alimentación y el medio ambiente. Sin embargo, también es una de las actividades con mayor exposición al riesgo, consecuencia lógica del desarrollo mayoritario de la misma al aire libre. Además, las tendencias que se observan en la variabilidad de los fenómenos climáticos y la evolución de los acuerdos internacionales, que ha originado un incremento de los intercambios comerciales y la liberalización de los mercados, han ocasionado en los últimos años un aumento notable de la incertidumbre bajo la que se desarrolla la actividad agraria, enfrentándose los productores a nuevos riesgos y con crecientes preocupaciones en cuestiones medioambientales y de seguridad alimentaria (Mateos-Ronco y Server, 2011)[810]. La incertidumbre y el riesgo tienen su origen en multitud de factores derivados del clima, plagas y enfermedades, o los cambios tanto en las condiciones de mercado como del contexto político en los que los productores agrarios operan (Iyer et al., 2020)[811].

La gestión de riesgos en la agricultura está en el centro de importantes reformas en muchos de los países de la Organización para la Cooperación y el Desarrollo Económico (OCDE). De hecho, las recientes modificaciones en las políticas agrícolas europeas, como la Política Agraria Común (PAC), han enfatizado el crucial papel de los instrumentos para la gestión de riesgos (El

---

[810] MATEOS-RONCO, A.; SERVER, R.J. "Drawing up the official adjustment rules for damage assessment in agricultural insurance: Results of a Delphi survey for fruit crops in Spain". *Technological Forecasting and Social Change*, 2011, 78, p. 1542-1556.

[811] IYER, P.; BOZZOLA, M.; HIRSCH, S.; MERANER, M.; FINGER, R. Measuring Farmer Risk Preferences in Europe: A Systematic Review. *Journal of Agricultural Economics*, 71(1), 2020, p. 3-26.

Benni et al., 2016; Meuwissen et al., 2018)[812]. La razón es que la producción de una explotación agraria está asociada a múltiples resultados potenciales con distintas probabilidades asociadas. Muchos factores no pueden ser controlados por el agricultor, aunque tienen una incidencia directa en el resultado de su explotación, lo que justifica la importancia que tiene para los productores la utilización de instrumentos para la gestión de riesgos como una parte más de la gestión de su actividad económica, asegurando de este modo una actividad agraria sostenible. La realidad evidencia (Meraner y Finger, 2018)[813] que los agricultores utilizan una amplia cartera de diferentes estrategias para la gestión de riesgos, con objeto de reaccionar ante las distintas fuentes de riesgo.

Las políticas agrícolas públicas deberán mantener redes de seguridad para afrontar desastres naturales y otras perturbaciones importantes del mercado, por el lado de la oferta o la demanda. Pero los instrumentos privados de gestión de riesgos deberían constituir el núcleo de los esquemas de aseguramiento. Según Cordier (2015)[814], el desarrollo del mercado privado para la gestión de riesgos es fundamental, ya sea con o sin apoyo público, debiendo evitar que las redes de seguridad de las políticas públicas desplacen al mercado privado.

Los ingresos de los productores agrarios europeos han experimentado notables reducciones en los últimos años (Comisión Europea, 2018)[815]. Los riesgos asociados a los precios percibidos por los productores han sido cubiertos por la PAC, que se ha configurado como un sistema de protección frente a crisis de mercado y un instrumento de estabilización de ingresos. Sin embargo, la liberalización de los intercambios agrarios en la Unión Europea (UE), la reducción de los aranceles y barreras al comercio y la eliminación de las políticas de sostenimiento de precios, consecuencia de los acuerdos alcanzados en el seno de la Organización Mundial del Comercio (OMC), han originado un incremento de la volatilidad de los precios percibidos por los agricultores (especialmente notable en frutas y hortalizas), aumentando en consecuencia su exposición a los riesgos de mercado. Por este motivo, desde 1998, la Co-

---

[812]   EL BENNI, N.; FINGER, R.; MEUWISSEN, M. P. 'Potential effects of the income stabilisation tool (IST) in Swiss agriculture', *European Review of Agricultural Economics*, Vol. 43, 2016, p. 475–502.
MEUWISSEN, M. P.; MEY, Y. D.; VAN ASSELDONK, M. 'Prospects for agricultural insurance in Europe', *Agricultural Finance Review*, Vol. 78, 2018, p. 174–182.

[813]   MERANER, M.; FINGER, R. "Risk perceptions, preferences and management strategies: Evidence from a case study using German livestock farmers". *Journal of Risk Research*, 22(1), 2018, p. 110-135.

[814]   CORDIER, J. *Comparative analysis of risk management tools supported by the 2014 farm bill and the CAP 2014-2020*. European Parliament, Directorate-General for Internal Policies, European Union, Brussels, 2015.

[815]   COMISIÓN EUROPEA. *EU Farm Economics Overview*. Directorate-General for Agriculture and Rural Development, Brussels, 2018. Disponible en: https://ec.europa.eu/info/sites/info/files/food-farming-fisheries/farming/documents/eu-farm-economics-overview-2015_en.pdf

misión Europea ha venido investigando el potencial papel del seguro agrario en la estabilización de las rentas agrícolas (Meuwissen et al., 1999; Caffeiro et al., 2005; Comisión Europea, 2006)[816]. La herramienta de estabilización de ingresos se introdujo como instrumento de gestión de riesgos en la PAC en 2013, si bien en sus últimas reformas la UE renuncia a la implantación de un instrumento común en materia de gestión de riesgos y, ante la heterogeneidad que caracteriza a las distintas situaciones de riesgos que pueden afectar a la agricultura europea, opta por conceder una mayor flexibilidad a los Estados Miembros para enfrentarse a dichas situaciones a través de diferentes medidas, aunque con el apoyo financiero de la UE. En 2018 se amplió aún más la caja de herramientas para la gestión de riesgos de la PAC, permitiendo actualmente a los estados miembros incrementar las tasas de apoyo para los seguros agrícolas y ganaderos al 70 por ciento de las primas y a inyectar pagos anualmente a fondos mutuales (Comisión Europea, 2017)[817].

El seguro agrario es uno de los instrumentos más eficaces para la gestión de los riesgos asociados a la producción y probablemente la herramienta mejor conocida de reparto del riesgo. La relevancia que en España tiene el sistema de seguros agrarios está directamente relacionada con la incidencia que las adversidades climáticas y otros riesgos naturales ejercen sobre el medio rural. Cuando las estrategias disponibles en el contexto de la propia explotación para garantizar las rentas de los productores no resultan aplicables o su eficacia es limitada, es precisa la utilización de otros instrumentos, fuera de este ámbito, que reduzcan la incertidumbre y garanticen la estabilidad de las rentas mediante la transferencia del riesgo a una entidad aseguradora. Sin embargo, los seguros de ingresos todavía no han sido objeto en nuestro país de un desarrollo similar al alcanzado por otros seguros de coberturas de riesgos, si bien constituyen un objetivo de las políticas de seguros agrarios con objeto de garantizar una estabilidad de rentas a los productores agrarios. En este trabajo se recogen parte de los resultados del estudio realizado, a petición de Agroseguro, entidad que gestiona el *pool* constituido en régimen de coaseguro por las compañías privadas aseguradoras, para el diseño de una cobertura de ingresos en el sector

---

[816]   MEUWISSEN, M.P.; HUIRNE, R.B.M.; HARDAKER, J.B. *Income Insurance in European Agriculture*; European Economy, Reports and Studies No. 2; Office for Official Publications of the European Communities: Luxemburg, 1999.
CAFFEIRO, C.; CAPITANO, F.; CIOFFI, A.; COPPOLA, A. *Risk and Crisis Management in Agriculture*. European Parliament Document, European Parliament: Brussels, Belgium, 2005; IP/B/GRI/ST/205-3.
COMISIÓN EUROPEA. *Agricultural Insurance Schemes*. DG Agriculture and DG Joint Research Centre. Brussels, 2006. Disponible en: https://ec.europa.eu/agriculture/sites/agriculture/files/external-studies/2006/insurance/full-report_en.pdf.

[817]   COMISIÓN EUROPEA. *Summary of main changes introduced to the four basic regulations of the CAP through the Omnibus regulation*, 2017, Disponible en: https://ec.europa.eu/agriculture/cap- overview/summary-changes-omnibus_en.pdf

de cítricos en fresco. La elección del sector de cítricos en fresco obedece a que se trata de un sector que ya cuenta con cobertura de seguros para todos los riesgos climáticos y en el que la alta volatilidad de los precios, tanto a nivel nacional como internacional, constituye una creciente preocupación para sus partícipes.

Para el desarrollo de un seguro que garantice los ingresos de un productor agrario es preciso conocer la variabilidad de las producciones y la variabilidad de los precios, dado que el ingreso de la explotación en una determinada campaña vendrá determinado por la producción obtenida (en kilos) multiplicada por el precio unitario de venta en origen (en €/kg). A efectos de la cobertura de ingresos, a este precio se le denominará *precio testigo* (PT) de campaña o precio de mercado en origen. La información pública existente sobre los precios percibidos por los agricultores en España es parcial y muy fragmentada, lo que no permite su utilización directa a efectos del cálculo del PT. Por ello, el objetivo de este trabajo es formular un índice o modelo de composición del precio testigo de campaña para utilizar a efectos del seguro. Para ello, previamente se deberán realizar análisis estadísticos de las cotizaciones de precios en los mercados nacionales del sector de cítricos en fresco, tanto en origen como en destino.

La estructura del trabajo es la siguiente: en el epígrafe siguiente se recoge el análisis de datos de precios por agrupaciones varietales, así como los resultados de los análisis de regresión que llevan a la elección de las variables que van a integrar el precio testigo. El tercer epígrafe muestra los resultados de la composición de la fórmula para el cálculo de dicho precio testigo. Finalmente, el último epígrafe expone las conclusiones de la investigación, así como las limitaciones encontradas.

2. ANÁLISIS DE DATOS Y VARIABLES

2.1. Análisis de datos

La primera fase del trabajo supone la obtención de los datos de precios de cítricos en origen en las distintas regiones productoras de España. El 99% de la producción citrícola española se halla repartida en cuatro comunidades autónomas: Comunidad Valenciana (59%), Andalucía (28%), Región de Murcia (9%) y Cataluña (3%), variando estos porcentajes según especies. Por este motivo la información sobre precios en origen se ha limitado a dichas comunidades, consiguiendo con ello que los datos analizados representen una cobertura del 99% de la producción citrícola española. Este elevado valor garantiza la representatividad de los precios utilizados. En relación a los datos de precios utilizados, la Tabla 1 recoge la procedencia geográfica, fuente, horizonte temporal y naturaleza de la información de precios en origen. En todos los casos de trata de precios semanales de cítricos en árbol, observados en transacciones comerciales y por variedades, tanto de naranjas como mandarinas, limones y pomelos. Además, con objeto de simplificar el tratamiento de los datos (series de precios) de diferentes variedades se han establecido *agrupaciones varietales* dentro de cada uno de los grupos de naranjas, mandarinas, limones y pomelos, en base a su calendario de producción. Finalmente, y con objeto de ponderar la importancia relativa de los precios en el desarrollo de la campaña se han utilizado calendarios de comercialización en origen (compras en campo). De esta forma se corrige, minimizándolo, el posible efecto de precios anómalos (excesivamente altos o bajos) al inicio o final de la campaña en el cálculo de un precio medio de campaña por variedad.

Tabla 1. Información y fuentes de precios de cítricos en origen

REGIÓN	FUENTE	HORIZONTE TEMPORAL	DATOS
Comunidad Valenciana	Observatorio de Precios de la Conselleria de Agricultura – Generalitat Valenciana	10 campañas	Precios de naranjas, mandarinas, limones y pomelos por variedades
	Mesa de Precios de Cítricos de la Lonja de Valencia	3 campañas (desde la creación de la Lonja)	Precios de naranjas y mandarinas por variedades
Andalucía	Observatorio Precios de la Consejería de Agricultura y Pesca de la Junta de Andalucía	6 campañas naranjas 10 campañas mandarinas	Precios de naranjas y mandarinas por variedades
Región de Murcia	Consejería de Agricultura y Agua – Comunidad Autónoma Región de Murcia	11 campañas	Precios de limones, naranjas, mandarinas y pomelos por variedades
Cataluña	Departamento de Agricultura, Alimentación y Acción Rural – Generalitat de Catalunya	11 campañas	Precios de naranjas y mandarinas por variedades
	Lonja de Tortosa – Cámara Oficial de Comercio, Industria y Navegación de Tortosa	8 campañas	Precios de naranjas y mandarinas por variedades
NACIONAL	Ministerio de Medio Ambiente, Medio Rural y Marino (MARM)	15 campañas	Precios de naranjas, mandarinas y limones por variedades

Fuente: Elaboración propia.

2.2. Variables a integrar en el cálculo del precio testigo

El precio testigo debe obtenerse a partir de la información real del mercado, pero a su vez, debe estar diseñado para que su cálculo sea reproducible a partir de dicha información y no pueda ser controlado por ninguno de los agentes partícipes en el mismo. Ello podría justificar la posibilidad de incluir en su composición otros elementos distintos a los precios en origen. La idea que subyace en esta operativa es que incrementando el número de variables en la composición del precio testigo se reducirían las posibilidades de manipulación de su resultado. Las nuevas variables que se analizan son las referidas a precios de cítricos en distintos eslabones de su cadena de valor. Para evaluar la conveniencia de considerar en el precio testigo información referida a distintas posiciones de la cadena comercial se han calculado y estudiado las correlaciones existentes, para cada agrupación de variedades de naranja, mandarina y limón, entre las series de precios en origen, los precios a salida de almacén u organizaciones de productores y los precios en mercados mayoristas nacionales (Mercas).

En relación con las series de precios a salida de almacén, en concreto se han calculado y estudiado las correlaciones existentes con los precios en origen de cada zona productora. Los precios a salida de almacén de Valencia se han obtenido del Observatorio de Precios de la Conselleria de Agricultura. Los precios a salida de almacén de Andalucía proceden del Observatorio de Precios de la Junta de Andalucía. Las series de precios de los mercados mayoristas en destino nacionales (Mercas) se han obtenido del Observatorio de Precios de la Conselleria de Agricultura de la Generalitat Valenciana. Los precios de cada campaña y para cada variedad son una media ponderada de los precios semanales publicados por los principales Mercas españoles (Mercamadrid, Mercabilbao, Mercasevilla y Mercavalencia), ponderados con los volúmenes comercializados en cada merca cada semana de la campaña.

Para realizar este análisis se diseña un modelo de regresión lineal múltiple que analice las correlaciones entre las distintas variables evaluadas. El recurso a un modelo de regresión resulta indispensable cuando el objetivo es analizar información histórica que no fue obtenida a partir de un diseño experimental, como es el caso. La aplicación del modelo de regresión asume que se desea explicar los valores de una variable aleatoria (Y: variable dependiente) por un conjunto k de variables independientes ($x1, x2, ..., xk,$), que toman en los elementos estudiados valores predeterminados conocidos. La variable dependiente a explicar es el precio en origen (P_ORIGEN). Como variables independientes se utilizan los precios en el resto de posiciones de la cadena de valor de los cítricos. Además, se utilizan también una serie de variables discretas (*dummy*) para detectar diferencias significativas en relación al horizonte temporal al que se refiere el precio (mes), la zona productora y la variedad. Se desarrollan dos modelos distintos, uno para el análisis de los precios en naranja y otro para mandarina. Los cálculos se han realizado con ayuda de la aplicación estadística SPSS 16.0.

El precio en origen de las distintas zonas productoras Pi,j,t para una zona (i), variedad (j) y semana (t) vendrá explicado por la siguiente expresión:

$$P_{ij,t} = a + b_i + c_j + d_m + (e \times LONJA_{ij,t}) + (f \times MARM_{ij,t}) + (g \times S\_ALM_{ij,t}) + (h \times MERCA_{j,t})$$

Donde: a es la constante.

bi es el coeficiente específico de la zona (Comunidad).

cj es el coeficiente específico de la variedad (VARIEDAD).

dm es el coeficiente específico del mes m en el que transcurre la semana t (MES).

LONJAi,j,t es el precio de la variedad j, en la lonja de cítricos de la zona i, la semana t.

MARMi,j,t es el precio del Ministerio para la variedad j, en la zona i, la semana t.

S_ALMi,j,t es el precio a salida del centro de manipulación para la variedad j, en la zona i y la semana t.

MERCAj,t es el precio de los mercados mayoristas nacionales para la variedad j y la semana t.

Se ha utilizado la metodología de adición progresiva de variables o *forward* ya que permite examinar la contribución de cada variable predictora al modelo de regresión. Fundamentalmente constituye un proceso de ensayo y error para buscar los mejores estimadores de la regresión (Hair et al., 1999)[818]. Se considera la inclusión de cada variable antes de desarrollar la ecuación. Se añade primero la variable independiente con la contribución más grande. A continuación, se seleccionan las variables independientes para su inclusión en el modelo, basada en su contribución incremental sobre la(s) variable(s) ya existentes en la ecuación. Las Tablas 2 y 3 presentan los resultados de estos análisis de regresión estimados por mínimos cuadrados ordinarios, con los precios en origen (P_ORIGEN) de naranjas y mandarinas respectivamente como variables dependientes.

---

[818]   HAIR, J.F.; ANDERSON, R.E.; TATHAM, R.L.; BLACK, W.C. *Multivariate Data Analysis*, 5th ed.; Prentice-Hall Iberia: Madrid, Spain, 1999.

Tabla 2. Coeficientes de regresión para el modelo de precios en origen de naranja.

	Coeficiente	Error estándar	t-Valor	p (t-Valor)
(constante)	–0.0088	0.0047	–1.8907	0.0597
LONJA	0.6530	0.0446	14.6369	0.0000
MARM	0.4353	0.0469	9.2719	0.0000
ZONA = 4	0.0181	0.0033	5.4307	0.0000
VAR = 2	–0.0153	0.0038	–4.0001	0.0001
VAR = 4	0.0213	0.0047	4.5612	0.0000
MES = 1	–0.0043	0.0039	–1.1234	0.2622
MES = 2	0.0061	0.0044	1.3802	0.1686
MES = 3	0.0044	0.0052	0.8384	0.4025
MES = 4	–0.0080	0.0051h	–1.5652	0.1186
MES = 5	–0.0032	0.0053	–0.6048	0.5458
MES = 6	–0.0026	0.0127	–0.2003	0.8414
MES = 10	–0.0057	0.0110	–0.5197	0.6036
MES = 11	–0.0086	0.0049	–1.7548	0.0803

$R2 = 0.9317$, $R2$ corregido $= 0.9287$, $F = 306.47$ $(p < 0.000)$.

Tabla 3. Coeficientes de regresión para el modelo de precios en origen de mandarina.

	Coeficiente	Error estándar	t-Valor	p (t-Valor)
LONJA	0.4359	0.0740	5.8896	0.0000
MARM	0.5477	0.0669	8.1845	0.0000
ZONA = 4	0.0694	0.0328	2.1131	0.0360
VAR = 1	–0.0227	0.0124	–1.8383	0.0677
VAR = 4	0.0946	0.0196	4.8303	0.0000
VAR = 5	0.0368	0.0110	3.3327	0.0010
VAR = 9	0.0304	0.0090	3.3780	0.0009
VAR = 10	0.0128	0.0067	1.9184	0.0567
MES = 1	0.0067	0.0067	1.0010	0.3182
MES = 2	0.0075	0.0111	0.6734	0.5014
MES = 8	0.0217	0.0173	1.2517	0.2123
MES = 10	–0.0043	0.0075	–0.5670	0.5714
MES = 11	–0.0006	0.0075	–0.0746	0.9407
MES = 12	0.0032	0.0073	0.4353	0.6639

$R2 = 0.9884$, $R2$ corregido $= 0.9875$, $F = 1067.09$ $(p < 0.000)$.

Respecto a la significatividad conjunta de los parámetros, se rechaza la hipótesis de que todos los coeficientes de regresión del modelo de naranja ($F=306.47$, $p<0.000$) y mandarina ($F=1067.09$, $p<0.000$) sean igual a cero. El análisis de varianza revela que como el P-valor del ANOVA es < 0.01, existe una relación estadísticamente significativa entre las variables del modelo para un nivel de confianza del 99%. R2 relaciona la variabilidad explicada por la regresión y la variabilidad total. El R2 corregido por grados de libertad preten-de evitar que R2 aumente siempre al introducir nuevas variables. La proximidad de ambos valores en los modelos revela la bondad del ajuste conseguido. El valor obtenido es del 92.87% (modelo naranja) y del 98.75% (modelo mandarina) respectivamente. Las variables estadísticamente significativas (p<0,05) son las relativas a las fuentes de información de precios en origen (LONJA, MARM), a alguna zona productora y a los grupos de variedades. El modelo asume que el único efecto asociado a la ZONA que resulta significativo es la diferencia entre Valencia (ZONA=1) (referencia) y Andalucía (ZONA=4). Las ZONAS 1 (Valencia), 2 (Murcia) y 3 (Cataluña) son estadísticamente equivalentes (no hay diferencias entre ellas). No resultan en ningún caso significativas las variables relativas al horizonte temporal (MES), lo que evidencia que no existen diferencias estadísticamente significativas entre los precios índices en las variedades de naranja ni mandarina de los distintos meses.

Los resultados anteriores de los modelos de regresión para naranja y mandarina revelan que no existe evidencia estadística que justifique la inclusión en el PT de campaña de precios correspondientes a otros eslabones de la cadena de valor de los cítricos que no sean precios en origen. Por este motivo se descarta la inclusión en el mismo de los precios en posiciones comerciales a salida de almacén y en mercados mayoristas nacionales. Se utilizará como variable explicativa los precios en origen de las Comunidades Autónomas productoras, de las Lonjas de Precios de Cítricos y del MARM.

3. EL PRECIO TESTIGO DE CAMPAÑA

A la luz de los resultados obtenidos en las etapas anteriores, los componentes o variables que integran el PT de campaña serán los siguientes:

a. Precios en ORIGEN:

Precios mensuales en origen obtenidos en cada Comunidad Autónoma, por variedad de naranja, mandarina, limón y pomelo. A partir del cálculo de los precios mensuales de una campaña como media aritmética de los precios semanales, se obtiene el precio ponderado de la campaña, aplicando el calendario de ponderaciones mensuales del MARM para cada Comunidad Autónoma o zona productora y variedad. Se concretan en las siguientes variables:

P_VAL: precios en origen de la Comunidad Valenciana.

P_AND: precios en origen de la Comunidad de Andalucía.

P_MUR: precios en origen de la Región de Murcia.

P_CAT: precios en origen de Cataluña.

b. Precios de LONJAS:

Precios mensuales en las Lonjas de Precios de Valencia y Cataluña, por variedad. Los precios mensuales de la campaña se habrán obtenido como media aritmética de los precios semanales de cada mes, obteniéndose a continuación el precio ponderado de la campaña aplicando el calendario de ponderaciones del MARM para la zona productora en la que se halle la Lonja (Valencia o Cataluña) y para la variedad correspondiente.

Los precios de las lonjas se concretan en las siguientes variables:

LON_V: precios de la Lonja de la Comunidad Valenciana.

LON_CAT: precios de la Lonja de Tortosa (Cataluña).

c. Precios del MARM:

Precio mensual en origen proporcionado por el Ministerio de Medio Ambiente Medio Rural y Marino, de carácter nacional y por variedad. A partir de los precios mensuales se obtendrá el precio medio ponderado de campaña aplicando el calendario de ponderaciones del MARM pero de ámbito nacional, para la variedad correspondiente.

$$P_{j,t} = \alpha \left[(a \times P\_VAL) + (b \times P\_AND) + (c \times P\_MUR) + (d \times P\_CAT) \right] + \beta \left[MARM \right] + \gamma \left[(e \times LON\_V) + (f \times LON\_CAT) \right]$$

El Precio Testigo Pjt para una variedad j y campaña t se determinará a partir de la siguiente expresión (1):

> Donde: α, β, y γ son los coeficientes de ponderación de las fuentes de información: Comunidades Autónomas, Ministerio y Lonjas.
>
> **a, b, c** y **d** son los coeficiente de ponderación de la zona productora (Comunidad): Valencia, Andalucía, Murcia y Cataluña.
>
> **e** y **f** son los coeficientes de ponderación de los precios de las Lonjas: Lonja de Valencia y Lonja de Cataluña.

3.1. Coeficientes de ponderación de las fuentes de información (α, β, y γ)

Una vez determinadas las variables que van a integrar el cálculo del precio testigo el siguiente paso es establecer la importancia relativa o ponderación asignada a cada una de esta variables que, en definitiva, se corresponden con una fuente informativa de precios de cítricos en origen.

Se recurre para ello a la utilización de herramientas multicriterio mediante técnicas subjetivas de consulta a expertos. El *Proceso Analítico Jerárquico*

(Analytic Hierarchy Process AHP) (Saaty, 2001)[819] es un método de toma de decisiones mediante comparaciones pareadas que se basa en el juicio de expertos para obtener escalas de prioridad o preferencias. Son estas escalas las que miden los elementos intangibles de la decisión en términos relativos. Las comparaciones se hacen utilizando una escala de juicios absolutos que representa cuánto más un elemento es preferido a otro con respecto a un atributo dado. En la actualidad es uno de los métodos más utilizados para realizar elecciones entre diversas alternativas y consiste en comparar dos a dos cada una de ellas, indicando la preferencia en una escala verbal. En definitiva, el AHP provee un marco de referencia para estructurar un problema de decisión, para representar y cuantificar sus elementos, relacionar dichos elementos con los objetivos generales y evaluar alternativas de solución.

Según Saaty (2008)[820], para tomar una decisión de forma organizada y generar prioridades es necesario descomponer la decisión en las siguientes etapas:

1. Definir el problema y determinar el tipo de conocimiento buscado.

2. Construir el mapa de jerarquías. En el nivel más alto de este mapa se ubica el problema de decisión u objetivo general, en el nivel intermedio los criterios y en el nivel inferior las alternativas u opciones de decisión.

3. Construir la matriz de comparaciones pareadas. En esta matriz, cada elemento en un nivel superior se utiliza para comparar los elementos en el nivel inmediatamente inferior a él. Los elementos contenidos en cada uno de los niveles son valorados mediante una comparación por parejas, utilizando una escala de medidas en el rango 1 a 9, como refleja la Figura 1, donde aparece también la correspondencia numérica de la preferencia expresada verbalmente.

---

[819]   SAATY, T.L. "Fundamentals of the Analytical Hierarchy Process". En SCHMOLDT, D.L., KANGAS, J., MENDOZA, G.A., PESONEN, M., (eds.): *The Analytic Hierarchy Process in Natural resource and Environmental Decision Making*, Springer: Amsterdam, The Netherlands, 2001; Volume 3, p. 15–35.

[820]   SAATY, T.L. Decision making with the analytic hierarchy process. *International Journal of Service Sciences*, 1, 2008, p. 83–98.

Figura 1. Escala verbal de preferencias.

Expresión verbal de la preferencia	Valor numérico
Extremadamente más importante	9
	8
Muchísimo más importante	7
	6
Más importante	5
	4
Moderadamente más importante	3
	2
Igual de importante	1

Fuente: Saaty (2008).[821]

El resultado de estas comparaciones es una matriz cuadrada, recíproca y positiva, denominada *matriz de comparaciones pareadas,* en la que cada uno de sus componentes refleja la intensidad de preferencia frente a otros aspectos del objetivo considerado, es decir, las prioridades entre los diferentes elementos comparados. En nuestro caso los tres elementos a considerar son las tres fuentes de información de precios: Consejerías, MARM y Lonjas, y se trata de cuantificar el nivel de importancia de las mismas en una escala de 100 puntos. Por tanto, la matriz [3x3] refleja las preferencias que los expertos han indicado utilizando la escala de Saaty. Esta matriz tiene dos particularidades. En primer lugar, que tiene unos en la diagonal principal pues un elemento debe ser igualmente preferido a él mismo, y en segundo lugar, los elementos de esta matriz cumplen la condición de que aij= 1/aji. En la práctica, dada la escala utilizada para construir la matriz de preferencias pareadas de los expertos, sólo interesa conocer los valores de las preferencias que sean mayores de uno, pues el valor simétrico en la matriz será deducido de este primer valor.

Posteriormente se calcula el peso relativo para cada elemento. Para ello se suma cada columna y se obtiene el recíproco del total.

4. Construcción de la matriz normalizada. Se procede a realizar el cálculo del vector de prioridades. Para ello se genera una matriz auxiliar en la que se completa cada celda con el resultado del recíproco total por el juicio de valor. Sumando cada fila se obtiene el total normalizado de cada elemento. Finalmente, el vector de prioridades principales se obtiene del promedio de los valores de las columnas normalizadas. De esta forma y para terminar, se sintetiza el resultado a partir de la aportación relativa de cada alternativa a cada uno de los criterios y del nivel de preferencia relativo atribuido a éstos, para alcanzar el problema de decisión u objetivo general.

---

[821]   SAATY, T.L. Decision making with the analytic hierarchy process, cit., p. 83–98.

El proceso se inicia solicitando al experto consultado que para cada par analizado exprese su preferencia por una de las opciones, para a continuación pedirle que evalúe esta importancia en la escala verbal mostrada (Figura 1), escala que finalmente se convertirá en numérica. En este caso concreto, los resultados obtenidos derivan de la consulta efectuada a distintos expertos o especialistas en la materia: profesionales del mundo citrícola, del ámbito académico y de la Administración. Los resultados de este proceso se muestran en la Tabla 4.

Tabla 4. Cálculo de la ponderación de cada fuente de información de precios

	Consejerías CCAA	MARM	Lonjas		
Suma columnas	1.611	3.143	17.000		
	Nueva matriz			Suma filas	Pesos medios
Consejerías CCAA	0.621	0.636	0.529	1.519	0.595
MARM	0.310	0.318	0.412	1.221	0.347
Lonjas	0.069	0.045	0.059	0.260	0.058

Fuente: Elaboración propia.

A partir de las preferencias expresadas por los expertos consultados, se deduce que la ponderación de las tres fuentes de información es la siguiente: 59.5 por ciento para la información de las Consejerías, 34.7 por ciento para la información del MARM y 5.8 por ciento para la información de las Lonjas. Este resultado puede constituir una buena base para fijar los criterios de ponderación de las diferentes fuentes.

Un aspecto que suele examinarse en estas preferencias es la denominada *Razón de Consistencia* (RC) de las estimaciones de los expertos. En este caso la RC obtenida resulta ser de 0.02, un valor inferior al que se considera aceptable, que suele ser de 0.10. Por lo tanto se admiten estas comparaciones como consistentes y el método de cálculo como adecuado a los datos. En el caso de que la matriz no lograra la RC adecuada hay que volver a estimar los datos iniciales hasta alcanzarla.

En resumen y de acuerdo con los resultados anteriores, los valores de los coeficientes de ponderación de las fuentes de información utilizados (coeficientes α, β y γ), para todos los grupos varietales de naranja y mandarina, son los siguientes: $\alpha = 0.60$, $\beta = 0.35$ y $\gamma = 0.05$.

3.2. Coeficientes de ponderación de las zonas productoras (a, b, c y d).

Los coeficientes de ponderación de los precios en origen de las Consejerías procedentes de cada una de las principales zonas productoras de España (coeficientes a, b, c y d) se han obtenido a partir de la media de los volúmenes de producción de cada zona, por variedad, en las tres últimas campañas objeto de estudio. A partir de estos volúmenes productivos se ha obtenido el peso relativo de cada zona en la producción nacional de la correspondiente variedad. Este peso relativo es el utilizado para ponderar los precios en origen de cada variedad en cada una de las cuatro zonas de producción.

3.3. Coeficientes de ponderación de los precios de las Lonjas (e y f).

Los coeficientes de ponderación de los precios de las dos Lonjas (Comunidad Valenciana y Cataluña) (coeficientes e y f) se han obtenido, igual que en el caso anterior, a partir de la media de los volúmenes de producción de cada zona (Comunidad Valenciana y Cataluña), por variedad, en las tres últimas campañas objeto de estudio. A partir de estos volúmenes productivos se ha obtenido el peso relativo de cada una de las dos zonas (Comunidad Valenciana y Cataluña) respecto de la producción total de las dos. Este peso relativo es el utilizado para ponderar los precios de cada variedad en cada una de las dos Lonjas.

3.4. El precio testigo (PT) de campaña.

La aplicación informática que se ha desarrollado en el contexto del proyecto de investigación realiza el cálculo del PT a partir de la expresión anterior (1), sustituyendo los valores de los coeficientes determinados y los precios ponderados de campaña de cada una de las variables que intervienen en el cálculo del PT. La aplicación de dicha expresión a las series de precios de cada variedad de una campaña dará como resultado el Precio Testigo de la variedad para dicha campaña. Esta metodología ha permitido calcular los PT de las 10 campañas objeto de estudio, por variedad (agrupación de variedades) de naranja, mandarina, limón y pomelo. Adicionalmente, y con objeto de poder disponer de una referencia aproximada sobre la adecuación del PT calculado a la realidad de los precios citrícolas, se ha realizado un análisis comparado entre el PT de cada variedad y el correspondiente precio en origen en las distintas zonas productoras, para la misma variedad y campaña. En definitiva se trata de comparar el resultado de la fórmula econométrica con los valores de las variables utilizadas en su cálculo.

El análisis, realizado para las variedades más representativas de la citricultura española en cuanto a volumen de producción, ha sido doble: tanto gráfico como estadístico. Las gráficas que reflejan la evolución del PT en la serie de campañas estudiada junto con la evolución de los precios en origen en cada zona o fuente informativa, para las variedades más representativas, se han obtenido mediante la aplicación informática desarrolla. Además, se han realizado las gráficas comparando el PT con todas las fuentes informativas de las zonas productoras (Consejerías, MARM y Lonjas).

Por otra parte, en el análisis estadístico se ha calculado la desviación anual media (%) existente entre el PT de una variedad y campaña y la correspondiente cotización (precio) en las distintas fuentes informativas que configuran la fórmula econométrica para el cálculo del mismo (P_VAL, P_AND, P_CAT, P_MUR, MARM, LON_V, LON_CAT). El estudio abarca las diez campañas objeto de estudio. En este análisis se ha considerado conveniente distinguir entre las desviaciones de tipo positivo y las de tipo negativo para cada una de estas campañas. Una desviación será positiva cuando el PT sea mayor que el de la variedad considerada en ese año y en esa fuente informativa (Comunidad, Lonja o MARM). Como ya se ha señalado, este análisis se centra en las principales variedades de cítricos. Así en el caso del Limón los cultivares estudiados son el Fino y el Verna; en el caso de las Mandarinas los cultivares estudiados son las Clementinas y los Híbridos y finalmente, en el caso de las Naranjas, los cultivares estudiados son cuatro: Navelina, Navelate/Lanelate, Valencia Late y Washington Navel. No se ha procedido al examen de las desviaciones del Precio Testigo para el pomelo dada la escasez de datos de precios.

El análisis de los datos revela que, para las ocho variedades de cítricos analizadas, en muy raras ocasiones las desviaciones en las últimas diez campañas consideradas entre el PT y el precio de la variedad en esa Comunidad, superan el ± 10 por ciento. En concreto se han detectado únicamente cinco casos sobre los setenta analizados y suele ser debido a la poca representatividad de los datos en la campaña o en la respectiva zona productora. Por lo tanto, es posible afirmar que el PT calculado representa por término medio bastante fielmente el precio medio de la variedad en la Comunidad.

4. CONCLUSIONES

Se ha definido de forma matemática la fórmula para el cálculo del *Precio Testigo* (PT) de campaña (en €/kg), a partir de las variables seleccionadas ponderadas por unos coeficientes que representan el peso relativo de las distintas fuentes de información de precios y de las distintas zonas productoras. Los resultados del análisis comparado de los PT con las correspondientes cotizaciones de las fuentes informativas utilizadas en su formulación revelan que, para las principales variedades citrícolas, las desviaciones entre el PT y el precio de la variedad en cada zona productora no superan, en general, el $\pm 10\%$. Cuando lo hacen, suele ser debido a la poca representatividad de los datos en la campaña o en la respectiva zona productora. Esto garantiza la adecuación del PT a la realidad de las cotizaciones en origen de las distintas zonas productoras del país y, en consecuencia, la representatividad conseguida para el PT. Se trata de un precio sujeto a las leyes del mercado, no controlable y de comportamiento aleatorio, dado que se obtiene a partir de la información real generada por los mercados de cítricos en fresco considerados más representativos. Es de tipo índice y está constituido por una combinación ponderada de distintos precios y cotizaciones de los mercados, que posibilita fundamentar y explicar los precios de los cítricos en origen. Se establece para un determinado ámbito geográfico y para una variedad o grupo de variedades de cultivo de similar comportamiento en el mercado. Se pretende así que el productor perciba que el precio a aplicar para evaluar la posible indemnización del seguro de ingresos es lo más representativo posible del precio al que realmente vende su cosecha. La naturaleza indexada del seguro implica que cuando se presenten las condiciones para el desencadenamiento de la cobertura de ingresos serán compensados todos los agricultores que estén asegurados en el ámbito geográfico o para la variedad o variedades que correspondan. Se trata en cualquier caso de una garantía adicional, de modo que el productor debería suscribir el seguro de rendimientos con cobertura de daños catastróficos y, simultáneamente, debería contratar una garantía adicional que ofrecerá cobertura ante crisis de precios de carácter catastrófico. Si en la explotación únicamente se registrasen daños sobre la producción, el productor asegurado sería indemnizado de acuerdo con los términos previstos en el correspondiente contrato de seguro de rendimientos.

A partir de la información histórica disponible se elaborará una serie histórica del PT, lo suficientemente amplia como para que pueda ser utilizada en los estudios del cálculo del riesgo de ingresos. Además, será indispensable para la cobertura del seguro el seguimiento de los precios de mercado, que permita conocer durante la campaña la evolución temporal del PT y el precio medio del conjunto de la misma. Tomando como referencia la serie histórica del PT para el número de campañas y con los criterios que se determinen, se obtendrá el *Precio de referencia*, que constituye el precio de aseguramiento a partir del cual se considera desencadenada la aplicación del seguro de ingresos. Para la definición del precio de referencia podrá utilizarse un porcentaje del valor medio del PT para un determinado número de campañas, o bien un precio más reducido pero que permita compensar los costes básicos de producción. En cualquier caso, dado que el objetivo del seguro es amparar caídas coyunturales y muy acusadas de precios en campañas puntuales, la desviación del PT respecto al precio de referencia debe ser significativa.

La configuración del seguro de ingresos deberá ajustarse al contenido del Acuerdo de Marrakech sobre la Agricultura de la Organización mundial del Comercio, así como a los criterios señalados por la Comisión Europea sobre la gestión de riesgos y crisis en la agricultura. El cumplimiento de ambos requisitos posibilita la participación financiera del gobierno en los programas de Seguro de los Ingresos y Red de Seguridad de los Ingresos.

Finalmente, sin invalidar las conclusiones que se derivan de los resultados obtenidos, teniendo en cuenta el elevado nivel de fiabilidad y validez de los mismos, pero como aspectos a tener en cuenta en futuras investigaciones, asumimos las siguientes limitaciones en el estudio:

Las series de precios utilizadas corresponden a campañas citrícolas previas, que difieren temporalmente del momento actual. Ello se ha debido a la necesidad de disponer de series de precios lo más completas posibles, al tiempo necesario en algunas de las fuentes consultadas para hacer públicos los precios de campañas vencidas y, especialmente, al tiempo requerido para que el equipo investigador completase todas las fases del estudio (de mucha mayor amplitud que lo estrictamente recogido en este trabajo). A pesar de ello, y siendo la principal aportación de este trabajo la propuesta metodológica para la determinación del PT, entendemos que esta limitación no invalida los resultados y conclusiones obtenidas.

La existencia de variedades comercializadas para las que sin embargo no se publica información de precio en las distintas fuentes de precios en origen hace necesario el establecimiento de agrupaciones de variedades que permitan el cálculo del precio testigo y de referencia. De este modo todas las variedades pertenecientes a una misma agrupación tendrán el mismo *Precio Testigo* de campaña.

Huerta y productos de proximidad. La tira de contar como forma de venta en el ámbito de la competencia[822]

FRANCISCA RAMÓN FERNÁNDEZ
Profesora titular de Derecho civil. Universitat Politècnica de València

1. INTRODUCCIÓN

La relación de la Huerta valenciana con los productos de proximidad es innegable. Nos encontramos ante un espacio singular, identificatorio de un territorio, con una gran riqueza y que se vincula de forma muy estrecha con el Derecho civil valenciano.

Las formas de venta de productos de la Huerta siguen manteniéndose a lo largo de los años mediante un sistema que sigue existiendo y utilizándose. Es la denominada como la Tira de Contar. Mediante esta forma de venta de productos de proximidad, los agricultores venden sus productos sin intermediarios, y cumpliendo una serie de requisitos especificados en el Reglamento que lo regula.

Nos proponemos en este trabajo analizar la importancia de la Huerta, su protección a través de una legislación que contempla una serie de herramientas e instrumentos para su pervivencia, sus valores para la sociedad, y a través de ello mostrar las principales características que tiene la forma de venta de productos de proximidad conocida como la Tira de Contar. Un sistema no muy conocido por la población, pero que se lleva a cabo desde hace siglos. Actualmente, se desarrolla en MercaValencia, y constituye un punto de encuentro para la venta de los productos típicos de la Huerta y representa un aspecto importante respeto a la competencia.

2. LA HUERTA Y SU PROTECCIÓN

Cuando nos referimos al espacio de la Huerta tenemos que mencionar la reciente legislación que se encarga de su protección: por un lado, la Ley 5/2018,

[822]   Trabajo realizado en el marco del Proyecto I+D+i «Retos investigación» RTI2018-097354-B-100 (2019-2022), y Proyecto de I+D+i Retos MICINN PID2019-108710RB-I00 (2020-2022).

de 6 de marzo, de la Generalitat, de la Huerta de Valencia[823]; y por otro, el Decreto 219/2018, de 30 de noviembre, del Consell, por el que se aprueba el Plan de acción territorial de ordenación y dinamización de la Huerta de València[824]

En esta regulación se hace referencia a los instrumentos y medidas de protección de la Huerta, ya que la misma tiene un extraordinario valor, no solamente por la necesidad de su pervivencia y valores, sino porque está íntimamente asociada al Tribunal de las Aguas de la Vega de Valencia, ya que sin la Huerta, el Tribunal no existiría, y también con los arrendamientos históricos valencianos, cuya sucesión se vincula a la explotación de la tierra,[825] regulados en la Ley 3/2013, de 26 de julio, de los Contratos y otras relaciones jurídicas agrarias[826], y en la Ley 2/2019, de 6 de febrero, de reforma de la Ley 3/2013, de 26 de julio, de los contratos y otras relaciones jurídicas agrarias, para exigencia de la forma escrita y para la creación del Registro de Operadores, Contratos y Relaciones Jurídicas Agrarias.[827]

Destacar las dos modalidades de venta que expresamente han quedado reguladas por la Ley 3/2013, la modalidad de venta a ojo, "a ull" o "per alfarrassar", y la venta a peso, por arrobas o "per arrovat".[828]

En el ámbito de la Huerta también se desarrollan otras relaciones jurídicas de carácter agrario como el derecho al *tornallom*, que consiste en devolver una actividad agraria, en el que influye la costumbre, pero que se considera como una auténtica obligación jurídica.[829]

Es precisamente en la Huerta donde se ha desarrollado la denominada "costumbre valenciana"[830], que se ha observado no solamente en los contratos

---

[823] BOE núm. 96, de 20 de abril de 2018.
[824] DOGV núm. 8448, de 20 de diciembre de 2018.
[825] RAMÓN FERNÁNDEZ, F., "La sucesión en la empresa familiar agraria valenciana", en ABREU BARROSO, MANIGLIA y GURSEN DE MIRANDA (coord.), *El nuevo Derecho Agrario*, Brasil, 2010, pp. 261-290.
[826] BOE núm. 222, de 16 de septiembre de 2013. Véase sobre la misma: RAMÓN FERNÁNDEZ, F., *Los contratos de frutos y otras relaciones jurídicas agrarias valencianas*, Tirant lo Blanch, Valencia, 2018. 158 p.
[827] BOE núm. 51, de 28 de febrero de 2019.
[828] Un estudio previo a la legislación, se puede consultar en: RAMÓN FERNÁNDEZ, F., "Especialidades de la contratación agraria valenciana. Referencia a la compraventa y sus modalidades", en *Estudios sobre Derecho civil foral valenciano*, Thomson-Aranzadi, Pamplona, 2008, pp. 113-124; "Contratación agraria y su valoración en el Derecho valenciano", en RAMÓN FERNÁNDEZ (coord.): *La adecuación del Derecho civil foral valenciano a la sociedad actual*, Tirant lo Blanch, Valencia, 2009, pp. 59-132.
[829] RAMÓN FERNÁNDEZ, F., "El derecho al *tornallom*", en CUADRADO IGLESIAS y NÚÑEZ BOLUDA (dir.), BERROCAL LANZAROT, JIMÉNEZ PARÍS y CELLEJO RODRÍGUEZ (coord.): *Estudios jurídicos en Homenaje al Profesor Manuel García Amigo*, tomo I, Editorial La Ley, grupo Wolters Kluwer, Madrid, 2015, pp. 1061-1081.
[830] Sobre la costumbre, se puede consultar, sin ánimo exhaustivos: RAMÓN FERNÁNDEZ, F., "La costumbre como fuente del Derecho civil valenciano: especialidades en materia agra-

de frutos, sino también en los arrendamientos históricos[831], y en las otras relaciones jurídicas agrarias que hemos mencionado.

Del mismo modo, en el ámbito de la Huerta también se relaciona con las denominadas variedades vegetales, que están protegidas por el título de obtención vegetal[832], y que se vincula con los Objetivos de Desarrollo Sostenibles (ODS) propuestos por Naciones Unidas.[833]

En la actualidad, la agricultura ha experimentado una innovación tecnológica, a través de la aplicación de la inteligencia artificial, y la Huerta no será ajena a la misma, por lo que la modernización del sistema agrario de riego, y de la aplicación de las nuevas tecnologías de la información y comunicación (TICs) es ya una realidad.[834]

---

ria", en CARRASCO PERERA y CARRETERO GARCÍA (coord..): *El Derecho Agrario entre la Agenda 2000 y la Ronda del Milenio (Actas del VIII Congreso Nacional de Derecho Agrario)*, Ediciones de la Universidad de Castilla-La Mancha, Cuenca, 2001, pp. 669-684; *La pervivencia de instituciones consuetudinarias del Derecho civil valenciano*, Servicio de Publicaciones de la Universidad de Castellón, Castellón, 2002, 217 p.; "El Derecho civil valenciano ante la Constitución, el Estatuto de Autonomía y la costumbre", *Corts. Anuario de Derecho Parlamentario*, n°. 19, 2007, pp. 221-310. Disponible en: https://dialnet.unirioja.es/servlet/articulo?codigo=2522248 (Consultado el 22 de mayo de 2021); *El costum en les relacions agràries valencianes: el cas de La Safor,* Dossiers Digitals, núm. 2, Centro de Estudios e Investigaciones Comarcales Alfonso el Viejo, Gandía, 2008, 144 p.; *Prospectiva del derecho civil foral valenciano*, Editorial Universitat Politècnica de València, Valencia, 2011, 371 p. Disponible en: http://riunet.upv.es/handle/10251/12145 (Consultado el 22 de mayo de 2021).

[831]   RAMÓN FERNÁNDEZ, F., "Los arrendamientos históricos valencianos", en RAMÓN FERNÁNDEZ (coord.): *El Derecho civil valenciano tras la reforma del Estatuto de Autonomía*, Tirant lo Blanch, Valencia, 2010, pp. 229-454; "Elementos, derechos y obligaciones en el contrato de arrendamiento rústico histórico tras su regulación en la Ley 3/2013, de 26 de julio, de los Contratos y otras Relaciones Jurídicas agrarias", *Revista Sepin Digital Inmobiliario*, núm. 24, enero 2018, pp. 1-26.

[832]   RAMÓN FERNÁNDEZ, F., *La variedad vegetal ante la innovación biotecnológica y los objetivos de desarrollo sostenibles*, Reus, Madrid, 2020, 200 p.; "La protección de la variedad vegetal ante la innovación biológica. Una reflexión sobre la patentabilidad de los vegetales y los Objetivos de Desarrollo Sostenible (ODS)", *Revista General de Legislación y Jurisprudencia*, n°. 1, 2021, pp. 69-101.

[833]   NACIONES UNIDAS, *Objetivos de Desarrollo Sostenible (ODS)*, Disponible en: https://www.un.org/sustainabledevelopment/es/objetivos-de-desarrollo-sostenible/ (Consultado el 22 de mayo de 2021).

[834]   RAMÓN FERNÁNDEZ, F., "Inteligencia artificial y agricultura: nuevos retos en el sector agrario", *Revista Campo Jurídico. Revista de Direito Agroambiental e Teoria do Direito, de Brasil*, vol. 2, n°. 2, julio-diciembre 2020, pp. 123-139. Disponible en: http://www.fasb.edu.br/revista/index.php/campojuridico/article/view/662/552 (Consultado el 23 de mayo de 2021).

El cooperativismo agrario también destaca como una de las estructuras para la potenciación de la agricultura[835] y también la existencia de los denominados contratos agroalimentarios.[836]

2.1. Valores de la Huerta

La Huerta como espacio tiene un valor:

a) Productivo. En tanto en cuanto se encamina a la producción de productos agroalimentarios, siendo una de las fuentes de riqueza de la Comunitat Valenciana.

b) Ambiental. Dentro del espacio de la Huerta podemos encontrar ejemplares únicos de flora, y hay que destacar la importancia del patrimonio arbóreo monumental, regulado por la Ley 4/2006, de 19 de mayo, de la Generalitat, de Patrimonio Arbóreo Monumental de la Comunitat Valenciana[837]; la Orden 22/2012, de 13 de noviembre, de la Conselleria de Infraestructuras, Territorio y Medio Ambiente, por la que se publica el Catálogo de árboles monumentales y singulares de la Comunitat Valenciana[838], y el Decreto 154/2018, de 21 de septiembre, del Consell, de desarrollo de la Ley 4/2006, de 19 de mayo, de la Generalitat, de patrimonio arbóreo monumental de la Comunitat Valenciana[839]

---

[835] RAMÓN FERNÁNDEZ, F., "El cooperativismo agrario valenciano y el modelo de crecimiento a través de figuras asociativas: aspectos jurídicos, de innovación y tecnológicos", en *Worskshop Internacional: Integración y Modelos de crecimiento en el cooperativismo agroalimentario. Referentes internacionales de éxito*, Universitat Politècnica de València, 2016, pp. 1-16; RAMÓN FERNÁNDEZ, F. y SAZ GIL, Mª. I., "La marca de calidad como ventaja competitiva del cooperativismo agrario", en *Libro de Actas del Encuentro Nacional de Institutos y Centros Universitarios de Investigación en Economía Social*, Universidad Politécnica de Valencia, Valencia, 2003, pp. 1-11; "El cooperativismo agrario como elemento dinamizador del desarrollo rural", en *Actas del Congreso Internacional Cooperativismo Agrario y Desarrollo Rural*, Universitat Politècnica de València, Valencia, 2004, pp. 1-17; "El cooperativismo agrario como elemento dinamizador del desarrollo rural", en *Cooperativismo agrario y desarrollo rural*, Universitat Politècnica de València, Valencia, 2005, pp. 465-478.

[836] RAMÓN FERNÁNDEZ, F., "Los contratos tipo agroalimentarios", en *A lei agrária nova*, vol. IV, Juruá Editora, Curitiba, Brasil, 2014, pp. 269-288.

[837] DOGV núm.5265, de 24 de mayo de 2006.

[838] DOGV núm. 6909, de 23 de noviembre de 2012.

[839] DOGV núm. 8393, de 28 de septiembre de 2018. Véase sobre ello: RAMÓN FERNÁNDEZ, F., CANÓS DARÓS, L. y SANTANDREU MASCARELL, C., "Monumental tree heritage as urban tourist attraction»", en MONDÉJAR-JIMÉNEZ, FERRARI y VARGAS-VARGAS (dir.): *Research Studies on Tourism and Environment*, Hauppauge, New York, 2012, pp. 133-143; RAMÓN FERNÁNDEZ, F., "La protección del patrimonio arbóreo monumental en la legislación española. Su aplicación al turismo y al paisaje", *Revista Ius et Praxis*, núm. 3, 2018, pp. 109-132. Disponible en: http://www.revistaiepraxis.cl/index.php/iepraxis/article/view/1178/584 (Consultado el 23 de mayo de 2021).

c) Cultural. La Huerta se relaciona con el Tribunal de las Aguas, y también con los bienes inmateriales vinculados a las fiestas y el folclore propio del lugar. Hay que tener en cuenta la Ley 4/1998, de 11 de junio, del Patrimonio Cultural Valenciano[840], modificada por Ley 7/2004, de 19 de octubre[841], por Ley 5/2007, de 9 de febrero[842], y por Ley 9/2017, de 7 de abril.[843]

d) Planificación. En este sentido hay que atender a la normativa urbanística aplicable, principalmente la Ley 5/2014, de 25 de julio, de Ordenación del Territorio, Urbanismo y Paisaje, de la Comunitat Valenciana.[844]

e) Dinamización. Se tiene que tener en cuenta la importación de las vías pecuarias y su regulación por la Ley 3/1995, de 23 de marzo, de Vías Pecuarias[845] y la Ley 3/2014, de 11 de julio, de la Generalitat, de Vías Pecuarias de la Comunitat Valenciana[846], en la que se indica en su artículo 28 que "siempre que se respete el tránsito ganadero, las vías pecuarias podrán servir también para el esparcimiento y recreo públicos y podrán ser utilizadas, sin necesidad de autorización previa, para el paseo, el senderismo, la cabalgada, el cicloturismo y cualquier otra forma de desplazamiento deportivo sobre vehículo no motorizado".

De esta forma, el Preámbulo de la Ley 5/2018, especifica de una forma muy clara estos valores:

> "La Huerta de València constituye uno de los paisajes agrarios más relevantes y singulares del mundo mediterráneo. Es un espacio de acreditados valores productivos, ambientales, culturales, históricos y paisajísticos, merecedor de un régimen de protección y dinamización que garantice su recuperación y pervivencia para las generaciones futuras. La Huerta de València posee un elevado valor simbólico y una dimensión internacional evidente, puesto que sólo restan cinco espacios semejantes en la Unión Europea, como lo atestigua el Informe Dobris de la Agencia Europea del Medio Ambiente, el cual reconoce estos paisajes como portadores de valores culturales e históricos que la Unión Europea debe preservar, y debe poner en fun-

---

840   BOE núm. 174, de 22 de julio de 1998.
841   BOE núm. 279, de 19 de noviembre de 2004.
842   BOE núm. 71, de 23 de marzo de 2007
843   BOE núm. 112, de 11 de mayo de 2017. Sobre el tema, se puede consultar: RAMÓN FERNÁNDEZ, F., "La recuperación del patrimonio y los recursos naturales y culturales del medio rural", en *Actes del III Congrés d'Estudis de l'Horta Nord*, Universidad Politécnica de Valencia, Valencia, 2011, pp. 729-741; "Protección del patrimonio cultural inmaterial", *Revista General de Legislación y Jurisprudencia*, n°. 4, 2016, pp. 639-670.
844   BOE núm. 231, de 23 de septiembre de 2014.
845   BOE núm. 71, de 24 de marzo de 1995.
846   BOE núm. 186, de 1 de agosto de 2014. Véase: RAMÓN FERNÁNDEZ, F., "Las vías pecuarias: aspectos en relación con el patrimonio, el urbanismo y el paisaje. Especial referencia a la Comunitat Valenciana", *Revista de Derecho Urbanístico y Medio Ambiente*, n°. 309, noviembre 2016, pp. 159-194.

cionamiento los mecanismos necesarios para su conservación activa. También en el ámbito europeo cabe destacar el Dictamen del Comité Económico y Social Europeo sobre la agricultura periurbana y la posterior Carta de la agricultura periurbana".

2.2. Valor agrario de la Huerta. Legislación supletoria aplicable

El valor agrario de la Huerta no solo se plasma en la legislación a la que hemos hecho referencia, sino también tiene conexiones con otras normas:

1. Ley 45/2007, de 13 de diciembre, para el desarrollo sostenible del medio rural[847];
2. Decreto 1/2011, de 13 de enero, del Consell, de Estrategia territorial de la Comunitat Valenciana[848];
3. Ley 35/2011, de 4 de octubre, sobre titularidad compartida de las explotaciones agrarias[849].
4. Ley 5/2019, de 28 de febrero, de estructuras agrarias de la Comunitat Valenciana[850]
5. Ley 7/2021, de 20 de mayo, de cambio climático y transición energética.[851]

2.3. La Huerta como paisaje protegido

La Huerta también posee una importancia en el ámbito del paisaje y en relación con el patrimonio cultural valenciano.

Representa un paisaje agrario relevante y singular del Mediterráneo, que goza de un régimen de protección[852], y además en los últimos años se han rea-

---

[847] BOE núm. 299, de 14 de diciembre de 2007.
[848] DOGV núm. 6441, de 19 de enero de 2011.
[849] BOE núm. 240, de 5 de octubre de 2011. Véase: RAMÓN FERNÁNDEZ, F., "La titularidad compartida en las explotaciones agrarias: el caso de estudio de la Comunidad Valenciana", en RAMÓN FERNÁNDEZ (coord.): *La adecuación del Derecho civil foral valenciano a la sociedad actual*, Tirant lo Blanch, Valencia, 2009, pp. 143-156.
[850] BOE núm. 69, de 21 de marzo de 2019. Esta norma deroga la Ley 8/2002, de 5 de diciembre, de ordenación de las estructuras agrarias de la Comunitat Valenciana (BOE núm. 9, de 10 de enero de 2003).
[851] BOE núm. 121, de 21 de mayo de 2021.
[852] Más ampliamente, RAMÓN FERNÁNDEZ, F. y CANÓS DARÓS, L., "La sostenibilidad y la protección del paisaje en la normativa de la Comunidad Autónoma Valenciana: implicaciones en el sector turístico", en RAMÓN FERNÁNDEZ (coord.): *La influencia del Derecho valenciano en las disciplinas tecnológicas*, Tirant lo Blanch, Valencia, 2009, pp. 171-200; "La sostenibilidad del turismo y la regulación protectora del paisaje valenciano", en *Investigaciones, métodos y análisis del turismo*, Oviedo, 2010, pp. 233-242; "Medidas

lizado distintas actividades de dinamización, con el diseño de rutas turísticas para atraer al público[853].

Su recuperación es esencial para la pervivencia de dicho espacio y para el disfrute por parte de generaciones futuras. Además, la Huerta tiene un valor simbólico como lugar emblemático relacionado de forma muy estrecha con el Derecho civil valenciano.

Goza de una dimensión internacional, ya que ha sido su regadío histórico catalogado como Sistema Importante del Patrimonio Agrícola Mundial (SIPAM) por parte de la Organización de las Naciones Unidas para la Alimentación y la Agricultura (FAO).[854]

En dicho espacio se lleva a cabo la producción agrícola de proximidad, cuyos productos pueden estar protegidos por una marca de calidad o una denominación de origen protegida[855].

Se trata de un suelo con una alta capacidad agrológica, y con un enorme potencial edafológica.[856]

La importancia del sector alimentario, y por ende, de la agricultura, se contempla en el Estatuto de Autonomía[857]. El artículo 18 dispone de forma expresa:

---

de protección del paisaje para un turismo sostenible", en *Renovación de destinos turísticos consolidados*, Tirant lo Blanch, Valencia, 2011, pp. 643-660.
RAMÓN FERNÁNDEZ, F., "La Huerta valenciana: propiedad, ordenación del territorio y protección", *Revista de Derecho Urbanístico y Medio Ambiente*, n°. 344, marzo 2021, pp. 109-126.

[853] RAMÓN FERNÁNDEZ, F., "La huerta valenciana y su revitalización como opción turística a través del diseño de rutas guiadas", en *Espacios de ocio y deporte como dinamizadores turísticos. XVI Congreso Internacional de Turismo Universidad-Empresa*, Tirant lo Blanch, Valencia, 2013, pp. 345-356.

[854] Organización de las Naciones Unidas para la Alimentación y la Agricultura (FAO), "La Huerta de Valencia se incluye en la lista del patrimonio agrícola mundial de la FAO", *Noticias FAO*, 2019. Disponible en: http://www.fao.org/news/story/es/item/1252990/icode/ (Consultado el 22 de mayo de 2021).

[855] RAMÓN FERNÁNDEZ, F., "La regulación de la marca de calidad «CV» en los productos agrarios y agroalimentarios de la Comunidad Valenciana", en *Régimen jurídico de la seguridad y calidad de la producción agraria. IX Congreso Nacional de Derecho Agrario*, Universidad de La Rioja, Logroño, 2002, pp. 255-264; "Las marcas de calidad y las denominaciones de origen de los productos agrarios y agroalimentarios", en RAMÓN FERNÁNDEZ (coord.): *El Derecho agrario valenciano y su aplicación a la empresa familiar agroalimentaria y los usos del suelo: aspectos jurídicos y económicos*, Tirant lo Blanch, Valencia, 2013, pp. 157-214.

[856] RAMÓN FERNÁNDEZ, F., LULL NOGUERA, C., SORIANO SOTO, Mª. D. y GARCÍA-ESPAÑA SORIANO, L., "Role of soils in the context of the regulation of the Huerta de València", en *XVI European Society for Agronomy Congress. Smart agricultura for great human challenges*, Sevilla, 2020, pp. 146-147.

[857] Ley Orgánica 5/1982, de 1 de julio, de Estatuto de Autonomía de la Comunidad Valenciana (BOE núm. 164, de 10 de julio de 1982); Ley Orgánica 1/2006, de 10 de abril, de Refor-

"Desde el reconocimiento social y cultural del sector agrario valenciano y de su importante labor en la actividad productiva, en el mantenimiento del paisaje, del territorio, del medio ambiente, de la cultura, de las tradiciones y costumbres más definitorias de la identidad valenciana, la Generalitat adoptará las medidas políticas, fiscales, jurídicas y legislativas que garanticen los derechos de este sector, su desarrollo y protección, así como de los agricultores y ganaderos".

También se destaca la importancia del sector alimentario, eje vertebral de la economía valenciana, así como las buenas prácticas agrícolas, y la preservación del medio ambiente[858], en el que destacan los métodos de producción agrícola que sean compatibles con la protección del medio natural.

En el ámbito del ocio, también la Huerta se ha consolidado como espacio para los denominados "huertos urbanos".[859]

3. LA TIRA DE CONTAR: IMPORTANCIA DEL COMERCIO DE PROXIMIDAD

La Ley 3/2011, de 23 de marzo, de comercio de la Comunitat Valenciana[860] se establece la promoción por parte de la norma respecto del comercio de

---

ma de la Ley Orgánica 5/1982, de 1 de julio, de Estatuto de Autonomía de la Comunidad Valenciana (BOE núm. 86, de 11 de abril de 2006). RAMÓN FERNÁNDEZ, F., "La recuperación del Derecho civil foral valenciano tras la reforma del Estatuto de Autonomía y su repercusión en la agricultura valenciana", en *Derecho agrario y alimentario español y de la Unión Europea*, Tirant lo Blanch, Valencia, 2007, pp. 61-82.

[858]   RAMÓN FERNÁNDEZ, F., "La protección del medio ambiente y la agricultura: instrumentos destinados al efecto para la consecución de métodos de producción agraria compatibles con la protección medioambiental", en MARTÍN-BALLESTERO HERNÁNDEZ y OLIVÁN DEL CACHO (coord.): *Actas del Congreso Español de Derecho Agrario y Ordenación Rural*, Universidad de Zaragoza, Zaragoza, 1999, pp. 325-343; "Legislación española y de la Comunidad Valenciana sobre medidas para el fomento de métodos de producción agraria compatibles con la protección del medio ambiente y la naturaleza", en *La dimensión ambiental del territorio frente a los derechos patrimoniales*, Tirant lo Blanch, Valencia, 2004, pp. 465-475; RAMÓN FERNÁNDEZ, F. y CANÓS DARÓS, L., "La regulación de medidas para favorecer el desarrollo sostenible del medio rural", en *VI Congreso "La investigación ante la sociedad del conocimiento". Sostenibilidad y medioambiente*, Universidad Politécnica de Valencia. Campus de Alcoy, 2009, pp. 141-144.

[859]   RAMÓN FERNANDEZ, F., LULL NOGUERA, C., GARCÍA-ESPAÑA SORIANO, L. y SORIANO SOTO, A., "Legislación y caracterización de los suelos en los huertos urbanos en la ciudad de Valencia", en *III Congreso Estatal de Huertos Ecológicos Urbanos y Periurbanos*, *"Ciudades que alimentan"*, Resúmenes, 18 y 19 de junio, Sociedad Española de Agricultura Ecológica/Sociedad Española de Agroecología (SEAE), Valencia, 2018, p. 45.

[860]   BOE núm. 91, de 16 de abril de 2011. Modificada por Decreto-ley 8/2017, de 29 de diciembre, del Consell, de modificación de la Ley 3/2011, de 23 de marzo, de la Generalitat, de comercio de la Comunitat Valenciana, en materia de promoción de ferias comerciales oficiales como servicio de interés general autonómico (DOGV núm. 8212, de 15 de enero de 2018), y Ley 3/2018, de 16 de febrero, por la que se modifican los artículos 17, 18 y

proximidad, para evitar desplazamientos y el uso de los modos de movilidad menos sostenibles.

El artículo 29 referente a los objetivos de la ordenación comercial, los relaciona con los objetivos de ordenación del territorio y protección del paisaje y del desarrollo urbanístico de la Comunitat Valenciana, y menciona la creación de un marco de implantaciones comerciales en los que prime la sostenibilidad territorial.

Puntos de venta de productos agrícolas más importante es el conocido como "Tira de Contar", que está situado en MercaValencia.[861] Es una forma de venta que pone de manifiesto la importancia del comercio de proximidad.

Sus orígenes datan del siglo XII, y se ha mantenido y actualizado a lo largo del tiempo.[862]

Una línea cronológica se puede establecer de la siguiente forma:

1. Durante los siglos XII a XVII, se realiza el sistema de venta de la Tira de Contar en la Plaza de la Hierba;[863]

2. En el año 1594 se traslada a la Plaza del Mercado, en una localización cercana de la Lonja, y fuera de la muralla musulmana. En el año 1839 se inaugura un mercado, el denominado Mercado Nuevo, en ese emplazamiento, y que constituye un mercado descubierto, que será el origen del futuro Mercado Central, que se construyó años posteriores;

3. Durante 1914 se ubica en los alrededores de la Iglesia de San Agustín, ya que se inician las obras de construcción del actual Mercado Central, cuyas obras se inician en el año 1914 hasta 1928, tras el concurso con-

---

11 y la disposición transitoria cuarta de la Ley 3/2011, de 23 de marzo, de Comercio de la Comunitat Valenciana (BOE núm. 63, de 13 de marzo de 2018).

[861] MERCAVALENCIA, *La Tira de Contar*. Disponible en: https://www.mercavalencia.es/es/sectores-actividad/la-tira-de-contar/ (Consultado el 22 de mayo de 2021).

[862] Se puede ver la evolución histórica de esta forma de venta en: RAMÓN FERNÁNDEZ, F., "Objetivos de Desarrollo Sostenible (ODS) y gestión del patrimonio cultural de la Huerta de València: la importancia del comercio de proximidad y la puesta en valor de sus bienes y recursos. La tira de contar y la Agromuseu de Vera, Valencia", *Revista jurídica valenciana. Associació de Juristes Valencians (anteriormente Revista Internauta de Práctica Jurídica)*, n°. 36, 2020, págs. 1-20. Disponible en: https://www.revistajuridicavalenciana.org/wp-content/uploads/0036_0007_01.pdf (Consultado el 22 de mayo de 2021).

[863] ESCLAPÉS DE GUILLÓ, P., *Resumen historial de la Fundación y antigüedad de la Ciudad de Valencia de los Edetanos, vulgo del Cid, sus progresos, etc.*, Antonio Bordazar de Artazù, Valencia, 1738; CARBONERES, M.: *Nomenclator de las Puertas, Calles y plazas de Valencia con los nombres que hoy tienen y los que han tenido desde el siglo XIV hasta el día, noticia de algunas lápidas antiguas que aun hoy existen y varios datos históricos referentes a dicha ciudad*, Imprenta del Avisador Valenciano, á cargo de José Peidró, Valencia, 1873.

vocado en el año 1910[864]siendo obra de los arquitectos Enrique Viedma y Ángel Romaní;

4. Durante los años 1920 a 1940 se ubica la Tira de Contar en el emplazamiento de la Gran Vía Fernando el Católico y la Calle Cuenca;

5. En el año 1948 cambia de ubicación y se instala en el Mercado de Abastos de la ciudad. Este mercado se construyó durante el periodo de 1939-1848, y fue obra del arquitecto Javier Goerlich Lleó.[865]

6. Una vez se produce el cierre del Mercado de Abastos, en 1981 se instala la Tira de Contar en MercaValencia, donde sigue en la actualidad.

Se rige por el Reglamento del funcionamiento del mercado de agricultores de la Tira de Contar, de octubre de 2020. Como indica su apartado 1, este mercado "está dedicado exclusivamente a la venta de productos agrarios de las propias cosechas de los agricultores que no vendan sus productos solo al por mayor en un establecimiento mercantil o en un mercado".

Por lo que se refiere a los productos, el apartado 6 del Reglamento indica que:

> "En el espacio, días y horas de funcionamiento del MERCADO, podrán efectuarse operaciones de compraventa de productos para alimentación humana que sean hortofrutícolas o transformados a partir de hortofrutícolas siempre que la materia prima principal venga de producción propia. La venta deberá ser necesariamente de productos producidos por los propios vendedores procedentes de explotaciones agrícolas declaradas oficialmente de conformidad con lo previsto en la Orden 13/2015, de 16 de marzo, de la Conselleria de Agricultura, Medio Ambiente, Cambio Climático y Desarrollo Rural, por la que se establece el procedimiento administrativo de inscripción en el Registro General de Producción Agrícola (REGEPA) o registros equivalentes de otras Comunidades Autónomas. Todo agricultor que presente y se le autorice un cultivo leñoso (árbol) no podrá comercializar antes de 3 meses esa producción, excepto que sea propietario o arrendatario presentando la documentación oficial acreditada por el registro, de la parcela en la que se cultiva dicho cultivo".

3.1. Características de la tira de contar

Los puestos de los ocupantes de la "Tira de Contar" se adjudicarán a los huertanos que acuden a vender directamente y sin intermediarios, los frutos de sus cosechas propias y se concederán diariamente por riguroso orden de entrada y descarga de mercancías.

---

[864] MERCADO CENTRAL, *Historia del Mercado*. Disponible en: https://www.mercadocentralvalencia.es/Mercado/HistoriaMercado (Consultado el 23 de mayo de 2021).

[865] VALENCIA BONITA, *Mercado de Abastos, Valencia*. Disponible en: https://valenciacuriosa.blogspot.com/2019/06/el-mercado-de-abastos-valencia.html (Consultado el 23 de mayo de 2021).

Se limita geográficamente los agricultores que pueden formar parte de la "Tira de Contar", ya que se circunscribe a la Vega de València (Hortas Sud y Nord), pero también participan los de otras comarcas cercanas como la Ribera del Xúquer, el Camp del Túria y los Serrans.

Para poder vender en la Tira de Contar, el Reglamento indica, en su apartado II, las condiciones de admisión:

> "Para obtener la condición de operador del MERCADO en concepto de vendedor, el agricultor, la Cooperativa, la SAT u otras sociedades de agricultores que no realicen su actividad comercial solo al por mayor en establecimiento mercantil o en un mercado, tendrán que presentar en MERCAVALENCIA certificado de estar inscritos en el REGEPA con descripción de las tierras cultivadas, acreditación de estar inscrito en el Régimen especial de autónomos de la Seguridad Social además de la solicitud de admisión según modelo adjunto (ANEXO I). En caso de sociedades mercantiles, acreditación de la inscripción de los trabajadores que vayan a desarrollar su actividad en Mercavalencia en el correspondiente régimen de la Seguridad Social. En el caso de renovaciones, adicionalmente se deberá aportar acreditación de inscripción en régimen especial de autónomos de la Seguridad social durante los últimos 24 meses anteriores a la renovación".

3.2. Creación de etiquetado de productos APHORTA

Supone también una garantía para la calidad, seguridad[866] y trazabilidad de los productos agroalimentarios.[867]

APHORTA, que es un etiquetado de dichos productos acreditativo de su responsabilidad medioambiental, así como de su procedencia: la Huerta de València. Se incorpora también una tarjeta de trazabilidad.

Este etiquetado permitirá la identificación de los productos agrícolas que provienen de la Tira de Contar. En información que también se facilitará al consumidor en forma de folleto, se le indicará los datos del agricultor/a, así como la procedencia del producto, y los datos técnicos del alimento. Se incluirá un código QR para que el consumidor/a pueda conocer un poco más la Tira de Contar. Se prevé que en el futuro incluya también el valor añadido del producto.[868]

---

[866]   RAMÓN FERNÁNDEZ, F., "La seguridad alimentaria en el marco europeo", en DOMÉNECH ANTICH y ESCRICHE ROBERTO (ed.), *Calidad y seguridad alimentaria. Retos del presente*, Editorial Universitat Politècnica de València, Valencia, 2012, pp. 65-80.

[867]   MESA GARCÍA, O. y RAMÓN FERNÁNDEZ, F., "La trazabilidad como instrumento de garantía para la seguridad alimentaria", *Revista de Derecho civil*, vol. III, nº. 3, julio-septiembre 2016, pp. 109-138. Disponible en: http://www.nreg.es/ojs/index.php/RDC/article/view/219/173 (Consultado el 22 de mayo de 2021).

[868]   UNIÓ DE CONSUMIDORS DE LA COMUNITAT VALENCIANA, *APHORTA, la nueva etiqueta para los productos de proximidad de la huerta valenciana*, 2017. Disponible en:

Se aplica el Decreto 5/2015, de 23 de enero, del Consell, por el que se regula la obligación de mantener la trazabilidad en los productos agrícolas de la Comunitat Valenciana desde su origen a su primera comercialización.[869]

3.3. *Relación con los ODS*

Se relaciona principalmente con los ODS:

a) Hambre cero, se trata del ODS 2. Como una de las metas se propone:

"Para 2030, asegurar la sostenibilidad de los sistemas de producción de alimentos y aplicar prácticas agrícolas resilientes que aumenten la productividad y la producción, contribuyan al mantenimiento de los ecosistemas, fortalezcan la capacidad de adaptación al cambio climático, los fenómenos meteorológicos extremos, las sequías, las inundaciones y otros desastres, y mejoren progresivamente la calidad del suelo y la tierra" y "Adoptar medidas para asegurar el buen funcionamiento de los mercados de productos básicos alimentarios y sus derivados y facilitar el acceso oportuno a información sobre los mercados, en particular sobre las reservas de alimentos, a fin de ayudar a limitar la extrema volatilidad de los precios de los alimentos".

b) Producción y consumo responsables. Se trata del ODS 12. Entre las metas para lograrlo, destaca:

"Promover prácticas de adquisición pública que sean sostenibles, de conformidad con las políticas y prioridades nacionales", así como "Ayudar a los países en desarrollo a fortalecer su capacidad científica y tecnológica para avanzar hacia modalidades de consumo y producción más sostenibles" y "Elaborar y aplicar instrumentos para vigilar los efectos en el desarrollo sostenible, a fin de lograr un turismo sostenible que cree puestos de trabajo y promueva la cultura y los productos locales".

Los productos de proximidad contribuyen a conseguir ambos objetivos: por un lado, pueden ayudar a paliar el hambre, y se fomenta la producción y consumo responsables[870]. Además de incrementar las buenas prácticas en el

---

https://uniodeconsumidors.org/es/en-la-union-de-consumidores-apostamos-por-el-comercio-de-proximidad/ (Consultado el 23 de mayo de 2021).

[869] .DOGV núm. 7451, de 27 de enero de 2015.

[870] LULL NOGUERA, C., RAMÓN FERNÁNDEZ, F., GARCÍA-ESPAÑA SORIANO, L. y SORIANO SOTO, Mª. D., "The role of agricultura in times of health crisis in Spain", en *XVI European Society for Agronomy Congress. Smart agricultura for great human challenges*, Sevilla, 2020, pp. 140-141.

ámbito de agricultura, la venta directa, y sin intermediarios, del agricultor al consumidor.

Así, de esta forma, se contempla incorporar a la Tira de Contar la denominada Ecotira. Se trata de una línea de productos ecológicos.[871] Participará el Comité de Agricultura Ecológica de la Comunitat Valencia, y garantizará que los productos ecológicos se incluyan en la Ecotira.

4. CONCLUSIONES

Destacar la importancia de la venta de productos de proximidad de la Huerta, ya que supone una revitalización del espacio y de productos característicos de la agricultura valenciana.

La forma de venta tradicional mediante la Tira de Contar sigue existiendo y se desarrolla en la actualidad, en la sede de MercaValencia.

La protección de los productos se ha fomentado a través de la implantación de un etiquetado de productos propios de la Huerta, que garantiza su calidad y trazabilidad. Es el etiquetado de productos APHORTA.

Se aplica también la legislación agroalimentaria en relación con los productos propios de la Huerta.

---

[871] CERAI, *La histórica Tira de Contar de Mercavalència pondrá en marcha una línea de producción ecológica*, 2020. Disponible en: https://cerai.org/la-historica-tira-de-contar-de-mercavalencia-pondra-en-marcha-una-linea-de-produccion-ecologica/ (Consultado el 23 de mayo de 2021).

Cítricos con royalty. Minifundios

PACO BORRÁS ESCRIBÁ
Consultor

1.INTRODUCCIÓN

Desde que hacia finales de la primera década del actual siglo este tema entro de lleno en el mundo citrícola, han sido muchas las variedades con royalty que se han presentado al mundo de los agrios. Algunas ya con esquemas muy concretos de clubs estructurados, otras incluso llegando a detalles más específicos en relación a como realizar la entrada en los diferentes mercados, otras simplemente con una limitación de plantas o hectáreas garantizadas, etc. Dentro de esas variedades había mandarinas, naranjas y limones.

Sin embargo en estos momentos es un hecho que variedades consolidadas básicamente hay tres y las tres son mandarinas de segunda temporada, Nadorcott, Tango y Orri. Es cierto que alguna mandarina más está apuntando maneras, pero es pronto paara hablar de consolidación. En naranjas y limones también los hay, pero es pronto para hablar de volúmenes tangibles y variedades que aporten diferenciaciones significativas.

2. HISTORIA

Corría el año 1996, cuando se empezaba a escuchar en los círculos citrícolas el nombre Afourer, y ya en 1997 cuando hizo público AVASA la relación de plantones vendidos en la Comunidad valenciana los Viveros Autorizados, aparecen las primeras 1.200 plantas de Afourer, nombre que se le continuo dando a los plantones hasta el año 2002, en el que aparecen en la lista 30.316 plantones de Afourer y 17.990 de Nadorcott. Esta doble denominación se siguió usando hasta el año 2007, año en el que se interrumpen las ventas de plantones con estas dos denominaciones y no vuelven a aparecer hasta el año 2010. En el momento del parón, ya se habían plantado 774.820 árboles de Aforurer&Nadorcott, amén de una serie de Hectáreas injertadas a partir del material plantado.

Las causas de la interrupción de las ventas de plantones fue la puesta en marcha de los seguimientos de las licencias, tema que hasta ese momento prácticamente nadie tenia en cuenta.

Se había producido mientras tanto la creación de la Asociación de Obtentores Vegetales (ANOVE), la posterior creación del Club de Variedades Protegidas (CVVP), la puesta en marcha de los procesos de legalización, que pasaron por conflictos con los sindicatos y los agricultores históricos mayoría de ellos pequeños y medianos, el choque de mentalidades en el campo y el inicio de procesos judiciales con sus correspondientes sentencias posteriores, la mayoría de ellas a favor de los propietarios de las variedades.

En esos momentos, las primeras plantaciones de Nadorcott, o Afourer&Nadorcott como queramos nombrarles, ya estaban en producción. Por otro lado también entraban en producción los 30 Millones de plantas de clementinas que se plantaron entre 1996 y 2005, que llevo la producción de clementinas a su máximo histórico de 1.600.000 Tm, con un problema colateral; El pie tolerante adelantaba la maduración y mientras que en los años anteriores los huertos de clemenules sobre pie amargo se recolectaban en febrero sin problemas, ahora había que limpiar los arboles antes de mitad de enero.

Un análisis de los resultados netos par el citricultor de las campañas en las que las mandarinas de club se consolidaron le vemos en el cuadro siguiente....

RESUMEN DE LOS RESULTADOS NETOS PRODUCTOR CITRICOS ESPAÑOLES CAMPAÑAS 2008 A 2020

paco borrás

Grupo varietal	Mal	Equilib	Bien	Muy Bien
Clementinas	8	1	3	0
Hibridos libres	3	3	5	1
Hibridos Club	0	0	1	11
Navels 1ª Temporada	6	3	2	1
Navels 2ª Temporada	3	3	3	3
Salustianas	3	3	5	1
Valencia late	2	3	2	5
Limon Primofiori	0	2	4	6
limon Verna	0	1	5	6
Pomelo Star Ruby	0	0	7	5

Mal.- No se cubren los gastos anuales de cultivo.

Equilib.- Solo se cubren los gastos anuales, pero ningún beneficio.

Bien.- Se cubren los gastos anuales y se recuperan amortizaciones y hay algo beneficio.

Las mandarinas de Royalty están en cabeza y de los cítricos sin Royalties, solo limones y pomelos se les acercan sin alcanzarlos.

El abandono de parcelas fue dramático. En solo 13 años, España ha perdido 47.480 Explotaciones de menos de 20 Hectáreas (un 35,71% del total) y de estas en el caso de la Comunidad Valenciana son 32.786. Por otro lado se ha dado la circunstancia que esa pérdida de explotaciones solo se ha dado en el segmento de menos de 20 Hectáreas, ya que el segmento de más de 20 hectáreas creció en número de explotaciones en 771 (un 21'61%). La parte anecdótica de estas pérdidas de explotaciones es que el numero de Hectáreas globales de cítricos casi no cambio. Porque las Hectáreas desaparecidas de menos de 20 Hectáreas restaban 43.582 al total y las nuevas plantaciones de más de 20 Hectáreas casi lo compensaban con sus 39.015 Hectáreas. Al final de todos estos movimientos solo se perdieron 4.567 Hectáreas que suponía solo un -1'67 % de la superficie total.

Ya se estaba viendo desde finales del siglo pasado una estabilización de las producciones de cítricos de la Comunidad Valenciana y un crecimiento de Murcia y Andalucía. En la campaña 2019/20, la suma de los cítricos de Murcia y Andalucía superó por primera vez la cifra de la Comunidad valenciana.

Ello agudizo la diferencia del modelo de explotaciones en las tres regiones, de forma que según el censo de 2016, la situación entre las tres principales zonas de cítricos españoles en cuanto al tamaño de sus explotaciones era como vemos en la imagen..

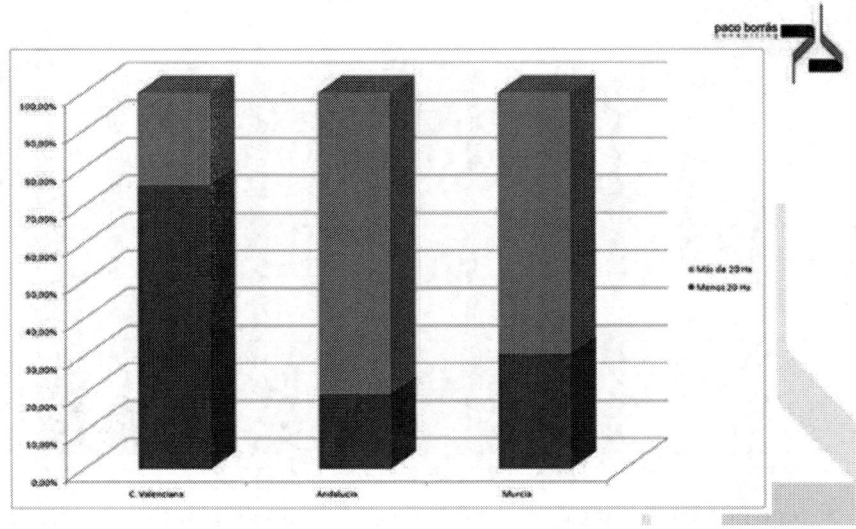

Al final de la recién finalizada década, el modelo Royalty, los clubs con sus "Numerus Clausus", bien por arboles o por Hectáreas, los sistemas colaterales de financiación hacia la variedad para seguir afianzando su posicionamiento en los mercados, se fueron asentando y en estos momentos es una realidad en la que el mundo citrícola convive con las variedades históricas libres, con las de royalty y con la vista puesta en que las actuales variedades de royalty tienen también una fecha definida para ser a su vez libres.

Y cada año aparecerán nuevas variedades de royalty que el tiempo las consolidara o simplemente pasaran, como muchas variedades libres lo hicieron anteriormente.

3. SITUACION ACTUAL

La gestión de las tres variedades más implantadas hasta la fecha es independiente ya que Nadorcott está gestionada por el Club de Variedades protegidas (CVVP), Tango por Eurosemillas como licenciatario de las patentes de la Universidad de Riverside (California), y Orri por Orri Running Committee (ORC) por cuenta del Plants Production and Marketing Board(PPMB) de Israel.

Las plantaciones realizadas hasta el momento han conducido a que está ultima se hayan superado la cifra de 400.000 Tm, entre las tres como vemos en el cuadro...

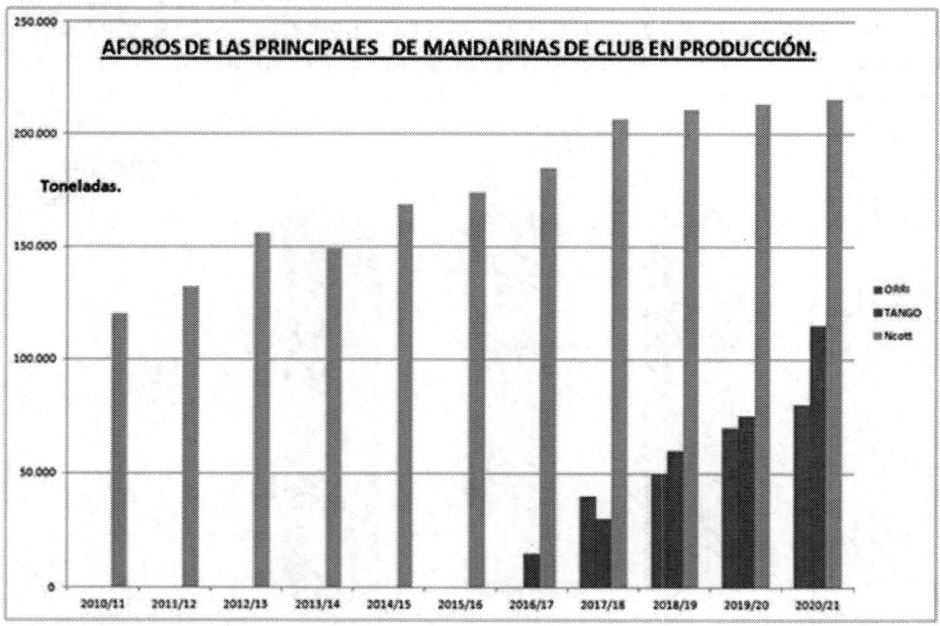

Si tenemos en cuenta que el número de hectáreas plantadas entre las tres se acercara pronto a las 15.000, y tenemos en cuenta los rendimientos confirmados, podemos estimar que en el 2025 solo las licencias distribuidas de estas mandarinas se acercaran a las 500.000 Tm de cosecha en España. Sin olvidar que Leanri y otras variedades están pidiendo paso y de momento también apunta mandarinas de segunda temporada.

4. ¿DONDE Y QUIEN HA PLANTADO LAS MANDARINAS DE ROYALTY?

Donde, lo sabemos con bastante exactitud y quien lo podemos imaginar. Según los datos aportados directa o indirectamente por los diferentes gestores, las Hectáreas de estas tres variedades por provincias serian estas:

| PLANTACIONES DE CLEMENTINAS , HIBRIDOS Y % HIBRIDOS CON ROYALTY. | | | | | | | |
Provincia	Clem+Hibri	Hectareas Ncot/Or/Tar	% Royal/Tot	Provincia	Clem+Hibri	Hectareas Ncot/Or/Tan	% Royal/Tot
Tarragona	6377	108	1,70%	Almeria	2551	697	27,33%
				Cadiz	445	32	7,14%
Castellón	28382	999	3,52%	Cordoba	367	61	16,67%
Valencia	33783	4.108	12,16%	Huelva	11371	2.753	24,21%
Alicante	6563	1.692	25,79%	Sevilla	2799	1.510	53,95%
C. Valenciana	68728	6.799	9,89%	Andalucia	17533	5.053	28,82%
R. de Murcia	5544	2.191	39,51%				
				España	98182	14.151	14,41%

El cuadro nos muestra como estas nuevas mandarinas han sido plantadas en las zonas donde anteriormente no había casi mandarinas.

Y concretamente la provincia de Castellón vemos como de sus 28.382 Hectáreas de mandarinas, solo un 3% son de estas variedades que han aportado buenos resultados los últimos años. En Valencia no es tan exagerado, pero su porcentaje también está por debajo de la media de España.

Y si miramos la estructura de la propiedad en esas dos provincias podemos asegurar que son en su mayoría pequeños y medianos propietarios. Que para más dificultades suelen tener pequeñas parcelas ubicadas en las zonas históricas del minifundio.

Fue la zona que provoco la primera reacción frontal contra el tema de las legalizaciones de las nuevas variedades, en parte porque suponía un cambio significativo de mentalidad. Hasta finales del siglo pasado se habían transmitido las nuevas variedades de unos citricultores a otros sin que el concepto de propiedad de la variedad existiera. Estábamos ante una nueva situación y costo entenderlo. También es cierto que en algunos casos se empujo a que se plantaran las novedades sin explicar bien lo que podría suceder después. Pero también lo es que en otros casos se abuso de picaresca para no cumplir las normas.

5. FUTURO PROXIMO

En este punto no debemos de olvidar para tener una perspectiva más global, que desde hace unos años ya se están plantando Nadorcott en Marruecos y Egipto, que Tango también está empezando a plantarse al menos en Egipto y por tanto España tendrá que compartir mercados con fruta de estos orígenes.

Pero, por otro lado también es cierto que los meses de Febrero a Mayo, el mercado estaba demandando mandarinas mejores que las Ortaniques y está pagando por tener buenas mandarinas realmente "fáciles de pelar". Por ello es posible imaginar que en particular Europa sea capaz de asumir ordenadamente y sin caer en los precios de Diciembre y Enero provocados por las clementinas, cifras de oferta cercanas al 1.200.000 Tm de este tipo de mandarinas de todas las procedencias.

Todo ello siempre que no aparezca una verdadera "clementina" válida para esos meses, porque entonces la reacción del consumidor podría cambiar de orientación.

6. ALGUNAS DUDAS ETICAS

Estamos en estos momentos en el discurso de la "Sostenibilidad" en el momento de los Objetivos de Desarrollo Sostenible (ODS) y cuando uno da la vista atrás y reflexiona sobre lo que pequeños y medianos citricultores hicieron a lo largo de finales del siglo XIX y todo el siglo XX, siendo la parte más importante de la producción citrícola española que alcanzo a finales del siglo pasado una producción 5.500.000 Tm, uno se da cuenta que cumplían con su trabajo muchos de estos objetivos.

Los exportadores históricos, que a finales del siglo pasado eran cerca de 600 entre cooperativas y privados, también realizaban una gran aportación a estos objetivos, porque eran empresarios del tejido de los mismos pueblos en los que los pequeños y medianos propietarios producían los cítricos.

Los viveristas autorizados, también pertenecían a este entramado, que en su momento fue decisivo para con la ayuda del IVIA, resolver el problema de la tristeza en España.

Esta estructura de la cadena citrícola, se merecería la "Certificación" de cumplimiento de los ODS que he marcado en la siguiente imagen, sin ninguna duda.

Durante el pasado siglo los beneficios de toda esta cadena retornaron con el modelo anterior a esas comarcas, lo cual influyo decisivamente en la mejora del nivel de vida de los pueblos citrícolas y permitió que muchos de los hijos de esos pequeños y medianos agricultores en la segunda mitad del siglo XX pudiéramos ir a la Universidad y tener acceso a un mundo nuevo que nuestros padres y abuelos no tuvieron. Los pequeños y medianos citricultores del minifundio se convirtieron en una red capilar para hacer llegar a muchas familias los beneficios de los cítricos.

Y llegaron las variedades de Royalty, hasta hoy las más consolidadas de Marruecos, California e Israel, pero mañana podrían consolidarse las de Sudáfrica o Australia.

Pero al mismo tiempo llegaron también los Fondos de Inversión, y entre el 2013 y el 2020 han entrado a controlar algunas de las empresas líderes en el sector citrícola.

Las empresas licenciatarias de las nuevas variedades de Royalty y los Fondos de Inversión, son empresas de nueva generación, con capacidad para adquirir algunas de las nuevas certificaciones sobre "sostenibilidad" y comportamiento ético necesarios para tener una buena imagen.

Pero, los beneficios de este tipo de empresas retornaran, al menos en una parte relevante, a los pueblos y a las personas que harán el trabajo citrícola?

Análisis del concepto de "poblaciones" de la decisión de ejecución 2014/150/ue: principales implicaciones empresariales y relación con los conceptos de "material heterogéneo ecológico" y "variedad ecológica" del reglamento (ue) 2018/848

JUAN ANTONIO VIVES-VALLÉS

Investigador adjunto al Depto. de Producción y Protección Agroalimentaria del Instituto de investigaciones Agroambientales y de la Economía del Agua, y contratado doctor interino adjunto al Área de Dcho. Mercantil del Depto. de Dcho. Privado de la Universitat de les Illes Balears.

1. EL CONCPETO DE "POBLACIONES" DE LA DECISIÓN DE EJECUCIÓN 2014/150/UE

1.1. Introducción al concepto

Según el art. 1 de la Decisión de Ejecución 2014/150/UE,[872] ésta tenía como "*[o]bjeto*" el establecimiento de "*un experimento temporal a escala de la Unión con el fin de evaluar si la producción, con vistas a la comercialización, y la comercialización, en determinadas condiciones, de semillas de poblaciones [...] pertenecientes a los géneros Avena, Hordeum y Triticum y a la especie Zea mays L.*" como "*una alternativa más adecuada que la exclusión de la comercialización de semillas que no cumplan los requisitos[873][...] de la Directiva*

---

[872] Decisión de Ejecución de la Comisión, de 18 de marzo de 2014, relativa a la organización de un experimento temporal en cuyo marco se establecen determinadas exenciones para la comercialización de poblaciones de las especies vegetales trigo, cebada, avena y maíz con arreglo a la Directiva 66/402/CEE del Consejo. En adelante, "*Decisión de Ejecución 2014/150/UE*", como se la cita, *v. g.*, en la Decisión de Ejecución (UE) 2018/1519 de la Comisión, de 9 de octubre de 2018, que modifica la Decisión de Ejecución 2014/150/UE relativa a la organización de un experimento temporal en cuyo marco se establecen determinadas exenciones para la comercialización de poblaciones de las especies vegetales trigo, cebada, avena y maíz con arreglo a la Directiva 66/402/CEE del Consejo.

[873] En concreto, la Decisión de Ejecución 2014/150/UE, se refiere en su art. 1, a "*los requisitos del artículo 2, apartado 1, letras E, F y G, de la Directiva 66/402/CEE relativos a los aspectos varietales de las semillas de determinadas especies y que los requisitos del artículo 3,*

66/402/CEE".[874] Este *"experimento"* fue prorrogado hasta el *"28 de febrero de 2021"*, en virtud del art. 1.b) de la Decisión de Ejecución (UE) 2018/1519 de la Comisión, de 9 de octubre de 2018.[875]

El art. 2 de la Decisión de Ejecución 2014/150/UE, fija su propio *"[á]mbito de aplicación"*, definiendo asimismo el concepto de *"poblaciones"* o *"agrupaciones vegetales"* (en el contexto de la propia Decisión):

> *"Artículo 2*
> Ámbito de aplicación
>
> *La presente Decisión abarcará las agrupaciones vegetales que cumplan todos los requisitos siguientes:*
>
> *a) resultan de una determinada combinación de genotipos;*
>
> *b) se consideran unidades con respecto a su aptitud para ser reproducidas sin cambios, una vez establecidas en una determinada región de producción con condiciones agroclimáticas específicas;*
>
> *c) se generan por medio de una de las técnicas siguientes:*
>
> *i) cruce de cinco o más variedades en todas las combinaciones, seguido de mezcla de la progenie y exposición del material a la selección natural en generaciones sucesivas,*
>
> *ii) cultivo conjunto de por lo menos cinco variedades de una especie de fertilización predominantemente cruzada, mezcla de la progenie, resiembra repetida y exposición del material a la selección natural hasta que deje de haber plantas de las variedades originales,*
>
> *iii) entrecruce de variedades con protocolos de cruce distintos de los indicados en los incisos i) o ii) para producir una población análogamente diversa que no contenga variedades.*
>
> *En lo sucesivo, estas agrupaciones vegetales se denominan «poblaciones»."*

En primer lugar, cabe destacar que los dos primeros *"requisitos"* del concepto de *"población"* parecen ser una adaptación de los requisitos comprendidos en los incisos 1º y 3º del art. 5.2 del Reglamento (CE) nº 2100/94[876] que define el concepto de *"variedad"* en el contexto de dicho Reglamento; y -como

---

apartado 1, *relativos a la comercialización con la certificación oficial de «semillas certificadas», «semillas certificadas de la primera generación» o «semillas certificadas de la segunda generación»."*

[874] *I.e.*, la Directiva 66/402/CEE del Consejo, de 14 de junio de 1966, relativa a la comercialización de las semillas de cereales.

[875] Decisión de Ejecución (UE) 2018/1519 de la Comisión, de 9 de octubre de 2018. *Vid.* asimismo Comisión Europea, *Commission staff working document[:] Study on the Union's options to update the existing legislation on the production and marketing of plant [Brussels, 29.4.2021 SWD(2021) 90 final] reproductive material*, cit., p. 13, e *infra* nota 84 y el texto a dicha nota.

[876] Reglamento (CE) nº 2100/94 del Consejo, de 27 de julio de 1994, relativo a la protección comunitaria de las obtenciones vegetales.

ha señalado la doctrina[877]- estos últimos son a su vez un calco de los requisitos contenidos en el concepto de *"variedad"* del art. 1.vi) del Acta de 1991 del Convenio Internacional para la Protección de las Obtenciones Vegetales (o *"CUPOV"*[878]). Por ello, en primer lugar, resulta necesario revisitar el concepto de *"variedad"* al amparo de dichos textos.

1.1.1. Revisitando el concepto de "variedad" del art. 1.vi) del Acta de 1991 del CUPOV

El objeto de la presente sección no es revisar el concepto de *"variedad"* al amparo del Acta de 1991 del CUPOV,[879] sino tan sólo aquellos elementos potencialmente relevantes para el análisis del concepto de *"población"* de la Decisión de Ejecución 2014/150/UE, destacando aquellos aspectos que guardan conexión -por similitud u oposición o distanciamiento- con esta última definición.[880]

En particular, como ha señalado la doctrina,[881] debe destacarse la similitud entre los incisos 1°, 2° y 3° del art. 5.2 del Reglamento (CE) n° 2100/94 y del

---

[877] Sobre la *"definición"* en su conjunto (de *"variedad"* del Reglamento (CE) n° 2100/94 y del Acta de 1991 del CUPOV), tanto Quintana Carlo como García Vidal señalan la cercanía entre ambos textos. *Vid.*, respectivamente, Quintana Carlo, I., "El Reglamento CE número 2100/1994 relativo a la protección comunitaria de las obtenciones vegetales", *Actas de derecho industrial y derecho de autor*, 16, 1994, Universidade de Santiago de Compostela: Instituto de Derecho Industrial Marcial Pons., p. 4. y García Vidal, Á., "La variedad vegetal como objeto de protección", en Ángel García Vidal (ed.) *Derecho de las obtenciones vegetales*, Editorial Tirant lo Blanch S.L, Valencia, 2017, pp. 266-267.

[878] Acrónimo utilizado, *v. g.*, por Quintana Carlo, I., "El Reglamento CE número 2100/1994 relativo a la protección comunitaria de las obtenciones vegetales", cit., pp. 2, 18, 26; así como también por García Vidal, Á., "La variedad vegetal como objeto de protección", cit., p. 266.

[879] Sobre el concepto de *"variedad"*, *vid.*, *v. g.*, la obra de García Vidal, particularmente: García Vidal, Á., "La variedad vegetal como objeto de protección", cit., pp. 263 y ss.

[880] Un ejercicio de interpretación *ad hoc*, útil en el contexto del presente capítulo, y que sin embargo no sustituye, ni pretende sustituir, a la interpretación *oficial* -ofrecida, *v. g.*, en UPOV, "Notas explicativas sobre la definición de variedad con arreglo al Acta de 1991 del Convenio de la UPOV", 2010, Ginebra, fecha de consulta 10 junio 2021, en https://www.upov.int/edocs/expndocs/es/upov_exn_var.pdf-.

[881] García Vidal, en García Vidal, Á., "La variedad vegetal como objeto de protección", cit., p. 280, sobre la base de otros autores (*"MAYR C. E., «La disciplina delle nuove varietà vegetali», cit., pg. 856; MORRI, F., «Nuove varietà vegetali», cit., pg. 1127." Ibid.*, p. 280). Esta misma similitud se deduce de las Actas de la Conferencia Diplomática para la revisión del CUPOV de 1991: "18. *In searching for a definition of variety starting from a rather broad term and limiting it through the above three indents, the Working Group always kept in mind the difference between a definition of a variety and criteria required for protection. The acceptance of the above three indents already partly shows that difference. However, in order to avoid any misinterpretation, the Working Group agreed to include in the definition the bracketed text from document DC/91/23 reading:*

art. 1.vi) del Acta de 1991 del CUPOV, y las *"condiciones"* de protección de *"[h]omogeneidad"*, *"[d]istinción"* y *"[e]stabilidad"*, respectivamente,[882] contenidas en esos textos legales.[883] La clave de la conexión entre el citado inciso 1º y la «*homogeneidad*» es el término *"definirse"* en relación con el *"conjunto de plantas"* al que se refiere éste y el resto de incisos. Un *conjunto* solamente puede *definirse* a partir de sus caracteres compartidos,[884] *i.e.*, a partir de un mínimo de *uniformidad* u *homogeneidad* entre los integrantes del *conjunto*.[885] El inciso 2º de la definición de *"variedad"* conduce directamente y de forma

---

"- irrespective of whether the conditions for the grant of a breeder's right are fully met...""" (énfasis añadido) UPOV, *Records of the Diplomatic Conference for the Revision of the International Convention for the Protection of New Varieties of Plants–Geneva 1991 (publication UPOV nº 346 (E))*, Geneva, 1992., p. 139.

[882]   En realidad, García Vidal solamente aprecia una conexión directa o explícita entre el inciso 2º–del art. 5.2 del Reglamento (CE) nº 2100/94 y del art. 1.vi) del Acta de 1991 del CUPOV– y la *"distición"* [García Vidal, Á., "La variedad vegetal como objeto de protección", cit., pp. 275 y 280], así como entre el inciso 3º y la *"estabilidad"* [*ibid.*, p. 280], pero no entre el inciso 1º y la *homogeneidad*, conexión a la que sin embargo llega de forma indirecta [*vid. ibid.*, p. 280 e *infra* nota 16].

[883]   Arts. 7, 8 y 9, respectivamente, tanto del Reglamento (CE) nº 2100/94 como del Acta de 1991 del CUPOV.

[884]   *Vid.*, por ejemplo, la sexta acepción de *"conjunto"* del Diccionario de la Real Academia Española: "6. *m. Totalidad de los elementos o cosas poseedores de una propiedad común, que los distingue de otros; p. ej., los seres vivos.*" DRAE, "Conjunto", *Diccionario de la lengua española*, fecha de consulta 15 junio 2021, en https://dle.rae.es/conjunto?m=form.

[885]   Aunque sin relacionarlo con el inciso 1º, García Vidal reconoce la (existencia de un cierto grado de) *homogeneidad*, como elemento consustancial al concepto de *"variedad"*. Así se desprende de su introducción al concepto sobre la base de la Decisión *"T 1054/96 (Transgenic plant/NOVARTIS) of 13.10.1997"* de la *Board of Appeal* de la *European Patent Office*: *"The term "plant grouping" does not occur in the EPC; it occurs in UPOV 1991 when defining plant variety as "a plant grouping within a single botanical taxon of the lowest known rank". Thus in UPOV 1991 the term "plant grouping" relates to extremely closely related plants"* [literal, en inglés, de la Decisión T 1054/96, apartado 5º de los *"Motivos de la decisión"*. A partir de García Vidal, Á., "La variedad vegetal como objeto de protección", cit., pp. 267-268]; y así lo explica García Vidal: *"Sin embargo, aunque efectivamente el concepto de variedad incluye la necesidad de que el conjunto de plantas se pueda distinguir de las demás y presente estabilidad, esta alusión a la distinción y a la estabildiad (y de modo implícito tamibén a la homogeneidad, pues si la variedad se propaga sin alternación también será homogénea), no es una alusión a los requisitos de distinción, homogeneidad y estabilidad como requisitos de protección."* [(Énfasis añadido) *ibid.*, p. 280]. A esta conexión llega el Profesor de forma indirecta, no en relación, específicamente, con el inciso 1º [*vid.*, asimismo, *supra* nota 13]. Por otra parte, es pertinente resaltar aquí que la propia Decisión de Ejecución 2014/150/UE se refiere en su considerando (2) a la *"homogeneidad"* en relación con el concepto de *"variedad"*, no de *variedad protegida*: *"(2) Sin embargo, las nuevas investigaciones realizadas en la Unión sobre materiales de reproducción vegetal que no se ajustan a la definición de* variedad *en lo que se refiere a la* homogeneidad *demuestran que la utilización de esos materiales diversos podría resultar ventajosa, en particular por lo que respecta a la producción ecológica o la agricultura de bajos insumos, por ejemplo para reducir la propagación de enfermedades."* (Énfasis añadido).

expresa al requisito de «*distinción*», compartiendo significado e incluso utilizando los mismos términos.[886] La relación entre el inciso 3° y el requisito de «*estabilidad*» se desprende de la precisión "*[...] su aptitud a propagarse sin alteración;*" reforzada por la redacción del inciso en su conjunto (con inicio: "*considerarse como una unidad, habida cuenta de [...]*").[887] Sin embargo, en realidad, la relación entre los incisos que delimitan el concepto de "*variedad*" y los caracteres DHE,[888] e incluso entre los propios incisos, es algo más compleja. La «*definición*» de un "*conjunto de plantas*" -siguiendo el tenor literal del inciso 1° en relación con el concepto de "*variedad*"- en el contexto de la protección de *variedades*, probablemente no puede desligarse de un cierto grado, mínimo y en abstracto, de, por así decirlo, «*distinción*».[889] Por otra parte, aplicando al inciso 2° una lógica similar a la seguida en el análisis del vínculo entre el inciso 1° y la «*homogeneidad*»,[890] debe concluirse que un nivel mínimo de *uniformidad* u *homogeneidad* es también consustancial al inciso 2°; y también al inciso 3° (en este último caso por la simple razón de que es más fácil *definir* algo *homogéneo* que algo *heterogéneo891).*

---

[886]   El inciso 2° del del art. 5.2 del Reglamento (CE) n° 2100/94 y del art. 1.vi) del Acta de 1991 del CUPOV no sólo tiene un significado alineado con el del art. 7 de ambos textos ("*Distinción*"), sino que utiliza el mismo término (*i.e.*, "*distinguirse*"). La conexión entre el inciso 2° y la «*distinción*» la reconoce García Vidal en su obra [*vid.* García Vidal, Á., "La variedad vegetal como objeto de protección", cit., pp. 275 y 280], quien, además de lo recogido en *supra* nota 16 del presente capítulo, aclara, que "*[...] el nivel de distinción y estabilidad que se exige para que un conjunto de plantas sea considerado una variedad es inferior al que se requiere para poder afirmar que una variedad cumple con los requisitos de protección de la distinción y estabilidad.*" [*Ibid.*, p. 280]. *I.e.*, el Profesor utiliza la misma terminología -aunque eso sí, diferenciándolos- en ambos casos. *Vid.*, asimismo, *supra* nota 13.

[887]   Nuevamente, conexión destacada por García Vidal, entre el inciso 3° y la "*estabilidad*" [García Vidal, Á., "La variedad vegetal como objeto de protección", cit., p. 280], pero no entre el inciso 1° y la *homogeneidad*, a la que sin embargo llega de forma indirecta [*vid. ibid.*, p. 280 e *infra* nota 16; *vid.*, asimismo, *supra* nota 13].

[888]   Acrónimo habitual para referirse a los criterios de «*distinción*», «*homogeneidad*», y «*estabilidad*» [*v. g.*, Gallego Sánchez, E., "La caducidad del derecho del obtentor", en Ángel García Vidal (ed.) *Derecho de las obtenciones vegetales*, Editorial Tirant lo Blanch S.L., Valencia, 2017., p. 991; o, en general, UPOV, "Introducción general al examen de la distinción, la homogeneidad y la estabilidad y a la elaboración de descripciones armonizadas de las obtenciones vegetales [TG/1/3*]", 2002, fecha de consulta 11 septiembre 2020, en https://www.upov.int/edocs/tgpdocs/es/tgp_2.pdf].

[889]   El hecho hipotético de que una *variedad* se *defina, v. g.*, por el color, *v. g.*, fucsia, de los pétalos de sus flores, necesariamente presupone que hay o puede haber otras *variedades* con los pétalos de sus flores de *distinto* color (sin perjuicio de que también las pueda haber con los pétalos de idéntico color).

[890]   *Vid. supra* nota 15 y el texto a dicha nota.

[891]   *Vid.* asimismo la siguiente cita de Winge, que aunque emitida en el contexto de las "*variedades de conservación*", es expresametne extrapolable: "*As a key characteristic of conservation varieties is their genetic heterogeneity, agronomic and other characteristics where most such varieties display uniformity are the most central tools for distinguishing and describing them.*" [(Énfasis añadido) Winge, T., "Seed Legislation in Europe and Crop Ge-

1.1.2. El «requisito» del art. 2.a) de la Decisión de Ejecución 2014/150/UE

El art. 2 de la Decisión de Ejecución 2014/150/UE ha eliminado de su primer «requisito» (*i.e.*, "*a) resultan de una determinada combinación de genotipos*"), dos fragmentos presentes en su homólogo del Reglamento (CE) nº 2100/94 y del Acta de 1991 del CUPOV, su inicio (*i.e.*, "*definirse por la expresión de los caracteres*") y la mención "*de un cierto genotipo*" (en singular).[892]

De la primera supresión se deduce que el concepto de "*población*" definido en el art. 2 de la Decisión de Ejecución 2014/150/UE nace en contra del -o por contraste con el- concepto de "*variedad*" del art. 5.2 del Reglamento (CE) nº 2100/94 y del art. 1.vi) del Acta de 1991 del CUPOV. Ello se ve además respaldado por multitud de indicios interpretativos adicionales, como, la exclusión expresa de "*variedades*" en el «requisito» de la letra c) del art. 2 de la Decisión de Ejecución 2014/150/UE,[893] el propio concepto de "*población*" del art. 2 en su conjunto, o, especialmente, los considerandos (1), (2) y (6) de la Decisión de Ejecución.[894] Irónicamente, ese concepto de "*variedad*" se forjó marcando

---

netic Diversity", en Eric Lichtfouse (ed.) *Sustainable Agriculture Reviews*, vol. 15, Springer International Publishing AG, Cham, 2015., p. 41]. Por otra parte, y, nuevamente, además de la literatura, y de la lógica y la razón, el diccionario aporta otras claves interpretativas: cf. la definición de diccionario de "*conjunto*" (*vid. supra* nota 15) con la de "*unidad*" (*i.e.*, "*[...] 2. f. Singularidad en número o calidad. 3. f. Unión o conformidad. [...]*" DRAE, "Unidad", *Diccionario de la lengua española*, fecha de consulta 12 junio 2021, en https://dle.rae.es/unidad) en el contexto de lo comentado en el texto a la nota 15.

[892]   Cf. el art. 2.a) de la Decisión de Ejecución 2014/150/UE -*i.e.*, "*resultan de una determinada combinación de genotipos*"-, con el art. 5.2 del Reglamento (CE) nº 2100/94 y el art. 1.vi) del Acta de 1991 del CUPOV -*i.e.*, "*definirse por la expresión de los caracteres resultantes de un cierto genotipo o de una cierta combinación de genotipos*"-.

[893]   Sobre este aspecto se remite a, *infra*, la sección "*1.4. El «requisito» del art. 2.c) de la Decisión de Ejecución 2014/150/UE*" del presente capítulo.

[894]   Así, el primero de los considerandos recuerda que "*[l]a Directiva 66/402/CEE presenta requisitos específicos para la producción y la comercialización de semillas de cereales. Tales disposiciones impiden la comercialización de semillas no pertenecientes a una variedad.*" (Énfasis añadido). La *oposición* o *contraste* es evidente. El considerando (2) singulariza el problema en uno de los "*requisitos*", el de "*homogeneidad*": "*[...] materiales de reproducción vegetal que no se ajustan a la definición de variedad en lo que se refiere a la homogeneidad demuestran que la utilización de esos materiales diversos podría resultar ventajosa [...].*" (Énfasis añadido). El considerando (2) de la Decisión de Ejecución 2014/150/UE se transcribe íntegro en *supra* nota 16 *in fine*. Pero es el considerando (6) el que confirma la tesis de la definición del concepto de "*poblaciones*" o "*agrupaciones vegetales*" por contraste con el de "*variedad*": "*(6) Con el fin de aclarar la naturaleza de las poblaciones* en comparación con *las variedades, es necesario establecer un requisito sobre el número de variedades utilizadas en los cruces para obtener una población.*" (Énfasis añadido). El propio considerando (3) -aunque en relación con la Directiva 2002/53/CE del Consejo de 13 de junio de 2002, no sobre la normativa de protección de las variedades vegetales- redunda en esta cuestión cuando aclara que "*[p]ara que las semillas de dichas poblaciones pudieran comercializarse, sería necesario modificar las letras E, F y G del artículo 2, apartado 1, de la*

distancias con la noción de "*grupo de plantas*",[895] muy cercano al de "*agrupaciones vegetales*" del art. 2 de la Decisión de Ejecución 2014/150/UE.

En cualquier caso, lo que aparentemente perseguía el legislador con aquella primera supresión[896] era eliminar la referencia explícita al requisito de una *uniformidad* u *homogeneidad* mínima suficiente inherente al concepto de "*variedad*".[897] Pero si este requisito desaparece como requisito singularizado, independiente, no lo hace por completo del precepto y el texto legal. Como razona García Vidal en relación con el concepto de «*variedad*» (no el de «*población*»), el cumplimiento de la *estabilidad* presupone que la *variedad* cumple también la condición de *homogeneidad*.[898] Y todavía más relevante, la existencia de un grado mínimo de *uniformidad* u *homogeneidad* es inevitable, tanto desde una perspectiva lógica,[899] como también de la "*identificación*"[900] a la que se refieren numerosos preceptos clave de la Decisión de Ejecución

---

Directiva 66/402/CEE, añadiendo la posibilidad de comercializar semillas que no cumplan los requisitos relativos a los aspectos varietales." (Énfasis añadido).

[895]   Según se recoge en las Actas de la Conferencia Diplomática de 1991 para la revisión del CUPOV: "*the Working Group finally chose "plant grouping," "ensemble végétal," and "pflanzliche Gesamtheit," thus avoiding specific reference to "plants" or "groups of plants." The Working Group had been aware that those terms were perhaps too broad, but had preferred to use them with a subsequent narrowing of the grouping concerned by means of the indents. That had appeared the optimum approach for ensuring neutrality with regard to the materiality of the variety.*" [(Énfasis añadido) UPOV, *Records of the Diplomatic Conference for the Revision of the International Convention for the Protection of New Varieties of Plants–Geneva 1991 (publication UPOV n° 346 (E))*, cit., p. 328]. Fragmento recogido y comentado por García Vidal en su análisis sobre el concepto de «*variedad vegetal protegida*», en García Vidal, Á., "La variedad vegetal como objeto de protección", cit., p. 268.

[896]   *I.e.*, con la supresión del fragmento "*definirse por la expresión de los caracteres*" del art. 2.a) de la Decisión de Ejecución 2014/150/UE.

[897]   Sobre el requisito de *uniformidad* u *homogeneidad* en relación con el concepto de "*variedad*", vid. García Vidal, Á., "La variedad vegetal como objeto de protección", cit., p. 280, así como, *supra*, y, en general, la sección "*1.1. Revisitando el concepto de "variedad" del art. 1.vi) del Acta de 1991 del CUPOV*" del presente capítulo.

[898]   *Vid.* García Vidal, Á., "La variedad vegetal como objeto de protección", cit., p. 280, y, particularmente, el fragmento: "[...] *(y de modo implícito tamibén a la homogeneidad, pues si la variedad se propaga sin alternación también será homógena)*", transcrito en su contexto en la nota 16 del presente capítulo.

[899]   *Vid. supra* nota 15 y el texto a dicha nota.

[900]   Sobre la "*identificación*" *vid. infra* las referencias a este término en relación con la *homogeneidad* en la sección "*1.5. El «elefante en la habitación»: el inciso 2° del art. 5.2 del Reglamento (CE) n° 2100/94 y del art. 1.vi) del Acta de 1991 del CUPOV, en la Decisión de Ejecución 2014/150/UE*" del presente capítulo.

2014/150/UE,[901] incluso en el contexto de una norma que persigue lo contra-rio, la «*diversidad*» o "*heterogeneidad*".[902]

De la segunda supresión,[903] se desprende claramente que el concepto ex-cluye a todas las *variedades*, al tratarse de "*materiales de reproducción ve-getal que no se ajustan a la definición de variedad en lo que se refiere a la homogeneidad*".[904] O, dicho de otro modo, la condición subyacente, es la *he-terogeneidad* o la *diversidad genética*, por comparación con la (menos *hetero-génea*) definición de "*variedad*" del art. 5.2 del Reglamento (CE) nº 2100/94 y del art. 1.vi) del Acta de 1991 del CUPOV.[905]

1.1.3. El «requisito» del art. 2.b) de la Decisión de Ejecución 2014/150/UE

El «*requisito*» de la letra b) del art. 2 de la Decisión de Ejecución 2014/150/ UE parafrasea con alteraciones menores el requisito del inciso 3º del art. 5.2 del Reglamento (CE) nº 2100/94 y del art. 1.vi) del Acta de 1991 del CUPOV, pero añade una coletilla (*i.e.*, "*[...], una vez establecidas en una determina-da región de producción con condiciones agroclimáticas específicas;*") que, lo matiza,[906] incluyendo en este caso no solo una componente de *diversidad* u *heterogeneidad*, sino también y sobre todo, un carácter *dinámico* y *local*. Di-*námico*, en el sentido de que, según se desprende del propio «*requisito*» de la letra b) del art. 2 de la Decisión de Ejecución 2014/150/UE, no se espera que

---

[901]   *Vid. infra* la sección "*1.5. El «elefante en la habitación»: el inciso 2º del art. 5.2 del Re-glamento (CE) nº 2100/94 y del art. 1.vi) del Acta de 1991 del CUPOV, en la Decisión de Ejecución 2014/150/UE*" del presente capítulo.

[902]   Literal, en el art. 5.d) de la Decisión de Ejecución; y con referencias en los preceptos que lo preceden (especialmente los arts. 1 y 2) y en los considerandos (1), (2), y (6). *Vid.* las referencias a la «*diversidad*» o "*heterogeneidad*" en las secciones siguientes del presente ca-pítulo, y, muy particularmente, en la sección "*1.4. El «requisito» del art. 2.c) de la Decisión de Ejecución 2014/150/UE*" del presente capítulo. De hecho, en la práctica de los exámenes DHE, el análisis de la *uniformidad* precede al de la *distinción*, porque sin la *variedad* no es *uniforme* no puede examinarse debidamente la *distinción* [Comunicación personal de un *DUS Technical Expert. Vid.*, asimismo, Winge, T., "Seed Legislation in Europe and Crop Genetic Diversity", cit., p. 41, cita transcrita en *supra* nota 22].

[903]   *I.e.*, al referirse únicamente a "*combinación de genotipos*" (en plural) y no, adicionalmente, a "*un cierto genotipo*" (en singular) como el requisito homólogo del primer inciso del art. 5.2 del Reglamento (CE) nº 2100/94 y del art. 1.vi) del Acta de 1991 del CUPOV.

[904]   Literal, del considerando (2) de la Decisión de Ejecución de la Comisión, de 18 de marzo.

[905]   Ambos matices, no excluyentes, son coherentes además con otros elementos interpretativos presentes en la Decisión de Ejecución 2014/150/UE. *Vid.* el art. 2.a) de la Decisión de Eje-cución de la Comisión, de 18 de marzo en el contexto de la propia Decisión (transcrito en el cuerpo del presente capítulo), así como los considerandos (1), (2), y (6) [el considerando (2) transcrito en, *supra*, las notas 16 y 25; y el considerando (6) en la nota 25].

[906]   El legislador siguió aquí una tónica similar a la utilizada en el caso del «requisito» de la letra a) del art. 2 de la Decisión de Ejecución (*vid. supra* sección "*1.2. El «requisito» del art. 2.a) de la Decisión de Ejecución 2014/150/UE*" del presente capítulo).

éste se cumpla de inmediato, sino tan sólo *"una vez establecidas* [esas *"poblaciones"*] *en una determinada región de producción con condiciones agroclimáticas específicas"*. *Local*, porque ese «*requisito*» se circunscribe -no queda muy claro si el «*establecimiento*» o el propio «*requisito*», aunque cabe suponer que ambos- a *"una determinada región de producción con condiciones agroclimáticas específicas"*. En este último caso, puede identificarse incluso un subelemento que podría calificarse como «*agroambiental*». O, dicho de otro modo, *"locales"* en tanto que *"adaptadas"* / *"establecidas"* a esas *"condiciones ambientales de su región"* / *"con condiciones agroclimáticas específicas"*.[907] En todos estos casos, se trata de atributos típicos de las *"variedades locales"* de la Directiva 2008/62/CE,[908] si bien, la *heterogeneidad* no es parte de la definición legal[909] de estas últimas.[910] Sin embargo, la *heterogeneidad o "diversidad"* sí es parte integrante del concepto de *"material heterogéneo ecológico"*[911] del art. 3.18) del Reglamento (UE) 2018/848[912] -concepto al que Gutzen[913] reconoce como homólogo del concepto de *"poblaciones"* del art. 2 de la Decisión

---

[907]   Según, en cada caso, la letra b) del art. 2 de la Decisión de Ejecución, o la letra c) del art. 2 de la Directiva 2008/62/CE [Directiva 2008/62/CE por la que se establecen determinadas exenciones para la aceptación de variedades y variedades locales de especies agrícolas adaptadas de forma natural a las condiciones locales y regionales y amenazadas por la erosión genética y para la comercialización de semillas y patatas de siembra de esas variedades y variedades locales].

[908]   El art. 2.c) de la Directiva 2008/62/CE, ofrece la siguiente definición de *"«variedad local», un conjunto de poblaciones o clones de una especie vegetal adaptados de forma natural a las condiciones ambientales de su región;"*.

[909]   La *heterogeneidad* no es ni siquiera un atributo imprescindible desde una perspectiva científica. *Vid.*, *v. g.*, la siguiente definición: *"Landrace: A population of plants, typically genetically heterogeneous, commonly developed in traditional agriculture from many years of farmer-directed selection, and which is specifically adapted to local conditions."* Acquaah, G., *Principles of Plant Genetics and Breeding*, 2, Wiley-Blackwell, Hoboken, 2012., p. 729.

[910]   Obsérvese la ausencia en la definición del art. 2.c) de la Directiva 2008/62/CE, de la *diversidad o heterogeneidad* como requisito imprescindible, -que ciertamente está presente en la definición, pero solamente en relación con el *"conjunto de poblaciones"* y solamente de forma implícita (no expresa), no en relación con los *"clones"*-. *Vid.* asimismo la referencia al maíz en Spataro, G., y Negri, V., "The European seed legislation on conservation varieties: focus, implementation, present and future impact on landrace on farm conservation", cit., p. 2426.

[911]   Para una primera aproximación al concepto de *"material heterogéneo ecológico"*, vid., v. g., Gutzen, K., "Organic Variety Testing–Qualitative content analysis approach to assess organic variety testing, case study of Germany", June, 2019, fecha de consulta 9 junio 2021, en https://orgprints.org/37365/%0A, p. 7.

[912]   Reglamento (UE) 2018/848 del Parlamento Europeo y del Consejo, de 30 de mayo de 2018, sobre producción ecológica y etiquetado de los productos ecológicos y por el que se deroga el Reglamento (CE) n.o 834/2007 del Consejo.

[913]   Según Gutzen: *"The concept of organic heterogeneous material, as in (EU) 2018/848, corresponds to the concept of populations, as in 2014/150/EU."* Gutzen, K., "Organic Variety Testing–Qualitative content analysis approach to assess organic variety testing, case study of Germany", cit., p. 7.

de Ejecución 2014/150/UE- y también,[914] del concepto de *variedad ecológica apropiada para la producción ecológica*[915] del art. 3.19) del Reglamento (UE) 2018/848. De hecho, por ello precisamente, no es descabellado presentar al concepto de *"poblaciones"* del art. 2 de la Decisión de Ejecución 2014/150/ UE como un antecedente claro del concepto de *"variedad ecológica apropiada para la producción ecológica"* del art. 3.19) del Reglamento (UE) 2018/848.

1.1.4. El «requisito» del art. 2.c) de la Decisión de Ejecución 2014/150/UE

El *«requisito»* de la letra c) del art. 2 de la Decisión de Ejecución 2014/150/ UE, supone una novedad importante, puesto que este texto, a diferencia[916] del CUPOV y el Reglamento (CE) nº 2100/94 -y de la Directiva 66/402/CEE y de la Directiva 2002/53/CE[917]- condiciona la definición -de *"poblaciones"*- y el propio *"[á]mbito de aplicación"* de la Decisión de Ejecución 2014/150/UE, al uso de unas *"técnicas"* concretas. Este *«requisito»* se descompone a su vez en otros. Así, con carácter general, el inciso i) de la letra c) del art. 2 de la Decisión de Ejecución 2014/150/UE exige el *"cruce de cinco o más variedades en todas las combinaciones, seguido de mezcla de la progenie y exposición del material a la selección natural en generaciones sucesivas"*. Según el inciso ii) de la misma letra, en el caso de *"variedades de una especie de fertilización predominantemente cruzada"* estas condiciones consisten en -o, mejor, pueden sustituirse por- el *"cultivo conjunto de por lo menos [esas] cinco variedades"*, seguidas de la *"mezcla de la progenie, resiembra repetida y exposición del material a la*

---

[914]   A la *"diversidad"* como rasgo común entre sendos conceptos al amparo del Reglamento (UE) 2018/848 se refiere Gutzen en *ibid.*, p. 37, quien lo atribuye a *"Gebhard Rossmanith"* [*"[...] chief executive officer of Bingenheimer Saatgut. In close cooperation with Kultursaat e.V. and Saat:gut e.V., where breeding of vegetable varieties under biodynamic and organic conditions are done, [...]". Ibid.*, p. 95]. Las declaraciones concretas de *"Rossmanith"* las transcribe Gutzen en *ibid.*, pp. 95-96, donde, además, el primero muestra su descontento con la proximidad entre ambos conceptos [circunstancia destacada por Gutzen en *ibid.*, p. 19]. Curiosamente, Gutzen también atribuye [en *ibid.*, p. 37] ese descontento a *"Deneken"* [*"[...]administrative manager at TystofteFonden and responsible for financial and quality management. TystofteFonden is the Danish testing authority for coordinating variety testing of arable crops and grasses [...]". Ibid.*, p. 67].

[915]   Para una primera aproximación al concepto de *"variedad ecológica apropiada para la producción ecológica"*, vid., v. g., *ibid.*, p. 6.

[916]   Según el art. 5.2) del Acta de 1991 del CUPOV: *"La concesión del derecho de obtentor no podrá depender de condiciones suplementarias o diferentes de las antes mencionadas, [...]", i.e., que "la variedad sea i) nueva, ii) distinta, iii) homogénea y iv) estable."* Así lo aclara la UPOV en su web de *"Preguntas frequentes (FAQ)"*: *"El Convenio de la UPOV no establece restricciones con respecto a los métodos o técnicas mediante los que se "crea" una nueva variedad."* [UPOV, "Frequently asked questions", fecha de consulta 17 septiembre 2019, en http://www.upov.int/about/en/faq.html].

[917]   Directiva 2002/53/CE del Consejo de 13 de junio de 2002 referente al catálogo común de las variedades de las especies de plantas agrícolas.

selección natural hasta que deje de haber plantas de las variedades originales". Dos son los principios subyacentes tras estos dos incisos, la generación de una *diversidad* suficiente y la exclusión de *"variedades"* del resultado -*i.e.*, de las *"poblaciones"* que define el art. 2-. La *diversidad* se desprende de las *"técnicas"* recogidas en los incisos i) y ii) -encaminadas a incrementar la *diversidad* o *heterogeneidad* del material reproductivo resultante- así como del inciso iii) -*i.e.*, *"[...] análogamente diversa"*- en conexión con el considerando (2) de la Decisión de Ejecución.[918] La exclusión de *"variedades"* se menciona explícitamente[919] en los incisos ii) -*i.e.*, *"[...] hasta que deje de haber plantas de las variedades originales"*- e iii) -*i.e.*, *"[...] que no contenga variedades"*- y, además de ser una consecuencia directa del principio de *diversidad* o *heterogeneidad*, trae también causa de la propia lógica interna del concepto[920] y de la Decisión de Ejecución.[921]

1.1.5. El «elefante en la habitación»: el inciso 2º del art. 5.2 del Reglamento (CE) nº 2100/94 y del art. 1.vi) del Acta de 1991 del CUPOV, en la Decisión de Ejecución 2014/150/UE

El inciso 2º de la definición de *"variedad"* al amparo del sistema de la UPOV[922] no tiene una correspondencia clara con ninguno de los apartados del art. 2 de la Decisión de Ejecución 2014/150/UE. Sin embargo, ello no quiere decir que ese inciso se encuentre ausente de la Decisión de Ejecución 2014/150/

---

[918]   *Vid.* la mención a los *"materiales diversos"* o *"materiales de reproducción vegetal que no se ajustan a la definición de variedad en lo que se refiere a la homogeneidad"* en el considerando (2) de la Decisión de Ejecución 2014/150/UE, transcrito en las notas 16 y 25.

[919]   La exclusión de *"variedades"* no se recoge explícitamente en el inciso i) del art. 2 de la Decisión de Ejecución 2014/150/UE, pero se deduce de la interpretación sistemática del inciso i) tomando en cuenta no sólo el inciso iii) -que funciona como una cláusula de cierre y que recuerda, y refuerza, esta condición, al mencionarla explícitamente- sino también del considerando (2). Lo contrario, no tendría sentido y contravendría también el espíritu de la propia Decisión de Ejecución 2014/150/UE.

[920]   El concepto de *"población"* se contrapone al de *"variedad"* (*vid. supra* nota 24 así como el texto a dicha nota).

[921]   De hecho, el régimen de la Decisión de Ejecución 2014/150/UE nace para separarse de la Directiva 66/402/CEE, como expresamente menciona el considerando (1) de la Decisión de Ejecución.

[922]   *I.e.*, *"distinguirse de cualquier otro conjunto de plantas por la expresión de uno de dichos caracteres por lo menos,"*.

UE. Por ejemplo, los considerandos (3)[923] y (8)[924] de esta última, contienen referencias a la *"identificación"* (considerando (3)) y la *"identidad"* (considerandos (3) y (8)). La *"identidad"* (y, por lo tanto, la *"identificación"*), entronca con el inciso 2º de la definición de *"variedad"* del del art. 5.2 del Reglamento (CE) nº 2100/94 y del art. 1.vi) del Acta de 1991 del CUPOV, lo que se deduce principalmente de la semántica de dichos términos, tanto en abstracto o en general,[925] como en el contexto de la Decisión de Ejecución 2014/150/UE.[926] El art. 1.2[927] de la Decisión de Ejecución 2014/150/UE incluye como (parte del) *"[o]bjeto"* de la propia Decisión de Ejecución, interrogantes sobre la *"identidad"* y la *"identificación"* del *"población"*, que plantea resolver gracias al *"experimento temporal"* fijado por la misma. Otras referencias a la *"identificación"* se encuentran contenidas en el art. 7.3.b), así como en el ANEXO II, punto 1º, párrafo 3º de la Decisión de Ejecución 2014/150/UE. Finalmente, el art. 5 de la Decisión de Ejecución define la *"[i]dentificación"* en el contexto de la Decisión:

---

[923]   Considerando (3) de la Decisión de Ejecución 2014/150/UE: *"[...] se ha de verificar si puede asegurarse la identificación de poblaciones de especies concretas con garantías similares a las que resultan de los requisitos relativos a los aspectos varietales, tomando como base la información acerca de los métodos de obtención y producción. Por otro lado, con este experimento debe evaluarse si es posible asegurar la identidad de las semillas comercializadas como pertenecientes a esas poblaciones, así como la información destinada al usuario, con garantías similares a las derivadas del artículo 3, apartado 1, y del artículo 10, sobre la base de los requisitos de trazabilidad y de la identificación de los lugares de producción."* (Énfasis añadido).

[924]   Considerando (8) de la Decisión de Ejecución 2014/150/UE: *"[...] Es importante evaluar estas condiciones para garantizar tanto la identidad y la trazabilidad durante la producción y la comercialización de la población de que se trate como el control efectivo por parte de los organismos oficiales responsables, así como para evitar la creación de un mercado paralelo al establecido con arreglo a la Directiva 66/402/CEE."* (Énfasis añadido).

[925]   Baste traer a colación las acepciones 2ª y 3ª de la definición de *"identidad"* del del Diccionario de la Real Academia Española: *"[...] 2. f. Conjunto de rasgos propios de un individuo o de una colectividad que los caracterizan frente a los demás. 3. f. Conciencia que una persona o colectividad tiene de ser ella misma y distinta a las demás."* DRAE, "Identidad", *Diccionario de la lengua española*, fecha de consulta 17 junio 2021, en https://dle.rae.es/identidad?m=form.

[926]   El uso de los términos *"identidad"* e *"identificación"* en la Decisión de Ejecución 2014/150/UE, para referirse a esa *distinción* mínima es abundante [*vid.* considerandos (3) y (8); los arts. 1.2, 5, 7.3.b); y, el ANEXO II, punto 1º, párrafo 3º de la citada Decisión de Ejecución].

[927]   Literal, del art. 1.2 de la Decisión de Ejecución 2014/150/UE: *"Artículo 1
Objeto
[...]
2. Deberán evaluarse los siguientes aspectos:
a) si es posible la identificación de poblaciones de las especies en cuestión basándose en la información sobre los métodos de obtención y producción, las variedades utilizadas en los cruces y las características principales de esas poblaciones;
b) si la identidad de las semillas comercializadas de esas poblaciones puede basarse en requisitos de trazabilidad y en la identificación de la región de producción."* (Énfasis añadido).

> "*Artículo 5*
> Identificación de las poblaciones
> *Una población deberá ser identificable en función de los elementos siguientes:*
> *a) las variedades utilizadas en el cruce para la creación de la población;*
> *b) los sistemas de obtención definidos por los respectivos protocolos;*
> *c) la región de producción;*
> *d) el grado de heterogeneidad, en particular en las especies autopolinizantes, y*
> *e) sus características, conforme al artículo 7, apartado 2, letra f).*"

De la "*[i]dentificación*" en el contexto del art. 5 de la Decisión de Ejecución cabe destacar el establecimiento de la "*heterogeneidad*" como un carácter a tener cuenta en esa "*[i]dentificación*", y, en general, las referencias a elementos contenidos en la definición de "*población*" presentes en las letras a) a d) del art. 5.[928]

Las letras c) y d) del art. 5 de la Decisión de Ejecución 2014/150/UE merecen mayor atención. La letra c), coherente con el concepto de "*poblaciones*" del art. 2, refuerza el elemento *local* o «*regional*», al vincular la "*[i]dentificación*" de las "*poblaciones*" al lugar donde estas han sido generadas. Junto con la "*heterogeneidad*" de la letra d), el elemento *local* o «*regional*» de la letra c) del art. 5 es asimismo una enseña del movimiento de la agricultura ecológica,[929] modalidad agrícola con la que la Decisión de Ejecución 2014/150/UE -a pesar

---

[928]   *I.e.*, las letras a) y b) del art. 5 con la letra c) del art. 2; la letra c) del art. 5 con la b) del art. 2; y, la letra d) del art. 5 con la letra a) y el inciso iii) de la letra c) del art. 2 de la Decisión de Ejecución 2014/150/UE [en este último caso, sin una identidad en la literalidad de los términos utilizados, pero con un alineamiento patente, derivado de la sinonimia de los términos usados -"*heterogeneidad*" con respecto a "*diversa*" (*vid. supra* nota 49 y el texto a dicha nota)- o de las eliminaciones antes mencionadas (*vid. supra* nota 50 y el texto a dicha nota)].

[929]   *V. g.*, las referencias a la "*diversidad*" y al elemento "*local*" aparecen ya en documentos de la *International Federation of Organic Agriculture Movements* (IFOAM), de este mismo ámbito, con más de tres lustros de antigüedad: "*Organic agriculture relies on biodiversity – genetic diversity, species diversity and ecosystem diversity.*" [IFOAM, "Organic Agriculture and Seed Diversity", 2006, fecha de consulta 28 mayo 2021, en http://feder.bio/wp-content/uploads/2017/11/seed_diversity_en.pdf, p. 1]; y "*Organic varieties are robust and fit to local, low-input agro- ecological conditions.*" [*Ibid.*, p. 1]. El propio título del documento de referencia, *i.e.*, "*Organic Agriculture and Seed Diversity*" [*ibid.*, p. 1], es ejemplificativo de la importancia de la "*diversidad*" en el contexto del fitomejoramiento ecológico y de la agricultura ecológica, en general. En el caso del art. 5 de la Decisión de Ejecución 2014/150/UE, tanto la "*[i]dentificación*" como el elemento *local* probablemente responden también al afán de legislador por evitar disrupciones en los actuales sistemas de certificación y registro de material de reproducción vegetal [como ya señaló la doctrina en relación con la situación *ex* Decisión de Ejecución 2014/150/UE. *Vid.*, *v. g.*, "*Louwaars et al. (2010)*" en Winge, T., "Seed Legislation in Europe and Crop Genetic Diversity", cit., p. 40, así como, *infra*, nota 70, y la sección "*II. Implicaciones empresariales del concepto de "poblaciones" de la Decisión de Ejecución 2014/150/UE*" del presente trabajo].

de no restringirse a ella[930]- mantiene una íntima relación.[931] Este carácter *local* es asimismo consustancial al propio concepto de "*población*" más allá del ámbito de la Decisión de Ejecución 2014/150/UE, tanto en términos biológicos/agronómicos,[932] como semánticos genéricos o comunes.[933] En relación especialmente con la "*heterogeneidad*" es importante remarcar que la Decisión de Ejecución de la Comisión (a diferencia del sistema de la Directiva 66/402/CEE con la "*pureza*",[934] o del sistema de la UPOV con la "*uniformidad* u "*homogeneidad*"), no fija unos mínimos de referencia. Sin duda esta circunstancia es consustancial a los problemas de "*identificación*" señalados anteriormente[935] y que precisamente la Decisión de Ejecución pretende resolver. Cabe destacar asimismo la paradoja de la "*[i]entificación de [...] [u]na población [...] en función de [...] el grado de heterogeneidad*" (art. 5 de la Decisión de Ejecución 2014/150/UE), partiendo de la base de que la lógica y la inercia empujan precisamente a lo contrario, *i.e.*, a centrarse en aquello que los individuos de una "*poblaciones*" o "*agrupaciones vegetales*" comparten, no en aquello que

---

[930]   *Vid.* la referencia: "*[...], en particular por lo que respecta a la producción ecológica o la agricultura de bajos insumos, [...]*" en el considerando (2) de la Decisión de Ejecución 2014/150/UE (transcrito en las notas 16 y 25). *I.e.*, se incluye "*a la producción ecológica*", pero no con carácter exclusivo.

[931]   *Vid. supra* nota 61.

[932]   *Vid.*, *v. g.*, la siguiente definición de "*población*" en el ámbito de las ciencias biológicas: "*A population is the number of organisms of the same species that live in a particular geographic area at the same time, with the capability of interbreeding. [...]*" BD Editors, "Population Definition", *Biology Dictionary*, 2017, fecha de consulta 18 junio 2021, en https://biologydictionary.net/population/.

[933]   Según la definición de "*población*" del Diccionario de la Real Academia Española: "*[...] 2. f. Conjunto de personas que habitan en un determinado lugar. 3. f. Conjunto de edificios y espacios de una ciudad. Atravesó la población de una parte a otra. 4. f. Conjunto de individuos de la misma especie que ocupan determinada área geográfica. [...]*" [DRAE, "Población", *Diccionario de la lengua española*, fecha de consulta 17 junio 2021, en https://dle.rae.es/población?m=form]. Cabe recordar la naturaleza científico-técnica de este elemento *local* o *regional* del concepto -vid., *v. g.*, la definición biológica de "*población*", en BD Editors, "Population Definition", cit., transcrita en *supra* nota 63-. Si bien la literatura aquí matiza y distingue la componente científico-técnica de la definición de "*variedad local*" de la limitación de la "*región de origen*" de las "*variedades de conservación*" de la Directiva 2008/62/CE y de la Directiva 2009/145/CE de la Comisión, de 26 de noviembre de 2009 [*vid.*, nuevamente, la recapitulación bibliográfica de Winge y, muy especialmente, sus apuntes sobre "*Louwaars et al. (2010)*" y "*Chable et al. (2010)*", en Winge, T., "Seed Legislation in Europe and Crop Genetic Diversity", cit., pp. 40-41 y 42, respectivamente].

[934]   La "*pureza*" de los Anexos I y II de la Directiva 66/402/CEE se refiere a la *homogeneidad* o *uniformidad*. Nuevamente, el diccionario es sumamente clarificador, al entender aquello "*puro*", como: "*1. adj. Libre y exento de toda mezcla de otra cosa. [...] 6. adj. Mero, solo, no acompañado de otra cosa. [...]*" [DRAE, "Puro", *Diccionario de la lengua española*, fecha de consulta 17 junio 2021, en https://dle.rae.es/puro?m=form]. Además, los Anexos I y II de la Directiva 66/402/CEE no dejan lugar a dudas sobre el nexo entre la "*pureza*" y la *homogeneidad* o *uniformidad*.

[935]   *Vid.* las referencias a la "*identificación*" en *supra* esta misma sección del presente capítulo.

los separa.[936] Es cierto que la *"heterogeneidad"* es un carácter inherente al concepto biológico de *"población"*,[937] pero ésta viene dada, no es algo que se persiga como objetivo.[938]

Así, debe concluirse que la Decisión de Ejecución 2014/150/UE, si bien ha abandonado el tenor literal del inciso 2° del art. 5.2 del Reglamento (CE) n° 2100/94 y del art. 1.vi) del Acta de 1991 del CUPOV, no ha hecho lo mismo con el requisito que ese inciso contiene, transformándolo en su razón de ser (su *"[o]bjeto"*, según el art. 1 de la Decisión de Ejecución de la Comisión).

2. IMPLICACIONES EMPRESARIALES

Según se desprende de la Decisión de Ejecución 2014/150/UE, uno de los mayores *temores*939 *del legislador europeo era "la creación de un mercado paralelo al establecido con arreglo a la Directiva 66/402/CEE".*[940] Para evitarlo, la Decisión de Ejecución 2014/150/UE introdujo *"[r]estricciones cuan-*

---

[936]   *Vid. supra* nota 15 y el texto a dicha nota. El concepto de *"material heterogéneo ecológico"* del art. 3.18) del Reglamento (UE) 2018/848 refleja todavía mejor esta paradoja o contradicción aparente.

[937]   V. g., *"[...] For interbreeding to occur, individuals must be able to mate with any other member of a population and produce* fertile offspring. *However, populations contain genetic variation within themselves, and not all individuals are equally able to survive and reproduce. [...]"* [BD Editors, "Population Definition", cit.].

[938]   En determinados contextos, como el de la conservación, la generación de *diversidad genética* puede ser un objetivo, con frecuencia, difícil y no exento de problemas y polémica. *Vid.*, *v. g.*, Pennisi, E., "Boosting genetic diversity may save vanishing animal populations. But it may also backfire", *Plants & Animals (Sience Magazine)*, 2019, fecha de consulta 18 junio 2021, en https://www.sciencemag.org/news/2019/07/boosting-genetic-diversity-may-save-vanishing-animal-populations-it-may-also-backfire.

[939]   Una conclusión, y expresión, análoga -*"fears"* (en palabras de Winge en Winge, T., "Seed Legislation in Europe and Crop Genetic Diversity", cit., p. 40)- a la que Winge atribuye a *"Louwaars et al. (2010)"*, si bien en relación con la Directiva 2008/62/CE (*ex* Decisión de Ejecución 2014/150/UE).

[940]   Literal, del considerando (8) de la Decisión de Ejecución 2014/150/UE, *in fine*: *"(8) Deben establecerse las condiciones para la presentación de solicitudes, la autorización de una población con arreglo a la presente Decisión, la presentación de una muestra de referencia, la denominación de una población y el registro de las personas que produzcan o comercialicen las poblaciones en cuestión. Es importante evaluar estas condiciones para [...], así como para evitar la creación de un mercado paralelo al establecido con arreglo a la Directiva 66/402/CEE."* (Énfasis añadido). La misma idea se repite en el considerando (10) de la Decisión de Ejecución 2014/150/UE: *"(10) Dado el carácter experimental de la medida dispuesta en la presente Decisión, debe fijarse una cantidad máxima para la comercialización de poblaciones, teniendo en cuenta la necesidad de someter a ensayo diferentes tipos de poblaciones utilizando las instalaciones existentes. Dicha cantidad debe ser suficiente para que los resultados del experimento sean fiables y representativos. Sin embargo, no debe sobrepasar un determinado límite, para evitar el desarrollo de un mercado de semillas paralelo al establecido con arreglo a la Directiva 66/402/CEE."* (Énfasis añadido).

titativas" en su art. 12.[941] En realidad, estas limitaciones no son nuevas, encontrando precedentes muy similares[942] tanto en el caso de las *"variedades de conservación"*[943] como en el de las *"variedades desarrolladas para el cultivo en condiciones determinadas"*.[944] Ya en su momento, el TJUE se encargó de recordar, en relación con la Directiva 2009/145/CE, que *"el legislador de la Unión no pretendía la liberalización del mercado de las semillas de las variedades de conservación y de las desarrolladas para su cultivo en condiciones determinadas, sino que pretendía flexibilizar las normas de admisión evitando la*

---

[941]   Art. 12 de la Decisión de Ejecución 2014/150/UE:
    "Artículo 12
    Restricciones cuantitativas
    1. Las cantidades de semillas de la población autorizada de cada especie que se comercialicen cada año en cada Estado miembro participante no deberán exceder del 0,1 % de las semillas de la misma especie producidas el año en cuestión en el Estado miembro participante de que se trate.
    2. Todo productor deberá declarar a la autoridad de certificación de semillas la cantidad de cada población que tenga previsto producir cada año.
    3. Todo Estado miembro participante podrá prohibir la comercialización de semillas de una población si considera que, teniendo en cuenta la finalidad del experimento, no es oportuno comercializar cantidades adicionales de semillas de la población en cuestión. Deberá informar inmediatamente de ello al productor o productores afectados." El considerando (10) de la Decisión de Ejecución 2014/150/UE introduce este *"límite"* (*vid.* el citado considerando, transcrito, en *supra* nota 71).

[942]   Estas limitaciones o *"restricciones"* en relación con la Directiva 2008/62/CE y la Directiva 2009/145/CE [Directiva 2009/145/CE de la Comisión de 26 de noviembre de 2009 por la que se establecen determinadas excepciones para la aceptación de razas y variedades autóctonas de plantas hortícolas que hayan sido tradicionalmente cultivadas en localidades y regiones concretas y se vean amenazadas por la erosión genética, y de variedades vegetales sin valor intrínseco para la producción de cultivos comerciales, pero desarrolladas para el cultivo en condiciones determinadas, así como para la comercialización de semillas de dichas razas y variedades autóctonas], son abordadas por la literatura, *v. g.*: Spataro, G., y Negri, V., "The European seed legislation on conservation varieties: focus, implementation, present and future impact on landrace on farm conservation", cit., pp. 2422-2423; Winge, T., "Seed Legislation in Europe and Crop Genetic Diversity", cit., p. 14-19; "(*Spieß*)" en Gutzen, K., "Organic Variety Testing–Qualitative content analysis approach to assess organic variety testing, case study of Germany", cit., p. 48 [*vid.*, asimismo las declaraciones del *"Dr. Hartmut Spieß"* transcritas por Gutzen en *ibid.*, p. 102].

[943]   Regidas por la Directiva 2008/62/CE y por la Directiva 2009/145/CE [Spataro, G., y Negri, V., "The European seed legislation on conservation varieties: focus, implementation, present and future impact on landrace on farm conservation", cit., p. 2422; Winge, T., "Seed Legislation in Europe and Crop Genetic Diversity", cit., PP. 14-19]. El origen de estos conceptos lo sitúa Winge en *"1998"* [*ibid.*, p. 14].

[944]   Las *"variedades desarrolladas para el cultivo en condiciones determinadas"* se rigen por la citada Directiva 2009/145/CE [Spataro, G., y Negri, V., "The European seed legislation on conservation varieties: focus, implementation, present and future impact on landrace on farm conservation", cit., p. 2422].

aparición de un mercado paralelo de dichas semillas que pudiera obstaculizar el mercado interior de las semillas de las variedades de plantas hortícolas."[945]

Se ha denunciado que, tras la posición del legislador de la UE en la normativa sobre registro y certificación, así como de la posición del TJUE en el caso *Association Kokopelli*, subyace el ánimo de los *lobbies* de semillas de evitar la pérdida del control del mercado.[946] Pero la crítica al *"statu quo"*[947] debería ir necesariamente acompañada del análisis y en su caso de la crítica a los intereses de la alternativa. Así, cabría preguntarse si sectores como el de la agricultura ecológica persiguen, por el contrario, fines exclusivamente altruistas, como la preservación de la *biodiversidad*.[948] La respuesta es tan obvia que huelga cualquier comentario.[949] Ni siquiera la alegada[950] indiferencia (relativa) del sector

---

[945]   Sentencia del Tribunal de Justicia de la Unión Europea (Sala Tercera) de 12 de julio de 2012, *Association Kokopelli contra Graines Baumaux SAS*, C-59/11, EU:C:2012:447, apartado 65, destacado ya por Winge [en Winge, T., "Seed Legislation in Europe and Crop Genetic Diversity", cit., pp. 25-26].

[946]   *Vid., v. g., ibid.*, pp. 20-28. *Vid.* asimismo *"Louwaars et al. (2010)"* en *ibid.*, p. 40 y *supra* nota 70 así como el texto a dicha nota.

[947]   Término -*"status quo"* [sic.] [*ibid.*, p. 27]- utilizado por Winge en el contexto de la Sentencia del Tribunal de Justicia de la Unión Europea (Sala Tercera) de 12 de julio de 2012, *Association Kokopelli contra Graines Baumaux SAS*, C-59/11, EU:C:2012:447, *ex* Decisión de Ejecución 2014/150/UE.

[948]   Tanto la literatura [*v. g.*, Gutzen, K., "Organic Variety Testing–Qualitative content analysis approach to assess organic variety testing, case study of Germany", cit., p. 37], como la normativa de la UE [*vid., v. g.*, las menciones a la *"diversidad"* en el Reglamento (UE) 2018/848, incluido el propio concepto de *"material heterogéneo ecológico"* de su art. 3.18)], y el propio sector ecológico [*v. g.: "Organic breeding: [...] sustains and improves the genetic diversity of our products, and thus contributes to the promotion of agro-biodiversity;"* IFOAM–Organics International, *Position Paper[:] Compatibility of Breeding Techniques in Organic Systems*, Bonn, 2017, p. 9] asocian el sistema de producción ecológico a la *"diversidad"* como premisa y objetivo a la vez.

[949]   Las referencias al *"mercado"* en el Reglamento (UE) 2018/848 son cuantiosas. El crecimiento del *"mercado"*, también el de *"semillas ecológicas"*, es una preocupación importante del sector en la UE: *"The European Consortium for Organic Plant Breeding reported in its 7th workshop in October 2013 that the important development of the organic market was not accompanied by a corresponding development in the use of organic seeds. The consortium would strongly support the end of exceptions to the rule."* [Comisión Europea, *COMMISSION STAFF WORKING DOCUMENT IMPACT ASSESSMENT Accompanying the document Proposal for a REGULATION OF THE EUROPEAN PARLIAMENT AND OF THE COUNCIL on organic production and labelling of organic products, amending Regulation (EU) No XXX/XXX of the Europ*, Bruselas, p. 17]. El mismo patrón se repite a nivel internacional: *"The organic sector together with committed organic seed suppliers need to take responsibility to ensure that the organic propagation and seed market becomes more independent from the market dominating companies and can further grow."* [IFOAM–Organics International, *Postion Paper[:] The Use of Organic Seed and Plant Propagation Material*, Bonn, 2011, p. 2].

[950]   Así, las referencias a la *"productividad"* son casi siempre tímidas, casi culpables, y condicionadas o enmascaradas en otros atributos que se consideran más importantes, como la *"salud"* o el *"bienestar"*: *"Practitioners of organic agriculture can enhance efficiency and*

ecológico por la *"productividad"* -objetivo principal y mantra del sector del fitomejoramiento convencional[951]- parece verse respaldada por la realidad.[952]

Sorprenderá más saber que *"[t]he marketing of heterogeneous material is currently only allowed if produced under organic conditions pursuant to a delegated Regulation adopted in 2021 under the Organic Regulation (Regulation (EU) 2018/848)."*[953] Ahora, la *"diversidad"* es patrimonio, exclusivo, de

---

increase productivity, but this should not be at the risk of jeopardizing health and well-being."* [IFOAM–Organics International, *The IFOAM NORMS for Organic Production and Processing [Versión 2014]*, Bonn, 2014, p. 11]. El mismo patrón se reproduce en el caso concreto del fitomejoramiento ecológico, donde el principio de *«precaución»* y la *«responsabilidad»* toman el relevo y condicionan las mejoras en *"eficiencia"* y *"productividad"*: *"The Principle of Care in organic agriculture is about enhancing efficiency and productivity in a precautionary and responsible manner."* [IFOAM–Organics International, *Position Paper[:] Compatibility of Breeding Techniques in Organic Systems*, cit., p. 7].

[951]   La *"productividad"* se considera el principal objetivo y mantra del sector del fitomejoramiento convencional en la UE [*Vid., v. g.*, Winge, T., "Seed Legislation in Europe and Crop Genetic Diversity", cit., pp. 8. *Vid.* asimismo los comentarios de Winge sobre el caso *Association Kokopelli*, C-59/11, en *ibid.*, pp. 22, 25, 26, 27. *Vid.* también los comentarios o las referencias de Winge a *"(FCEC 2008)"* [en *ibid.*, pp. 3, 51, 52]. De forma simétrica, desde la academia se ha criticado a los sistemas convencionales de registro y certificación de semillas por la amenaza que según estos autores suponen para la *"diversidad"* [*vid., v. g.*, las referencias a *"(Andersen and Winge 2011)"* y a *"(Thommen et al. 2010)"* en *ibid.*, pp. 2-3; a *"(IFOAM 2012: 1)"* en *ibid.*, pp. 26-27; a *"Negri et al. (2009)"* en *ibid.*, pp. 27-29; a *"Visser (2002)"* en *ibid.*, pp. 34, 38; a *"Pimbert (2011)"* en *ibid.*, pp. 36-37, 38; a *"Osman and Chable (2007)"* en *ibid.*, p. 37; a *"Bocci et al. (2009)"* en *ibid.*, p. 37; a *"Vellvé"* en *ibid.*, p. 37; a *"(FCEC 2008)"* en *ibid.*, pp. 51 y ss.; así como *ibid.*, pp. 13, 20, 46. *Vid.* asimismo los comentarios de Winge sobre la *"diversidad"* en el contexto del caso *Association Kokopelli*, C-59/11, en *ibid.*, pp. 22, 23].

[952]   En el excelente estudio realizado por Gutzen, queda claro que la fijación de los *"agricultores"* ecológicos -al menos según los testimonios recogidos en el estudio- es en la *"productividad"* por encima de cualquier otra consideración- y, también, la de algunos *"breeders"* ecológicos, quienes, sin embargo, demuestran una mayor sensibilidad con los *valores* de la producción ecológica. *Vid.* en este sentido las declaraciones del *"Dr. Karl-Josef Müller"* -*"[...] head of Cultivari Cereal Breeding Research Darzau (Cultivari Getreidezüchtungsforschung Darzau) which develops criteria for breeding of cereals under biodynamic conditions"* [Gutzen, K., "Organic Variety Testing–Qualitative content analysis approach to assess organic variety testing, case study of Germany", cit., p. 91]-, del *"Dr. Hartmut Spieß"* -*"[...] head of research and breeding at Dottenfelderhof in Bad Vilbel, Hesse. Breeding of cereals and vegetables is conducted under biodynamic conditions. [...]"* [*ibid.*, p. 101]-, y de *"Carolina Wegner"* -*"[...] coordinator of organic variety trials at the State Research Institute for Agriculture and Fishery (Landesforschungsanstalt für Landwirtschaft und Fischerei) in Mecklenburg-Western Pomerania."* [*Ibid.*, p. 101]-, respectivamente: *"We should not believe the farmers and their criteria too much. In the end, they mostly ask only for high yields."* [*Ibid.*, p. 92]; *"Farmers want varieties with the highest yield and the best resistances. [...]"* [*ibid.*, p. 103]; and *"In organic breeding, criteria such as yield and quality are important as well, since most farmers are paid for these criteria. [...]"* [*ibid.*, p. 117].

[953]   Comisión Europea, *Commission staff working document[:] Study on the Union's options to update the existing legislation on the production and marketing of plant [Brussels, 29.4.2021 SWD(2021) 90 final] reproductive material*, cit., p. 13. La literatura, en relación

los productores y consumidores de productos ecológicos, *i.e.*, del *mercado* eco-lógico. Está por ver si esta *apropiación* -que, impide la creación de un *"merca-do paralelo"*[954] con carácter general- supondrá o no a la larga, y considerando las perspectivas de crecimiento del sector ecológico,[955] una amenaza real para el sector ortodoxo o convencional.

Finalmente, tampoco debe olvidarse que las *"poblaciones"* de la Decisión de Ejecución 2014/150/UE -del mismo modo que el *"material heterogéneo ecológi-co"* del art. 3.18),[956] e incluso que las *"variedades ecológicas apropiadas para la producción ecológica"* del art. 3.19) del Reglamento (UE) 2018/848[957]- por defini-

---

con la situación *ex* Decisión de Ejecución 2014/150/UE, y por lo tanto *ex* Reglamento (UE) 2018/848 -*i.e.*, al amparo de la Directiva 2008/62/CE y de la Directiva 2009/145/CE- llega a la conclusión de que no es posible comercializar algunas *"landraces"* o las *"poblaciones"*: Spataro, G., y Negri, V., "The European seed legislation on conservation varieties: focus, im-plementation, present and future impact on landrace on farm conservation", cit., p. 2427; Winge, T., "Seed Legislation in Europe and Crop Genetic Diversity", cit., 20; también las referencias a *"Louwaars et al. (2010)"* en *ibid.*, p. 42 y a *"Bocci et al. (2010)"* en *ibid.*, p. 45, 46.

[954]	*V. g.*, los considerandos (8) y (10) de la Decisión de Ejecución 2014/150/UE.

[955]	*Vid., v. g.*, IFOAM Organics Europe, "IFOAM Organics Europe welcomes new Organic Action Plan", *News*, 2021, fecha de consulta 6 julio 2021, en https://www.organicseurope. bio/news/ifoam-organics-europe-welcomes-new-organic-action-plan/.

[956]	Se desprende, *v. g.*, de la interpretación *a fortiori* de Gutzen sobre esta cuestión en relación con las *"organic varieties"*, en Gutzen, K., "Organic Variety Testing–Qualitative content analysis approach to assess organic variety testing, case study of Germany", cit., pp. 37, 46. *Vid.* asimismo las referencias a *"Bueren et al. (2018)"* y *"Ciancaleoni et al. (2016)"* en *ibid.*, p. 46. Precisamente, debido a la cercanía de criterios de los sistemas de protección y de registro y certificación [Winge, T., "Seed Legislation in Europe and Crop Genetic Diver-sity", cit., p. 22 e *infra* nota 92], la imposibilidad de protección de algunas *"landraces"* y de las *"poblaciones"* *ex* Decisión de Ejecución 2014/150/UE, se desprende de la dificultad o imposibilidad análogas para cumplir con los criterios de registro y certificación [*vid., v. g.*, Spataro, G., y Negri, V., "The European seed legislation on conservation varieties: focus, implementation, present and future impact on landrace on farm conservation", cit., pp. 2426, 2427; Winge, T., "Seed Legislation in Europe and Crop Genetic Diversity", cit., p. 20; también las referencias a *"Louwaars et al. (2010)"* en *ibid.*, p. 42 y a *"Bocci et al. (2010)"* en *ibid.*, pp. 45, 46; así como, *supra*, nota 84]. Además de la imposibilidad de protección intrínseca a este material, la ausencia de *protección* es un deseo del sector: *"OHM must be freely reproducible by the enduser (no legal or technical barriers). Thus, OHM shall not be protected by Plant Variety Protection or any patents."* IFOAM EU Group, *IFOAM EU position paper[.] May 2019[:] Plant Reproductive Material in the new Organic Regulation (EU) 2018/848 IFOAM EU position paper*, Bonn, 2019., p. 11.

[957]	Gutzen, K., "Organic Variety Testing–Qualitative content analysis approach to assess orga-nic variety testing, case study of Germany", cit., pp. 37, 46. *Vid.* asimismo las referencias a *"Bueren et al. (2018)"* y a *"Ciancaleoni et al. (2016)"* en *ibid.*, p. 46.

ción[958] no cumplen[959] con los criterios DHE que rigen en el marco de la UPOV[960] así como[961] de la Directiva 2002/53/CE del Consejo de 13 de junio de 2002.[962]

3. CONCLUSIONES Y CONSIDERACIONES FINALES

Las *"poblaciones"* del art. 2 de la Decisión de Ejecución 2014/150/UE surgen y se configura por oposición al concepto de *"variedad"* del art. 5.2 del Reglamento (CE) nº 2100/94 y del art. 1.vi) del Acta de 1991 del CUPOV,[963] para superar el régimen de la Directiva 66/402/CEE.[964]

Desde una perspectiva conceptual, las *"poblaciones"* de la Decisión de Ejecución 2014/150/UE guardan importantes similitudes con las *"variedades locales"* del art. 2.c) de la Directiva 2008/62/CE, y una diferencia clave, la *heterogeneidad*, como rasgo no sólo imprescindible sino nuclear de las primeras.[965] Por el contrario, comparte este último rasgo con el *"material heterogéneo eco-*

---

[958]   *Vid.* sobre esta cuestión la sección *"1.2. El «requisito» del art. 2.a) de la Decisión de Ejecución 2014/150/UE"* del presente capítulo. Sobre las divergencias entre el concepto de *"variedad"* del CUPOV y el concepto de *"variedades ecológicas apropiadas para la producción ecológica"* -además de lo señalado en la citada sección del presente capítulo en relación con las *"poblaciones"*- son especialmente ejemplificativas las declaraciones de Deneken recogidas por Gutzen: *"[t]he high level of genetic and phenotypical diversity contradicts to the variety definition of UPOV."* [Gutzen, K., "Organic Variety Testing–Qualitative content analysis approach to assess organic variety testing, case study of Germany", cit., p. 69. *Vid.* asimismo *ibid.*, p. 37].

[959]   En línea con las observaciones de la literatura. *Vid.* Gutzen, K., "Organic Variety Testing–Qualitative content analysis approach to assess organic variety testing, case study of Germany", cit., pp. 37, 46; así como las referencias a *"Bueren et al. (2018)"* y a *"Ciancaleoni et al. (2016)"* en *ibid.*, p. 46. Con respecto a la situación *ex* Decisión de Ejecución 2014/150/UE *vid.*, *v. g.*, Spataro, G., y Negri, V., "The European seed legislation on conservation varieties: focus, implementation, present and future impact on landrace on farm conservation", cit., pp. 2426, 2427; Winge, T., "Seed Legislation in Europe and Crop Genetic Diversity", cit., p. 20; las referencias a *"Louwaars et al. (2010)"* en *ibid.*, p. 42 y a *"Bocci et al. (2010)"* en *ibid.*, pp. 45, 46; así como, *supra*, nota 87].

[960]   Sobre los criterios DHE en el marco de la UPOV, *vid.*, *v. g.*, en general, García Vidal, Á., "Capítulo 8: Los requisitos de la distinción, la homogeneidad y la estabilidad", en Ángel García Vidal (ed.) *Derecho de las obtenciones vegetale*, Tirant lo Blanch, Valencia, 2017.

[961]   La *«similitud»* entre los criterios DHE al amparo de ambos sistemas -UPOV y registro y certificación de material de reproducción vegetal- las señala, *v. g.*, Winge en su comentario sobre el caso *Association Kokopelli*, C-59/11, en Winge, T., "Seed Legislation in Europe and Crop Genetic Diversity", cit., p. 22.

[962]   Sobre los criterios DHE en el marco de la Directiva 2002/53/CE, *vid.*, *v. g.*, el resumen de Winge en *ibid.*, p. 7.

[963]   *Vid.*, *supra*, sección *"1.2. El «requisito» del art. 2.a) de la Decisión de Ejecución 2014/150/ UE"* del presente trabajo.

[964]   *Vid.*, *supra*, nota 5 y el texto a dicha nota.

[965]   *Vid.*, *supra*, la sección *"1.4. El «requisito» del art. 2.c) de la Decisión de Ejecución 2014/150/UE"* del presente capítulo, *in fine*.

lógico" del art. 3.18) del Reglamento (UE) 2018/848 -que a su vez lo comparte[966] con el concepto de *"variedad ecológica apropiada para la producción ecológica"* del art. 3.19) del mismo texto legal-. De hecho, en estos momentos estos conceptos, y especialmente el *"material heterogéneo ecológico"*, son los únicos que hoy pueden representar a las *"poblaciones"* y a otros *materiales heterogéneos* en el mercado.[967]

A falta de conocer los detalles de la (posible)[968] reforma de la legislación sobre registro y certificación de *"material de reproducción vegetal"*, que en estos momentos se está gestando,[969] debe concluirse que la realidad regulatoria actual es subóptima[970] y discriminatoria para con la agricultura convencional,[971] además de una apuesta arriesgada para el sector ortodoxo de la mejora vegetal, que podría dar por bueno el proverbio de *"pan para hoy, y hambre para mañana"*. Urge una reflexión profunda del sector sobre esta cuestión,[972] considerando no sólo el corto plazo, sino también los riesgos a medio y largo plazo.

---

[966]   Gutzen, K., "Organic Variety Testing–Qualitative content analysis approach to assess organic variety testing, case study of Germany", cit., 19. *Vid.* también la referencia de Gutzen a *"Deneken"* en *ibid.*, p. 37, así como las declaraciones de *"Gebhard Rossmanith"* transcritas por Gutzen en *ibid.*, p. 95-96, así como, *supra*, nota 45 y el texto a dicha nota.

[967]   Comisión Europea, *Commission staff working document[:] Study on the Union's options to update the existing legislation on the production and marketing of plant [Brussels, 29.4.2021 SWD(2021) 90 final] reproductive material*, cit., p. 13. *Vid.* asimismo *supra* nota 84.

[968]   De ello se ocupa el estudio: Comisión Europea, *Commission staff working document[:] Study on the Union's options to update the existing legislation on the production and marketing of plant [Brussels, 29.4.2021 SWD(2021) 90 final] reproductive material*, cit..

[969]   *Vid.*, en general, *ibid.*.

[970]   Según Winge, *"[o]ne way to approach [...] Commission Directive 2008 /62/EC, [i.e.,* el sistema previo a la Decisión de Ejecución 2014/150/UE y al Reglamento (UE) 2018/848] *is to note, as Louwaars (2007) does, that it represents an approach to farmers' seed systems that includes these systems in the regulatory framework."* [Winge, T., "Seed Legislation in Europe and Crop Genetic Diversity", cit., p. 39]. Para *"Bocci (2009)"* solo se trata -en palabras de Winge, en *ibid.*, p. 45- de *"a fi rst step towards opening up the seed market for varieties that fail to fulfi l the standard criteria of EU seed legislation."* De acuerdo con estas posiciones, la situación actual *post* Decisión de Ejecución 2014/150/UE sin duda ha ido más allá, aun considerando la pérdida de vigencia de esta última [el fin de la vigencia del régimen de la Decisión de Ejecución 2014/150/UE lo menciona Comisión Europea, en Comisión Europea, *Commission staff working document[:] Study on the Union's options to update the existing legislation on the production and marketing of plant [Brussels, 29.4.2021 SWD(2021) 90 final] reproductive material*, cit., p. 13. *Vid.* asimismo *supra* nota 84].

[971]   *Vid. supra* la sección "*II. Implicaciones empresariales del concepto de "poblaciones" de la Decisión de Ejecución 2014/150/UE*" del presente capítulo.

[972]   Partiendo, o tomando en consideración al menos, los análisis y propuestas realizadas por la literatura especializada. *Vid., v. g.*, Spataro, G., y Negri, V., "The European seed legislation on conservation varieties: focus, implementation, present and future impact on landrace on farm conservation", cit., pp. 2422-2423; las referencias a las soluciones de *"Louwaars (2002b)"* en Winge, T., "Seed Legislation in Europe and Crop Genetic Diversity", cit., p. 34; o a las sensibilidades y propuestas recogidas en el estudio *"(FCEC 2008)"* comentado también por Winge en *ibid.*, p. 34.

Impacto social y económico del boom de Quinua en los productores andinos: un caso de estudio en Anta, Cusco, Perú

JHON HUILLCA-QUISPE, BALDOMERO SEGURA
AQUILINO ÁVAREZ, LUZVENIA MIRANDA,
RUBEN CCAHUANA & WENDEL OLIVERA

1. INTRODUCCIÓN

La declaración del Año Internacional de Quinoa (AIQ) al 2013 por la Asamblea General de las Naciones Unidas (Naciones Unidas, 2011) trajo sin duda los mayores impactos en las zonas tradicionales y no tradicionales de producción, a través de la políticas, programas, proyectos y actividades entorno a la quinua, han contribuido en la expansión del cultivo (FAO[973], 2014; Ku, 2017; MINAGRI[974], 2014), revirtiendo el periodo de subutilización que había pasado hasta inicios de la década de los noventa. Posterior a ello se tuvo un continuo crecimiento de superficie cultivada (anexo 1), convirtiéndose en un producto de moda y posicionando al Perú como primer productor mundial.

La globalización de la quinoa se ha manifestado de forma gradual, gracias a la capacidad de adaptación, extendiéndose desde la zona originaria del Altiplano; ubicado entre Perú y Bolivia, y los países tradicionales de la región andina (Ecuador, Chile, Colombia y Argentina). De ser conservada en 6 países tradicionales, ha pasado a cultivarse en 11, 30 y 76 países entre 1989, 2010 y 2015 respectivamente distinta a la región andina; haciendo un total de 123 países en 2018 (anexo 2) (Alandia et al., 2020; Bazile et al., 2016)

La introducción a nuevas zonas, por un lado estaría promoviendo nuevas oportunidades en la generación de ingresos, siendo un producto alternativo de mayor rentabilidad y aumentando la diversidad los productos de la zona. Por otro lado, estaría desplazando a especies nativas y variedades locales. Mientras que en zonas tradicionales, a pesar de mejorar los ingresos provenientes de la venta de grano, estaría promoviendo el reemplazo de variedades locales por otras con mayor rendimiento; reduciendo así la variabilidad genética del cultivo, impactando en las tecnologías tradicionales y estructuras del sector; cambiando así el comportamiento sociocultural vinculado al cultivo.

---

[973] Organización de la Naciones Unidas para la Alimentación y la Agricultura
[974] Ministerio de Agricultura y Riego de Perú

Además, la intensificación del cultivo estaría causando un presunto desastre en la dimensión social, económica y ambiental, mientras que la estandarización conduce a la especialización y a sistemas de monocultivo, según las nuevas tendencias del mercado y normativas del comercio internacional (Olarte-Calsina et al., 2016; Vargas-Huanca et al., 2016; Winkel et al., 2015). Por lo que, los impactos provocados por el boom de la quinua se estaría experimentando en mayor proporción en zonas tradicionales que en regiones introducidas, por las condiciones y circunstancias particulares del Ande peruano.

Desde el 2014, el Perú se viene consolidando como primer productor y exportador de quinua en el mundo, seguido por Bolivia (Ku, 2017; MIDAGRI[975], 2021). Conservar este posicionamiento internacional, supone afrontar grandes retos a los agricultores de la zona andina; especialmente en departamentos de la Sierra peruana, ya que esta zona constituye la mayor fuente de producción, sin embargo las condiciones geográficas y climáticas particulares han hecho que la agricultura andina sea considerado como una actividad permanente de alto riesgo en el mundo (La Economía de los Ecosistemas y la Biodiversidad (TEEB), 2015; Mujica & Jacobsen, 1999). Además, el bajo rendimiento y el limitado acceso a los servicios financieros, seguros y mercados, explican a baja participación a la banca comercial (Hernadez & Sullca, 2006), incrementando así la vulnerabilidad frente a riesgos climáticos y ambientales.

En los últimos diez años, la superficie cultivada nacional se ha incrementado geométricamente, siendo el 2015 con mayor expansión nacional registrada gracias al incremento de áreas cultivadas en zonas tradicionales y no tradicionales de producción, pasando de 13 a 19 departamentos de los 24 existentes (anexo 3). De los cuales Puno ha reunido el 60% del total, seguido por Ayacucho, Apurímac y Cusco (Bedoya-Perales et al., 2018; Huillca-Quispe & Segura, 2019; MINAGRI, 2017). En este periodo, el Cusco ha demostrado menor variación de superficie cosechada y con mayor rendimiento que Puno (Huillca & Segura, 2019) por contar alta diversidad de agro-ecosistemas que pasa desde los Valles interandinos hasta las montañas de más 4.000 metros de altitud.

En el Cusco se viene cultivando en 12 provincias de las 13 existente, entre 2007 y 2015 la superficie cosechada creció en 140%; de los cuales la provincia de Anta representó entre el 30 y 14% respectivamente, ocupando la primera y segunda posición de todo Cusco (Céspedes, 2017; Gobierno Regional del Cusco, 2013). Este incremento, se debería básicamente a la ejecución de proyectos de quinua a escala regional entre 2013 y 2018, que en el contexto del AIQ 2013, declarada por la FAO (Naciones Unidas, 2011) que ha generado el boom de quinua, y los agricultores fueron incentivados por la intervención del Estado través de programas y proyectos, entre ellas el proyecto regional de

---

[975]   Ministerio de Desarrollo Agrario y Riego que reemplazó a MINAGRI desde 2020

Mejoramiento de la Competitividad de la Cadena Productiva de la Quinua y Cañihua Orgánica en las Provincias de Acomayo, Anta, Calca Canas, Canchis Chumbivilcas, Espinar, Paruro, Quispicanchi y Urubamba del Departamento del Cusco (2013-2018).

Sin embargo, para brindar soporte a los productores y reforzar algunas áreas de intervención, algunas Municipalidades locales; entre ellas Anta-Cusco, han continuado con la ejecución de proyecto a menor escala *Mejoramiento de la competitividad de la cadena productiva de quinua en las comunidades de Pancarhuaylla, Inquilpata, Piñancay, Kehuar, Mosocllacta, Chacan, Conchacalla y Compone del distrito de Anta, provincia de Anta-Cusco (2017-2020),* ampliando el periodo de auge de quinua como una de las principales actividades económicas en la reducción de la pobreza y en la lucha contra el hambre en el contexto del ODS[976]. Estos proyectos, además de contribuir en la oferta del grano a escala local, provincial, departamental y nacional, vienen contribuyendo a la seguridad y calidad alimentaria mundial.

La importancia quinua radica básicamente por el alto contenido de proteínas que contiene sus granos; especialmente de aminoácidos esenciales[977], la harina sin gluten constituye una alternativa para las personas celíacas. Además, de la proteína de origen vegetal, posee grasa y fibra superiores frente a la composición de los cereales tradicionales (Tabla 1). Los mismos que han hecho que el producto de sea denominado con el alimento más completo por la propia OMS[978] y que no ha tardado en ser nombrado como superalimento por la FAO (Naciones Unidas, 2011, 2013).

Tabla 1. Comparativo nutricional de quinua frente a cereales tradicionales

Grano	Proteína (%)	Grasa (%)	Fibra (%)	Carbohidratos (%)
Quinua	12.6–17.8	6.6–8.5	3.5–9.7	54.3–63.0
Trigo	8.6	1.5	3	73.7
Arroz	9.9	1.6	0.7	74.2
Maíz	9.2	3.8	9.2	65.2

Fuente: Pregón Agropecuario – Argentina, mencionado por Huillca (2015)

Sin embargo, mantener la capacidad productiva de las zonas tradicionales, supone asumir grandes retos, entre ellas: el cambio de uso de tierras, modificación tecnológica, cambio conceptual del valor de bienes y servicios ambientales, entre otros; que si no se identifican de manera preventiva, no será posible intervenir sobre los puntos álgidos de aspectos socioculturales y económicos.

[976] Objetivos de Desarrollo Sostenible
[977] Componente básico de las proteínas que no pueden ser sintetizados por el cuerpo
[978] Organización Mundial de la Salud

Por lo que, se requiere información detallada sobre situación actual de los productores tradicionales de Cusco-Perú en pleno auge del cultivo

El presente artículo tiene por objetivo de analizar el impacto social y económico provocado por el boom de quinua en los agricultores tradicionales de Anta-Cusco, y corresponde a una investigación descriptiva no experimental. A partir de una encuesta en ocho comunidades productores de quinua, se ha analizado las variables cuantitativas y cualitativas. Presentamos los primeros resultados carácter general, con la finalidad de observar los cambios estructurales en contraste a datos y reportes precedentes.

2. MATERIALES Y METODOLOGÍA

2.1. Recolección de datos

Los datos fueron recolectados a través de una encuesta en comunidades de intervención del proyecto quinua ejecutada por la Municipalidad de Distrito de Anta-Cusco. A partir de una población total de 291 productores de quinua, que al mismo tiempo estuvieron inscritos como beneficiarios del proyecto, se ha estimado una muestra de 166 encuestas a un nivel de 95% de confianza y un error de 5%, para lo cual se ha utilizado la siguiente fórmula (1). Las comunidades encuestadas (tabla 2) se encuentran entre 30 a 40 km de la ciudad del Cusco, con vía asfaltada hasta la capital distrital Izcuchaca, mientras que el acceso hacia las comunidades predominan las trochas, carreteras no asfaltadas y caminos de herradura, y como medio de transporte se ha utilizado motocicletas, furgonetas, coches y muchas veces se ha caminado hasta las parcelas productoras y hogares de beneficiarios.

$$n = \frac{N * p * q * Z^2}{d^2 * (N-1) + p * q * Z^2} \quad nnn(1)$$

Donde:

- N: tamaño de la población (291)
- Z: nivel de confianza (95%=1,96)
- p: probabilidad esperada (50%)
- q: probabilidad de fracaso (50%)
- d: precisión o error (5%)

Sin embargo, por la disponibilidad recursos y voluntad de los encuestados, se ha obtenido respuestas de 117 agricultores en todo el distrito de Anta; incrementando así el error al 7%. El estudio ha intervenido ocho comunidades del distrito de Anta, por lo que se ha estimado la sub muestra de manera estratificada; dividiendo la población total entre la muestra (291/117), obteniéndose un coeficiente del 40%, el mismo que se ha multiplicado por la cantidad de productores de cada comunidad intervenida (tabla 2). La encuesta fue realizada entre el 15 de noviembre al 20 de diciembre de 2019 en el lugar de producción.

Tabla 2. Muestra de estratificada en la comunidades de Anta

Nº	Comunidad	Población de productores	Proporción estimada	Muestra estimada estratificada	Encuesta realizada estratificada
1	Chacan	43	40%	17	27
2	Pancarhuaylla	67	40%	27	10
3	Conchacalla	25	40%	10	11
4	Piñancay	23	40%	9	19
5	Inquilpata	29	40%	12	05
6	Kehuar	19	40%	8	14
7	Compone	34	40%	14	19
8	Mosocllaqta	51	40%	21	12
	Total	291	40%	117	117

Fuente: Elaboración propia

El distrito de Anta está situado a 3.345 msnm, es la capital de provincia Anta, situada a entre 2.554 y 6.271 metros de altitud (Céspedes, 2017). Cuenta con un clima templado-frígido, predominado por zonas agroecológicas de Valles interandinos, cumbres onduladas y zonas montaña accidentada (Municipalidad de Anta, 2017).

Análisis de datos.

Los datos recolectados por comunidad se han unido y fueron analizados de forma global para el distrito de Anta, a través de la estadística descriptiva se ha considerado variables cuantitativas y cualitativas clasificadas entre aspectos sociales y económicos. Los primeros resultados se ha mostrado en el ámbito de educación, edad, residencia temporal, actividad secundaria, número de hijos, equipos de comunicación, participación familiar, mano de obra, vivienda, acceso al agua y electricidad, transformación, superficie de quinua, variedades y sistema productivo. Los cambios se han observado al comparar los resultados con estudios y reportes precedentes a este estudio.

3. RESULTADOS

El nivel de educación de los productores de quinua en Anta, El 50% de los encuestados han llegado a estudiar hasta la secundaria completa, duplicando a los resultados obtenidos en el "IV Censo Nacional Agropecuario" (INEI, 2012); en adelante "censo del 2012", mientras que el 40% cuentan con primaria y un 7% no cuentan con nivel educativo (figura 1), este último se ha reducido en la mitad respecto al censo del 2012, sin embargo sigue siendo una limitante en la transferencia tecnológica.

Figura 1. Nivel de educación de productores de quinua en Anta, Cusco.

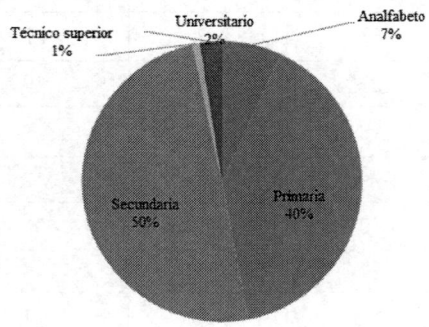

Fuente: Elaboración propia

Más del 50% de los agricultores está conformado entre 20 y 50 años; siendo una población joven, casi la tercera parte entre 50-60 años y la población mayor a 60 años representa el 17% (figura 2). Esta proporción, prácticamente se han mantenido en los rangos de edad analizados respecto a resultados obtenidos en el censo del 2012.

Figura 2. Edad de productores de quinua en Anta, Cusco.

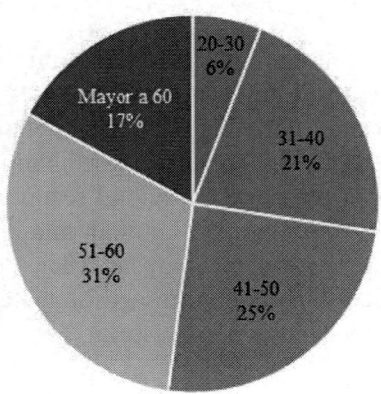

Fuente: Elaboración propia

En cuanto a la residencia temporal de los productores de quinua, las tres cuartas pares de la población no migran de sus comunidades, y si lo hacen sólo el 18% se permiten un tiempo de ocio y el 4% migran con fines laborales cuando salen de sus comunidades (figura 3). Por lo que la mayor proporción de los agricultores están arraigados a tiempo completo a las actividades agrícolas, entre ellas la quinua.

Figura 3. Residencia temporal de productores de quinua en Anta, Cusco.

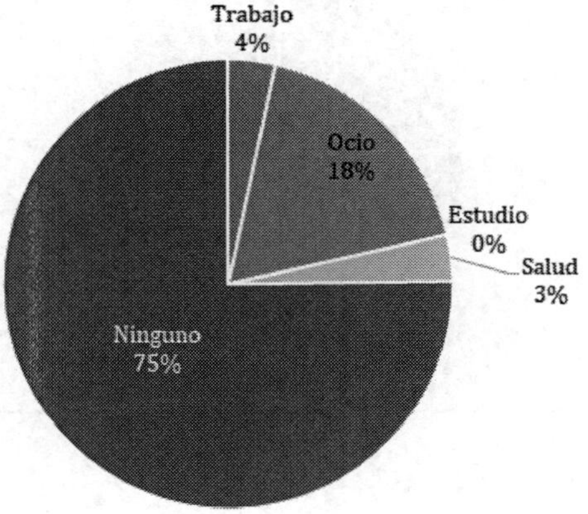

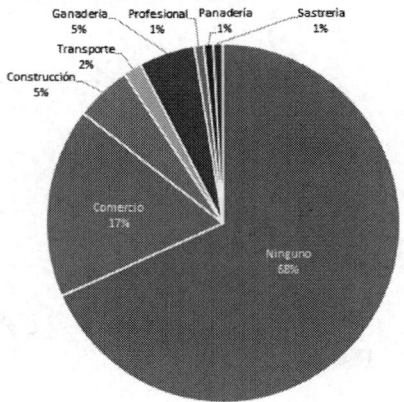

Fuente: Elaboración propia

El 68% de los agricultores de Anta no cuentan con actividad secundaria para incrementar sus ingresos, por lo que mayoritariamente dependen de la actividad agrícola, un 17% se dedican al comercio local y regional y sólo 5% se dedican al sector de la construcción (figura 4).

Figura 4. Actividad secundaria de productores de quinua en Anta, Cusco.

Fuente: Elaboración propia

El 67% de los agricultores tienen entre 2 y 4 hijos por unidad familiar, siendo menor a los que poseían hasta antes de la década de los noventa. Además, casi de la mitad de los encuestados posen sólo entre 2 y 3 hijos (figura 5), reduciendo así el relevo generacional de cara al futuro.

Figura 5. N° de hijos de productores de quinua en Anta, Cusco.

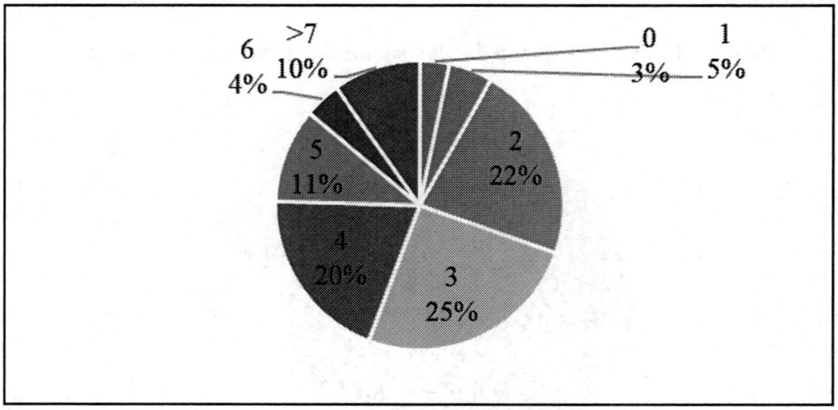

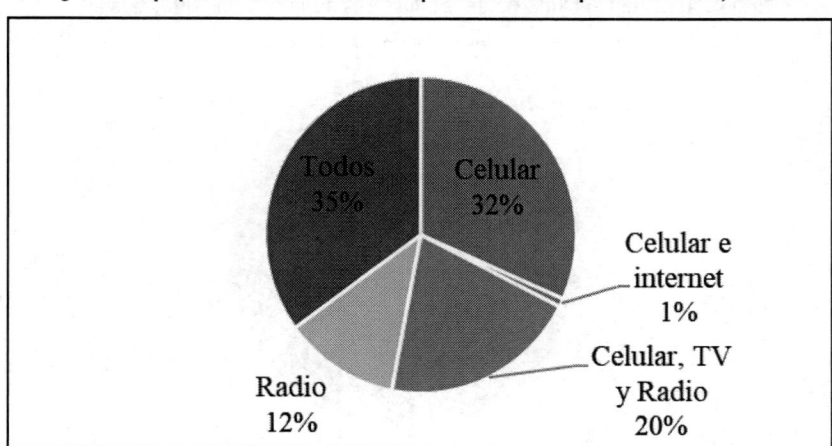

Fuente: Elaboración propia

Entre los equipos de comunicación se visto que el 35% de los encuestados poseen celular con internet, radio y televisión; mientras que el 32% poseen celular básico sin internet y el 12% únicamente cuentan con radio (figura 6). A pesar de un ligero incremento respecto al censo del 2012, es un limitante en el contexto de la crisis sanitaria, tanto en el acceso de la información como a las redes sociales, sobre todo en el acceso a la educación virtual de sus hijos desde el inicio de la pandemia.

Figura 6. Equipos de comunicación de productores de quinua en Anta, Cusco.

Fuente: Elaboración propia

En cuanto a la participación familiar en las labores agrícolas, el 73% de los agricultores cuentan con la mano de obra no remunerada de la pareja, los hijos y abuelos (figura 7), reduciendo la dependencia y contratación de mano dobra para sus actividades agrícolas, que tampoco pueden permitírse por la baja rentabilidad y el alto riesgo de la agricultura en esta zona.

Figura 7. Participación familiar en labores de quinua en Anta, Cusco.

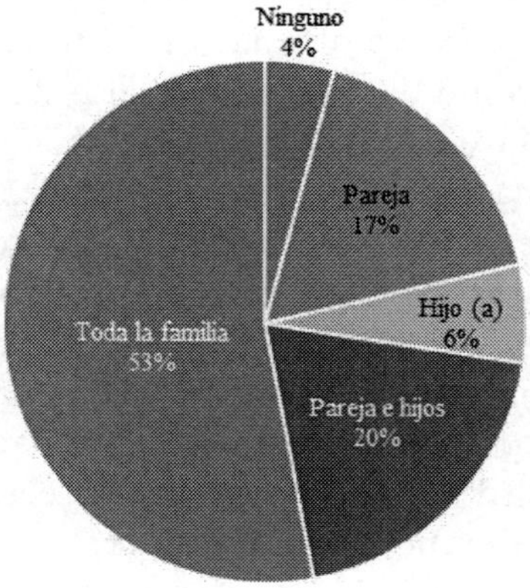

Fuente: Elaboración propia

Más del 50% de los agricultores requieren la contratación temporal entre 3 y 8 personas y el 19% requieren entre 9 y 10 personas para cumplimentar la ayuda de sus familiares, mientras que el 7% requieren contratar mayor a 10 personas que supones asumir mayor inversión por contar mayores superficies y, el 11% de los agricultores practica el ayni (vocablo quechua que aduce a la gestión de la mano de obra prestada "hoy por mi mañana por ti" (figura 8).

Figura 8. Mano de obra en productores de quinua en Anta, Cusco

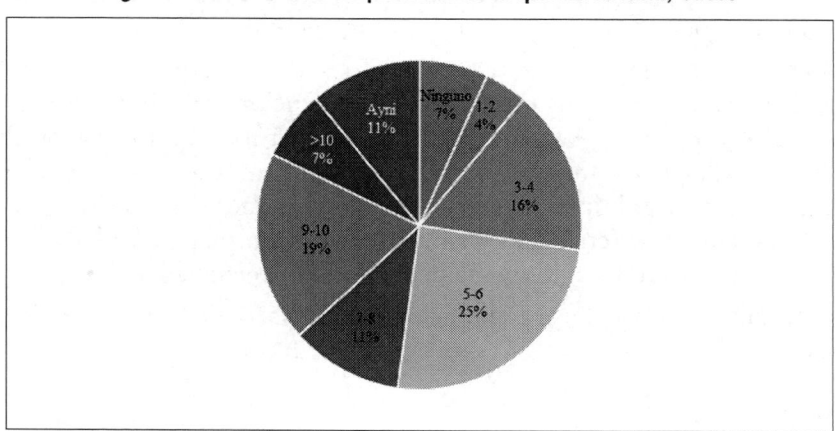

Fuente: Elaboración propia

El 96% de las viviendas de los agricultores están construidos por bloques de adobe; elaborado a base de tierra arcillosa y paja – uch'u en quechua- (*Stipa ichu*), el resto poseen viviendas a base de concreto. El 79% de los agricultores poseen con instalaciones de agua dentro de la vivienda, mientras que el resto lo tiene fuera de casa (18%) en forma de grifo público y manante (3%). El 91% poseen de energía eléctrica pública en casa y el resto tiene otras fuentes (generador propio, panel solar y velas).

El 44% de los agricultores, de alguna forma transforman sus productos tanto para comercializar como para conservar, el resto los comercializa como materia prima y en estado fresco por ser no perecible. El 73 % de los productores de quinua poseen una superficie menor a 0,33 ha (1 topo como medida de la zona) y un 15% poseen 0,66 ha (2 topos) y el resto (12%) poseen iguales y mayores a 1 ha, siendo micro-regionalizada, tal como lo ha demostrado (Maletta, 2017). Por lo que corresponde a una producción minifundista y sus parcelas están dividida con otros cultivos. Además el 81% cultivan solo una variedad mejorada, el resto poseen al menos 2 variedades, orientando así a la especialización y monocultivo. El 62% de sus parcelas cuentan una producción en secano y solo el 35% cuentan con regadío.

4. CONCLUSIONES

Si bien es cierto que con el boom de la quinua, los agricultores de las comunidades andinas; en concreto de Anta-Cusco, han mejorado las condiciones sociales y económicas. Sin embargo, la responsabilidad de prolongar el periodo de auge del cultivo y el posicionamiento del producto en el mercado internacional, supone un cambio tecnológico y cultural, poniendo en discusión la sostenibilidad del cultivo en las zonas tradicionales. La intensificación del cultivo por satisfacer la demanda internacional, prevé impactos sobre la diversidad genética, conocimientos ancestrales y ambientales

Afrontar los grandes retos de cara al futuro, será casi imposible en las mismas condiciones actuales e instrumentos de intervención del Estado. Por ser un producto globalizado, implica competir con agricultores y empresas productoras de países de primer mundo. Además de incentivar a través de proyectos, deberá implementar políticas de incentivos por mantener la agro-diversidad y mejores condiciones de retribución para garantizar tanto la seguridad alimentaria, la sostenibilidad del cultivo y la de los recursos productivos.

Agradecimientos. A la Beca Generación Bicentenario de PRONABEC-Perú y a nuestros colaboradores.

Anexo 1

Evolución de superficie cosechada nacional de quinua (1951-2019)

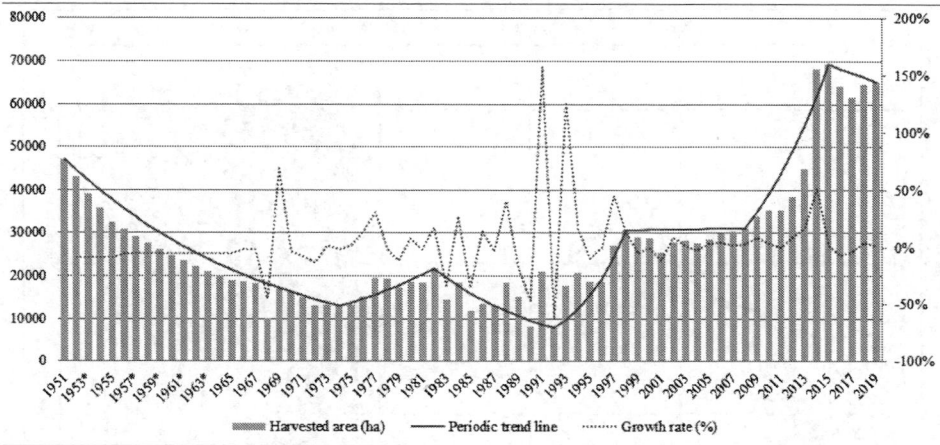

Fuente: Elaboración propia a partir de datos de MINAGRI

Anexo 2

Expansión mundial de quinua

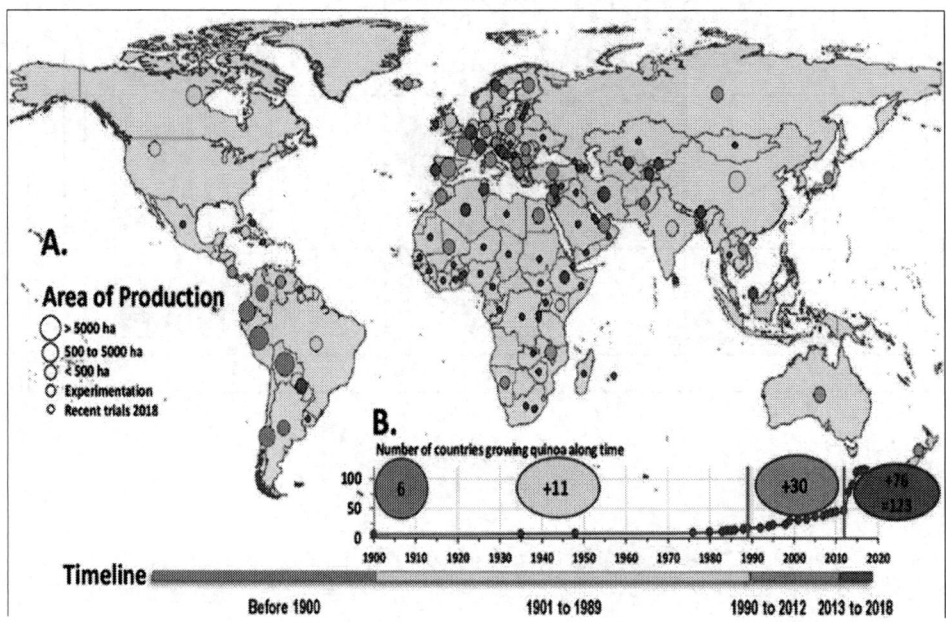

Fuente: Alandia et al., 2020

Anexo 3

Superficie cosecha de quinua por departamentos del Perú (2015)

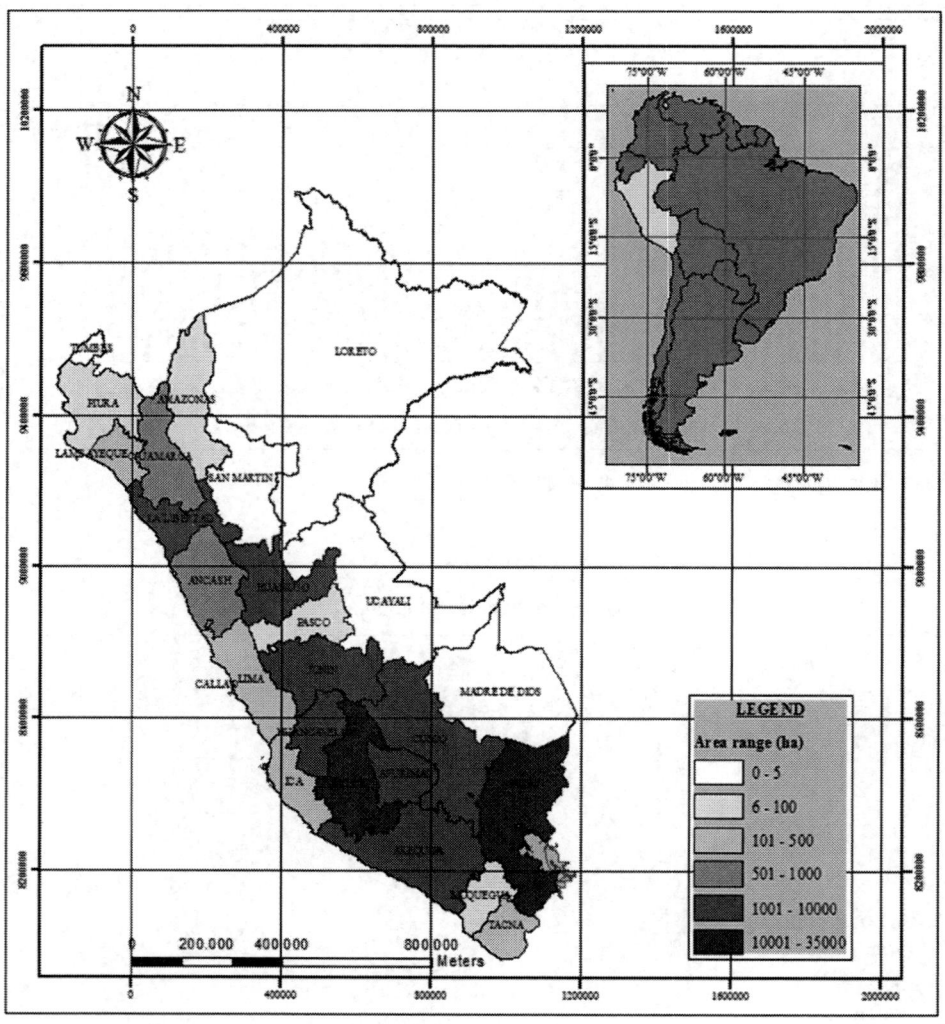

Fuente: Elaboración propia

Impacto del marco regulatorio sobre la disponibilidad de semillas en la zona andina

LUZVENIA MIRANDA, INMACULADA MARQUES
Y JHON HUILLCA

1. INTRODUCCIÓN

Las condiciones geográficas y climatológicas del ande peruano han favorecido la adaptación de plantas cultivadas y silvestres a diferentes pisos agroecológicos, generando amplia variabilidad genética que han llevado a posicionar al Perú como un país mega diverso a nivel mundial (Pastor Soplin et al. 1995). Bajo estas condiciones, las culturas pre incas e incas han llegado a domesticar cultivos andinos como tubérculos, granos, leguminosas, raíces, árboles frutales, aromáticas y medicinales (Tapia y Fries 2007; Pastor Soplin et al. 1995), creando un patrimonio cultural y ancestral de bien común (Huillca-Quispe y Segura 2019), que merecen ser conservados para garantizar el disfrute de las futuras generaciones.

Tradicionalmente lo granos andinos se han cultivado en toda la región andina de Sudamérica, entre ellas la quinoa, kiwicha o amaranto, tarwi y la cañihua que, posterior a la colonia han pasado un proceso de sub utilización, siendo catalogados como cultivos perdidos de los incas (National Research Council 1989; FAO 2009a). Sin embargo, se habrían mantenido en las zonas más recónditas del ande peruano (Winkel et al. 2015), que posterior a las investigaciones de sus propiedades nutritivas y cualidades de adaptación frente al cambio climático y los agentes externos; unos más que otros, vienen cobrando importancia. Las semillas de los granos andinos salieron de sus centros de origen con fines de investigación hacia Estados Unidos y Canadá en la década de los 70s y 80s, llegando a Europa en la década de los 80s y 90s, posterior a ello se ha incrementado su expansión a diversos partes del mundo (Bazile, Bertero y Nieto 2014; Alandia et al. 2019).

El Convenio de la Diversidad Biológica (CDB), creada en rio de Janeiro–Brasil en 1992, estipula por un lado, la soberanía nacional de la biodiversidad y por otro, obliga a las partes a formar acuerdos bilaterales para acceder a sus recursos genéticos (Chevarria-Lazo et al. 2014), facilitando el flujo de semillas al exterior y la innovación en el fitomejoramiento. Además, el Tratado Internacional sobre los Recursos Filogenéticos para Alimentación y Agricultura (2004) ha proporcionado un instrumento específico para el intercambio de germoplasma de los principales cultivos alimentarios y forrajeros (FAO 2009b), estableciendo un Sistema Global y Multilateral (MLS por sus siglas en inglés) que ha permitido a los agricultores, fitomejoradores y científicos intercambiar material genético. Sin embargo, los preservadores autóctonos no estarían recibiendo incentivos para prolongar la disponibilidad de esa diversidad. A pesar de que las normativas han promovido mayor flujo de semillas, ha existido una erosión genética continua en las comunidades andinas de origen, afectados por los cambios sociales y la actitud de la gente respecto a los cultivos foráneos (FAO 2011), que requieren ser analizadas en el contexto de los granos andinos.

Tanto la Revolución industrial como la verde, han coadyuvado a que las semillas de los granos andinos hayan pasado por un periodo de desplazamiento, por especies de mayor rendimiento y rentabilidad, en auge entre 1940-1970, por cereales como el trigo, cebada, centeno, arroz, etc. (Bazile, Bertero y Nieto 2014), reduciendo la biodiversidad de los granos andinos. Así mismo, en el contexto de la estandarización sobresalieron algunas variedades y ecotipos de mayor importancia económica que estarían causando un presunto desastre social y ambiental (Olarte-Calsina et al. 2016; Winkel et al. 2015); al desplazar y quedar subutilizadas las variedades locales. Estas han sido reemplazadas por variedades mejoradas, reduciendo así la diversidad de granos andinos. Este fenómeno estaría impactando con mayor proporción a la quinua que a la kiwicha. Frente a esto, universidades, centro de investigación y ONGs, han empezado a colectar semillas en bancos de germoplasma (INIA 2009); tales como la Universidad Mayor de San Marcos en Lima, la Universidad del Altiplano de Puno y la Universidad San Antonio Abad del Cusco con la finalidad de conservar la diversidad y el valor legado de nuestros ancestros. A pesar que los países andinos hayan realizado esfuerzos en fitomejoramiento, los cultivares obtenidos no están debidamente protegidos para ser distribuidos en la experimentación ni producción como lo están otros materiales genéticos en el resto del mundo (Alandia et al. 2020)

El presente artículo pretende analizar el impacto evolutivo del marco regulatorio sobre el uso de diversidad y disponibilidad de semillas en la zona andina, comparando algunos factores externos entre un grano que se ha puesto de moda (quinua) frente a otro de menor importancia económica (kiwicha). Se ha utilizado una metodología descriptiva en contraste con reportes y antecedentes con la finalidad de poner en valor los bienes y servicios de los granos andinos.

2.METODOLOGÍA

Se ha aplicado un análisis descriptivo a partir de la situación y evolución de colecciones de semillas en bancos de germoplasma, como respuesta a los efectos de la revolución verde e industrial, que supone un resguardo de amplia variabilidad genética de los cultivos andinos. Seguido por un análisis del impacto que vienen ocasionando las normas internacionales posterior a la formación del CDB, que han influido en la administración nacional e internacional de semillas. Finalmente se explica el estado de conservación del material genético de las zonas productoras en contraste con las accesiones que cuenta el Centro de Investigación en Cultivos Andinos (CICA) de la Universidad Nacional de San Antonio Abad del Cusco.

3. RESULTADOS

3.1. Aspectos generales

El Perú está ubicado en la parte central y occidental de Sudamérica, constituido por tres regiones naturales Costa, Sierra y Selva, las condiciones geográficas y climáticas han hecho posible que sea poseedor de 84 zonas de vida y 17 zonas de transición de las 105 a nivel mundial, estas condiciones han hecho que el Perú sea centro de origen de diversidad y domesticación de cultivos de gran importancia actual y futura (Pastor Soplin et al. 1995). En esta zona se han llegado a domesticar más de 45 especies económicamente útiles, constituyéndose uno de los cinco principales centros de domesticación de plantas alimenticias (Tapia y Fries 2007). Las excavaciones han demostrado la domesticación desde hace 7000 años (Tapia et al. 1979) y las investigaciones han permitido la clasificación de los cultivos andinos según sus características botánicas. Los tubérculos andinos, están conformados por: patata o papa, oca, olluco y mashua. Entre las raíces andinas: arracacha, yacon, achira, chagos, ajipa y maca. Entre los granos andinos: quinua, kiwicha, tarwi, cañihua y maíz. Entre frutales andinos se tiene a: aguaymanto, sachatomate, sauco, pushgay y pasifloras (tumbo, tin tin y granadilla); incluso existen plantas aromáticas y medicinales (Tapia y Fries 2007; Pastor Soplin et al. 1995). Esta variabilidad genética además de haber contribuido a la seguridad alimentaria, ha permitido establecer ecosistemas sostenibles y resilientes, sin embargo la acción antrópica viene diezmando esta diversidad y entre los factores más importantes podemos mencionar:

1. La revolución verde e industrial, ha desplazado a los cultivos andinos por otras especies de mayor rentabilidad con tecnologías modernas y uso de agroquímicos, conduciendo a la sub utilización de estos cultivos.

2. La migración hacia las capitales de ciudades desde la década de los 60s, ha provocado menor disponibilidad de mano de obra en las comunidades andinas, reduciendo las áreas cultivadas de mayor diversidad y con menor relevo generacional.

3. La intensificación de los cultivos ha llevado al deterioro de la fertilidad de suelos, reduciendo el rendimiento en las áreas tradicionales.

4. El inadecuado manejo de la pureza varietal ha llevado al deterioro genético de las especies y variedades.

5. La especialización y estandarización comercial ha provocado clasificar variedades comerciales que vienen sustituyendo a las variedades locales.

6. Los bajos precios no estimulan a continuar preservando la amplia diversidad

7. Las políticas de intervención del estado, no favorecen al desarrollo de los agricultores andinos, obligando a optar por otras actividades.

8. La débil participación de los servicios financieros y de seguros, nos muestra el alto riesgo que tiene la agricultura andina, por lo que se ven vulnerables a distintos riesgos agroclimáticos.

La agricultura tradicional andina actual tiene su origen en sistemas de manejo denominado "agricultura indígena clásica" practicada en tiempos precolombinos, caracterizadas por el uso de numerosas estrategias de manejo de riesgo. Dichas estrategias aún pueden observarse mezcladas con elementos tecnológicos introducidos durante la colonia entre las comunidades indígenas. Por ejemplo, el uso del arado egipcio y la yunta de bueyes o caballos, así como elementos técnicos modernos como el uso de maquinaria y agroquímicos (Velasquez-Milla et al. 2016), trayendo como consecuencia la sustitución de las herramientas tradicionales como la chakitaclla o aradao de pie, la raucana (instrumento rústico de labranza de mano), la corana (lampa pequeña para deshierbe), entre otros. Por lo que estas combinaciones tecnológicas brindan alternativas productivas a diferentes pisos ecológicos, prevaleciendo en la agricultura de montaña los más tradicionales, mientras que en valles interandinos se ha introducido la modernización agrícola, dejando de lado algunos conocimientos ancestrales, cambiando la visión agro céntrica por la antropocéntrica y dando mayor importancia a lo económico que a lo agroalimentario.

3.2. LEGISLACIÓN INTERNACIONAL Y NACIONAL

En el ámbito del comercio internacional en cuanto a recursos fitogenéticos útiles para la alimentación y agricultura (RFAA), los granos andinos están determinados por tres tratados internacionales: El derecho ambiental internacional que corresponde al Convenio de Diversidad Biológica (CDB), el derecho agrario internacional que corresponde al Acuerdo de la Organización Mundial de Comercio sobre los Derechos de Propiedad Intelectual vinculados al Comercio (ADPIC) y el derecho internacional sobre la propiedad intelectual que es el Convenio de la Unión Internacional para la protección de los derechos de los Obtentores Vegetales (UPOV) (Chevarria-Lazo 2015)

El CDB aprobado mediante Ley 165 de 1994 y ratificado por más de 170 países, tiene como objetivo además de la conservación y su utilización sostenible, establecer la necesaria "participación justa y equitativa en los beneficios que se deriven de la utilización de los recursos genéticos" pero hace falta incorporar un anexo, donde se prevea "la distribución justa y equitativa de los beneficios provenientes de la utilización del conocimiento tradicional asociado a los recursos genéticos" por ser estos "inalienables, imprescriptibles e inembargables" patrimonio soberano de cada uno de los países (Uribe Arbeláez 2016).

Además, el Tratado Internacional sobre los Recursos Filogenéticos para Alimentación y Agricultura (2004), estrechamente relacionada al CDB, ha proporcionado un instrumento específico para el intercambio de germoplasma de los principales cultivos alimentarios y forrajeros (FAO 2009b), estableciendo un Sistema Global y Multilateral (MLS por sus siglas en inglés) que ha permitido a los agricultores, fitomejoradores y científicos intercambiar material genético. Sin embargo los granos andinos no se encuentran en la lista de los cultivos de la MLS (Bazile, Jacobsen y Verniau 2016), hasta que por lo menos tengan mayor significancia económica. Aunque posterior a ello, hubo intenciones de incorporar a los cultivos menores en la Declaración de Córdoba (2012), denominada "Cultivos para el Siglo XXI", aún no se ha llegado a un buen puerto (Bazile, Jacobsen y Verniau 2016). Estas normas, que por un lado presumen que contribuye al flujo de semillas de mayor importancia económica (quedando fuera las variedades locales como ha sucedido con los cereales tradicionales), por otro lado se cree que existe avances importantes en la conservación y uso biotecnológico.

Bajo este contexto los países no tradicionales de producción de granos andinos; como es el caso de América del Norte y Europa, se han ido apropiando de la diversidad genética que ha costado domesticar y seleccionar por miles de años a los agricultores andinos (Winkel et al. 2015), poniendo en desventaja a los productores de países tradicionales de quinua frente a países desarrollados, por el dominio tecnológico y sistema comercial mundial. Según la USDA[979], Estados Unidos reúne más de 229 accesiones de quinua, distribuyendo a países que lo solicite; el Centro de Investigación de Cereales (CER-CRA) en Italia, obtuvo más de 100 accesiones para el cultivo y distribución en condiciones mediterráneas. Así mismo la FAO[980] sede en Egipto contribuyó a la distribución de semillas en África y otros países (Bazile, Jacobsen y Verniau 2016). Estas acciones nos muestran que si bien la expansión del cultivo de quinua y otros cultivos emergentes como es el caso de la kiwicha, contribuyen a la seguridad alimentaria mundial, existe una tendencia de intereses económicos y dominios en los poderes de mercado.

---

[979] Departamento de Agricultura de los Estados Unidos
[980] Organización de las Naciones Unidas para la Alimentación y la Agricultura

En el contexto peruano podemos ver que el Convenio UPOV[981] no conviene al país existiendo una probable privatización de los recursos, ya que su adhesión resultaría siendo desventajosa por el bajo nivel de inversión y desarrollo en ciencia y tecnología que conforman la base para el avance de la biotecnología (Chevarria-Lazo 2015). Por otro lado existe casos de biopiratería como el ayahuasca (*Banisteriopsis caapi)* de la Amazonía peruana, que ya se encontraba descrita en el herbario de la Universidad de Michigan. Entre los cultivos andinos este fenómeno también se está experimentando como es el caso de la quinua (*Chenopodium quinoa W.)* que fue patentada por agrónomos de la Colorado State University; la maca (*Lepidium meyenii*) también es codiciada por los biopiratas por sus propiedades anticancerígenas y afrodisiacas que contiene su raíz; incluso la corteza de cinchona o chinchona *(Cinchona officinalis)* de la amazonia peruana, para tratar la fiebre por su contenido de quinina (Uribe Arbeláez 2016). Por tanto, después de manipulaciones biotecnológicas bajo supuestas normas de ética, varios cultivos se han encontrado patentados, limitando el acceso a los países originarios al derecho de inscripción a la propiedad intelectual para valorar el patrimonio heredado por varias generaciones. Además, estas patentes llevarían a un costo irrazonable por la utilización de estas semillas en sus propios países de origen, limitando la disponibilidad y acceso a sus propios recursos genéticos modificados.

En cuanto a las normas nacionales, los cultivos andinos vienen siendo regulados a través de la Ley N° 27262, Ley General de Semillas modificada por el Decreto Legislativo N° 1080, y el DS N° 006-2012-AG, de 1 de junio del 2012, por el que se aprueba el Reglamento de semillas; la Ley N° 27821 de promoción de complementos nutricionales para el desarrollo alternativo; la Resolución Ministerial N° 0533-2008-AG; relacionada a la creación del Registro Nacional de la Papa Nativa Peruana – RNPNP; y la Ley N° 28611 General del Ambiente (15/10/2005), que deroga el Código del medio Ambiente (Decreto Ley N° 613). Estas normas definen los lineamientos de política y de planificación ambiental, así como, incorporan, complementan y reglamentan el marco legal internacional y regional, y facilitan la gestión de los recursos genéticos contenidos en la diversidad biológica (INIA 2009). Además las directrices relacionadas a la ley de semillas, constituye las normas de promoción, facilitación, supervisión y regulación de las actividades referentes a la investigación, producción, certificación, acondicionamiento y comercialización de semillas de buena calidad. Sin embargo, no está orientado a la retribución hacia el productor por el mantenimiento de mayor diversidad en sus parcelas.

También existe un sin número de disposiciones legales relacionados a la puesta en valor de las especies cultivadas infrautilizadas y su aprovechamiento sostenible, que generalmente no se ponen en práctica (INIA 2009). Sin embar-

---

[981]   Unión para la Protección de los Obtentores de Variedades Vegetales

go en las comunidades andinas, existiría una cierta autonomía en la gestión de los recursos productivos, amparados por la ley de Protección de Acceso a la Diversidad Biológica Peruana y los Conocimientos Colectivos de los Pueblos Indígenas (Ley N°28216 2004). La Ley N° 28477, que declara a los cultivos, crianzas nativas y especies silvestres usufructuadas patrimonio natural de la nación. La Ley N° 27104 de prevención de riesgos derivados del uso de la biotecnología, la Ley N° 27037 de Promoción de Inversión en la Amazonía, el Reglamento de Áreas Naturales Protegidas (D.S. 038-2001-AG), y el Reglamento de la Ley sobre Conservación y Aprovechamiento Sostenible de la Diversidad Biológica (D.S. 068-2001-PCM) (INIA 2009). Por lo tanto su administración local no sería un problema normativo, sino la aplicación de estas normas y la colaboración interdisciplinar de las instituciones involucradas.

Cabe resaltar que no existe una norma integral orientada a los granos andinos, por lo que se han visto vulnerados frente a las amenazas de intereses antrópicos, económicos, ambientales y climáticos. En el mejor de los casos es notorio la emergencia de un interés orientado en los granos de mayor importancia económica, especialmente por las divisas que vienen aportando sobre la economía nacional, existiendo normas para la Producción, Certificación y Comercialización de Semillas de Quinua, según Resolución Jefatural N° 0014-2012-INIA[982], de 11 de febrero del 2012 (Lapeña 2012) que ha sido modificada por la R.J. N° 00210-2013-INIA con algunos matices sobre el estándar mínimo de calidad de germinación de quinua (que pasó de 90 a 80%) (INIA 2013). Además, esta normativa ha promovido la producción de semillas en diferente calidad, clases y categorías (Tabla 1). En este contexto se ve favorecida algunos granos andinos como la quinua, tarwi, y el maíz amarillo duro frente a la kiwicha y cañihua.

---

[982] Instituto Nacional de Innovación Agraria

Tabla 1. Fichas de requisitos mínimos de calidad

Estado	Cultivo	Clase certificada				Clase no certifica-da
		Básica	Registra-da	Certifi-cada	Autori-zada	
Semillas de Especies con Reglamentación Específica	Quinua (Chenopodium quinoa W.)	X	X	X	X	X
	Tarwi o chocho (Lupinus mutabilis S.)	X	X	X	X	X
	Maíz amarillo duro (zea mays L.)	X	X	X	X	X
Semillas de Especies sin Reglamentación Específica	Kiwicha (Amaranthus caudatus)					X
No especifica	Cañihua (Chenopodium pallidicaule)					

Fuente: INIA (2021), disponible en: https://www.inia.gob.pe/adq-sem-fichas-req-calidad/

Este proceso de certificación de semillas no viene siendo administrada por las instituciones agrícolas del estado, por lo que han emergido empresas privadas certificadoras que cumplen el rol de SENASA[983]-MIDAGRI[984]. Lo mismo estaría sucediendo en el proceso de certificación orgánica, cumpliendo la figura de un peaje en la adquisición del sello de producto orgánico con dudosa supervisión de los entes correspondiente, ya que entre el 2014 y 2015, la FDA[985] de los Estados Unidos detectó cientos de toneladas de quinua con excesos de rastros de productos químicos, siendo rechazados y arrojados al mar (Medina 2015), esto ha provocado la reducción de los precios, consecuentemente la reducción de la superficie cosechada.

3.3. Colección de germoplasma ex situ

Entre los impactos generados por la revolución verde e industrial, la agricultura andina ha sufrido cambios a distintas escalas. De los aspectos tecnológicos destaca el uso de maquinaría agrícola, fertilizantes químicos, pesticidas y riego tecnificado que han desplazado la tecnología tradicional que se había adaptado en diferentes pisos ecológicos. Este impacto se ha generado en mayor proporción en la Costa a diferencia de la Sierra y Selva peruana.

La conservación y la promoción de la cultura andina son cruciales para asegurar la subsistencia tanto de los sistemas agroecológicos tradicionales como de la agrobiodiversidad. Por lo tanto, las políticas que apoyen y respeten

---

[983]   Servicio Nacional de Sanidad Agraria
[984]   Ministerio de Desarrollo Agrario y Riego que ha sustituido al MINAGRI en 2020
[985]   Food and Drug Administratión

la cultura andina a través de programas educativos, culturales y económicos están directamente conectadas con la conservación de variedades campesinas tradicionales (Velasquez-Milla et al. 2016).

Estos efectos han motivado a instituciones públicas; como las universidades, a poner en marcha estrategias de conservación en bancos de germoplasma, con la finalidad de reunir la mayor variabilidad genética de las especies nativas, conservar a través de refrescamientos de semillas y contar con la disponibilidad de genes para el fitomejoramiento. Esta conservación ex situ, ha pasado por cuatro etapas:

En la primera etapa se dio mayor importancia a la descripción botánica de estas especies (1956-1964) y ello permitió iniciar una primera evaluación de la biodiversidad. El trabajo pionero es el efectuado por los botánicos A. Hunziker (1951) en granos y M. Cárdenas (1954) sobre todo en tubérculos y raíces. Lo cual se completó con el apoyo del IICA[986] en los trabajos de Rea y León (1964) (Tapia 2018).

Una segunda etapa se puede considerar el esfuerzo que iniciaron las universidades regionales. En el caso del Perú se puede mencionar la Convención de Quenopodiáceas organizada por la Universidad del Altiplano en Puno en 1968, donde se consolida una etapa de avance en universidades del Cusco con la colección de lupinus y tubérculos andinos; en Huancayo con las colecciones de quinua y tarwi; en la Universidad de Puno con quinua y qañiwa y el Instituto Boliviano de Tecnología Agrícola (IBTA) con la mayor colección de quinuas (Bazile, Bertero y Nieto 2014).

La tercera etapa se inicia con el apoyo del Consejo Internacional de Recursos Fitogenéticos (CIRF) que financia la realización de diferentes expediciones de recolección, asimismo la adecuación de los locales para los bancos de germoplasma, tanto en Bolivia y Perú, como posteriormente en Ecuador. Estos trabajos fueron coordinados técnicamente por el entonces Programa de Andes Altos del IICA y muchos de sus resultados se presentaron en los anales de los diferentes congresos de cultivos andinos realizados en los países andinos (INIA 2009).

Finalmente, una cuarta etapa de introducción del uso de la biotecnología en la conservación del germoplasma especialmente de los tubérculos y raíces andinos, que coincide con la labor iniciada en el Laboratorio de Recursos Genéticos y Biotecnología de la Universidad Nacional Mayor de San Marcos (Lima, Perú, 1984) y el inicio del Proyecto de Tubérculos y Raíces Andinas del Centro Internacional de la Papa (CIP) en 1994, con apoyo de la Cooperación Técnica Suiza desde 1993. Esta etapa coincide también con un cierto fortalecimiento de acciones relacionadas a la conservación in situ (Holle y Arbizu, 1994).

---

[986] Instituto Interamericano de Cooperación para la Agricultura

Las políticas nacionales del Estado peruano y las internacionales promovidas por la FAO, dan a conocer que ha existido un notable crecimiento en la expansión de los granos andinos con fines productivos y de conservación semillas. Para el caso de la quinua, los centros de origen (Perú y Bolivia), además de liderar en la producción mundial, cuentan con mayor diversidad genética colectada en forma de accesiones (Figura 1).

Figura 1. Número de accesiones y bancos de semilla que conservan germoplasma de quinua en los países de la región Andina

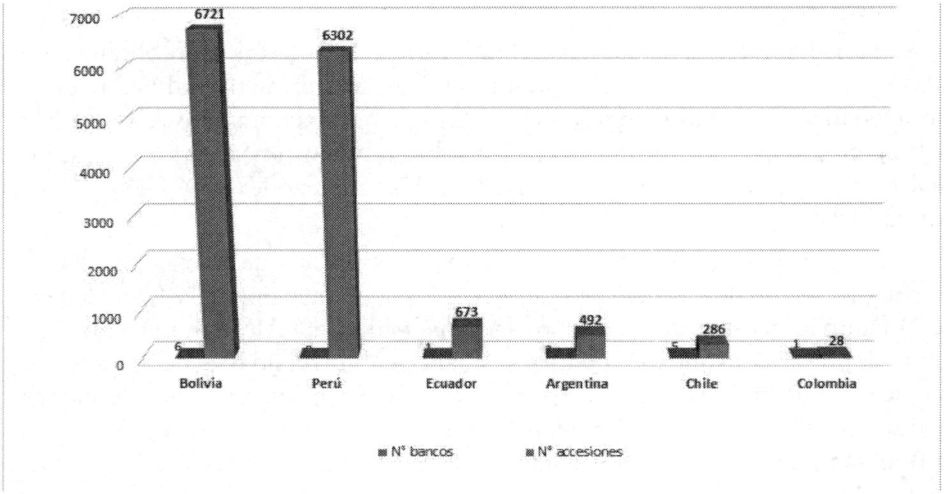

Fuente: Bazile, Bertero y Nieto (2014)

En cuanto al cultivo de kiwicha o amaranto, el banco de germoplasma de la Universidad Nacional San Antonio de Abad del Cusco es el más representativo con más de 60 especies diferentes y en cuanto a la procedencia de entradas o accesiones, indica que el Perú cuenta con más de 400 accesiones frente al resto del mundo, representando el 26% del total, seguido por Ecuador (5%), Estados Unidos (4%), Bolivia (1%) y el resto de países en menor proporción (Figura 2).

Tabla 2. Procedencia y número de entradas de germoplasma de kiwicha

País	N° de entradas	%
Perú	436	26,44
Ecuador	77	4,67
EEUU	70	4,24
Bolivia	28	1,70
México	12	0,73
India	8	0,49
Argentina	7	0,42

Guatemala	3	0,18
Nepal	3	0,18
Venezuela	3	0,18
Brasil	1	0,06
China	1	0,06
Genotipo y líneas en selección	1000	60,64
Total	1649	100,00

Fuente: Álvarez, Céspedes y Sumar (2010)

Asimismo el resto de granos andinos vienen mostrando mayor variabilidad genética en sus Centros de origen, sin embargo estarían siendo marginadas por los motivos que se han explicado en la sección 3.1.

En el contexto peruano existe 25 instituciones involucradas en la conservación de germoplasma de los cultivos andinos, entre ellas la Universidad Nacional de San Antonio Abad del Cusco a través del Centro de Investigación de Cultivos Andinos (CICA)(Pastor Soplin et al. 1995). El CICA ha mostrado un compromiso en la preservación de granos andinos a través del programa de quinua, kiwicha y otros granos. Los trabajos de colección se reportan desde el año 1980 concluyendo en el año 2000, se ha llegado a colectar más de 1.600 genotipos de kiwicha (Álvarez, Céspedes y Sumar 2010). Mientras que, para la quinua se ha llegado a colectar 554 accesiones (Álvarez y Céspedes 2017).

De esta amplia diversidad de granos andinos, la quinua en especial se ha llegado a clasificar por la importancia comercial del grano, debido a que los morfotipos que contienen granos de color blanco y amarillo tuvieron mayor demanda, reduciendo esta diversidad a 20 variedades comerciales (ver anexo 1), entre mejoradas por el INIA y las tradicionales (Apaza et al. 2013). Sin embargo en los últimos años existe un mayor interés por los granos de color rojo, negro y gris, por el mayor contenido de antioxidantes, propiedades nutraceuticas y vistosidad en la decoración gastronómica que han abierto nuevas tendencias de mercado por productos saludables.

En el caso del grano de kiwicha, el CICA ha logrado obtener tres variedades mejoradas altamente comerciales, difundida a nivel nacional e internacional: Oscar Blanco CAC–038, Noel Vietmeyer CAC–043, CICA 2006 CAC–403 (Álvarez, Céspedes y Sumar 2010). En los últimos años existen reportes de 12 variedades o cultivares que se vienen cultivando en Lima, Huancayo, Arequipa y Cusco (ver anexo 2), así mismo se vienen probando nuevos cultivares como el CICA 117 y 5 compuestos en diferentes zonas agroecológicos, desde Valles interandinos hasta a más de 4.000 metros de altitud a nivel regional (Huillca 2013). Esta selección de variedades comerciales también fue clasificada por las presiones del mercado, pero en menor magnitud a comparación de la quinua.

3.4. Conservación in situ

La conservación in situ se fue dando desde épocas ancestrales, especialmente en la región andina por familias campesinas mostrando soberanía alimentaria e independencia de semillas (INIA 2009). A raíz de los impactos socioeconómicos provocados por la pérdida de la agrodiversidad surgieron proyectos, a partir de la década de los 90, con la conservación de tubérculos en diversas instituciones y centros de investigación en todo el Perú (Anexo 3). Sin embargo el estado peruano tuvo limitados recursos para la ejecución de proyectos de conservación in situ (Pastor Soplin et al. 1995). Posterior a ello resalta el "Proyecto INIA", enmarcado en la recuperación de algunos cultivares y parientes silvestres de cultivos andinos clasificados entre priorizados y asociados (anexo 4), incrementándose la diversidad genética en el periodo 2001- 2005 (INIA 2009).

Actualmente el MIDAGRI, a través del INIA cuenta con el programa de reconocimiento de "Zonas de Agrobiodiversidad" (ZABD), creada por el Decreto Supremo 020-2016-MINAGRI, con los siguientes objetivos: 1) Promover la conservación in situ y uso sostenible de la agrobiodiversidad nativa y de los agroecosistemas, 2) Fomentar la articulación de las ZABD a las dinámicas económicas a nivel local, regional y nacional, 3) Promover la retribución por servicios eco sistémicos en las ZABD en conformidad de la ley N° 30215 y 4) Fortalecer el sistema de conocimientos tradicionales, tecnologías e innovaciones de los pueblos indígenas y sus sistemas culturales relacionadas con la conservación y uso sostenible de la agrodiversidad nativa (MINAGRI 2020). En este contexto ya se han reconocido 4 zonas de agrobiodiversidad (INIA 2021), que según el repositorio institucional de INIA, se detalla a continuación en función del orden cronológico:

1. Los andenes de Cuyocuyo, ubicado en la provincia de Sandía, de la región Puno (RM N° 342-2019-MINAGRI del 15 de octubre de 2019). Los andenes cuentan con variedades nativas y parientes silvestres relacionadas a cultivos como el maíz (22), habas (22), papa (>125), oca (31), olluco (29), mashua (12), quinua, entre otros.

2. El parque de la papa ubicado en el distrito Pisac, provincia de Calca, Región del Cusco (RM N° 081-2020-MINAGRI, del 05 de marzo del 2020). En sus 7.238 ha abarca 4 comunidades campesinas (Amaru, Paru paru, Pampallaqta y Chahuaytire) y contiene más de 1,200 variedades de patata/papa, 45 variedades de olluco, 35 variedades de oca, 11 variedades de mashua, 9 variedades de maíz, 3 variedades de quinua, 3 variedades de tarwi, 8 variedades de haba, entre otros

3. Ccollasuyo es una comunidad campesina, del distrito de Marcapata, provincia de Quispicanchi, Región Cusco (RM N° 0267-2020-MINAGRI del 09 de noviembre del 2020), cuenta con más de 14,000 ha, don-

de se han identificado 100 variedades de papa nativa, 40 accesiones entre oca, mashua y olluco, 12 tipos de maíz y otros como la quinua, frijol, kiwicha y tarwi.

4. Marcapata Ccollana, también del distrito de Marcapata, provincia de Quispicanchi, Región Cusco, reconocida recientemente (RM N° 0018-2021 MIDAGRI del 26 de enero del 2021), cuenta con una extensión de 22,680 ha, con más de 99 variedades de patata cultivada, más de 50 variedades de otras raíces y tuberosas andinas, 25 variedades o razas de maíz; entre parientes silvestre se ha identificado cuatro especies de patata, tres especies de oca y dos especies de mashua. También resalta el Sistema Muyuy para la rotación de cultivos y sistemas de labranza tradicional (chuki, t'aya y wachu).

4. CONCLUSIONES

• Tanto las normas nacionales como internacionales no han permitido una protección integral al agricultor andino, ya sea con incentivos o compensaciones económicas por preservar durante muchos siglos la alta diversidad en sus parcelas, generar soberanía y seguridad alimentaria en condiciones geográficas y climáticas muy adversas. Mientras algunas empresas semilleristas vienen lucrando tanto por mantener como por mejorar, los agricultores andinos se encuentran vulnerables ante cualquier amenaza o evento catastrófico.

• Las políticas nacionales de la conservación in situ vienen focalizando zonas con mayor biodiversidad, reconociéndose 4 Zonas de agrobiodiversidad (ZABD) en el ande peruano, sin embargo la normativa no especifica las estrategias de retribución por los servicios ecosistémicos.

• Por lo tanto, la conservación ex situ estatal o privada sería una buena alternativa de preservación frente algún evento catastrófico en los lugares de origen que fueron colectados, sin embargo es necesario complementarlas con políticas de repatriación de este patrimonio acompañadas de estrategias o instrumentos de sostenibilidad en función de la riqueza genética que cuentan los agricultores. Estas acciones garantizarían el disfrute de la agrobiodiversidad para las futuras generaciones.

5. ANEXOS

Anexo 01. Variedades comerciales de quinua

N°	Variedad	Eflusión de saponina	Tamaño de grano	Rendimiento (t/ha)
1	INIA 431–Altiplano	nada	grande	3
2	INIA 427–Amarilla Sacaca	mucha	grande	3,5
3	INIA 420–Negra collana	nada	pequeño	3,1
4	INIA 415–Pasankalla	nada	mediano	3,54
5	Illpa INIA	nada	grande	3
6	Salcedo INIA	nada	grande	2,50–6,50
7	Quillahuaman INIA	nada	mediano	3,5
8	Ayacuchana INIA	regular	pequeño	2,5
9	Amarilla marangani	mucha	grande	3,5
10	Blanca de Juli	poca	pequeño	1,5–2
11	Blanca de Junín	regular	mediano	2,5
12	Cheweca	poca	mediano	No menciona
13	Huacariz	poca	mediano	1,8–2,5
14	Hualhuas	poca	mediano	3,2
15	Huancayo	regular	mediano	2,8
16	Kankolla	poca	mediano	1,50 a 2,00
17	Mantaro	nada	mediano	2,5–2,7
18	Rosada de Junín	regular	pequeño	No menciona
19	Rosada Taraco	mucha	grande	No menciona
20	Rosada de Yanamango	poca	mediana	2 – 2,5

Fuente: Apaza et al. (2013)

Anexo 2. Rendimiento de variedades de kiwicha en cuatro departamentos del Perú

Cultivar	Rendimiento (kg/ha)			
	Lima	Huancayo	Arequipa	Cusco
INIAP alegría	921	1601	2714	2358
Oscar blanco	694	1361	2625	2210
S-DGO-HI	601	1917	3581	674
Línea 10-C	435	1313	2880	2640
Noel Vietmayer	434	1500	2849	2755

INIAP Ataco	208	1472	3333	2580
ICTA-01-0012	97	2374	2464	1996
Liena 41-F	77	1792	3052	2920
UTAB Cahuayuma		2295	2589	2091
Amaranthus cruentus		572	2344	1540

Fuente: Huillca (2013)

Anexo 3. Conservación In Situ

Principales proyectos sobre conservación in situ ejecutados entre los años 1996-2007

N°	Nombre del proyecto	Entidad ejecutora	Región	Años
1	Conservación in situ de tubérculos menores en Huánuco y Cusco	Instituto de Biotecnología de la UNALM-IDMA	Huánuco y Cusco	2006-2008
2	Niñez campesina y biodiversidad en los Andes y Crianza campesina	Asociación Choba-Choba	San Martin	2002-2007
3	Fortalecimiento de la Conservación In situ de tubérculos Andinos y Seguridad Alimentaria en Ecosistemas Frágiles en los Andes del Sur del Perú	CRIBA-UNSAAC	Cusco	2002-2005
4	Manejo y Monitoreo de variedades locales de cultivos amazónicos I	CODESU	Ucayali	2002-2003
5	Manejo y monitoreo de variedades locales de cultivos amazónicos II	CODESU	Ucayali	2004-2005
6	Conservación In Situ de cultivos nativos y sus parientes silvestres	IIAP, CESA, INIA, CCTA, PRATEC, ARARIWA	Nacional	2001-2005
7	Modelos de diversidad y detección temprana de riesgos de erosión en Pucallpa	SUDIRGEB-INIA	Ucayali	2001-2003
8	Conservación In Situ de Raíces y Tuberosas Andinas Fase I	SUDIRGEB-INIA	Cajamarca	1998-2000
9	Conservación In Situ de Raíces y Tuberosas Andinas Fase II	SUDIRGEB-INIA	Cajamarca	2001-2003
10	Conservación de la Agrobiodiversidad en Chacras de agricultores	SUDIRGEB-INIA	Nacional	2007-2011

11	Niñez campesina y biodiversidad en los Andes del Perú	PRATEC	Puno; Cusco; Huancavelica; Ancash; Ayacucho	2002-2007
12	Vigorización de la biodiversidad cultural y biológica en 10 comunidades rurales del Perú	PRATEC	Cajamarca	2006-2009
13	Sembrar para comer. La soberanía alimentaria en los Kechua-Lamas del río Mayo, Lamas	PRATEC	San Martin	2006-2008
14	Parque de la papa	Asociación Kechua-Aymara para comunidades sustentables Andes	Cusco	2001-

Fuente: INIA (2009)

Anexo 4. Inventario de la Variabilidad Nominal de Cultivos Nativos, INIA–Proyecto In Situ

N°	Cultivos	N° de variedades registradas por campaña			
		2001-2002	2002-2003	2003-2004	2004-2005
Priorizados					
1	Arracacha	23	22	29	35
2	Camote	50	39	55	71
3	Camu-camu	1	1	1	1
4	Cañihua	5	12	15	15
5	Frijol	95	93	225	241
6	Granadilla	7	8	17	18
7	Maca	27	61	71	71
8	Maíz	88	68	332	296
9	Papa	692	978	1421	1699
10	Quinua	19	52	108	109
11	Yuca	82	80	104	122
Sub total		1089	1414	2378	2678
Asociados					
1	Achira	4	5	8	8
2	Aguaje	6	3	6	7
3	Ají	41	27	45	39
4	Calabaza	28	31	36	41
5	Chirimoya	18	8	19	26
6	Cocona	6	6	9	13

7	Kiwicha	4	4	5	5
8	Lúcuma	7	6	12	18
9	Maní o caca-huate	19	19	29	28
10	Mashua	44	84	112	134
11	Oca	97	181	216	200
12	Olluco	41	99	119	111
13	Pallar	31	31	62	71
14	Pepino dulce	4	5	7	5
15	Tarwi o altramuz	6	18	34	40
16	Tomate del árbol	4	6	7	10
17	Tumbo	3	4	7	6
18	Tuna	13	5	15	13
19	Yacón	17	11	18	22
Sub total		393	553	766	797
Total		1482	1967	3144	3475

Fuente: INIA (2009)

OBRAS COEDITADAS POR LA EDITORIAL TIRANT LO BLANCH CON DEL DEPARTAMENTO DE DERECHO MERCANTIL "MANUEL BROSETA PONT"

1. BATALLER, J., BOQUERA, J., OLAVARRÍA, J. (Coord.), *El contrato de seguro en la jurisprudencia del Tribunal Supremo,* Col. Tirant lo Blanch Tratados, Valencia, 1999

2. GONZÁLEZ CASTILLA, FCO., *Representación de acciones por medio de anotaciones en cuenta,* Col. Tirant lo Blanch Monografías n.º 102, Valencia, 1999

3. LOIS CABALLÉ, A., *La prohibición de competencia de los administradores de la sociedad de responsabilidad limitada,* Col. Tirant lo Blanch Privado n.º 30, Valencia, 1999

4. FERRANDO VILLALVA, L., *La información comercial de las entidades de crédito. Estudio especial de los informes comerciales bancarios,* Col. Tirant lo Blanch Monografías n.º 140, Valencia, 2000.

5. CUENCA GARCÍA, A., *Los mercados secundarios oficiales de futuros y opciones en la Ley del Mercado de Valores,* Col. Tirant lo Blanch Monografías n.º 141, Valencia, 2000.

6. IMMENGA, U., *El Mercado y el Derecho de Valores. Estudios de Derecho de la Competencia,* Col. Tirant lo Blanch Teoria, Valencia 2001

7. MARIMÓN DURÁ, R., *El crédito documentario irrevocable: configuración jurídica y funcionamiento,* Col. Tirant lo Blanch Monografías n.º 210, Valencia, 2001

8. BOQUERA, J., BATALLER, J., OLAVARRÍA, J. (Coord.), *Comentarios a la Ley de Contrato de Seguro,* Col. Tirant lo Blanch Tratados, Valencia, 2002

9. HERNANDO CEBRIÁ, L., *La empresa como objeto de negocios jurídicos,* Col. Tirant lo Blanch Monografías n.º 219, Valencia, 2002

10. BOQUERA MATARREDONA, J., *El contrato de seguro de transporte de mercancías por carretera,* Col. Tirant lo Blanch Monografías n.º 238, Valencia, 2002

11. EMBID IRUJO, J.M. (Coord.), *Las competencias de los órganos sociales en las sociedades de capital,* Col. Tirant lo Blanch Monografías n.º 340, Valencia 2005

12. HERNANDO CEBRIÁ, L., *El contrato de compraventa de empresa,* Col. Tirant lo Blanch Monografías n.º 293, Valencia, 2005

13. OLAVARRÍA IGLESIA, J. (Coord.), COMENTARIOS A LA LEY DE FUNDACIONES, Col. Tirant lo Blanch Tratados, Valencia, 2008

14. GUILLEN CARRAU, J., *Denominaciones geográficas de calidad. Estudio de su reconocimiento en la OMC, la UE y el Derecho español*, Col. Tirant lo Blanch Monografías n.º 547, Valencia, 2008

15. ABRIANI, N., CALVOSA, L., FERRI JR, G. Y OTROS, *Derecho Italiano de Sociedades (Manual breve)*, ed. Tirant lo blanch, Col. Teoria, Valencia 2008

16. SALDAÑA VILLOLDO, B, *La acción individual de responsabilidad civil contra los administradores de las sociedades de capital*, Valencia 2009

17. ABRIANI, N., EMBID, J.M., EMPARANZA, A., BOQUERA, J. (Dirs.y Coords.), *Los derechos de los accionistas en las sociedades cotizadas (El proceso de adatación de la Directiva 2007/36/CE, de 11 de julio, sobre el ejercicio de determinados derechos de los accionistas de las sociedades cotizadas en España y en Italia)*, ed. Tirant lo blanc. Col. Biblioteca jurídica mercantil, Valencia, 2011

18. PALAU, FELIPE (Coord.), *Aspectos jurídicos sobre las Indicaciones Geográficas en España, Unión Europea y Comunidad Andina*, Valencia, 2012

19. CUÑAT EDO, V. Y BATALLER GRAU, J.(DIRS.); OLAVARRÍA IGLESIA,J., VERCHER MOLL, J. Y BENITO DE OSMA, J. (Coords), *Supervisión en Seguros Privados*, Valencia, 2012

20. BATALLER GARU, J.; BOQUERA MATARREDONA, J. Y OLAVARRÍA IGLESIA, J., *El contrato de seguro en la jurisprudencia del tribunal supremo (1980-2012)*, Valencia, 2013

21. FAYOS FEBRER, J. B., *El derecho de asunción preferente en las Sociedades de Responsabilidad Limitada*, Valencia, 2013

22. GUILLEN CARRAU, J., *Manual de biotecnología para no juristas*, Valencia 2013

23. CUÑAT EDO, V.; MASSAGUER, J.; ALONSO ESPONA, F.J. Y GALLEO SÁNCHEZ, E.; PETIT LAVALL, Mª V. (DIRS.) *Estudios de Derecho Mercantil. Liber Amicorum Profesor Dr. Francisco Vicent Chuliá*, Valencia 2013

24. ORTEGA PARRA, S., *La participación del socio en las ganancias sociales. Contribucción al estudio del régimen jurídico del dividendo*, Valencia, 2015

25. CORBERÁ MARTÍNEZ, J. M., *Los conflictos entre las marcas y las denominaciones sociales. Últimos desarrollos en el sistema de marcas de la Unión Europea*, Valencia, 2016

26. OLAVARRIA IGLESIA, J. Y MARTÍ MIRAVALLS, J. (Dirs.), *Derecho Mercantil. Estudios in Memoriam del Profesor Manuel Broseta Pont*, Valencia, 2019

27. MARTÍ MIRAVALLS, J. (Dir.); RODILLA MARTÍ, C., (Coord), *Competencia en mercados digitales y sectores regulados*, Valencia, 2021